#실력향상
#고특점

내신전략
고등 국어

**Chunjae
Makes
Chunjae**

▼

[내신전략] 고등 국어 문학

개발총괄	김덕유
편집개발	고명선, 박지인, 송보미
디자인총괄	김희정
표지디자인	윤순미, 심지영
내지디자인	박희춘, 조유정
조판	대진문화 인쇄(구민범, 임수정, 문미선)
제작	황성진, 조규영

발행일	2022년 1월 1일 초판 2022년 1월 1일 1쇄
발행인	(주)천재교육
주소	서울시 금천구 가산로9길 54
신고번호	제2001-000018호
고객센터	1577-0902
교재 내용문의	(02)3282-1755

내신전략

고등 국어 **문학**

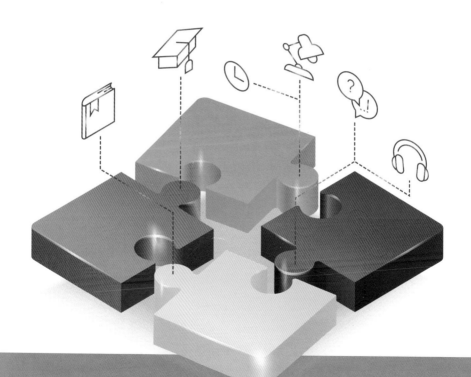

시험에 잘 나오는

개념BOOK 1

천재교육

내신전략

고등 국어 **문학**

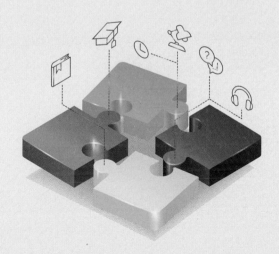

개념BOOK 하나면
국어 공부 끝!

시험에 잘 나오는 개념만 모았어~
차례부터 한번 살펴보자!

차례

1 시적 화자

뜻
- 시인이 전달하고자 하는 내용을 가장 효과적으로 전달하기 위해 설정된 허구의 대리인. 시 속에서 시인을 대신하여 이야기하는 사람

특징
- '시인'과 '화자'는 일치하지 않음.
- 시의 상황, 대상에 대한 정보를 전달해 주는 역할을 함.
- 시인의 내면세계를 효과적으로 드러냄.
- **표면에 드러난 화자**: 시적 화자인 '나'가 시에 드러난다는 의미. 시에 '❶ [　　]' 혹은 '❷ [　　]'라는 표현이 있는 경우를 말함.

 자기반성적인 시에서는 시인과 화자가 일치한다고 보기도 해.

예 '표면에 드러난 화자'

> 나는 이제 너에게도 슬픔을 주겠다.
> 사랑보다 소중한 슬픔을 주겠다.
>   – 정호승, 〈슬픔이 기쁨에게〉 미

→ 화자가 '나'로 표면에 드러남.

> 사람들 사이에 섬이 있다
> 그 섬에 가고 싶다
>   – 정현종, 〈섬〉 동

→ 화자가 표면에 드러나지 않음. (화자가 없는 것은 아님.)

답 ❶ 나 ❷ 우리

바로 확인

다음 작품의 제목을 참고하여, 이 시의 화자인 '나'가 누구인지 2음절로 쓰시오.

> 겨울밤 거리에서 귤 몇 개 놓고 / 살아온 추위와 떨고 있는 할머니에게
> 귤값을 깎으면서 기뻐하던 너를 위하여 / 나는 슬픔의 평등한 얼굴을 보여 주겠다.
>   – 정호승, 〈슬픔이 기쁨에게〉에서 미

답 | 슬픔

오 분간 _나희덕 [동]

이 꽃그늘 아래서 / 내 일생이 다 지나갈 것 같다.
기다림의 공간   표면에 드러난 화자
기다리면서 서성거리면서 / 아니, 이미 다 지나갔을지도 모른다.

▶ 1~4행: 일생이 '기다림'으로 다 지나갈 것 같다는 생각에 잠김.

아이를 기다리는 오 분간

아카시아꽃 하얗게 흩날리는 / 이 그늘 아래서

어느새 나는 머리 희끗한 노파가 되고,
미래에 대한 상념①
버스가 저 모퉁이를 돌아서 / 내 앞에 멈추면

여섯 살배기가 뛰어내려 안기는 게 아니라

훤칠한 청년 하나 내게로 걸어올 것만 같다.
미래에 대한 상념②
「내가 늙은 만큼 그는 자라서 / 서로의 삶을 맞바꾼 듯 마주 보겠지.」
「 」: 미래에 대한 상념③
기다림 하나로도 깜박 지나가 버릴 생(生),   ▶ 5~15행: 자신과 아이의 미래에 대한 상념에 잠김.

내가 늘 기다렸던 이 자리에 / 그가 오래도록 돌아오지 않을 때쯤
삶을 떨어지는 꽃잎과 같이 짧은 순간이라 생각함.
너무 멀리 나가 버린 그의 썰물을 향해 / 떨어지는 꽃잎,
아이가 어른이 되어 자신의 품을 떠난 상황을 비유함.
또는 지나치는 버스를 향해 / 무어라 중얼거리면서 내 기다림을 완성하겠지.

중얼거리는 동안 꽃잎은 한 무더기 또 진다.   ▶ 16~22행: 기다림에 대한 상념과 깨달음

아, 저기 버스가 온다.
시상의 전환   기다림의 상념에서 벗어남.
나는 훌쩍 날아올라 꽃그늘을 벗어난다.
▶ 23~24행: 오 분 동안의 상념에서 벗어남.

▶ 이 작품은 아이를 기다리며 떠올린 화자의 상념을 전하고 있다. 시인은 아카시아 꽃그늘 아래에서 아이를 기다리며 떠올린 기다림에 관한 생각을 아름다운 시적 언어로 그려 내고 있다.

바로확인

이 시의 화자에 대한 설명으로 적절하지 않은 것은?

① 이 시의 표면에 나타나 있다.

② 여섯 살배기 남자아이의 엄마이다.

③ 아이와 나눈 대화를 전달하고 있다.

답 | ③

2 화자의 정서와 어조

1. 정서

뜻 시적 화자가 자신이 처한 상황이나 바라보고 있는 시적 대상에 대해 느끼는 다양

한 [❶] , 기분 ➡ 시적 화자의 정서도 중요하지만, 시적 대상의 정서 역시 중요함.

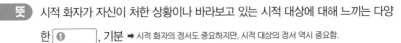

긍정적 정서의 예로는 기쁨, 희망, 동경 등을, 부정적
정서의 예로는 슬픔, 절망, 분노 등을 들 수 있어.

2. 어조

뜻 시적 화자가 시적 대상이나 독자에게 취하는 태도를 반영한 [❷] .

특징 ● 시인은 어조를 통해 시적 화자의 정서와 태도를 드러내며, 시의 [❸] 를 형

성함.

● 어조를 파악하면 시의 주제를 이해하는 데 도움이 됨.
어조는 종결 어미를 통해 잘 드러남.

예 별을 노래하는 마음으로 / 모든 죽어 가는 것을 사랑해야지

그리고 나한테 주어진 길을 / 걸어가야겠다.
의지적 어조

– 윤동주, 〈서시〉 금 , 미 , 비(박영)

답 ❶ 감정 ❷ 말투 ❸ 분위기

바로확인

다음 작품의 종결 어미에서 느낄 수 있는 화자의 태도를 쓰시오.

다시 천고의 뒤에

백마 타고 오는 초인이 있어

이 광야에서 목 놓아 부르게 하리라

– 이육사, 〈광야〉에서 천(박)

답 | 의지적 태도

너를 기다리는 동안 _황지우 금,지

네가 오기로 한 그 자리에 / 내가 미리 가 너를 기다리는 동안
기다림의 대상 　　　　　　　　　　　　　　화자가 처한 상황
다가오는 모든 발자국은 / 내 가슴에 **쿵쿵거린다**
발자국 소리와 화자의 심리 상태의 이중적 표현 → 기다림의 절실함을 감각적으로 표현함.(■■■: 청각적 심상)
바스락거리는 나뭇잎 하나도 다 내게 온다 / 기다려 본 적이 있는 사람은 안다
　　　　　　　　　기다림의 절실함
세상에서 기다리는 일처럼 가슴 애리는 일 있을까

네가 오기로 한 그 자리, 내가 미리 와 있는 이곳에서

문을 열고 들어오는 모든 사람이 / 너였다가
　　　　　　　　　　　　　'너'일 것이라는 확신
너였다가, 너일 것이었다가 / 다시 문이 닫힌다　▶ 1~12행: 너를 기다리는 동안 느끼는 감정의 변화
'너'이기를 바라는 소망 – 확신의 약화　　'너'가 아님을 확인 – 실망, 아쉬움
사랑하는 이여 / 오지 않는 너를 기다리며 / 마침내 나는 너에게 간다
기다림의 대상('너'의 실체)　　　　　　　　시상의 전환 – 화자의 태도 변화(소극적 자세 → 적극적 자세)
아주 먼 데서 나는 너에게 가고
'너'와 '나' 사이의 공간적 거리감
아주 오랜 세월을 다하여 너는 지금 오고 있다
'너'와 '나' 사이의 시간적 거리감　　'너'가 올 것을 확신함.
아주 먼 데서 지금도 천천히 오고 있는 너를

너를 기다리는 동안 나도 가고 있다
기다림을 능동적으로 표현하여 만남에 대한 의지를 강조함(역설법).
남들이 열고 들어오는 문을 통해

내 가슴에 **쿵쿵거리는** 모든 발자국 따라

너를 기다리는 동안 나는 너에게 가고 있다　▶ 13~22행: 너와의 만남에 대한 의지를 드러냄.

▶ 이 작품은 절실한 기다림의 심정을 감각적 표현을 활용하여 효과적으로 드러내고 있다. 간절하고 안타까운 어조로 '너'를 기다리는 화자의 설렘과 초조함, 절망감, 그리고 '너'와의 만남에 대한 희망과 의지를 드러내고 있다. 시상이 전환되는 부분에서는 화자의 소극적 기다림의 태도가 만남에 대한 적극적 태도로 변화하는 모습이 드러난다.

바로 확인

이 시에 드러난 화자의 태도로 적절하지 않은 것은?

① 절실한 어조로 간절한 기다림의 정서를 드러내고 있다.
② 냉소적 어조로 현실에 대한 비판적 태도를 나타내고 있다.
③ '너'와의 만남에 수동적이었던 태도가 능동적으로 변화한다.

답 | ②

3 운율

1. 운율(=리듬감)

뜻 | 시를 읽을 때 느껴지는 말의 가락으로, 규칙적인 ❶ [　　] 으로 만들어짐.

종류

외형률	– 시의 겉으로 드러나는 운율. 음수·음보·고저·장단 따위의 규칙적 반복으로 생김. – 주로 향가나 시조와 같은 고전 시가(❷ [　　])에서 나타남.
내재율	– 겉으로 명확히 드러나지는 않지만 작품에 깃들어 있어 천천히 새겨 읽으면 느낄 수 있는 운율 – 일정한 형식을 취하지 않는 현대 시는 대부분 내재율을 지님.

음수율은 글자 수가 규칙적으로 반복됨으로써 형성 되고, 음보율은 음보(시행을 읽을 때 대체로 쉬어 가 는 주기)가 반복됨으로써 형성돼!

효과
- 독자에게 언어의 아름다움과 쾌감을 느끼게 함.
- 시인이 강조하고자 하는 내용이나 주제를 부각하는 효과를 냄.

2. 운율 형성 방법

① **음운, 음절, 시어, 시구, 시행의 반복**: 특정 ❸ [　　] (자음과 모음), 음절(발음할 수 있는 최소 단위), 시어(시에 쓰이는 단어), 시구(시에서 둘 이상의 어절이 모인 구), 시행(시의 한 행)을 반복함.

> ㉠ 살어리 살어리랏다 청산(靑山)애 살어리랏다. / 멀위랑 ᄃ래랑 먹고 청산(靑山) 애 살어리랏다. / 얄리얄리 얄라셩 얄라리 얄라 ➡ 울림소리 'ㄹ, ㅇ'을 반복하여 운율을 형성함.
>
> – 작자 미상, 〈청산별곡〉 금, 비(박영)

② **문장 구조(=통사 구조)의 반복**: 같거나 비슷한 문장 구조를 반복함.

> ㉠ 산이 날 에워싸고 / 씨나 뿌리며 살아라 한다 / 밭이나 갈며 살아라 한다
>
> ➡ '~(이)나 ~며 살아라 한다'라는 문장 구조를 반복하여 운율을 형성함.
>
> – 박목월, 〈산이 날 에워싸고〉 비(박영)

③ **후렴구 사용**: 각 연의 마지막 부분에서 [④]를 반복함. 후렴구는 운율을 형성하고, 시각적으로 연을 구분하여 시의 구조를 명확히 드러내 주며, 작품 전체에 형식적인 통일성을 부여함.

> 예 넓은 벌 동쪽 끝으로 / 옛이야기 지줄대는 실개천이 회돌아 나가고,
>
> 얼룩백이 황소가 / 해설피 금빛 게으른 울음을 우는 곳, //
>
> ─ 그곳이 차마 꿈엔들 잊힐 리야. □: 후렴구 반복 → ① 운율을 형성함. ② 시각적으로 연을 구분하여 시의 구조를 명확히 드러냄. ③ 작품 전체에 형식적인 통일성을 부여함.
>
> 질화로에 재가 식어지면 / 비인 밭에 밤바람 소리 말을 달리고,
>
> 엷은 졸음에 겨운 늙으신 아버지가 / 짚베개를 돋아 고이시는 곳, //
>
> ─ 그곳이 차마 꿈엔들 잊힐 리야.
>
> － 정지용, 〈향수〉 천(박), 동, 비(박영)

④ **수미상관**: 동일하거나 유사한 시구 또는 연을 시의 첫 부분과 [⑤] 부분에 반복함.

> 예 나는 나룻배 / 당신은 행인 //
>
> 당신은 흙발로 나를 짓밟습니다. / 나는 당신을 안고 물을 건너갑니다. (중략)
>
> 나는 나룻배 / 당신은 행인
> □: 처음과 끝에 같은 시행을 반복하는 수미상관 구조
>   → ① 운율을 형성함. ② 작품 전체에 구조적 안정감을 줌.   － 한용운, 〈나룻배와 행인〉
>   ③ 주제를 강조함.

⑤ **음성 상징어 사용**: 음성 상징어(의성어, [⑥])는 대체로 같은 음절이나 단어가 반복되는 경우가 많기 때문에 음성 상징어를 사용하면 운율을 형성할 수 있음.

> 예 귀뚜르르 뚜르르 보내는 타전 소리가 / 누구의 마음 하나 울릴 수 있을까.
>   귀뚜라미의 울음소리를 흉내 낸 의성어를 사용하여 운율을 형성함.
>   － 나희덕, 〈귀뚜라미〉 금

답 ❶ 반복 ❷ 정형시 ❸ 음운 ❹ 후렴구 ❺ 마지막 ❻ 의태어

㉮ 이 몸이 \/ 죽어 가서 \/ 무엇이 \/ 될꼬 하니 ➡ 한 행을 네 마디씩 끊어 읽어 읽는 4음보가 나타남.
　　3　　　4　　　　3　　　4

봉래산 \/ 제일봉에 \/ 낙락장송 \/ 되어 있어 ➡ 3음절과 4음절의 반복으로 3·4조, 4·4조의
　3　　　4　　　　4　　　　4　　　　　　음수율을 형성함.

백설이 \/ 만건곤할 제 \/ 독야청청 \/ 하리라
　3　　　5　　　　4　　　3

　　　　　　　　　　　　　　　　　　　　　　　- 성삼문, 〈이 몸이 죽어 가서〉 미 , 지

▶ 이 작품은 시조로, 시조는 현존하는 우리 고유의 정형시이다. 시조의 기본형은 3장 6구 45자 내외이며 음수
　율과 음보율이 드러나는데, 음수율은 두 음보를 단위로 하여 3음절과 4음절이 반복되는 3·4조 또는 4·4조
　가 기본 운율이다. 음보율은 한 행을 네 마디씩 끊어 읽는 4음보가 나타난다.

㉯ 흔들리는 나뭇가지에 꽃 한번 피우려고

눈은 얼마나 많은 도전을 멈추지 않았으랴

싸그락 싸그락 두드려 보았겠지　□:어미의 반복
음성 상징어
난분분 난분분 춤추었겠지
음성 상징어
미끄러지고 미끄러지길 수백 번 ➡ 외형률과 같이 겉으로 드러나지는 않지만 소리 내어
시어의 반복　　　　　　　　　　읽어 보면 운율을 느낄 수 있음.

　　　　　　　　　　　　　　　　　　　- 고재종, 〈첫사랑〉 금 , 비(박안) , 신

▶ 이 작품의 2연에서는 운율이 두드러지는데, '싸그락', '난분분'이라는 음성 상징어, '미끄러지고', '미끄러지길'
　이라는 유사한 시어, '~겠지'라는 어미의 반복, 2연 1행과 2행에 비슷한 문장 구조 배치 등을 통해 운율을 형
　성하고 있다. 이러한 운율은 시의 내용을 부각하는 데에도 기여하는데, 눈꽃을 피우기 위해 끊임없이 노력하
　는 눈의 모습을 효과적으로 전달하고 있다.

바로 확인

(가), (나)의 운율에 대한 설명으로 적절하지 않은 것은?

① (가)는 우리 고유의 정형시로, 외형률이 드러난다.

② (나)는 운율이 겉으로 드러나지는 않지만 낭송해 보면 운율이 느껴진다.

③ (가), (나)는 모두 글자 수가 규칙적으로 반복됨을 눈으로 확인할 수 있다.

답 | ③

산이 날 에워싸고 ▨▨▨ : 시행을 반복하여 의미를 강조함. → 자연에서 살고자 함.

씨나 뿌리며 살아라 한다
　　　　　　□: 반복법 → 산이 화자에게 전하는 명령형의 권유
밭이나 갈며 살아라 한다 　　　　　　　　　　　▶ 1연: 문명에서 벗어난 자연 속에서의 삶

어느 짧은 산자락에 집을 모아

아들 낳고 딸을 낳고
　　평범한 삶의 모습
흙담 안팎에 호박 심고
　자연에서의 소박한 삶의 모습
들찔레처럼 살아라 한다

쑥대밭처럼 살아라 한다 　　　　　　　　　　　▶ 2연: 자연과 동화된 소박한 삶

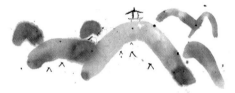

산이 날 에워싸고
「 」: 죽음도 자연의 순리로 받아들여야 함.
「그믐달처럼 사위어지는 목숨」
　　　　불이 사그라져서 재가 되는
그믐달처럼 살아라 한다
자연의 순리에 따라
그믐달처럼 살아라 한다 　　　　　　　　　　　▶ 3연: 자연의 순리에 따르는 삶

▶ 이 작품은 '산이 날 에워싸고~살아라 한다'라는 단순한 통사 구조를 반복하여 운율을 형성하고 있다. 또한 이
　를 통해 자연 속에서 지내는 소박한 삶, 더 나아가 죽음도 자연의 순리로 받아들이는 초월적인 삶을 살고 싶어
　하는 화자의 마음을 강조하여 드러내고 있다.

바로 확인

이 시에 대한 설명으로 알맞은 것은?

① 음성 상징어를 사용하여 운율을 형성하고 있다.
② 연속된 4음보의 율격으로 안정된 리듬감을 형성하고 있다.
③ 유사한 통사 구조를 반복하여 음악적 효과를 얻고 주제 의식을 강조하고 있다.

답 | ③

4 심상

1. 심상(=이미지)

뜻 시를 읽을 때 독자의 마음속이나 머릿속에 떠오르는 영상이나 감각

종류
- **감각적 이미지**: 어떤 시어나 시구가 시각, 청각, 촉각, 후각, 미각 등과 관련된 이미지를 불러일으키는 것
- 공감각적 이미지와 복합적 이미지

  ① **공감각적 이미지(=감각의 전이)**: 대상을 인식하기 위한 감각을 다른 종류의 감각으로 ① 하여 표현하는 이미지

  > 📎 나비 허리에 새파란 초생달이 <u>시리다</u>.　　　　　– 김기림, 〈바다와 나비〉
  > 　　　　　　　　　시각의 촉각화

  ② **복합적 이미지**: 두 가지 이상의 감각을 동시에 나란히 늘어놓은 이미지

  > 📎 집집마다 <u>누룩을 디디는 소리, 누룩이 뜨는 내음새</u>…….
  > 　　'누룩'을 청각과 후각적 이미지를 나열하여 복합적 이미지로 형상화함.
  > 　　　　　　　　　　　　　　　　　　　– 오장환, 〈고향 앞에서〉

 그 외에도 긍정적 이미지와 부정적 이미지, 상승 이미지와 하강 이미지, 동적 이미지와 정적 이미지 등이 있어.

2. 이미지의 대립

뜻 화자의 정서, 태도, 상황을 드러내거나 시적 대상을 묘사하기 위해 서로 다른 이미지를 제시하여 그 ② 가 선명하게 느껴지도록 표현하는 방법

예 우리가 눈발이라면 / 허공에서 쭈빗쭈빗 흩날리는 / △<u>잘눈깨비</u>는 되지 말자.
세상이 바람 불고 춥고 어둡다고 해도 / 사람이 사는 마을 가장 낮은 곳으로
따뜻한 ○<u>함박눈</u>이 되어 내리자.
➡ 부정적 이미지(△)와 긍정적 이미지(○)를 대립시켜
화자의 삶의 태도를 선명하게 드러냄.　　　　– 안도현, 〈우리가 눈발이라면〉

답 ❶ 전이 ❷ 차이

비 _정지용 창

돌에 / 그늘이 차고,
먹구름이 그늘을 만듦.

따로 몰리는 / 소소리 바람.
스산한 바람이 붊.

▶ 1, 2연: 비가 오기 직전의 모습

앞섰거니 하여 / 꼬리 치날리어 세우고,
물방울이 튀는 모습

빗방울이 여기저기 떨어지는 모습을 꼬리를 치켜 올리고
종종걸음을 걷는 새들의 모습에 비유함.(시각적 심상)

종종 다리 까칠한 / 산새 걸음걸이.
원관념: 계속 내리는 빗줄기

▶ 3, 4연: 빗방울이 떨어지기 시작하는 모습

여울지어 / 수척한 흰 물살,
가늘게 흐르는 물줄기

빗물의 흐름이 아직 굵은 물줄기
를 이루지 못하고 여러 갈래로
흐르는 모습(시각적 심상)

갈갈이 / 손가락 펴고.
가는 물줄기가 여러 갈래로 흐르는 모습(의인법)

▶ 5, 6연: 빗물이 여울이 되어 흐르는 모습

멎은 듯 / 새삼 듣는 빗낱
빗방울 따위의 액체가 방울져 떨어지는

붉은 잎 잎 / 소란히 밟고 간다.
붉은 나뭇잎에 빗방울이 소란스럽게 떨어지는 소리가 들림.(청각적 심상)

▶ 7, 8연: 빗방울이 단풍잎에 떨어지는 모습

▶ 이 작품은 비가 내리기 직전부터 본격적으로 내리기까지의 모습을 감각적으로 표현하고 있다. 비가 내리는 모습을 마치 한 장의 그림과 같이 시각적 심상으로 표현하고, 비가 내리는 소리는 청각적 심상으로 표현하였다. 시적 화자는 감정을 드러내지 않고 비 오는 정경만을 섬세하게 묘사하고 있다.

바로 확인

이미지를 중심으로 이 시를 감상한 내용으로 적절하지 않은 것은?

① 빗방울이 튀어 오르는 모습을 산새의 동작에 빗대어 시각적으로 표현하였다.

② 멎는 듯하다가 다시 시끄럽게 내리는 빗소리를 청각적 심상으로 표현하였다.

③ 여울져 흘러가는 빗물을 손가락으로 어루만지는 모습을 시각적으로 표현하였다.

답 | ③ | 가는 물줄기가 여러 갈래로 흐르는 모습을 물살이 손가락을 편 모습으로 의인화하여 표현하였다.

5 비유와 상징

1. 비유

뜻 어떤 대상이나 현상을 직접 설명하지 않고 다른 비슷한 대상이나 현상에
[❶   ] 표현하는 방법

특징
- 표현하고자 하는 대상을 원관념, 원관념을 표현하기 위해 끌어온 대상을 [❷   ]이라고 함.
- 직유법, 은유법, 의인법, 활유법, 대유법, 풍유법 등이 있음.

예
밤물결이 춤을 춘다고 비유하여 일렁이는 물결의 모습을 역동적으로 표현함.(의인법)
전설(傳說) 바다에 춤추는 밤물결 같은 / 검은 귀밑머리 날리는 어린 누이와
누이의 귀밑머리를 바다의 밤물결에 빗대어 아름답고 신비로운 느낌을 줌.(직유법)
아무렇지도 않고 예쁠 것도 없는 / 사철 발 벗은 아내가

따가운 햇살을 등에 지고 이삭 줍던 곳,

– 정지용, 〈향수〉 천(박) , 동 , 비(박영)

2. 상징

뜻 추상적인 사물이나 관념 또는 사상을 구체적인 사물로 나타내는 것.

특징
- [❸   ]은 시에 드러나지 않고 보조 관념만 드러남.
- 개인적 상징, 관습적 상징, 원형적 상징 등이 있음.

예
지금 눈 나리고 / 매화 향기 홀로 아득하니
고난(원형적 상징)   선비의 절개와 지조라는 관습적 상징과 연결되어 강인한 의지를 나타냄.(관습적 상징)
내 여기 가난한 노래의 씨를 뿌려라
조국의 광복을 위한 자기희생의 의지(개인적 상징)

– 이육사, 〈광야〉 천(박)

> 상징은 원관념 없이 보조 관념만 드러나기 때문에,
> 비유와 달리 보조 관념이 상징하는 의미가 여러 가
> 지로 해석될 수 있어.

답 ❶ 빗대어 ❷ 보조 관념 ❸ 원관념

첫사랑 _고재종 금, 비(박안), 신

흔들리는 나뭇가지에 꽃 한번 피우려고

눈은 얼마나 많은 도전을 멈추지 않았으랴
　　　의인법
▶ 1연: 눈꽃을 피우기 위한 눈의 도전

싸그락 싸그락 두드려 보았겠지
눈이 나뭇가지를 두드리는 소리(의성어)
난분분 난분분 춤추었겠지
눈이 흩날리는 모습(의태어)
미끄러지고 미끄러지길 수백 번,
　　눈이 눈꽃을 피우기 위해 겪는 시련
▶ 2연: 눈꽃을 피우기 위한 눈의 시련

바람 한 자락 불면 휙 날아갈 사랑을 위하여
원관념: 바람이 불면 휙 날아갈 눈꽃(은유법) → 첫사랑은 언제든 쉽게 끝날 수 있는 것임.
햇솜 같은 마음을 다 퍼부어 준 다음에야
순수한 눈의 마음을 '햇솜'에 비유함.(직유법)
마침내 피워 낸 저 황홀 보아라
원관념: 눈꽃(은유법) → 헌신과 노력으로 이루어 낸 첫사랑
▶ 3연: 마침내 피워 낸 눈꽃에 대한 예찬

봄이면 가지는 그 한 번 덴 자리에
　　　눈꽃이 피었던 자리, 첫사랑의 아픈 경험
「세상에서 가장 아름다운 상처」를 터뜨린다
「　」: 아픔을 겪은 후 도달한 성　원관념: 봄에 피어난 꽃, 새싹(은유법)
　숙한 사랑의 아름다움을
　역설적으로 표현함.
▶ 4연: 눈꽃이 진 후 봄에 피어난 꽃의 아름다움

▶ 이 작품은 한겨울 나뭇가지에 눈꽃이 피고, 봄이 되어 그 나뭇가지에 다시 꽃이 피는 자연 현상에서 발견한 사랑의 의미를 전하고 있다. '눈'을 의인화하고, 눈꽃을 '바람 한 자락 불면 휙 날아갈 사랑', '마침내 피워 낸 저 황홀', 봄에 피어난 꽃을 '세상에서 가장 아름다운 상처'로 표현하는 등 인상적인 비유를 사용하여 주제를 형상화하였다.

바로 확인

이 시에 사용된 표현 방식으로 적절하지 않은 것은?

① 봄에 피어난 꽃을 '상처'에 빗대어 인생의 덧없음을 표현하였다.

② 꽃을 피우기 위한 눈의 순수한 마음을 '햇솜'에 빗대어 표현하였다.

③ 눈을 의인화하여 도전하고, 춤추고, 마음을 다 퍼부어 주는 존재로 표현하였다.

답 | ① | 봄에 피어난 꽃을 '(세상에서 가장 아름다운) 상처'로 표현하여 첫사랑의 아픔을 겪고 난 후 성숙한 사랑의 아름다움을 나타내었다.

6 표현 방법_반어, 역설

1. 반어

뜻 속뜻과 ① 되게 표현하여 문장의 의미를 ② 하는 방법

예 나 보기가 역겨워 / 가실 때에는

죽어도 아니 눈물 흘리우리다.
표현: 슬픔의 눈물을 흘리지 않겠다. ↔ 속뜻: 많이 슬플 것이다.

— 김소월, 〈진달래꽃〉 천(박), 금, 동, 비(박안), 해

반어는 표현에 어색한 부분은 없지만 맥락을 고려할 때 의미가 반대로 해석돼. 반면 역설은 표현이 어색하게 느껴져서 의미를 곰곰이 생각해 보게 되지.

2. 역설

뜻 표면적으로는 이치에 맞지 않고 ③ 이 있으나 그 속에 진실을 담고 있는 표현 방법

예 나는 이제 너에게도 슬픔을 주겠다. / 사랑보다 소중한 슬픔을 주겠다.
이기적인 사랑보다 따뜻한 마음이 중요함을 강조하는 역설적 표현
겨울밤 거리에서 귤 몇 개 놓고 / 살아온 추위와 떨고 있는 할머니에게

귤값을 깎으면서 기뻐하던 너를 위하여 / 나는 슬픔의 평등한 얼굴을 보여 주겠다.

— 정호승, 〈슬픔이 기쁨에게〉 미

답 ① 반대 ② 강조 ③ 모순

바로확인

다음 시에서 역설적 표현이 사용된 부분을 찾아 3어절로 쓰시오.

> 봄 한 철 / 격정을 인내한 / 나의 사랑은 지고 있다. //
> 분분한 낙화…… / 결별이 이룩하는 축복에 싸여 / 지금은 가야 할 때,
> — 이형기, 〈낙화〉에서 비(박안)

답 | 결별이 이룩하는 축복

진달래꽃 _김소월 천(박), 금, 동, 비(박안), 해

나 보기가 역겨워

<u>가실 때에는</u>
이별의 상황을 가정함.

<u>말없이 고이 보내 드리우리다.</u>
반어적 표현: 겉으로는 묵묵히 받아들이는 자세를 보이지만,
내면에는 엄청난 고통이 있음을 강조함.

▶ 1연: 이별의 상황에 대한 체념(기)

<u>영변(寧邊)에 약산(藥山)</u>
평안북도의 한 지명 → 향토성 부여

진달래꽃

<u>아름 따다 가실 길에 뿌리우리다.</u>
임에 대한 화자의 정성과 사랑을 구체적 이미지로 표현함.

▶ 2연: 떠나는 임에 대한 축복(승)

가시는 걸음걸음

놓인 그 꽃을
　　　시적 화자의 분신
<u>사뿐히 즈려밟고 가시옵소서.</u>　▶ 3연: 원망을 초극한 희생적 사랑(전)
① 임을 위한 자기희생 ② 가지 말라는 만류의 우회적 표현

나 보기가 역겨워

가실 때에는

<u>죽어도 아니 눈물 흘리우리다.</u>　　　▶ 4연: 인고의 의지로 이별의 슬픔 극복(결)
① 반어적 표현: 임과의 이별에 대한 슬픔의 정서 강조
② 떠나는 임에 대한 배려의 태도

▶ 이 시는 이별의 상황을 가정하여, 임과의 이별이 주는 슬픔과 떠나는 임을 사랑으로 배려하는 마음을 간절한
　어조로 노래하고 있다. 떠나는 임을 '말없이 고이 보내' 주겠으며 '죽어도 아니 눈물 흘리'겠다는 반어적 표현은
　이별의 아픔을 강하게 드러낸다.

바로 확인

이 시에 드러난 화자의 태도로 적절한 것은?

① 과장된 표현을 사용하여 시적 대상에 대한 원망을 표현하고 있다.

② 수동적인 태도에서 능동적인 태도로 변화하여 임을 만류하고 있다.

③ 반어적 표현을 활용하여 시적 대상과 이별하는 슬픔을 드러내고 있다.

답 | ③

그 외의 표현 방법

1. 영탄: 놀라움, 탄식 같은 화자의 고조된 정서를 집약하여 감탄의 형태로 표현하는 방법. 감탄사, 감탄형 어미, 감탄의 의미를 지니는 의문형 어미 등을 사용함.

예 아아   예 -도다, -구나

예 고운 폐혈관이 찢어진 채로 / 아아, 늬는 산새처럼 날아갔구나!

<small>□: 감탄사와 감탄형 종결 어미를 활용한 영탄법으로 화자의 슬픔을 강조함.</small>
— 정지용, 〈유리창〉 천(이)

2. 설의: 질문하는 내용이 아니나 | ❶ | 의 형식을 사용해 의미를 강조하는 방법. 쉽게 판단할 수 있는 사실을 의문문의 형식으로 표현하여 내용을 인상적으로 전달함.

예 가난하다고 해서 사랑을 모르겠는가   — 신경림, 〈가난한 사랑 노래〉 비(박안)

<small>의문문의 형식으로 '가난할지라도 사랑을 안다'라는 의미를 강조함.</small>

3. 도치: 글이나 문장 성분의 배열을 뒤바꾸어 표현하는 방법. 의미를 강조하려는 부분이 주로 뒷부분에 놓임.

예 가난하다고 해서 왜 모르겠는가

가난하기 때문에 이것들을 / 이 모든 것들을 버려야 한다는 것을.

<small>➡ '이 모든 것들을 버려야 한다는 것을'을 서술어 뒤에 배치하여 가난 때문에 모든 것(인간적인 감정)을 버려야 하는 현실에 대한 비판 의식을 강조하여 드러냄.</small>   — 신경림, 〈가난한 사랑 노래〉 비(박안)

4. 대구: 비슷하거나 동일한 문장 구조를 짝 지어 표현하는 방법

예 떠나고 싶은 자 / 떠나게 하고

잠들고 싶은 자 / 잠들게 하고 ➡ '~고 싶은 자 ~게 하고'라는 문장 구조를 짝을 맞추어 나란히 배열하여 운율을 형성하고 의미를 강조함.
— 강은교, 〈사랑법〉

5. 대조: 서로 | ❷ | 되는 대상이나 내용을 맞세워 주제를 강조하거나 선명한 인상을 주는 표현 방법. 밝음과 어두움, 강함과 약함, 넓음과 좁음 등을 대립시켜 표현함.

예 별은 밝음 속에 사라지고

나는 어둠 속에 사라진다 ➡ 밝음과 어둠을 대조해 '별'과 '나'의 상반된 처지를 강조함.

— 김광섭, 〈저녁에〉 지

답 ❶ 의문문 ❷ 반대

유리창 _정지용 천(이)

유리에 차고 슬픈 것이 어린거린다.
　입김. 죽은 아이의 환영
열없이 붙어 서서 입김을 흐리우니
　기운 없이
길들은 양 언 날개를 파닥거린다.
　입김이 새처럼 날개를 파닥거리는 듯하게 보임.(=죽은 자식의 환영)
지우고 보고 지우고 보아도
　죽은 아이에 대한 그리움과 안타까움이 반영된 행동
새까만 밤이 밀려 나가고 밀려와 부딪치고,
　아이의 부재를 인식하는 시간
물먹은 별이, 반짝, 보석처럼 박힌다.
　눈물이 고인 눈으로 바라본 별 → 죽은 아이의 영상
밤에 홀로 유리를 닦는 것은

「외로운 황홀한 심사」이어니, 「 」: 아이의 부재를 확인하며 느끼는
　　　　　　　　　　　　　　외로움과 아이의 환영을 만나며
고운 폐혈관이 찢어진 채로 　　느끼는 황홀함이 교차하는 순간을
　아이가 죽은 원인 　　　　　　역설적으로 표현함.

아아, 늬는 산새처럼 날아갔구나!
　감탄사~화자의 정서가 집약되어 드러남.(영탄적 어조)

▶ 1~3행: 유리창에 비친 죽은 아이의 영상

▶ 4~6행: 창밖으로 보이는 밤의 영상

▶ 7~8행: 밤에 혼자 유리를 닦는 이유

▶ 9~10행: 아이의 안타까운 죽음에 대한 슬픔

▶ 이 작품은 아이를 잃은 화자의 슬픔과 그리움을 유리창을 매개로 감각적인 이미지를 활용하여 그려 내고 있다. 유리창은 화자와 시적 대상을 단절시키면서 만나게도 하는 이중적 의미를 가진 소재이다. 화자의 슬픔은 직접적으로 표출되지 않고, 여러 가지 표현 기법을 통해 절제되어 더욱 효과적으로 드러난다.

바로 확인

이 시의 표현 방식으로 적절하지 않은 것은?

① 대상에 인격을 부여하여 친근감을 주고 있다.

② 영탄적 어조를 사용해 화자의 정서를 집약하여 표현하고 있다.

③ 역설적 표현을 사용해 시적 대상의 부재에 대한 화자의 정서를 강조하고 있다.

답 | ①

8 객관적 상관물

뜻 화자의 정서를 ❶ [　　　]으로 드러내는 데에 사용된 구체적인 사물

종류

● **화자의 대리물(=분신)**: 화자를 대신하는 사물. 화자가 지향하는 삶의 태도를 드러내거나, 화자가 특정 사물에 대해 이것을 화자 자신으로 생각해 달라는 식으로 표현하기도 함.

> 예 나는 이런 저녁에는 화로를 더욱 다가 끼며, <u>무릎을 꿇어 보며,</u> (중략)
> 경건한 자세로 삶을 성찰함.
> 그 드물다는 굳고 정한 <u>갈매나무</u>라는 나무를 생각하는 것이었다.
> 맑고 깨끗한　화자가 지향하는 의지적 삶의 표상(객관적 상관물)
> – 백석, 〈남신의주 유동 박시봉방〉 미

● **정서 자극물(=촉매)**: 화자의 정서를 불러일으키거나 ❷ [　　　]하는 사물. 화자와 비슷한 처지에 있는 사물뿐만 아니라 대조되는 처지에 있는 사물도 포함됨.

> 예 펄펄 나는 저 <u>꾀꼬리</u> / 암수 서로 정답구나.
> 화자의 처지와 대조적인 존재(객관적 상관물)
> <u>외로워라</u> 이내 몸은 / 뉘와 함께 돌아갈꼬.　➡ '꾀꼬리'를 보고 외로운 처지를 새삼
> 화자의 심리 직접 제시　　　　　　　　인식하면서 외로움이 심화됨.
> – 유리왕, 〈황조가〉

● **감정 이입물**: 화자의 감정이 ❸ [　　　]된 사물

> 예 천만 리(千萬里) 머나먼 길히 <u>고은 님</u> <u>여희옵고</u>
> 단종　　　이별하고
> 니 무음 둘 디 업서 냇ㄱ에 안쟈시니,
> 슬픔, 안타까움, 연군의 정
> 져 <u>믈</u>도 내 <u>은 곳 호여·우러 밤길 녜놋다.</u>　➡ 화자의 비통한 심정을 물(시냇물)에 이입
> 감정 이입의 대상　　울면서 밤길을 흘러가는구나(의인법)　함으로써 감정을 객관화하여 표현함.
> – 왕방연, 〈천만 리 머나먼 길히〉

> 화자가 자신의 감정을 대상에 이입해서 그 대상이 감정을 느끼는 것처럼 표현하는 게 감정 이입이야. 이때 감정 이입한 객관적 상관물이 감정 이입물인 거지.

답 ❶ 간접적 ❷ 심화 ❸ 투영

별 헤는 밤 _윤동주 해

○: '-ㅂ니다'의 반복 → 운율 형성, 그리움의 정서 강조

계절이 지나가는 하늘에는 / 가을로 가득 차 있습니다.
　　　　　　　쓸쓸함의 정서　　　　　　　　　　　　　　▶ 계절적 배경 제시

나는 아무 걱정도 없이 / 가을 속의 별들을 다 헤일 듯합니다. (중략) ▶ 별을 바라보는 화자
시의 표면에 드러난 화자

별 하나에 추억과 / 별 하나에 사랑과
「 」: 별을 하나씩 세며 그리운 대상들을 하나씩 떠올림.
별 하나에 쓸쓸함과 / 별 하나에 동경과

별 하나에 시와 / 별 하나에 어머니, 어머니, (중략)
　　　　　　　　　　　　　▶ 별을 보며 떠올리는 것들

나는 무엇인지 그리워 / 이 많은 별빛이 내린 언덕 위에
화자가 지향하는 이상적 가치(아름다움, 순수, 어머니, 친구, 잃어버린 조국 등)
내 이름자를 써 보고, / 흙으로 덮어 버리었습니다.
　자아 성찰의 구체적인 행위　　　　부끄러움 때문에

딴은 밤을 새워 우는 벌레는 / 부끄러운 이름을 슬퍼하는 까닭입니다.
화자의 정서가 이입된 대상(감정 이입)　　행동하지 못하는 무기력한 자아에 대한 반성　▶ 부끄러운 삶에 대한 반성

그러나 겨울이 지나고 나의 별에도 봄이 오면 / 무덤 위에 파란 잔디가 피어나듯이
　　　　　　　　　　　　　　　　소멸　↔　생성(대립적 이미지)
내 이름자 묻힌 언덕 위에도 / 자랑처럼 풀이 무성할 게외다.
　　　부끄럽지 않은 삶을 살아갈 것이라는 소망　　　　▶ 미래에 대한 희망과 확신

▶ 이 작품은 밤하늘의 별을 보며 아름다웠던 과거를 그리워하고, 자아를 성찰하는 화자의 모습을 형상화한 시이
다. 화자는 '별'을 보며 아름다운 어린 시절에 대한 간절한 그리움을 전한 후, 무기력한 현재 자신의 모습을 반
성하고 미래에 대한 희망을 품는다.

바로 확인

이 시의 소재에 대한 설명으로 적절하지 않은 것은?

① '밤'은 화자에게 희망의 정서를 불러일으키는 매개체이다.

② '별'은 화자에게 그리움을 불러일으키는 환기의 매개체이다.

③ '벌레'는 화자가 지닌 부끄러움의 정서를 지닌 존재로, 감정 이입의 대상이다.

답 | ①

9 시상 전개 방식

뜻 시상(시인이 시를 통해 표현하고자 하는 생각, 정서)을 효과적으로 표현하기 위해 소재나 시구 등을 일정한 규칙에 따라 배열하여 시의 구조를 만들어 내는 방식

종류
- 시간과 관련된 시상 전개 방식
  ① 순행적 구성(예 과거-현재-미래) ② [**❶**]적 구성(예 현재-과거)
- 공간과 관련된 시상 전개 방식
  ① **공간의 이동**: 화자가 공간을 옮겨 다니며 시상을 전개하는 방식
  ② **시선의 이동**: 화자는 한 장소에 있으면서, 대상을 바라보는 화자의 시선만 이동하는 시상 전개 방식
- **기승전결에 따른 시상 전개 방식**: 시상의 제시(기) ➡ 시상의 발전·심화(승) ➡ 시상의 고조·전환(전) ➡ 시상의 마무리(결). 주로 한시에서 많이 사용됨.
- **선경후정의 시상 전개 방식**: [앞부분] 대상의 모습이나 [**❷**]를 묘사 ➡ [뒷부분] 대상이나 경치에서 느낀 화자의 [**❸**]나 태도 제시
- **점층적 시상 전개 방식**: 시어나 시구의 의미, 또는 화자의 정서가 점차적으로 강화되고 깊어지는 시상 전개 방식

그 밖에 둘 이상의 대상이 지닌 차이점을 맞대어 비교하는 방식으로 전개하는, 대비에 따른 시상 전개 방식도 있어.

예 **윤동주, 〈별 헤는 밤〉의 시상 전개 방식**: 시간에 따른 순행적 구성

과거	현재	미래
아름다웠던 어린 시절을 떠올리며 그리워함.	어두운 현실 속 자신의 삶을 성찰하고 부끄러움을 느낌.	다가올 미래에는 어두운 현실을 극복하리라는 희망을 가짐.

답 ❶ 역순행 ❷ 경치 ❸ 정서

절정 _이육사 ᄀ금.ᄉ신.ᄌ지

매운 계절(季節)의 채찍에 갈겨
일제 강점하의 가혹한 현실
마침내 북방(北方)으로 휩쓸려 오다.
극한 상황(수평적 한계)

▶ 1연: 수평적 공간에서의 극한 상황(기)

하늘도 그만 지쳐 끝난 고원(高原)
극한 상황(수직적 한계)
서릿발 칼날진 그 위에 서다
생존의 극한 상황 – 절정

▶ 2연: 수직적 공간에서의 극한 상황(승)

「어데다 무릎을 꿇어야 하나?」 「 」: 물러설 곳이 없는 절박한 상황

한발 재겨디딜 곳조차 없다.」
발끝이나 발뒤꿈치만 땅에 닿게 디딜

▶ 3연: 극한 상황에서의 화자의 심리(전)

이러매 눈감아 생각해 볼밖에
관조적 태도
겨울은 강철로 된 무지갠가 보다.
이질적 이미지의 결합(역설법)
→ 비극적 상황을 초극하려는 시적 화자의 강한 의지를 나타냄.

▶ 4연: 극한 상황을 초극하려는 의지(결)

▶ 이 작품은 한시의 전형적인 구성 방식인 '기–승–전–결'의 4단 구성 방식을 따르고 있다. '기, 승' 부분에서는 외적인 극한 상황이 제시되고 '전, 결'에서는 그러한 상황에 처한 화자의 의식 세계가 제시되고 있다. 이 시는 이러한 구성 방식을 통해 절제된 형식미를 보여 주고 있다.

바로 확인

이 시의 시상 전개 방식으로 가장 적절한 것은?

① 한시에서 주로 사용하는 '기승전결'의 방식으로 시상을 전개하고 있다.

② 가상의 청자에게 말을 건네는 방식을 통해 친근한 분위기를 조성하며 시상을 전개하고 있다.

③ 원경에서 근경으로 시선을 이동하는 과정에서 화자가 지향하는 세계의 모습을 형상화하며 시상을 전개하고 있다.

답 | ①

10 소설의 서술자와 시점

1. 서술자

뜻 소설에서 작가를 대신해 독자에게 이야기를 들려주는 사람. 서술자는 작가가 의도를 가지고 꾸며 낸 인물로 작가의 허구적 대리인이라고 함. 즉, 작가와 서술자는 같은 인물이 아님.

참고로, 글쓴이의 경험이 반영되는 수필에서 '나'는 글쓴이 자신이야. 반면 소설의 '나'는 실제 인물이 아닌 허구적 존재이지.

2. 시점

뜻 소설 속의 인물이나 사건을 바라보는 서술자의 **❶**

종류

1인칭 주인공 시점	작품 속 주인공인 '나'가 자신의 이야기를 직접 전달함.

➡ 주인공이 자신의 내면세계를 직접 드러내며, '나'의 입장에서만 서술됨.

1인칭 관찰자 시점	작품 속 부수적 인물인 '나'가 주인공을 관찰하여 주인공에 대한 이야기를 전달함.

➡ 관찰자인 '나'의 눈에 비친 것만 전달함. 주인공이나 다른 등장인물의 **❷** 은 직접적으로 드러나지 않음.

3인칭 관찰자 시점	작품 밖의 서술자가 인물의 속마음을 모른 채 상황을 관찰하여 전달함.

➡ 서술자가 일체의 해설이나 평가를 내리지 않고 서술함. 독자는 적극적으로 사건의 의미와 작가의 의도를 상상해야 함.

3인칭 전지적 시점	작품 **❸** 의 서술자가 인물의 속마음, 과거 행적, 사건의 처음과 끝을 모두 전달함.

➡ 독자의 상상력이 제한됨. 서술자가 때로는 작가의 인생관이나 주제를 직접 드러내기도 함.

답 ❶ 관점 ❷ 속마음 ❸ 밖

봄·봄 _김유정 천(박) . 금 . 동 . 비(박영) . 지 . 해

장인님은 원체 심청이 굳어서 그러지만, 나도 저만 못하지 않게 배를 채웠다. 아픈 것
　　　　　　　마음보
을 눈을 꽉 감고 넌 해라 난 재미난 듯이 있었으나, 볼기짝을 후려갈길 적에는 나도 모

르는 결에 벌떡 일어나서 그 수염을 잡아챘다마는, 내 골이 난 것이 아니라 정말은 아까
　　　　　　　　　　　　점순이 성례가 미뤄지는 것을 답답해하며 '나'에게 시킨 일임.
부터 벌 뒤 울타리 구멍으로 점순이가 우리들의 꼴을 몰래 엿보고 있었기 때문이다. 가
　부엌　　　　　　　　　　　　점순의 시선을 의식하고 자신이 바보가 아니라는 것을 증명하기 위해 장인에게 반항함.
뜩이나 말 한마디 톡톡히 못 한다고 바보라는데 매까지 잠자코 맞는 걸 보면 짜정 바보
　　　　　　　　　　　　　　　　　　　　　　　　　　　　　　　과연 정말로
로 알 게 아닌가. 또, 「점순이도 미워하는 이까진 놈의 장인님 나곤 아무것도 안 되니까
　　　　　　　　　「 」: 점순이 자기 아버지(장인님)을 싫어한다고 오해함. → 어수룩하고 못 미더운 서술자
막 때려도 좋지만 사정 보아서 수염만 채고(㉠제 원대로 했으니까 이때 점순이는 퍽 기뻤겠

지.)」저기까지 잘 들리도록

　　"이걸 까셀라부다!"
　　　　　　　세차게 칠까 보다.
하고 소리를 쳤다.」
「 」: 점순을 의식한 '나'의 허세
　　　장인님은 더 약이 바짝 올라서 잡은 참 지게막대기

로 내 어깨를 그냥 나려갈겼다. 정신이 다 아찔하다.
　　　　　　　　　　　　　　장인에 대한 분노가 고조됨.
다시 고개를 들었을 때 그때엔 나도 온몸에 약이 올랐

다. 이 녀석의 장인님을 하고 눈에서 불이 퍽 나서 그 아래
　　높임과 낮춤을 동시에 사용하는 모순된 호칭 → 웃음 유발
밭 있는 넝 알로 그대로 떼밀어 굴려 버렸다.
　　　둔덕 아래로

▶ 이 작품은 장인의 집에서 머슴으로 일하는 '나'의 입장에서 사건을 서술한다. 마름인 장인이 점순과의 결혼을 빌미
로 임금을 주지 않고 '나'를 착취하는 현실은 각박하고 불합리하기 그지없으나, 작가는 이러한 심각한 수탈의 상황
을 순진하고 어리숙한 '나'의 시선에서 전달함으로써 독자의 웃음을 유발하고 있다.

바로확인

㉠에서 알 수 있는 이 소설의 시점에 대한 설명으로 가장 적절한 것은?

① 서술자가 인물의 심리와 사건의 전후 사정을 모두 알고 있다.
② 서술자가 자신의 속마음을 말해 주지 않아 독자가 추측해야 한다.
③ 서술자가 주인공의 속마음만 알 뿐, 다른 인물의 내면은 잘 알지 못한다.

답 | ③

11 인물

1. 소설 속 인물과 그 유형

특징
- 인물의 성격은 어떤 사건 속에서 드러나는 인물의 [❶]과 행동, 그리고 인물에 대한 서술자의 서술을 통해 드러남.
- 인물의 말과 생각에는 그의 가치관, 세계관이 담겨 있으며 이는 작품의 주제 의식과 연결됨.

유형

역할에 따라	주동 인물	작품의 주인공으로, 사건을 이끌어 가는 역할을 함.
	반동 인물	주동 인물에 반대하여 갈등을 일으키는 대립자, 적대자
성격 변화에 따라	평면적 인물	작품의 처음부터 끝까지 성격이 변화하지 않는 인물
	입체적 인물	사건 전개에 따라 성격이 변화하는 인물
집단의 대표성에 따라	전형적 인물	특정 계층이나 집단의 특성을 [❷]하는 인물
	개성적 인물	개인으로서의 독자적 성격을 뚜렷하게 지닌 인물

> 고전 소설의 주인공들은 주동 인물이면서 평면적, 전형적 인물인 경우가 많아.

2. 인물에 대한 서술자의 태도

유형
- **우호적 태도(=긍정적 태도)**: 인물을 긍정적인 입장에서 서술하는 경우. 인물에 대한 동경이나 경외, 동정과 연민 등으로 나타남.
- **적대적 태도(=비판적 태도)**: 인물을 부정적인 입장에서 서술하는 경우. 인물에 대한 직접 비판이나 풍자, 냉소와 조롱, 혐오와 분노 등으로 나타남.
- **객관적 태도(=관조적 태도, 중립적 태도)**: 인물에 대해 긍정적이거나 비판적인 평가를 내리지 않고 보이는 그대로의 모습을 객관적으로 서술하는 경우

답 ❶ 말 ❷ 대표

가 ㉠심청이 여쭙기를,

"제가 못난 딸자식으로 아버지를 속였어요. 공양미 삼백 석을 누가 저에게 주겠어요.

남경 뱃사람들에게 인당수 제물로 몸을 팔아 오늘이 떠나는 날이니 저를 마지막 보
아버지(심 봉사)의 눈을 뜨게 하기 위해 스스로 인당수 제물로 팔려 가기로 함.
셔요." (중략)

심청이 아버지를 붙들고 울며 위로하기를,

"아버지 할 수 없어요. 저는 이미 죽지마는 아버지는 눈을

떠서 밝은 세상 보시고, 착한 사람 구하셔서 아들 낳고 딸을
죽음을 앞두고도 아버지만을 걱정함.-지극한 효심을 지님.
낳아 후사나 전하고, 못난 딸자식은 생각지 마시고 오래오래 평

안히 계십시오."

– 작자 미상, 〈심청전〉 미

나 [앞부분 줄거리] 무능하고 게으른 홀아비에게 팔려 시집간 복녀는 극도로 가난한 생활을 한다. 송
충이 잡는 일에 지원을 하여 열심히 일해 품삯을 벌던 어느 날, 복녀는 감독과 매춘을 한 인부는 일을
하지 않고도 돈을 많이 받게 된다는 사실을 알게 된다.

㉡복녀의 도덕관 내지 인생관은 그때부터 변하였다. / 그는 여태껏 딴 사내와 관계를
복녀가 변한 이유 – 도덕의식이 있던 복녀는 극도로 가난한 환경 때문에 돈과 애욕에 집착하게 됨.
한다는 것을 생각하여 본 일도 없었다. 그것은 사람의 일이 아니요 짐승의 하는 것쯤으

로만 알고 있었다. 혹은 그런 일을 하면 탁 죽어지는 일로 알았다. (중략)

이 일이 있은 뒤부터 그는 처음으로 한 개 사람으로 된 것 같은 자신까지 얻었다.

그 뒤부터는 그의 얼굴에 조금씩 분도 발리게 되었다.
돈을 벌기 위해 더 적극적으로 매춘에 의지를 보이는 복녀
– 김동인, 〈감자〉

바로 확인

㉠, ㉡에 대한 설명으로 적절하지 않은 것은?

① ㉠은 이야기의 핵심을 이끄는 주동 인물이다.
② ㉠은 지극한 효심을 지닌 효녀의 전형적 인물이다.
③ ㉡은 작품의 처음부터 끝까지 성격이 변하지 않고 일관된 모습을 보인다.

답 | ③

12 서술 방식, 인물 제시 방법

1. 서술 방식

뜻 서술자가 독자에게 인물, 갈등, 배경 등의 내용을 전달하는 방식

유형
- **서술**: 서술자가 독자에게 인물의 내면, 사건, 배경 등을 직접 설명하는 방식
- **묘사**: 배경, 인물, 사건 등을 ❶   그리듯이 구체적으로 표현하는 방식
  ➡ 대상을 감각적이고 구체적으로 표현함으로써 독자에게 생생하고 사실적인 이미지를 전달할 수 있음.
- **대화**: 소설 속 등장인물들이 주고받는 말.

> 대화의 방식으로 서술하면 인물의 성격과 개성을 잘 드러낼 수 있고, 사건을 장면화하여 제시함으로써 이야기의 사실성을 높일 수 있어.

2. 인물 제시 방법

종류
- **직접 제시(=말하기)**: 서술자가 인물의 성격과 심리를 직접적으로 설명하는 방법. 정확하게 전달할 수 있지만 독자의 ❷   을 제한할 수 있음.

   창섭의 아버지는 근검(勤儉)으로 근방에 소문난 영감이다. 그러나 자기
  창섭 아버지의 성격을 직접 제시함.
  대에 와서는 밭 하루갈이도 늘리지는 못한 것으로도 소문난 영감이다.
  – 이태준, 〈돌다리〉 신

- **간접 제시(=보여 주기)**: 서술자가 인물의 말과 행동, 사건을 묘사하여 인물의 성격과 심리를 간접적으로 드러내는 방법. 독자가 자유롭게 상상할 수 있는 여지를 주는 반면 인물의 심리나 성격을 ❸   하게 될 수도 있음.

   그래서 그가 갑자기 돌아서면서 나를 똑바로 올려다봤을 때 그처럼 흠칫 놀랐을 것이다.

  "오 선생, 이래 봬도 나 대학 나온 사람이오."
  '그(권 씨)'의 말을 통해 그가 자존심이 강한 성격임을 간접 제시함.
  – 윤흥길, 〈아홉 켤레의 구두로 남은 사내〉 천재(이) , 비(박안)

답 ❶ 그림 ❷ 상상력 ❸ 오해

돌다리 _이태준 신

"천금이 쏟아진대두 난 땅은 못 팔겠다. 내 아버님께서 손수 이룩허시는 걸 내 눈으
_{금전적 이익을 위해 땅을 팔자는 아들의 제안을 거절함.}
루 본 밭이구, 내 할아버님께서 손수 피땀을 흘려 모신 돈으루 작만(作滿)허신 논들
_{장만하신}
이야. 돈 있다구 어디 가 느르지논 같은 게 있
_{철원 사요리 일대의 기름진 논}

구, 독시장밭 같은 걸 사? 느르지논 둑에 선
_{철원의 어느 밭 이름}

느티나문 할아버님께서 심으신 거구, 저 사랑

마당에 은행나무는 아버님께서 심으신 거다.

그 나무 밑를 설 때마다 난 그 어룬들 동상

(銅像)이나 다름없이 경건한 마음이 솟아 우러러보군 헌다. 땅이란 걸 어떻게 이해를
_{땅을 경제적 가치로만 판단하는 아들을 비판함.}
따져 사구 팔구 허느냐? 땅 없어 봐라, 집이 어딨으며 나라가 어딨는 줄 아니? 땅이
_{땅에 대한 아버지의 전통적인 가치관이 드러남.}
란 천지만물의 근거야." (중략)

아버지는 다시 일어나 담배를 피우며 다리 고치는 데로 나갔다. 옆에 앉았던 어머니

는 두 눈에 눈물을 쭈루루 흘리었다.

"너이 아버지가 여간 고집이시냐?"

"아뇨, 아버지가 어떤 어룬이신 건 오늘 제가 더 잘 알았습니다. 우리 아버진 훌륭헌
_{땅에 대한 아버지의 신념을 인정하는 아들}
인물이십니다."

▶ 이 장면에서 아버지와 아들은 땅에 대한 상반된 가치관을 드러내고 있다. 병원을 지을 자금 마련을 위해 땅을
팔고 서울로 가자는 아들은 근대적 가치관을 드러내고 있으며, 땅이 천지만물의 근거임을 내세우며 이를 반대
하는 아버지는 전통적 가치관을 드러내고 있다.

바로 확인

이 글의 인물에 대한 설명으로 적절하지 않은 것은?

① 아버지는 땅을 천지 만물의 근본으로 생각하고 있다.

② 아버지는 땅을 경제적 가치로만 따져서는 안 된다고 생각한다.

③ 아들은 자신의 뜻을 들어주지 않는 아버지를 원망하고 있다.

답 | ③

13 갈등

1. 갈등

뜻 한 인물 내부의 혼란이나 인물과 그를 둘러싼 외적 요소의 [**①**]

기능
- **사건의 전개**: 앞에서 발생한 갈등의 결과가 뒤의 사건으로 이어짐.
- **인물의 성격 부각**: 갈등 상황에 대처하는 인물의 말이나 행동, 태도 등에서 인물의 성격과 [**②**]이 드러남.

> 갈등이 발생하고 해결되는 과정에서 작가가 전달하고자 하는 주제도 드러나!

종류

내적 갈등	한 인물의 [**③**]에서 일어나는 상반되거나 분열된 심리가 원인이 되는 갈등 ➡ 인물이 겪는 고민, 불안, 방황, 망설임, 분노 등이 모두 내적 갈등에 해당함.
외적 갈등	인물과 그를 둘러싼 외적 요소가 대립하여 생기는 갈등 • 인물과 인물의 갈등: 주동 인물과 반동 인물 사이의 갈등 • 인물과 사회의 갈등: 인물이 사회 윤리나 제도 속에서 겪는 갈등 • 인물과 자연의 갈등: 자연 재해로 발생하는 갈등 　　홍수, 태풍, 가뭄, 지진 등 • 인물과 운명의 갈등: 인물이 타고난 운명으로 인해 겪는 갈등

2. 갈등의 진행 과정에 따른 소설의 구성 단계

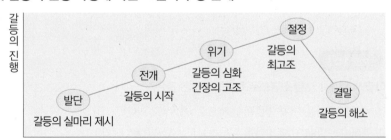

답 ❶ 대립 ❷ 가치관 ❸ 마음속

꽃가마배 _김재영 해

[앞부분 줄거리] '나'는 꽃가마배를 타고 와 수로왕비가 된 인도 아유타국 공주의 이야기를 읽으며 교통 사고로 아내를 잃고 하반신이 마비된 아버지가 태국 아유타야에서 데려온 여자 '능 르타이'를 떠올린다.

처음부터 고모는 여자를 믿지 못했다. 고모가 여자를 의심하는 데는 이유가 있었는

데, 그건 여자가 돈을 벌기 위해 아버지한테 시집온 사실을 누구보다 잘 알기 때문이었

고모가 여자를 믿지 않는 이유

다. 아버지는 매달 여자네 집으로 얼마의 돈을 부쳤다. 그 돈으로 여자네 병든 어머니와

사업 실패로 알거지가 된 아버지, 그리고 어린 동생들이 먹고산다고 했다. 그런 고모의

속마음을 아는지 모르는지 여자는 자주 고모한테 말했다. 태풍 때문에 강이 뒤집혔어

요. 내 아버지 양어장, 홍수에 쓸려 나갔어요. 우리 집 괜찮았는데, 가난해졌어요. 우리

식구 살기 힘들어요. 그래서 나 시집왔어요. 나 아저씨 좋아요. 나 술집에서 일한 적 없

어요. 여자는 한국말을 꽤 빨리 배웠다. 말끝을 추켜올리는 이상한 억양도 많이 누그러

졌고, 피부도 한결 하얘졌다. 그럴수록 고모는 여자를 더 경계했다. (중략)

역 앞에서 여자가 낯선 사내와 만나는 사진을 나는 아버지와 고모에게 보여 주었다.

능 르타이가 고모에게 의심을 받게 되는 결정적인 사건 → '나'의 오해였음.

고모는 펄쩍펄쩍 뛰었다. 여자를 보자마자 앞섶을 잡아 흔들고 발로 차고 머리카락을

잡아채 마당에 머리를 짓찧기까지 했다. 땅바닥에 떨어져 있던 감이 터져 여자 머리카

락이며 어깨, 드러난 엉덩이를 벌겋게 물들였다. 아버지는 고모를 향해 그만하라고 소

리 질렀지만 화난 고모는 그 말을 무시했다. (중략) 참다못한 여자가 고모 손목을 비틀

어 등 뒤로 꺾어 넘어뜨렸다.

▶ 이 작품은 한국 남자와 결혼한 태국 여인의 이야기를 통해 다문화 가정이 겪는 갈등과 그 구성원들이 가족이 되어 가는 과정을 보여 주어 다문화 사회로 진입한 우리나라의 현실적인 문제를 반영하고 있다.

바로 확인

고모가 여자를 믿지 못한 이유로 가장 적절한 것은?

① 여자가 아버지를 좋아한다고 거짓말을 했기 때문이다.
② 여자가 낯선 사내와 만나는 것을 이미 알고 있었기 때문이다.
③ 아버지에게 시집온 이유가 돈 때문임을 알고 있었기 때문이다.

답 | ③

14 구성

뜻 작가가 치밀하게 계산하여 조직한 이야기의 배열 방식

 이야기를 구성하기 위해서는 인물과 사건, 배경을 갖추어야 해. 그래서 이 세 가지를 소설 구성의 3요소라고 하지.

유형
- 평면적 구성(=순행적 구성)
  ① 뜻: 사건이 발생한 시간 순서에 따라 구성하는 방식
  ② 일대기적 구성으로 이루어지는 고전 소설에서 흔히 볼 수 있음.
- 입체적 구성(= 역순행적 구성, 시간의 역전적 구성, 과거와 현재의 교차)
  ① 시간의 흐름을 바꾸어(⑩ 현재 → 과거 → 현재) 사건을 구성하는 방식
  ② 주로 현대 소설에서 인물의 심리를 나타내거나 특정 장면을 [❶]할 때
     많이 사용됨.
- 액자식 구성
  ① 뜻: 이야기(외부 이야기) 속에 또 다른 이야기(내부 이야기)가 있는 구성
  ② 핵심 내용은 대부분 [❷] 이야기에 담겨 있음.
  ③ 외부 이야기와 내부 이야기의 시점이 다르게 설정되기도 함.

답 ❶ 강조 ❷ 내부

바로 확인

㉠에서 알 수 있는 이 작품의 구성 방식을 쓰시오.

> ㉠벌써 육 개월 전의 일이다. / 형무소에서 병보석으로 가출옥되었다는 중환자가 업혀서 왔다. / 횅뎅그런 눈에 앙상하게 뼈만 남은 몸을 제대로 가누지도 못하는 환자, 그는 간호원의 부축으로 겨우 진찰을 받았다.
>
> – 전광용, 〈꺼삐딴 리〉 **창**

답| 입체적 구성

종탑 아래에서 _윤흥길 천(박)

[앞부분 줄거리] 환갑이 다 된 초등학교 동기들이 모교 운동장에 모여 앉아 돌아가면서 자신의 옛이야기를 한다. 마지막 순서로 평소 입이 무겁기로 소문난 최건호가 나서서 어린 시절의 사랑 이야기를 하겠다고 한다.
　　　　　　　　　　　　　　　　　　　　외부 이야기에서 내부 이야기로 전환되는 구성임을 알 수 있음.

　　내가 그 계집애를 맨 처음 본 것은 봄볕이 다냥하게 내리쬐는 한낮이었다. 아침에 등
　　최건호　　　　　　　　　　　　　　밝고 따뜻하게
교하면서 길가에 멍석을 펴는 짝눈이 아저씨를 봤기 때문에 나는 그날도 하굣길에 일

부러 네거리 하나를 더 지나 먼 길을 에돌아 집으로 향하고 있었다. (중략)
　　　　　　　　　　　　멀리 피하여 돌아
　　화사한 꽃무늬 원피스 차림에 정갈하게 단발머리를 한 계집애가 한 손에 하얀 고무
　　　　　　　　　　　　　　　　　전쟁의 상처 때문에 앞을 못 보게 된 소녀. '나'와 친구가 됨.
공을 쥔 채 양팔을 앞으로 나란히 뻗은 괴상야릇한 자세로 도로 쪽을 향해 소리 없이 다
　　　　　　　　　　　　　　　　소녀가 앞을 보지 못함을 암시
가오는 중이었다. 계집애가 황금빛 잔디밭 위로 하

얀 공을 도르르 굴리면서 말했다.

　"나비야! 나비야!" / 공은 잔디밭과 철책

이 만나는 지점에서 정확히 구르기를 멈추

었다. 내가 철책 틈새로 손을 집어넣으면

충분히 공에 닿을 만한 자리였다. 뜬금없

이 웬 나비 타령인가 의아해서 나는 계집

애의 행동거지를 주의 깊게 살폈다.

▶ 이 작품은 환갑이 다 된 초등학교 동기들이 모여서 옛이야기를 나누는
　장면으로 시작한다. 현재 시점의 외화에서 최건호가 자신의 어린 시절 사랑 이야기를 시작하면서 서술자가 3인칭에서 1인칭으로 전환되는데, 내화에서는 주인공인 '나(최건호)'가 어린 시절 자신의 시점에서 명은과 있었던 일들을 전달한다.

바로 확인

이 글의 구성 방식에 대한 설명으로 알맞은 것은?

① 사건이 발생한 순서에 따라 차례로 제시되었다.

② 인물의 출생부터 사망에 이르는 일대기에 따라 구성되었다.

③ 인물이 자신이 겪은 일을 전하는 내부 이야기가 외부 이야기에 들어 있다.

답 | ③

15 배경

종류

- **시간적 배경**: 사건이 일어나는 구체적인 시간. 계절에 대한 배경 묘사, 특정하게 드러나는 시간대, 날씨 등에서 드러남.

- **공간적 배경**: 사건이 일어나는 구체적인 장소. 지리적 위치, 지형이나 풍경 묘사, 토속적 소재 등에서 드러남.

- **사회적 배경**: 소설 속에 나타난 사회 현실과 역사적 상황. 사회적 배경은 작품에 사실성을 부여하고 주제에 직접적인 영향을 미침.

  예 벽보에는 최근의 전황들이 주먹 덩이만 한 붓글씨로 짤막짤막하게 적혀
     전쟁의 실제 상황
     있어 지나가던 행인들을 게시판 앞에 한참씩 붙들어 세우곤 했다. 국군
     1사단 평양 입성', '국군과 유엔군 청천강 도하, 압록강 향해 진격 중', '중
     □: 1950년대 한국 전쟁 당시라는 사회적 배경(=시대적 배경)이 드러남.
     공군 참전 사실 밝혀져' 따위 새로운 소식들을 내가 차례로 접하게 된 것
     도 그 게시판을 통해서였다.

     – 윤흥길, 〈종탑 아래에서〉 천(박)

> 시대적 배경은 직접적으로 언급되는 경우가 드물기 때문에 소재를 보고 짐작할 수 있어야 해.

기능

- 앞으로 일어날 일이나 인물의 [❶]를 암시할 수 있음.
- 작품의 전반적인 [❷]를 형성하고, 작품의 주제를 부각할 수 있음.
- 구체적 배경을 제시함으로써 사건에 사실성과 개연성을 부여할 수 있음.

답 ❶ 심리 ❷ 분위기

바로확인

소설의 배경에 대한 설명으로 알맞은 것에는 O표, 틀린 것에는 X표를 하시오.

(1) 소설에서 사건이 전개되고 인물이 활동하는 환경을 말한다. ·················(   )

(2) 배경으로 앞으로 일어날 일이나 서술자의 위치를 알 수 있다. ···············(   )

(3) 배경을 구체적으로 설정함으로써 사건에 사실성을 부여할 수 있다. ······(   )

답 | (1) O (2) X (3) O

장마 _윤흥길 비(박영)

[앞부분 줄거리] 장마가 계속되던 6·25 전쟁 중의 어느 날, 국군으로 전쟁에 참전했던 외삼촌의 전사
소식이 전해진다.
작품의 주된 배경   시대적 배경

  방안을 가득 채우고도 남아도는 어머니의 진한 핏빛 울음은 어느덧 두루마리 멍석이

되어 어둠에 잠긴 마당 쪽으로 끝없이 풀려나가고, 그 위로 꺼끔해졌다 되거세어지는

장맛비가 소리를 지르면서 두텁디두텁게 깔리고 또 깔렸다.

[중간 부분 줄거리] 외할머니는 장맛비가 더 내려 빨치산을 쓸어가라고 저주를 퍼붓는다. 빨치산인 삼
촌의 소식을 애타게 기다리던 할머니는 이것을 삼촌이 죽어 버렸으면 좋겠다는 말로 받아들여 외할머
산에 숨어 국군에 대항한 북한군 게릴라
니와 크게 싸운다. 한편 할머니는 삼촌이 '아무 날 아무 시'에 돌아온다는 점쟁이의 말을 믿고 삼촌을
맞이할 준비를 한다. 하지만 삼촌이 돌아온다던 날에는 삼촌 대신 구렁이가 나타나고, 이를 본 할머니
삼촌이 죽었다는 의미로 받아들여짐.
는 기절한다. 외할머니는 할머니를 대신해 구렁이를 달래어 배웅하고 이를 계기로 할머니와 외할머니
는 화해한다.
갈등의 해소

  안에 있는 아들보다 밖에 있는 아들을 언제나 더 생각했던 할머니는 마지막 날 밤에 다
'나'의 아버지   '나'의 삼촌
타 버린 촛불이 스러지듯 그렇게 눈을 감았다. (중략) 임종의 자리에서 할머니는 내 손을
'나'는 낯선 사람에게 삼촌이 몰래 집에 왔었다는 말실수를 하여 할머니의 분노를 샀었음.
잡고 내 지난날을 모두 용서해 주었다. 나도 마음속으로 할머니의 모든 걸 용서했다.
갈등의 해소
정말 지루한 장마였다. □: 가족 간의 갈등이 장마와 함께 시작되고, 장마가 끝날 때 해소됨.
① '지루한' → 장마가 실제보다 더 길게 느껴지는 힘든 시간이었음. ② 민족의 비극이 종결되었음을 의미함.

▶ 이 작품에서 6·25 전쟁 동안의 장마철이라는 배경은 중요한 의미를 지닌다. 가족 간의 갈등이 장마와 더불어 시
작되고 장마가 끝날 무렵 해소되기 때문이다. 온 세상을 축축하게 적시는 장마는 오랜 기간 동안 지속된 가족사의
불행, 나아가 우리 민족에게 닥친 6·25 전쟁이라는 비극적 사건을 상징한다.

바로 확인

이 글의 배경인 장마에 대한 설명으로 적절하지 않은 것은?

① 작품의 계절적 배경으로, 음울한 분위기를 형성한다.

② 할머니와 외할머니, 할머니와 '나'의 갈등은 장마가 시작될 때 해소된다.

③ 한 가족의 불행, 나아가 우리 민족이 겪은 불행인 6·25 전쟁을 상징한다.

답 | ②

16 소재

뜻 이야기 속에서 사건을 만들고 전개하는 데 쓰인 다양한 재료들로 작가가 의도를 가지고 사용함.

구체적인 사물뿐만 아니라 인물을 둘러싼 생활 환경, 인물의 행동이나 감정 등도 소재가 될 수 있어.

기능
- **갈등의 매개물**: 소재가 갈등의 원인이 되기도 하며, 갈등 해결의 실마리를 제공하기도 함.
- **인물의 성격·심리 상징**: 소재로 인물의 처지, 상황, 가치관 등을 보여 줌으로써 인물의 ❶ 을 상징적으로 드러낼 수 있음. 또한 특정 소재를 대하는 인물의 태도나 반응에서 인물의 심리 상태를 파악할 수 있음.
- **장면의 연결 고리**: 여러 장면이나 사건을 자연스럽게 연결하는 매개물이 되기도 함.
- **주제 암시**: 특정 소재를 통해 ❷ 를 압축적으로 전달하기도 함.

예 언제 구웠는지 아직도 더운 김이 홱 끼치는 굵은 감자 세 개가 손에 뿌듯이 쥐였다.
> ① '나'에 대한 점순이의 관심과 호감을 나타내는 소재
> ② 감정을 표현하는 데 적극적인 점순의 성격을 드러내는 소재

"느 집엔 이거 없지?" / 하고 생색 있는 큰소리를 하고는 제가 준 것을 남이 알면 큰일 날 테니 여기서 얼른 먹어 버리란다. 그리고 또 하는 소리가

"너, 봄 감자가 맛있단다." / "난 감자 안 먹는다. 니나 먹어라."

나는 고개도 돌리려 하지 않고 일하던 손으로 그 감자를 도로 어깨 너머로 쑥 밀어 버렸다.
> ① '나'가 감자를 거절함으로써 갈등이 시작됨. → 갈등의 매개물
> ② 상대방의 마음을 눈치 채지 못하는 '나'의 둔한 성격을 드러냄.

그랬더니 그래도 가는 기색이 없고, 그뿐만 아니라 쌔근쌔근하고 심상치 않게 숨소리가 점점 거칠어진다.

– 김유정, 〈동백꽃〉 **천(이)**

답 ❶ 성격 **❷** 주제

완장 _윤흥길 금_

"저수지 감시가 뭐요, 감시가! 내가 게우 오만 원짜리 꼴머심 푼수배끼 안 되는 것 같
<u>종술. 무식하고 무능력한 인물</u>　　　　　　　　　　　　<u>저수지 감시원의 월급이 매우 적다는 이유로 제안을 거절함.</u>
소? 나 임종술이, 이래 뵈야도 왕년에는 사장님 소리까장 들어 본 사람이오!" (중략)
　　　　　　　　　　　<u>자존심을 내세움.</u>
"내가 자네라면은 나는 기왕 낚시질허는 짐에 비단잉어에다 월급봉투를 암냥혀서 한
<u>마을 이장. 본인의 편의를 위해 종술에게 저수지 감시원 직책을 맡기고 싶어 함.</u>
목에 같이 낚어 올리겄네. <u>삽자루 들고 땅띠기허는 배도 아니고</u> 그냥 소일 삼어서 감
　　　　　　　　　　　　<u>힘든 노동을 하는 것도 아니고</u>
시원 완장 차고 물 가상으로 왔다리갔다리 허면서……."

"<u>완장</u>요!" / 그렇다. 완장 바로 그것이었다. 그것이 순간적으로 <u>종술의 흥분한 머리를</u>
<u>'완장'이라는 말을 들은 후 저수지 감시직에 대한 종술의 태도가 긍정적으로 바뀜.</u>
<u>무섭게 때려서 갑자기 멍한 상태로 만들어 놓는 것이었다.</u>
　　　　　　　<u>종술에게 완장은 선망의 대상임.</u>
"팔에다 차는 그 완장 말입니까?"

종술의 천치스런 질문에 <u>최 사장</u>은 또다시 그 어울리지 않는 너털웃음을 호탕하게
<u>공동 자원인 저수지를 사유화하는 데에 대한 주민들의 불만을 무마하기 위해 종술을 이용하려는 인물</u>
터뜨렸다.

"이 사람아, 팔 완장 말고 기저구맨치로 <u>사추리</u>에다 차는 완장이라도 봤는가?"
　　　　　　　　　　　　　　　<u>두 다리의 사이</u>
완장이란다! 왼쪽 팔에다 끼고 다니는 그 완장 말이다!

[뒷부분 줄거리] 완장에 현혹된 종술은 저수지 감시원으로 일하게 된다. 종술의 어머니인 운암댁은 「과
거 일제 강점기에 남편과 함께 완장을 찬 헌병에게 끌려갔던 기억, 그리고 6·25 전쟁 때 완장을 차고
「↗완장과 관련된 부조리한 현실은 역사적으로 반복되어 온 구조적 모순임.
복수에 몰두하다 실종된 남편의 행적을 떠올리며 불길한 기운을 느낀다. 완장을 찬 종술은 안하무인
으로 행동하다가 감시원 자리에서 쫓겨나고 이에 아랑곳하지 않고 경찰에게까지 행패를 부리다가 쫓
기는 신세가 된다. 종술은 자신에게 완장의 허황됨을 일깨워 주는 연인 부월과 함께 고향을 떠난다.

▶ 이 작품은 '완장'이라는 상징적인 소재를 활용하여 권력의 의미를 생각해 보게 하면서 동시에 상층 권력자의 부당
한 횡포를 비판하고 있다.

바로 확인

이 글에서 '완장'의 의미로 적절하지 <u>않은</u> 것은?

① 인물의 권력에 대한 욕망을 의미하는 소재

② 권력에 대한 여러 인물들의 다양한 태도를 드러내는 도구

③ 웃음을 유발하게 함으로써 종술에게 연민과 측은함을 갖게 하는 소재

답 | ③

17 희곡

뜻 연극으로 상연하기 위해 쓴 대본

특징
- 인물의 갈등과 그 해소 과정이 주된 내용임.
- 배우의 행동과 대사를 중심으로 이야기가 진행됨.
- 무대 상연을 전제하기 때문에 시간·공간의 [**❶**]을 받음.
- 사건이 무대 위에서 바로 표현되기 때문에 모든 이야기가 [**❷**]화됨.
- 무대 상연을 전제한다는 점에서 관객이나 독자와 일종의 약속(희곡의 관습)을 하게 됨.

> 희곡에 적용되는 관습의 예로, '방백'을 들 수 있어. 실제로는 다른 배우에게도 들리는 말이지만, 관객과 독자는 다른 배우들에게 들리지 않는 말이라 여기는 것이지.

요소 희곡의 구성 단위는 막과 [**❸**]이며, 다음과 같은 요소로 이루어짐.

해설	희곡의 첫 부분에서 등장인물, 장소, 무대 장치 등을 설명해 주는 글
지시문	등장인물의 동작, 표정, 심리 상태 등을 설명하거나 조명, 효과음 등을 지시하는 부분
대사	등장인물이 하는 말. 사건을 전개하고 인물의 내면이나 성격을 드러내 상대 없이 혼자 하는 말 며 사건의 분위기를 나타냄. 대화, 독백, 방백 등이 있음. 등장인물끼리 주고받는 말

답 ❶ 제약 **❷** 현재 **❸** 장

바로확인

희곡의 특징으로 적절하지 않은 것은?

① 인물의 행동을 통해 갈등을 드러낸다.
② 인물의 대사를 통해 그의 성격과 심리를 드러낸다.
③ 시공간적 제약, 등장인물 수의 제약으로부터 자유롭다.

답 | ③

결혼 _이강백 비(박안), 비(박영)

[앞부분 줄거리] 가난한 사기꾼인 남자는 결혼하기 위해 여러 가지 물건을 빌린 후 한 여자와 맞선을 본다. 남자는 여자에게 사랑을 느끼게 되고, 물건을 되돌려 주기로 약속한 시간이 되면서 하인이 남자가 빌린 물건을 하나씩 빼앗아가기 시작한다. 남자는 여자에게 진심을 담아 고백한다.

남자 내 것이라곤 없습니다. / **여자** (충격을 받는다.)
      자신이 빈털터리임을 고백함.
남자 모두 빌린 것들뿐이었지요. 저기 두둥실 떠 있는 달님도, 저 은빛의 구름도, 이 하

늬바람도, 그리고 어쩌면 여기 있는 나마저도, 또 당신마저도…… (미소를 짓고) 잠시

빌린 겁니다.

여자 잠시 빌렸다고요? / **남자** 네. 그렇습니다.
           남자를 쫓아내기 위한 소도구
  하인, 엄청나게 큰 구두 한 짝을 가져오더니 주저앉아 자기 발에 신

는다. 그 구둣발로 차 낼듯한 험악한 분위기가 조성된다. (중략)
             긴장감 조성

여자 (<u>악의적인 느낌이 없이</u>) 당신은 사기꾼이에요.
      남자를 전적으로 부정하지는 않는 여자
남자 그래요, 난 사기꾼입니다. <u>이 세상 것을 잠시 빌렸었죠. 그리고 시간이 되니까 하</u>
                         소유의 본질에 대한 철학적 사고
<u>나둘씩 되돌려 주어야 했습니다.</u> (중략)

  이 증인 앞에서 약속하지만, 내가 이 세상에서 <u>덤</u> 당신을 빌리는 동안에, 아끼고, 사
                   여자의 별명. 소유에 대한 작가의 관점을 드러내기도 함.
랑하고, 그랬다가 언젠가 <u>그 시간</u>이 되면 공손하게 되돌려 줄 테요. 덤! 내 인생에서
             이별의 시간, 죽음의 시간
당신은 나의 소중한 덤입니다. 덤! 덤! 덤!

▶ 이 작품은 결혼하기 위해 모든 것을 빌린 남자가 여자를 만나면서 소유의 본질과 헌신적 사랑의 중요성을 깨닫는 과정을 그린 희곡이다. 작가는 결혼이라는 소재를 통해 세상 모든 것이 빌린 것에 지나지 않는다는 주제 의식을 전하면서 진정한 사랑은 물질이 아니라 진실한 마음에서 나오는 것임을 제시하고 있다.

바로 확인

이 글을 이해한 내용으로 적절하지 않은 것은?
① 하인은 남자와 여자가 갈등을 해소하는 결정적인 단서를 제공한다.
② 여자가 남자를 나쁘게만 생각하지 않는다는 것이 지시문을 통해 드러난다.
③ 남자가 여자에게 진심을 다해 구애하고 있음이 남자의 대사를 통해 제시된다.

답 | ①

18 시나리오

뜻 영화나 드라마로 촬영하기 위해 쓴 대본

특징
- 촬영을 전제하며, 특수한 [❶   ] 용어가 사용됨.
- 대사와 행동으로 인물의 내면과 성격을 드러내고 사건을 전개함.

> 시나리오는 희곡에 비해 시간·공간, 등장인물의 수에 제약을 적게 받아.

요소

장면 표시	S#(Scene number)로 나타내며 장면의 전환을 드러냄.
해설	시나리오의 첫머리에서 인물, 때와 장소, 배경 등을 설명하는 부분
대사	등장인물이 하는 말
지시문	인물의 표정, 동작, 카메라 위치, 영상 편집 기술 등을 지시함.

용어 주요 시나리오 용어

- Nar.(narration): [❷   ]. 인물이 화면에 나타나지 않고 바깥에서 해설하는 말
- E.(effect): 효과음. 주로 화면 밖에서 들리는 음향이나 대사에 의한 효과
- C.U.(close-up): 어떤 대상이나 인물을 두드러지게 확대하여 찍음.
- F.I.(fade-in): 화면이 처음에 어둡다가 점차 밝아지는 방법.
- F.O.(fade-out): 화면이 처음에는 밝았다가 점차 어두워지는 방법.
- Ins.(insert): 화면과 화면 사이에 다른 화면을 끼우는 방법.
- O.L.(overlap): 하나의 화면이 끝나기 전에 다음 화면이 겹치면서 먼저 화면이 차차 사라지게 하는 방법.
- DIS.(dissolve): 한 화면이 사라짐과 동시에 다음 화면이 점차로 나타나는 방법
- montage: 몽타주. 따로 촬영한 장면을 이어 붙여 편집하는 기법

답 ❶ 시나리오 ❷ 내레이션

세상에서 가장 아름다운 이별 _민규동 각색 [지] [창]

[앞부분 줄거리] 50대 가정주부 인희는 통증 때문에 진료를 받으러 갔다가 자궁암 말기라는 진단을 받는다. 가족들은 충격과 슬픔에 잠기고, 인희는 가족들과의 이별을 준비한다.

　　　　　따로따로 촬영한 장면을 떼어 붙여서 편집하는 기법
S# 163. 전원주택, 몽타주 / 저녁-아침-낮-밤
장면 번호　공간적 배경. 인희는 암에 걸리기 전, 남편 정철이 퇴직한 후 가족들과 함께 살기 위해 전원주택을 짓고 있었음.
⌈1. 인희, 평상복 차림으로 더욱 아픈 모습으로 식탁에 앉아, 정철이 상 차리는 모습을 보고 있다.

　밥 하다 말고, 우스꽝스러운 엉덩이춤을 추며 인희를 배꼽 잡게 하는 정철.

2. 잠시 후, 정철, 인희에게 죽을 떠먹여 주고, 인희, 힘겹게 받아먹고.

3. 무릎 베고 누운 인희에게 앨범을 보여 주며 수다 떠는 정철. 인희는 재미있는지 환하게 웃고.

4. 정원에서 버섯을 주워 들고 신기하다는 듯 행복한 얼굴을 한 인희와 정철. (중략)
　　　⌊ 」: 전원주택에서 마지막 시간을 보내는 인희와 정철의 모습을 몽타주로 보여 줌.

S# 167. 전원주택, 침실 / 밤

인희 나…… 보고 싶을 거는 같애? / **정철** (끄덕인다.)

인희 언제? 어느 때? / **정철** ……다. / **인희** 다 언제? (중략)

정철 ⌈술 먹을 때, 술 깰 때, 잠자리 볼 때, 잘 때, 잠 깰 때, 잔소리 듣고 싶을 때, 어머니

　　망령 부릴 때, 연수 시집갈 때, 정수 대학 갈 때, 그놈 졸업할 때, 설날 지짐이 할 때,

　　추석날 송편 빚을 때, 아플 때, 외로울 때.⌋ ⌈ 」: 일상의 모든 순간에 인희가 보고 싶을 것이라는 정철
　　　　　　　　　　　　　　　　　　　→ 정철의 안타까움과 슬픔이 드러남.

인희 당신, 빨리 와. 나 심심하지 않게. (눈물이 주룩 흐르고)

▶ 이 작품은 죽음을 앞둔 엄마의 삶을 소재로 하여 가족 간의 사랑을 그린 시나리오이다. 가족을 위해 헌신하다가 시한부 인생을 선고 받은 인물이 느끼는 감정과, 엄마와의 영원한 이별을 준비하는 가족들의 슬픔과 아픔을 섬세하게 그리고 있다.

바로확인

이 글에 대한 설명으로 적절하지 않은 것은?

① S# 163은 인물이 처한 상황과 심리를 압축적으로 보여 주고 있다.

② S# 163은 인희가 건강했던 과거를 회상하는 장면을 몽타주로 보여 주고 있다.

③ S# 167은 정철의 대사를 통해 인희와 이별하는 정철의 슬픔을 보여 주고 있다.

답 | ②

	소설	극 갈래(희곡, 시나리오)
공통점	• 시간의 흐름에 따라 진행되는 이야기가 있음. • ①____ 구조가 있고, 허구적인 성격을 지님.	
차이점	②____의 서술과 인물의 말, 행동, 외양 묘사 등을 통해 인물의 성격과 심리를 제시함. ➡ 직접 제시, 간접 제시	• 인물의 대사와 행동을 중심으로 인물의 성격과 심리를 제시함. ➡ 간접 제시 • 소설에 비해 인물의 성격적 대립이 뚜렷함.
	서술, 묘사, 대화 등을 통해 사건이 진행됨.	인물의 대사와 행동으로 사건이 진행됨.
	사건을 다양한 시제로 제시함. ➡ 현장감과 생동감을 주기 위해 현재형을 사용하기도 함.	사건을 주로 ③____으로 제시함.
	인물 수에 제약이 없음.	• 희곡: 인물 수에 제약을 많이 받음. • 시나리오: 희곡에 비해 인물 수에 제약을 덜 받음.
	시간적·공간적 제약이 없음.	• 희곡: 시간적·공간적 제약을 많이 받음. • 시나리오: 희곡에 비해 시간적·공간적 제약을 덜 받음.

답 ❶ 갈등 ❷ 서술자 ❸ 현재형

바로확인

소설과 희곡에 대한 설명으로 적절한 것은?

① 소설은 사건을 현재화하여 보여 주며 희곡은 다양한 시제를 사용한다.

② 희곡은 서술자가 없이 인물의 대사와 행동을 통해 사건을 전개하지만, 소설은 서술자의 서술을 통해 사건을 전개한다.

③ 희곡은 등장인물의 수나 성격에 제한이 없지만, 소설은 인물의 수가 제한되고 인물의 성격적 대립이 희곡에 비해 뚜렷한 편이다.

답 | ②

가 **도념** 왜 밤낮 어머니 욕만 하십니까? 아름다운 관세음보살님은 그 얼굴처럼 마음

두 인자하시다구 하시지 않으셨어요? 절에 오는 사람마다 모두 우리 엄마는 이뻤을

것이라구 허는 걸 보면 스님 말씀 같은 그런 무서운 죄를 지으셨을 리가 없어요.

_{여승의 신분으로 사냥꾼과 함께 도망감.}

_{어머니를 그리워하는 마음 때문에 주지의 말을 믿지 않음.}

주지 그건 부처님에게만 여쭙는 소리야. 너 《유식론(唯識論)》에 쓰인 경문 알지

도념 네.

주지 '외면사보살 내면여야차(外面似菩薩 內面如夜叉)'라 하셨느니라. 네 에미는 바루

이 경문과 같이, 얼굴은 보살님같이 아름답지만, 마음은 야차같이 무서운 독물이야.

– 함세덕, 〈동승〉 **동**

나 도념이를 지켜보는 눈빛에는 변함없이 다사롭고 애잔한 정이 담겨 있었지만 겉으로

는 매섭고 엄한 태도를 누그러뜨리지는 않았다. 그리고 그런 큰스님에게서 도념이의

마음은 점점 멀어져 갔다.

_{인물의 심리를 서술자가 제시함.}

"외면사보살 내면여야차, 라." / "외면사보살 내면여야차, 라."

도념이는 시들한 목소리로 큰스님이 외우는 불경을 따라 읊었다.

"겉보기는 보살처럼 아름다워도 그 속은 야차처럼 모질고 악착스러울 수 있다. 자고

로 만물은 그 속을 보고 알아야지 겉모습만 가지고 판단해서는 안 된다는 말이다."

– 박혜수, 〈동승〉

▶ (가)는 어머니를 그리워하는 마음과 불가(佛家)에서의 삶 사이에서 겪는 소년의 심리적 갈등이 잘 드러난 희곡이
다. (나)는 (가)를 각색한 소설이다. 서술자가 인물의 심리를 서술하는 (나)와 달리, (가)는 서술자 없이 인물의 대사
와 행동을 통해 내용이 전개된다.

바로확인

(가), (나)에 대한 설명으로 적절하지 않은 것은?

① (가), (나) 모두 인물과 인물의 갈등이 나타난다.

② (가)는 서술자의 서술을 통해 인물의 심리와 상황을 파악할 수 있다.

③ (나)는 서술자가 인물의 외양이나 행동을 묘사하여 심리를 간접 제시하기도 한다.

답 | ②

20 수필

뜻 글쓴이의 체험과 생각을 특정한 형식이나 내용의 제한 없이 자유롭게 쓴 글

특징
- **개성의 문학**: 글쓴이가 바로 작품 속의 '❶ [　　]'로, 글쓴이의 체험, 생활 태도, 가치관 등 개성적 면모가 솔직하게 표현됨.
- **비전문적인 문학**: 누구나 쓸 수 있는 대중적인 문학임.
- **교훈과 성찰의 문학**: 인생에 대한 깊이 있는 사색으로 독자로 하여금 감동을 느끼게 하고 자신을 반성할 수 있게 함.
- **자유로운 형식의 문학**: 다른 문학 갈래에 비해 ❷ [　　]에 제한을 받지 않음.

> 형식이 자유롭다는 것은 형식을 무시한 채 써도 된다는 것이 아니라, 다양한 형식으로 자유롭게 쓸 수 있다는 의미야.

감상 수필을 감상하는 방법
- 글쓴이의 체험과 그에 대한 태도를 파악하고, 이를 바탕으로 글쓴이의 가치관이나 인생관 및 개성적인 면모를 발견할 수 있어야 함.
- 글쓴이가 자신의 체험에 부여한 의미를 통해 독자는 자신을 성찰하고 ❸ [　　]을 얻을 수 있어야 함.
- 더 나아가 자신을 둘러싼 사회와 자연의 모습을 새로운 시각으로 바라볼 수 있어야 함.

답 ❶ 나 ❷ 형식 ❸ 깨달음

바로확인

다음 설명이 맞으면 O표, 틀리면 X표를 하시오.
(1) 수필은 작품 밖의 서술자가 이야기를 전달한다. ┈┈┈┈┈┈┈(　)
(2) 수필의 소재는 인생이나 자연 등 어디에서나 구할 수 있다. ┈┈┈┈(　)
(3) 수필은 전문 작가가 아니더라도 누구나 쓸 수 있는 대중적인 글이다. ┈┈(　)

답 | (1) X (2) O (3) O

한 그루 나무처럼 _윤대녕 비(박영)

「지난 주말에도 나는 산에 다녀왔다. 눈이 내린 날이었다. 불과 일주일 만에 약수터의
「 」: 눈이 내린 날 찬바람 속에 말없이 서 있는 참나무를 봄. → 글쓴이의 성찰의 계기
참나무는 제 스스로 모든 잎을 떨군 채 찬바람 속에 무연히 서 있었다. 그리고 침묵의

시간으로 돌아간 듯 더 이상 말이 없었다. 나는 내가 못을 빼냈던 자리를 찾아보았다.
　　　　　　　　　　　　　　나는 참나무에 박힌 대못을 빼낸 일로 참나무와 인연을 맺음.
상처는 아직도 완전히 아물지 않은 상태였다.」

　그 헐벗은 나무를 보며 나는 생각했다. 「그동안 나는 사소한 일에도 얼마나 자주 마음
　　　　　　　　　　　　　　　　「 」: 참나무를 보며 자기 자신을 반성함.
이 흔들렸던가. 또 어쩌다 상처를 받게 되면 얼마나 많은 원망의 시간을 보냈던가. 그리

고 나는 과연 길을 잃은 사람이 다시 찾아올 수 있도록 변함없이 그 자리를 서 있었던

적이 있었던가. 그렇게 말없이 기다림을 실천한 적이 있었던가.」

　이제부터는 한 그루 나무처럼 살고 싶다. 자기 자리

에 굳건히 뿌리를 내리고 세월이 가져다주는 변화를
　　　　　　　　　　　　자연의 순리를 따르는 사람
조용히 받아들이며 가끔은 누군가 찾아와 기대고 쉴
　　　　　　　　　　다른 사람을 포용할 수 있는 사람
수 있는 사람이 되었으면 싶다. 겉모습은 어쩔 수 없이
　　　　　　　　　　　　한결같은 사람
변하더라도 속마음은 변하지 않는 사람이 되고 싶다.

한 그루 나무처럼 말이다.

▶ 이 작품은 약수터에 있는 참나무와의 인연을 통해 삶을 성찰하고 얻은 깨달음을 전하는 수필이다. 글쓴이는 눈 내
리는 날에 변함없이 그 자리에서 자신을 기다려 준 참나무를 보면서, 자연의 순리에 따르고 타인을 포용할 수 있
는 사람, 한결같은 사람이 되고 싶다는 다짐을 담담히 드러내고 있다.

바로 확인

이 글의 글쓴이에 대한 설명으로 적절하지 않은 것은?

① 나무의 모습에서 포용력 있는 삶의 모습을 연상하였다.

② 나무를 보며 사소한 일에도 마음이 흔들렸던 자신을 돌아보았다.

③ 상처가 아물지 않은 채 눈을 맞고 있는 나무에게 동병상련을 느꼈다.

답 | ③

설(設)과 기(記)

1. 설(設)

뜻 한문 문체의 하나로 현상에 대한 자신의 의견을 서술하는 글. 일반적으로 앞부분은 글쓴이의 경험이나 사실, 뒷부분은 이에서 얻은 [**①**]으로 구성됨.

특징
- 비유, 유추, 우의적 표현 방법을 많이 사용함.
- 독자에게 [**②**]이나 깨달음을 줌.

예 〈이옥설〉에 쓰인 유추

행랑채	사람과 정치
비가 새는 지붕을 고치지 않음.	잘못을 바로잡지 않음.
나무가 썩음.	사람과 정치가 바르지 못하게 됨.
제때 수리해야 함.	잘못을 제때 바로잡아야 함.

2. 기(記)

뜻 한문 문체의 하나로 어떤 사건이나 경험의 과정을 [**③**]대로 기록하여 기념하고자 한 글.

예 「유독 내 큰형님만이 '나'를 잃지 않고 편안하게 수오재에 단정히 앉아 계신다.
'나를 지키는 집'이라는 뜻으로, 큰형님이 자신의 집에 붙인 이름임.
본디부터 지키는 바가 있어 '나'를 잃지 않으신 때문이 아니겠는가? 이것이
야말로 큰형님이 자신의 서재 이름을 '수오'라고 붙이신 까닭일 것이다.」
「 」: '수오재'라는 이름에 얽힌 사연을 적음.
(중략) / 드디어 내 생각을 써서 큰형님께 보여 드리고 수오재의 기문(記文)
'수오재'에서 얻은 깨달음을 기록함.
으로 삼는다.

– 정약용, 〈수오재기〉 [천(박)]

설(設)과 기(記)는 모두 독자에게 교훈이나 깨달음을 주는 고전 수필 형태라고 할 수 있어.

답 ① 깨달음 ② 교훈 ③ 사실

이옥설 _이규보 동 . 지

행랑채가 퇴락하여 지탱할 수 없게끔 된 것이 세 칸이었다. 나는 마지못하여 이를 모
<u>낡아서 무너지고 떨어져</u>
두 수리하였다. 그런데 그중의 두 칸은 앞서 장마에 비가 샌 지가 오래되었으나, <u>나는</u>

<u>그것을 알면서도 이럴까 저럴까 망설이다가 손을 대지 못했던 것이고</u>, 나머지 한 칸은
<u>행랑채를 제때에 수리하지 못하고 방치함.</u>
비를 한 번 맞고 샜던 것이라 서둘러 기와를 갈았던 것이다. 이번에 수리하려고 본즉 비

가 샌 지 오래된 것은 그 서까래, 추녀, 기둥, 들보가 모두 썩어서 못 쓰게 되었던 까닭

으로 수리비가 엄청나게 들었고, 한 번밖에 비를 맞지 않았던 한 칸의 재목들은 완전하

여 다시 쓸 수 있었던 까닭으로 그 비용이 많지 않았다.   ▶ 경험: 행랑채를 수리함.

나는 이에 느낀 것이 있었다. 사람의 몸에 있어서도 마찬가지라는 사실을.「잘못을 알
사람 그 자신 → 유추 ①
고서도 바로 고치지 않으면 곧 그 자신이 나쁘게 되는 것이 마치 나무가 썩어서 못 쓰게
「 」: 행랑채를 수리한 경험에서 사람의 잘못은 빨리 고쳐야 한다는 깨달음을 얻음.
되는 것과 같으며, 잘못을 알고 고치기를 꺼리지 않으면 해(害)를 받지 않고 다시 착한

사람이 될 수 있으니, 저 집의 재목처럼 말끔하게 다시 쓸 수 있는 것이다.」
                        「 」: 행랑채를 수리한 경험에서 탐관오리도 제때 바로잡아야 한다는 깨달음을 얻음.
그뿐만 아니라 나라의 정치도 이와 같다.「백성
유추 ②
을 좀먹는 무리들을 내버려 두었다가는 백성들

이 도탄에 빠지고 나라가 위태롭게 된다. 그런 연

후에 급히 바로잡으려 하면 이미 썩어 버린 재목
처럼 때는 늦은 것이다.」어찌 삼가지 않겠는가.
자신과 타인에 대한 경계의 태도

                        ▶ 깨달음: 사람의 잘못과 잘못된 정치 현실 또한 제때 고쳐야 함.

▶ 이 작품은 퇴락한 행랑채를 수리한 경험에서 얻은 깨달음을 인간의 삶과 정치 현실에 적용한 교훈적 수필이다.
 '경험-깨달음'의 2단 구성으로 되어 있으며, 좀 더 세부적으로 보면 '대상 자체의 분석-대상의 의미 유추-대상의
 의미 확장'으로 나누어 볼 수 있다.

바로 확인

이 글에 대한 설명으로 적절하지 <u>않은</u> 것은?

① 글의 첫머리에서 자신이 얻은 교훈을 독자에게 전달하고 있다.

② 일상의 경험에서 얻은 깨달음을 다른 대상에 확대 적용하고 있다.

③ 정치 개혁이라는 다소 무거운 제재를 일상적 경험을 바탕으로 제시하고 있다.

                                        답 | ①

Memo

내신전략 | 고등 국어 **문학**

시험에 잘 나오는
개념BOOK 1

내신전략

고등 국어 문학

BOOK 1

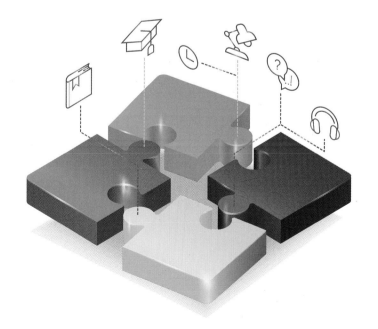

이 책의 **구성과 활용**

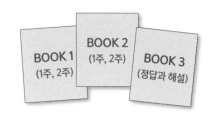

BOOK 1 (1주, 2주)
BOOK 2 (1주, 2주)
BOOK 3 (정답과 해설)

1주 4일, 2+2주의 체계적 학습 계획에 따라 고등 국어의 기초를 다질 수 있어요.

도입 만화

이번 주에 배울 내용이 무엇인지 안내하는 부분입니다.
재미있는 만화를 보며 앞으로 배울 학습 요소를 미리
떠올려 봅니다.

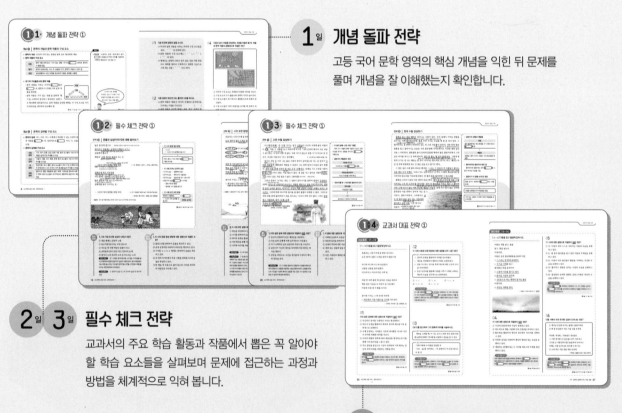

1일 개념 돌파 전략

고등 국어 문학 영역의 핵심 개념을 익힌 뒤 문제를
풀며 개념을 잘 이해했는지 확인합니다.

2일 **3**일 필수 체크 전략

교과서의 주요 학습 활동과 작품에서 뽑은 꼭 알아야
할 학습 요소들을 살펴보며 문제에 접근하는 과정과
방법을 체계적으로 익혀 봅니다.

4일 교과서 대표 전략

내신 기출 문제로 자주 등장하는 대표 유형의 문제
를 풀어볼 수 있습니다. 문제에 접근하는 것이 어려
울 때에는 '유형 해결 전략'을 참고할 수 있습니다.

다양한 유형의 문제로 한 주를 마무리하고, 권 마무리 학습으로 시험을 대비하세요.

주 마무리 학습

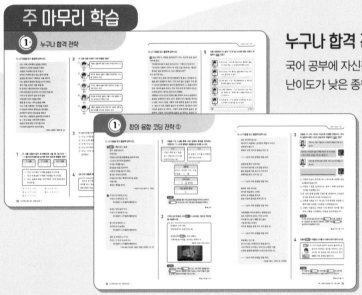

누구나 합격 전략

국어 공부에 자신감을 길러 주는
난이도가 낮은 종합 문제로 구성했습니다.

창의·융합·코딩 전략

융·복합적 사고력과 문제 해결력을
길러 주는 문제로 구성했습니다.

권 마무리 학습

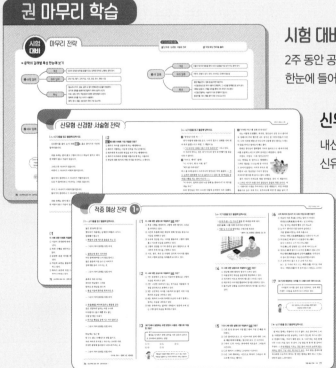

시험 대비 마무리 전략

2주 동안 공부한 내용을 재미있는 만화와 함께
한눈에 들어오게 정리했습니다.

신유형·신경향·서술형 전략

내신과 학평의 최신 기출 경향을 반영한
신유형·신경향·서술형 문제를 제공합니다.

적중 예상 전략

실제 시험에 대비할 수 있는 모의 실전 문제를
2회로 구성하였습니다.

※ 문학 작품이 수록된 교과서는 다음과 같이 표기하였습니다.

천(박) (천재교육 박영목 저), 천(이) (천재교육 이성영 저), 금 (금성출판사), 동 (동아출판),
미 (미래엔), 비(박안) (비상교육 박안수 저), 비(박영) (비상교육 박영민 저), 지 (지학사),
신 (좋은책신사고), 창 (창비), 해 (해냄출판사)

이 책의 차례

1주 문학의 갈래와 구조
_서정, 교술

- 서정 갈래와 교술 갈래의 특성 이해하기
- 서정 갈래와 교술 갈래의 문학 작품들을 이루는 구성 요소가 작품 전체와 맺는 관계 이해하기

2주 문학의 갈래와 구조
_서사, 극

- 서사 갈래와 극 갈래의 특성 이해하기
- 서사 갈래와 극 갈래의 문학 작품들을 이루는 구성 요소가 작품 전체와 맺는 관계 이해하기

권 마무리 학습

1주 문학의 갈래와 구조 _서정, 교술

서정 갈래란 무엇일까?

서정 갈래란 인간의 생각이나 정서를
운율이 있는 함축적인 언어로 노래하는 문학 양식을 말합니다.

교술 갈래란 무엇일까?

교술 갈래란 글쓴이의 경험이나 성찰을 바탕으로 하여
독자에게 감동이나 교훈을 전달하는 문학 양식을 말합니다.

1주 1일 개념 돌파 전략 ①

개념 ❶ 문학의 개념과 문학 작품의 구성 요소

■ **문학의 개념**: 인간의 가치 있는 경험을 말과 글로 형상화한 예술
■ **문학 작품의 구성 요소**

내용	문학 작품 속에 담긴 '가치 있는 경험'. 작가의 ❶□□□, 세계관, 문제의식 등을 담음.
형식	문학의 갈래(서정, 서사, 극, 교술)와 구조, 문학적 기법이나 장치 등
표현	일상생활에서 쓰던 표현을 정교하게 다듬은 표현을 사용함.

■ **유기적 구조물로서의 문학 작품**

• 문학 작품을 이루는 각각의 ❷□□□들은 ❸□□□으로 결합하여 전체로서의 문학 작품을 형성함.

• 문학 작품은 가치 있는 '내용'을 문학적 '형식'을 고려하여 참신하고 창의적인 '표현'으로 형상화한 결과물이므로, 문학 작품을 감상할 때에는 각 구성 요소들 사이의 관련성을 생각하며 감상해야 함.

작품
↓
내용
↙ ↘
형식 ↔ 표현

답 ❶ 가치관 ❷ 구성요소 ❸ 유기적

개념＋

≫**형상화**: 느낌이나 감정, 관념 등과 같이 □□□인 대상을 감각적인 언어를 사용하여 구체적인 형상으로 그려 내는 것

'유기적'이란 전체를 구성하고 있는 각 부분이 서로 밀접하게 관련을 맺고 있어서 떼어 낼 수 없는 것을 말해.

답 추상적

개념 ❷ 문학의 갈래별 구성 요소

■ **문학의 갈래**: 어느 나라, 어느 시대에나 적용할 수 있는 보편적 원리에 따라 문학 작품을 ❶□□한 것. 일반적으로 ❷□□, 서사, 극, 교술의 네 갈래로 나눔.

■ **문학의 갈래별 구성 요소**

서정 갈래	'시어, 화자, 운율, 심상, 표현 기법' 등의 요소들이 서로 유기적으로 얽혀서 작품의 분위기와 주제를 드러냄.
서사 갈래	'서술자, 인물, 사건, 배경, 문체' 등의 요소들이 서로 유기적인 관련을 맺고 주제를 드러냄.
극 갈래	'등장인물, 대사, 행동' 등의 요소들이 극의 구성 단계에 따라 서로 긴밀하게 연계되면서 사건 전개의 극적 효과를 높여 주제를 드러냄.
교술 갈래	글쓴이의 경험, 깨달음과 같은 '제재', 자유로운 형식에 따른 '구성', 개성적인 '문체' 등의 요소들이 유기적으로 결합하여 글쓴이의 개성과 주제를 드러냄.

답 ❶ 분류 ❷ 서정

개념＋

≫**문학의 역사적 갈래**

• 서정 갈래: 고대 가요, 향가, □□ 가요, 시조, 현대 시 등
• 서사 갈래: 설화, 고전 소설, 신소설, 현대 소설 등
• 극 갈래: 가면극, 인형극, 창극, 근·현대극 등
• 교술 갈래: 설(設), 기(記), □□ 등

오늘은 서정 갈래와 교술 갈래의 특성을 중심으로 공부할 거야.

답 고려, 수필

01 다음 빈칸에 알맞은 말을 쓰시오.

(1) 하나의 문학 작품을 이루는 각각의 구성 요소들은 서로 (^{ㅇㄱㅈ})인 관계에 있다.

(2) 문학 작품의 구성 요소에는 (^{ㄴㅇ}), (^{ㅎㅅ}), (^{ㅍㅎ})이 있다.

(3) 형체로는 분명히 나타나 있지 않은 것을 어떤 방법이나 매체를 통하여 구체적이고 명확한 모습으로 그려 내는 것을 (^{ㅎㅅㅎ})라고 한다.

02 다음 설명이 맞으면 O표, 틀리면 X표를 하시오.

(1) 문학 작품의 '내용'은 작가의 세계관과 문제의식을 드러내는 기법을 가리킨다. ( )

(2) 문학 작품을 감상할 때에는 내용, 형식, 표현이 맺는 긴밀한 관계에 대한 이해를 바탕으로 감상해야 작품을 깊이 있게 이해할 수 있다. ( )

03 문학 갈래와 그것을 이루는 구성 요소를 알맞게 연결하시오.

(1) 극 갈래 · · ㉠ 시적 화자, 시어, 운율, 심상

(2) 교술 갈래 · · ㉡ 글쓴이의 경험, 깨달음, 문체

(3) 서사 갈래 · · ㉢ 등장인물, 대사, 행동, 지시문, 해설

(4) 서정 갈래 · · ㉣ 인물, 사건, 배경, 문체, 시점, 서술자

04 다음과 같이 퍼즐을 완성하는 과정을 떠올려 볼 때, 퍼즐과 문학 작품의 공통점으로 적절한 것은?

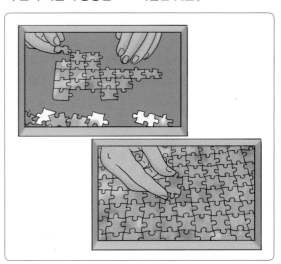

① 각각의 구성 요소는 전체보다 복잡한 의미를 지닌다.

② 구성 요소의 수가 많을수록 전체의 가치가 높아진다.

③ 구성 요소들이 유기적으로 결합함으로써 전체가 완성된다.

④ 구성 요소들이 각각 독립성을 유지할 때 전체가 의미를 지닌다.

⑤ 구성 요소들 중 가치 있는 것만을 조합했을 때 전체가 특별한 의미를 지닌다.

05 다음 ㉠~㉤ 중 적절하지 않은 것은?

> 문학은 그 특성에 따라 크게 서정, 서사, 교술, 극의 네 갈래로 나뉜다. ㉠ 이들은 모두 언어를 수단으로 재미와 감동을 준다는 공통점을 지니지만, 형상화의 방법에서 차이를 보인다. 보통 ㉡ 서정 갈래는 사상이나 정서를 압축된 언어로 표현하고, ㉢ 서사 갈래는 인물을 중심으로 사건을 서술한다. ㉣ 교술 갈래는 세계와 삶에 관한 성찰을 엄격한 형식을 통해 전달하고, ㉤ 극 갈래는 대사와 행동으로 사건의 양상을 보여 준다.

① ㉠　　　② ㉡　　　③ ㉢

④ ㉣　　　⑤ ㉤

개념 ❸ | 서정 갈래의 개념과 특성

■ **개념**: 시적 화자의 주관적인 사상과 정서를 함축적이고 운율이 있는 언어로 형상화하는 문학의 갈래로, 시가 대표적임.

■ **특성**
• 말소리나 어구, 음보, 글자 수 등이 반복되며 ❶⬚⬚⬚이 형성됨.
• 감각과 경험을 생생하게 전달하기 위해 ❷⬚⬚⬚이 쓰임.
• 비유, 상징, 반어, 역설 등의 다양한 표현 방법이 쓰임.
• 함축적 의미를 지닌 시어가 사용됨.

답 ❶ 운율 ❷ 심상

개념⁺

≫시적 화자
• 시 속에서 ⬚⬚⬚을 대신해 말하는 사람으로, 시인이 생각과 정서를 효과적으로 전달하기 위해 꾸며 낸 존재
• 시의 표면에 직접적으로 드러나는 경우도 있지만, 겉으로 드러나지 않고 ⬚⬚⬚ 있는 경우도 있음.
• 일반적으로 사람이지만 때로는 관념이나 ⬚⬚⬚로 설정될 수도 있음.

답 시인, 숨어, 사물

개념 ❹ | 시의 구성 요소와 형상화 방법

■ **시의 구성 요소**

시적 화자	시에서 말하는 사람으로 ❶⬚⬚⬚ 자아라고도 함.
시어	시에 쓰이는 말로 사전적 의미 외에 시인의 생각을 전달하기 위해 ❷⬚⬚⬚을 띠게 된 말
운율	시를 낭송할 때 특정한 소리들이 규칙적으로 반복됨으로써 생기는 음악적 효과
심상(이미지)	시를 읽을 때 마음속에 떠오르는 영상이나 감각(느낌)

■ **시의 형상화 방법**: 시인은 시의 구성 요소와 다양한 표현 방법을 활용하여 작품의 주제를 형상화함.

• 함축적 의미를 담아낼 '시어'를 선택하고, 그 시어를 배열하여 '운율'을 형성함.
• 비유나 상징 등의 '표현 방법'을 활용하고, '심상'을 구체화하여 '화자'의 정서를 표현함.

→ 작품의 주제 형상화

답 ❶ 서정적 ❷ 함축성

개념⁺

≫운율 형성 방법
• 반복: 음보나 글자 수, 동일한 음운이나 음절, 같거나 비슷한 시어나 시구, 문장 구조, 연, 행을 ⬚⬚⬚함.
• 음성 상징어 사용: 같은 음절이나 단어가 반복되는 ⬚⬚⬚와 의태어를 사용함.

≫심상의 종류
• 시각적 심상, 청각적 심상, 촉각적 심상, 후각적 심상, 미각적 심상, 공감각적 심상 등이 있음.
• 공감각적 심상: 하나의 감각을 다른 종류의 감각으로 ⬚⬚⬚하여 표현하는 심상.
예 금빛 게으른 울음(청각의 시각화)

 →

울음(청각)이   금빛을 띰.(시각화)

답 반복, 의성어, 전이

개념 ❺ | 교술 갈래의 개념과 특성

■ **개념**: 글쓴이의 ❶⬚⬚⬚이나 성찰을 바탕으로 하여 감동이나 교훈을 전달하는 문학의 갈래이며, 수필이 대표적임.

■ **특성**
• 다른 갈래에 비해 형식이 자유로움.
• 글쓴이가 독자에게 경험, 생각, 느낌 등을 직접 말하는 방식으로 서술됨.
• 자기 고백적이며 글쓴이의 ❷⬚⬚⬚이 잘 드러남.

■ **구성 요소**: 글쓴이의 경험, 깨달음, 인생관, 가치관, 문체 등

답 ❶ 경험 ❷ 개성

개념⁺

≫수필 속의 '나'와 소설 속의 '나'
• 수필 속의 '나': 실제 인물인 ⬚⬚⬚
• 소설 속의 '나': 작품 속의 등장인물이자 1인칭 ⬚⬚⬚로 작가가 소설을 전개하기 위해 내세운 허구적 대리인

답 작가 자신, 서술자

06 다음 설명이 맞으면 O표, 틀리면 X표를 하시오.

(1) 시적 화자와 시인은 항상 일치한다. (　　)

(2) 시를 감상할 때 시어의 의미는 사전적 의미로만 해석해야 한다. (　　)

(3) 시적 화자는 '나', '우리' 등으로 표현되어 시의 표면에 드러날 수 있다. (　　)

07 〈보기〉에서 교술 갈래의 특성으로 알맞은 것의 기호를 모두 골라 쓰시오.

> ● 보기 ●
> ㉠ 일기, 편지, 기행문 등 다양한 형식으로 창작된다.
> ㉡ 글쓴이가 자신의 경험과 느낌을 직접 말하는 방식을 취한다.
> ㉢ 대개 뚜렷한 갈등 구조가 나타나며, 갈등을 생생하게 부각한다.
> ㉣ 글쓴이의 경험이나 성찰을 바탕으로 하여 허구의 세계를 그려 낸다.

08 다음 수필의 ㉠에 대한 설명으로 맞으면 O표, 틀리면 X표를 하시오.

> 참으로 신기하게도 힘들어서 주저앉고 싶을 때마다 ㉠난 내 마음속에서 작은 속삭임을 듣는다. 오래 전 따뜻한 추억 속 골목길 안에서 들은 말,
> "괜찮아! 조금만 참아. 이제 다 괜찮아질 거야."
> – 장영희, 〈괜찮아〉 신 , 지

(1) '시적 자아' 또는 '서정적 자아'라고도 한다. (　　)

(2) 글쓴이와 일치한다는 점에서 실제로 존재하는 인물이다. (　　)

(3) 글쓴이가 효과적으로 주제를 전달하기 위해 의도적으로 설정한 허구적 대리인이다. (　　)

09 다음 작품이 속한 갈래에 대한 설명으로 적절한 것은?

> 사람들 사이에 섬이 있다.
> 그 섬에 가고 싶다.
> – 정현종, 〈섬〉 동

① 공연이나 촬영을 목적으로 한다.
② 형식에 구애 받지 않고 경험을 솔직하게 표현한다.
③ 함축적인 언어로 화자의 정서를 압축해 보여 준다.
④ 인물이 특정 시공간 안에서 문제를 해결하는 과정을 보여 준다.
⑤ 인물이 겪는 일을 눈앞에서 일어나는 것처럼 현재형으로 보여 준다.

10 다음 글에 대한 설명으로 적절하지 않은 것은?

> 키티에게
> 　오늘은 전에 쓴 일기를 모두 읽어 보았단다. 그런데 내가 엄마를 몹시 비난하고 있었던 것에 몹시 놀랐어. 이렇게까지 분노하고 있었다니, 그리고 그걸 키티 네게 다 말해 버렸다니……
> 　예나 지금이나 나는 모든 걸 너무 주관적으로 생각하는 결점이 있어. 그래서 다른 사람의 말을 냉정하게 받아들이기보다는 쉽게 흥분하고, 상처받은 말에 적절하게 대응하지도 못하게 되지. 나는 스스로 도취해 모든 기쁨과 슬픔, 경멸을 일기에 쓰는 것으로 만족하고 있었던 거야. 일기는 나에게 더없이 소중한 것이니까.
> – 안네 프랑크, 〈안네의 일기〉 천(이) , 신

① 글쓴이의 개성이 잘 드러나고 있다.
② 글쓴이가 직접 말하는 방식을 취하고 있다.
③ 경험과 그로 인한 깨달음을 이야기하고 있다.
④ 자신의 상황과 심리를 솔직하게 드러내고 있다.
⑤ 전쟁 경험을 바탕으로 그럴듯하게 지어낸 이야기가 담겨 있다.

개념 돌파 전략 ②

[1~4] 다음을 읽고 물음에 답하시오.

산모퉁이를 돌아 논가 외딴 우물을 홀로 찾아가선 가만히 들여다봅니다.

우물 속에는 달이 밝고 구름이 흐르고 하늘이 펼치고 파아란 바람이 불고 가을이 있습니다.

[A]
그리고 한 사나이가 있습니다.
어쩐지 그 사나이가 미워져 돌아갑니다.

돌아가다 생각하니 그 사나이가 가엾어집니다.
도로 가 들여다보니 사나이는 그대로 있습니다.

다시 그 사나이가 미워져 돌아갑니다.
돌아가다 생각하니 그 사나이가 그리워집니다.

우물 속에는 달이 밝고 구름이 흐르고 하늘이 펼치고 파아란 바람이 불고 가을이 있고 추억처럼 사나이가 있습니다.

– 윤동주, 〈자화상〉 비(박안), 신

바탕 문제

❶ 이 시의 화자는 시상 전개에 따라 [   ]에 변화를 보이고 있다.
❷ 이 시의 화자는 자신의 삶에 대해 [   ]적 태도를 보이고 있다.
❸ 6연의 '추억처럼 사나이가 있습니다.'라는 구절에서 화자의 내적 갈등이 [   ]되었음을 알 수 있다.

답 ❶ 정서 ❷ 성찰(반성) ❸ 해소

---

1 이와 같은 글의 특징으로 거리가 먼 것은?

① 시적 화자 또는 서정적 자아가 등장한다.
② 화자의 주관적인 사상과 정서를 드러낸다.
③ 의도적으로 시어를 배열하여 운율을 형성한다.
④ 직접 겪은 일상적인 경험과 깨달음을 표현한다.
⑤ 압축된 언어 형식을 통해 추상적 정서를 형상화한다.

2 이 시에 대한 이해로 적절하지 <u>않은</u> 것은?

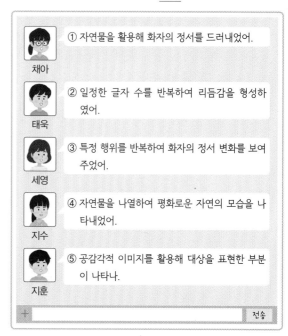

채아 ① 자연물을 활용해 화자의 정서를 드러내었어.

태욱 ② 일정한 글자 수를 반복하여 리듬감을 형성하였어.

세영 ③ 특정 행위를 반복하여 화자의 정서 변화를 보여 주었어.

지수 ④ 자연물을 나열하여 평화로운 자연의 모습을 나타내었어.

지훈 ⑤ 공감각적 이미지를 활용해 대상을 표현한 부분이 나타나.

전송

3 [A]에 나타난 화자의 정서 변화로 가장 적절한 것은?

① 미움 → 연민 → 미움 → 연민
② 미움 → 연민 → 그리움 → 미움
③ 미움 → 연민 → 미움 → 그리움
④ 연민 → 미움 → 연민 → 미움
⑤ 연민 → 미움 → 그리움 → 연민

4 이 시의 내용을 고려하여 다음 ㉠, ㉡에 들어갈 말을 짝지은 것으로 적절하지 <u>않은</u> 것은?

이 시에서 '(㉠)'은/는 화자가 자신을 비추어 보는 사물로 자아를 성찰하는 매개체 역할을 한다. 이러한 '(㉠)'에 비친 '(㉡)'은/는 성찰의 대상인 화자 자신을 의미하는 시어이다.

① ㉠: 하늘, ㉡: 추억   ② ㉠: 하늘, ㉡: 사나이
③ ㉠: 바람, ㉡: 사나이   ④ ㉠: 우물, ㉡: 하늘
⑤ ㉠: 우물, ㉡: 사나이

[5~7] 다음을 읽고 물음에 답하시오.

가 집에 오래 지탱할 수 없이 퇴락한 행랑채 세 칸이 있어서 나는 부득이 그것을 모두 수리하게 되었다. 이때 그중 두 칸은 비가 샌 지 오래되었는데, 나는 그것을 알고도 어물어물하다가 미처 수리하지 못하였고, 다른 한 칸은 한 번밖에 비를 맞지 않았기 때문에 급히 기와를 갈게 하였다.

나 그런데 수리하고 보니, 비가 샌 지 오래된 것은 서까래·추녀·기둥·들보가 모두 썩어서 못 쓰게 되었으므로 경비가 많이 들었고, 한 번밖에 비를 맞지 않은 것은 재목들이 모두 완전하여 다시 쓸 수 있었기 때문에 경비가 적게 들었다.

다 나는 여기에서 이렇게 생각한다. 사람의 몸도 역시 마찬가지다. 잘못을 알고서도 곧 고치지 않으면 몸이 패망하는 것이 나무가 썩어서 못 쓰게 되는 이상으로 될 것이고, 잘못이 있더라도 고치기를 꺼려하지 않으면 다시 좋은 사람이 되는 것이 집 재목이 다시 쓰일 수 있는 이상으로 될 것이다.

라 이뿐만 아니라, 나라의 정사도 이와 마찬가지다. 모든 일에서, 백성에게 심한 해가 될 것을 머뭇거리고 개혁하지 않다가, 백성이 못살게 되고 나라가 위태하게 된 뒤에 갑자기 변경하려 하면, 곧 붙잡아 일으키기가 어렵다. 삼가지 않을 수 있겠는가?

– 이규보, 〈이옥설〉 동 , 지

바탕 문제

❶ 글쓴이는 [ ]를 수리한 경험을 통해, 그릇된 것을 알고 바로 그것을 고쳐 나가는 자세가 중요하다는 점을 깨달았다.

❷ 글쓴이는 사고의 대상을 '[ ]–사람의 몸–[ ]'로 확대하고 있다.

❸ 이 글은 '경험+깨달음'의 구성을 취하는 [ ]의 갈래적 특성을 잘 보여 주고 있다.

답 ❶ 행랑채 ❷ 행랑채, 정치 ❸ 설(說)

5 이 글의 글쓴이가 독자에게 궁극적으로 전달하고자 하는 바로 적절한 것은?

① 나무가 비를 맞아 썩으면 쓸모가 없어진다.

② 백성에게 해가 되는 개혁은 하지 말아야 한다.

③ 물건을 제때 고치지 않으면 나중에 고치는 데에 비용이 많이 든다.

④ 사람이든 정치든 문제를 발견하면 즉시 바로잡는 자세가 필요하다.

⑤ 사람이든 정치든 겉치레에 치중하기보다는 기초를 튼튼히 하는 것이 중요하다.

6 다음은 이 글의 구조를 도식화한 것이다. [A]~[C]의 내용으로 적절하지 않은 것은?

경험	→	유추 ①	→	유추 ②
[A]		[B]		[C]

① [A]: 일상생활 속 경험을 구체적으로 제시하고 있다.

② [A]: 대상들을 비교하여 의도하는 바를 더욱 효과적으로 표현하고 있다.

③ [B]: 경험에서 얻은 깨달음을 사람의 경우에 적용하고 있다.

④ [B]: 잘못을 고칠 때를 놓쳤더라도 큰 노력을 들이면 좋은 사람이 될 수 있는 생각을 드러내고 있다.

⑤ [C]: '행랑채 → 사람 → 정치'로 의미를 확장하며 늦기 전에 백성에게 해가 될 것을 제거해야 함을 촉구하고 있다.

7 (나)의 상황을 드러내기에 가장 적절한 속담은?

① 손바닥으로 하늘 가리기

② 고래 싸움에 새우 등 터진다.

③ 숭어가 뛰니까 망둥이도 뛴다.

④ 싸움은 말리고 흥정은 붙이랬다.

⑤ 호미로 막을 것을 가래로 막는다.

전략 ❶ | 운율과 심상(이미지)에 대해 알아보기

『넓은 벌 동쪽 끝으로 『 』: 평화로운 고향의 모습을 멀리서 바라본 모습(원경)

옛이야기 지줄대는 실개천이 회돌아 나가고,』
　　실개천이 마을의 옛이야기를 들려줌.(의인법)
얼룩백이 황소가

해설피* 금빛 게으른 울음을 우는 곳,
　　공감각적 심상(청각의 시각화)

　　　　　잊힐 리 있겠는가? - 잊힐 리 없다(설의법)
— 그곳이 차마 꿈엔들 잊힐 리야.
후렴구: ① 연 구분 및 시 전체에 통일성 부여
　　　　② 운율 형성 ③ 그리움의 정서 강조
　　　　　　　　　　　　　　▶ 1연: 평화롭고 여유가 느껴지는 고향의 모습

질화로에 재가 식어지면
계절적 배경(겨울), 시간의 흐름(밤이 깊어짐), 촉각적 심상
비인 밭에 ㉠밤바람 소리 말을 달리고
　　　　공감각적 심상(청각의 시각화) - 세차게 부는 바람을 표현함.
(엷은 졸음에 겨운 늙으신 아버지가
(　): 늙으신 아버지의 고단한 모습
짚베개를 돋아 고이시는 곳,)

— 그곳이 차마 꿈엔들 잊힐 리야. 　　▶ 2연: 겨울밤의 정경과 늙은 아버지의 모습 회상

　　　　　　　　　　　　　　　　- 정지용, 〈향수〉에서 천(박), 동, 비(박영)

* 해설피: '해가 질 무렵'이라는 해석과 '소리가 낮고 느리게'라는 해석이 있음.

● 이 시의 운율 형성 방법

- '~는 곳'
- '— 그곳이 차마 꿈엔들 잊힐 리야.'

↓

연마다 통사 구조와 후렴구를 ❶[　　] 하여 운율을 형성함.

● 이 시에 드러난 감각적 심상

- 시각적 심상 → '얼룩백이 황소'
- 청각적 심상 → '옛이야기 지줄대는'
- 촉각적 심상 → '질화로에 재가 식어지면'
- 공감각적 심상(❷[　　]의 시각화)
　→ '금빛 게으른 울음'
　→ '밤바람 소리 말을 달리고'

● 이 시에 쓰인 표현 방법

옛이야기 지줄대는	❸[　　]
— 그곳이 차마 꿈엔들 잊힐 리야.	반복법, 설의법

답 ❶ 반복 ❷ 청각 ❸ 의인법

필수 예제

1. ㉠과 가장 유사한 심상이 나타난 것은?

① 뒷문 밖에는 갈잎의 노래
② 분수처럼 흩어지는 푸른 종소리
③ 어두운 방 안엔 바알간 숯불이 피고
④ 금방울과 같이 호동그란 고양이의 눈에
⑤ 발자국 소리 호르락 소리 문 두드리는 소리

정답 | 해설 ② | ㉠에는 청각('밤바람 소리')을 시각('말을 달리고')화하여 표현한 공감각적 심상이 사용되었다. '분수처럼 흩어지는 푸른 종소리'는 ㉠과 같이 청각('종소리')을 시각('분수처럼 흩어지는 푸른')화하여 나타내었다.

오답 풀이 ① 청각적 심상 ③, ④ 시각적 심상 ⑤ 청각적 심상

확인 문제

1. 이 시의 운율 형성 방법에 대한 설명으로 적절한 것은?

① 울림소리를 반복하여 운율을 형성하고 있다.
② 음성 상징어를 사용하여 리듬감을 형성하고 있다.
③ 시어를 'a-a-b-a' 형태로 반복하여 운율을 획득하고 있다.
④ 각 연의 마지막에서 특정 시행을 반복함으로써 운율을 형성하고 있다.
⑤ 한 행을 세 호흡으로 끊어 읽도록 시어를 배치하여 리듬감을 자아내고 있다.

전략 ❷ | 시의 표현 방법에 대해 알아보기

흔들리는 나뭇가지에 꽃 한번 피우려고

눈은 얼마나 많은 도전을 멈추지 않았으랴
　　　　의인법, 설의법
▶ 눈꽃을 피우기 위한 눈의 도전

싸그락 싸그락 두드려 보았겠지

난분분* 난분분 춤추었겠지 　○: 동일하거나 유사한 말을 반복하여
　　　　　　　　　　　　운율을 형성함.

미끄러지고 미끄러지길 수백 번,
▶ 눈꽃을 피우기 위한 눈의 도전과 시련

바람 한 자락 불면 휙 날아갈 사랑을 위하여
　　첫사랑의 순간적인 속성
「햇솜 같은 마음을 다 퍼부어 준 다음에야」 「」: 눈의 헌신적 자세
　직유법　　　　　원관념: 눈꽃
마침내 피워 낸 저 황홀 보아라
눈과 나뭇가지의 첫사랑이 이루어지는 순간
▶ 마침내 피워 낸 눈꽃에 대한 예찬

　　　　　눈꽃이 피었던 자리, 첫사랑의 아픈 경험
봄이면 가지는 그 한 번 덴 자리에
　　　　　원관념: 봄꽃(은유법)
㉠세상에서 가장 아름다운 상처를 터뜨린다
　이별을 겪은 후에 도달한 성숙한 사랑의 아름다움(역설법)
▶ 봄에 피어난 꽃의 아름다움

- 고재종, 〈첫사랑〉 금, 비(박안), 신

• 난분분: '난분분하다'의 어근. 눈이나 꽃잎 따위가 흩날리어 어지러운 모양

● 이 시의 형상화 방법
나뭇가지에 눈이 내리고(눈꽃이 피고), 눈(눈꽃)이 녹은 자리에 봄꽃이 피는 자연 현상을 통해 ❶　　　의 의미를 형상화함.

● 이 시에 쓰인 표현 방법
• 의인법: '❷　　　'을 사람처럼 표현하여 도전하고, 두드리고, 춤추고, 마음을 다 퍼부어 주는 존재로 표현함.
• 설의법: 반문하는 뜻을 나타내는 종결 어미 '–랴'를 사용하여 '눈'이 많은 도전을 하였음을 강조함.
　→ '눈은 ～ 도전을 멈추지 않았으랴'
• 반복법: 시어를 반복하여 운율을 형성함.
　→ '싸그락 싸그락', '난분분 난분분', '미끄러지고 미끄러지길'
• 비유법: 눈꽃, 봄꽃을 다양하게 비유함.
　→ 눈꽃: '바람 한 자락 불면 휙 날아갈 사랑', '마침내 피워 낸 저 황홀'
　→ 봄꽃: '세상에서 가장 아름다운 상처'
• 역설법: 이별을 겪은 후에 도달한 성숙한 사랑의 아름다움을 ❸　　　으로 표현함.
　→ '세상에서 가장 아름다운 상처'

답 ❶ 사랑 ❷ 눈 ❸ 역설적

필수예제 2. 이 시에 대한 설명으로 적절하지 **않은** 것은?
① 대상을 의인화하여 표현하고 있다.
② 시어를 반복하여 운율감을 형성하고 있다.
③ 반어적 표현을 활용하여 주제를 드러내고 있다.
④ 자연 현상을 통해 사랑의 의미를 형상화하고 있다.
⑤ 시각적 이미지를 사용하여 대상을 형상화하고 있다.

정답|해설 ③ | 이 시에서 반어법은 사용되지 않았다.

오답 풀이 ① '눈'을 도전하고, 두드리고, 춤추고, 마음을 다 퍼부어 주는 사람과 같은 존재로 표현하고 있다. ② '싸그락 싸그락', '난분분 난분분', '미끄러지고 미끄러지길' 등에서 시어를 반복하여 운율을 형성하고 있다. ④ 한겨울 나뭇가지에 눈꽃이 피고, 그 나뭇가지에 봄이 되면 다시 꽃이 피는 자연 현상을 통해 사랑의 의미를 형상화하고 있다. ⑤ '난분분 난분분 춤추었겠지'에서 시각적 심상이 드러난다.

확인문제 2. 다음 ⓐ～ⓔ 중, 이 시의 ㉠과 가장 유사한 의미를 지닌 것은?

> ⓐ삶은 계란의 껍질이
> 벗겨지듯
> ⓑ묵은 사랑이
> 벗겨질 때
> ⓒ붉은 파밭의 ⓓ푸른 새싹을 보아라.
> 얻는다는 것은 곧 ⓔ잃는 것이다.
>
> - 김수영, 〈파밭 가에서〉에서

① ⓐ　　② ⓑ　　③ ⓒ
④ ⓓ　　⑤ ⓔ

[01~03] 다음을 읽고 물음에 답하시오.

넓은 벌 동쪽 끝으로
옛이야기 지줄대는 실개천이 회돌아 나가고,
얼룩백이 황소가
해설피 금빛 게으른 울음을 우는 곳,

㉠— 그곳이 차마 꿈엔들 잊힐 리야.

질화로에 재가 식어지면
비인 밭에 밤바람 소리 말을 달리고
엷은 졸음에 겨운 늙으신 아버지가
짚베개를 돋아 고이시는 곳,

— 그곳이 차마 꿈엔들 잊힐 리야.

흙에서 자란 내 마음
파아란 하늘빛이 그리워
함부로 쏜 화살을 찾으려
풀섶 이슬에 함초롬 휘적시던 곳,

— 그곳이 차마 꿈엔들 잊힐 리야.

전설 바다에 춤추는 밤물결 같은
검은 귀밑머리 날리는 어린 누이와
아무렇지도 않고 예쁠 것도 없는
사철 발 벗은 아내가
따가운 햇살을 등에 지고 이삭 줍던 곳,

— 그곳이 차마 꿈엔들 잊힐 리야.

하늘에는 성근 별
알 수도 없는 모래성으로 발을 옮기고,
서리 까마귀 우지짖고 지나가는 초라한 지붕,
흐릿한 불빛에 돌아앉아 도란도란거리는 곳,

— 그곳이 차마 꿈엔들 잊힐 리야.

― 정지용, 〈향수〉 천(박) , 동 , 비(박영)

01 이 시에 대한 설명으로 적절하지 않은 것은?
① 다양한 감각적 이미지를 사용하고 있다.
② 향토성이 짙은 소재와 시어를 사용하고 있다.
③ 참신하고 정감 있는 우리말을 사용하고 있다.
④ 정경 묘사를 통해 회화적 분위기를 자아내고 있다.
⑤ 각 연이 유기적 연관성을 지니며 대상을 묘사하고 있다.

02 이 시를 감상한 내용으로 가장 적절한 것은?
① 1연: '얼룩백이 황소'의 울음소리를 후각적 심상으로 전이시킴으로써 평화로운 고향의 정경을 효과적으로 드러내고 있다.
② 2연: '밤바람 소리'를 촉각적 심상으로 전이시킴으로써 근심에 싸여 잠들지 못하는 아버지의 모습을 보여 주고 있다.
③ 3연: 화살을 '함부로' 쏘았다고 표현함으로써 이상 세계를 막연히 동경했던 유년기의 모습을 그려 내고 있다.
④ 4연: '어린 누이'와 '아내'가 이삭을 줍는 모습을 청각적 심상을 활용해 표현함으로써 고단한 농촌의 삶을 그려 내고 있다.
⑤ 5연: 하늘에 빽빽하게 들어선 '별'을 통해 시간적 배경이 밤임을 드러내고 있다.

03 ㉠의 기능으로 적절하지 않은 것은?
① 반복을 통해 운율을 형성한다.
② 화자의 감정을 절제하여 표현한다.
③ 화자의 정서를 강조하여 드러낸다.
④ 작품에 형태적 안정감과 통일성을 부여한다.
⑤ 각 연의 시상을 마무리하고 연과 연을 구분한다.

문제 해결 전략
매 연마다 반복되는 ❶⬜⬜⬜의 기능과 '잊힐 리야'에 사용된 ❷⬜⬜적 표현 방법을 중심으로 하여 선택지의 옳고 그름을 판단한다.

답 ❶ 후렴구 ❷ 설의

[04~07] 다음을 읽고 물음에 답하시오.

나는 이제 너에게도 슬픔을 주겠다.
ⓐ사랑보다 소중한 슬픔을 주겠다.
겨울밤 거리에서 귤 몇 개 놓고
살아온 추위와 떨고 있는 할머니에게
㉠귤값을 깎으면서 기뻐하던 너를 위하여
나는 ㉡슬픔의 평등한 얼굴을 보여 주겠다.
내가 어둠 속에서 너를 부를 때
단 한 번도 평등하게 웃어 주질 않은
가마니에 덮인 동사자가 다시 얼어 죽을 때
㉢가마니 한 장조차 덮어 주지 않은
무관심한 너의 사랑을 위해
흘릴 줄 모르는 너의 눈물을 위해
나는 이제 너에게도 ㉣기다림을 주겠다.
이 세상에 내리던 ㉤함박눈을 멈추겠다.
보리밭에 내리던 봄눈들을 데리고
추워 떠는 사람들의 슬픔에게 다녀와서
눈 그친 눈길을 너와 함께 걷겠다.
슬픔의 힘에 대한 이야기를 하며
기다림의 슬픔까지 걸어가겠다.

– 정호승, 〈슬픔이 기쁨에게〉 [미]

04 이 시에 대한 설명으로 적절하지 <u>않은</u> 것은?

① 추상적인 개념을 의인화하여 제시하고 있다.
② '-겠다'를 반복하여 운율감을 형성하고 있다.
③ 대립적 이미지를 제시하여 주제를 형상화하고 있다.
④ 청자의 태도를 변화시키려는 화자의 의지가 드러난다.
⑤ 특정 청자를 설정하여 말을 주고받는 방식으로 시상을 전개하고 있다.

05 ㉠~㉤에 대한 설명으로 적절하지 <u>않은</u> 것은?

① ㉠: 타인의 고통에 개의치 않는 이기적인 모습
② ㉡: 소외된 약자를 자신과 평등한 존재로 바라보는 '슬픔'의 긍정적 모습
③ ㉢: 타인에게 보이는 최소한의 관심
④ ㉣: 소외된 이웃을 따뜻하게 대할 수 있는 마음
⑤ ㉤: 소외된 이웃을 감싸는 포근하고 따뜻한 존재

06 ⓐ와 유사한 표현 방법이 사용된 것은?

① 괴로웠던 사나이 / 행복한 예수 그리스도
② 어둠은 새를 낳고, 돌을 낳고, 꽃을 낳는다.
③ 지금은 남의 땅—빼앗긴 들에도 봄은 오는가?
④ 산이 날 에워싸고 / 씨나 뿌리고 살아라 한다.
⑤ 저렇게 많은 중에서 / 별 하나가 나를 내려다본다.

> **문제 해결 전략**
> 우리는 일반적으로 슬픔보다는 **❶**□□이 소중하다고 생각한다. ⓐ는 이러한 **❷**□□에서 벗어나 있는 표현임에 주목한다.

답 ❶ 사랑 **❷** 통념

07 이 시와 〈보기〉에 대한 감상으로 적절한 것은?

> • 보기 •
> 또 다른 말도 많고 많지만
> 삶이란
> 나 아닌 그 누구에게
> 기꺼이 연탄 한 장 되는 것
>
>
>
> – 안도현, 〈연탄 한 장〉에서

① 이 시와 〈보기〉 모두 이타적인 삶의 방식을 제시하고 있다.
② 이 시와 〈보기〉 모두 구체적 청자를 설정해 시상을 전개하고 있다.
③ 이 시와 달리 〈보기〉는 대상을 의인화하여 시상을 전개하고 있다.
④ 이 시와 달리 〈보기〉는 현실에 대한 부정적 인식을 드러내고 있다.
⑤ 〈보기〉와 달리 이 시는 구체적 사물에 상징적 의미를 부여하고 있다.

[08~09] 다음을 읽고 물음에 답하시오.

㉠돌에 / 그늘이 차고,

따로 몰리는 / 소소리 바람.

㉡앞섰거니 하여 / 꼬리 치날리어 세우고,

㉢종종 다리 까칠한 / 산새 걸음걸이.

㉣여울지어 / 수척한 흰 물살,

갈갈이 / 손가락 펴고.

멎은 듯 / 새삼 듣는 빗낱

㉤붉은 잎 잎 / 소란히 밟고 간다.

— 정지용, 〈비〉 창

08 이 시의 표현상 특징으로 적절하지 <u>않은</u> 것은?
① 시간의 흐름에 따라 시상을 전개하고 있다.
② 대상을 의인화하여 표현한 부분이 나타난다.
③ 감각적 심상을 활용해 선명한 인상을 주고 있다.
④ 행과 연이 짧게 구성되어 여백의 미를 주고 있다.
⑤ 자연 현상에 빗대어 화자의 정서를 강조하고 있다.

09 ㉠~㉤에 대한 감상으로 적절하지 <u>않은</u> 것은?
① ㉠: 그림자가 드리우는 시각적 이미지와 차가운 느낌의 촉각적 이미지를 떠올릴 수 있다.
② ㉡: 여기저기 떨어졌다 튀어 오르는 빗방울의 시각적 이미지를 떠올릴 수 있다.
③ ㉢: 산새의 튀는 듯한 걸음걸이처럼 점차 떨어지기 시작하는 빗방울의 시각적 이미지를 떠올릴 수 있다.
④ ㉣: 졸졸거리며 여울을 이루어 가늘게 흘러가는 빗물의 청각적 이미지를 떠올릴 수 있다.
⑤ ㉤: 단풍잎의 붉은 시각적 이미지와 단풍잎에 떨어지는 빗방울의 청각적 이미지를 떠올릴 수 있다.

[10~13] 다음을 읽고 물음에 답하시오.

계절이 지나가는 하늘에는
ⓐ가을로 가득 차 있습니다.

나는 아무 걱정도 없이
가을 속의 별들을 다 헤일 듯합니다.

가슴속에 하나 둘 새겨지는 별을
이제 다 못 헤는 것은
쉬이 아침이 오는 까닭이요,
내일 밤이 남은 까닭이요,
아직 나의 청춘이 다하지 않은 까닭입니다.

별 하나에 추억과
별 하나에 사랑과
별 하나에 쓸쓸함과
별 하나에 동경과
별 하나에 시와
별 하나에 어머니, 어머니.

어머님, 나는 별 하나에 아름다운 말 한 마디씩 불러 봅니다. 소학교 때 책상을 같이했던 아이들의 이름과, 패(佩), 경(鏡), 옥(玉) 이런 이국 소녀들의 이름과, 벌써 애기 어머니 된 계집애들의 이름과, 가난한 이웃 사람들의 이름과, 비둘기, 강아지, 토끼, 노새, 노루, '프랑시스 잠', '라이너 마리아 릴케', 이런 시인의 이름을 불러 봅니다.

이네들은 너무나 멀리 있습니다.
별이 아슬히 멀듯이

어머님,
그리고 당신은 멀리 북간도에 계십니다.

나는 무엇인지 그리워
이 많은 별빛이 내린 언덕 위에
내 이름자를 써 보고,
흙으로 덮어 버리었습니다.

딴은 밤을 새워 우는 벌레는
부끄러운 이름을 슬퍼하는 까닭입니다.

그러나 ⓑ겨울이 지나고 나의 별에도 ⓒ봄이 오면
ⓓ무덤 위에 ⓔ파란 잔디가 피어나듯이
내 이름자 묻힌 언덕 위에도
자랑처럼 풀이 무성할 게외다

– 윤동주, 〈별 헤는 밤〉 해

10 이 시의 구조를 다음과 같이 나타낼 때, 이에 대한 설명으로 적절하지 않은 것은?

[A]	→	[B]	→	[C]	→	[D]
1~3연		4~7연		8~9연		10연

① [A]에는 계절적 배경이 제시되어 있다.
② [B]에는 과거 회상이, [C]에는 현재의 상황이 제시되어 있다.
③ [B]에서는 산문처럼 서술된 연을 삽입하여 운율에 변화를 주고 있다.
④ [C]에는 자신의 삶을 성찰하며 부끄러움을 느끼는 화자의 행동이 나타난다.
⑤ [D]의 '그러나'에서 시상이 전환되어 주어진 운명을 수용하며 체념하는 화자의 모습이 나타난다.

> **문제 해결 전략**
> 이 시는 '현재-과거-현재-❶ ____'라는 ❷ ____의 흐름에 따라 시상이 전개되는데, 이를 기준으로 하여 크게 네 부분으로 나눌 수 있다. 제시된 표를 바탕으로 하여 각 부분이 담고 있는 내용이 무엇인지 확인해 본다.

답 ❶ 미래 ❷ 시간

11 이 시의 '별'에 대한 설명으로 적절하지 않은 것은?

① 순수하고 아름다운 세상을 의미한다.
② 화자를 상념에 잠기게 하는 존재이다.
③ 과거를 회상하는 매개체의 역할을 한다.
④ 화자가 지향하는 내적 세계를 의미한다.
⑤ 화자의 현재 삶 속에 가까이 존재하는 대상이다.

12 ⓐ~ⓔ의 상징적 의미로 적절하지 않은 것은?

① ⓐ: 시적 화자가 처한 쓸쓸한 상황
② ⓑ: 어렵고 힘든 절망의 시기
③ ⓒ: 희망, 재생과 부활
④ ⓓ: 죽음과 절망의 이미지
⑤ ⓔ: 상실의 고독과 슬픔

> **문제 해결 전략**
> ⓐ~ⓔ를 긍정적 이미지를 지닌 시어와 ❶ ____ 이미지를 지닌 시어로 나누어 본 후, 시의 상황과 맥락을 고려하여 구체적 의미를 파악해 본다.

답 ❶ 부정적

13 이 시의 벌레와 같은 기능을 하는 시어를 〈보기〉에서 찾아 쓰시오.

> **• 보기 •**
> 천만리(千萬里) 머나먼 길에 고운 님 여희옵고
> 내 마음 둘 데 업서 냇가에 안쟈시니,
> 져 물도 내 안 같아서 울어 밤길 예놋다.
>
> – 왕방연

> **문제 해결 전략**
> 이 시의 화자는 자신의 삶을 성찰하며 느낀 감정을 울고 있는 '❶ ____'에 이입하여 표현하고 있다. 이처럼 시의 화자는 자신의 정서를 간접적으로 드러내기 위해 구체적인 사물을 활용하기도 하는데, 이를 '객관적 ❷ ____'이라고 한다.

답 ❶ 벌레 ❷ 상관물

1주 3일 필수 체크 전략 ①

전략 ❶ | 고전 수필 감상하기

수오재(守吾齋), 즉 '나를 지키는 집'은 큰형님이 자신의 서재에 붙인 이름이
└ 실제 작가 '정약용'-교술 갈래의 특성(사실성) 글쓴이의 큰형인 '정약현'
다. 나는 처음 그 이름을 보고 의아하게 여기며, "나와 단단히 맺어져 서로 떠날
「」: 의문 제기-독자의 관심 유도
수 없기로는 '나'보다 더한 게 없다. 비록 지키지 않는다 한들 '나'가 어디로 갈 것
인가. 이상한 이름이다."라고 생각했다.」   ▶ '수오재'라는 이름에 의문을 가짐.

장기로 귀양 온 이후 나는 홀로 지내며 생각이 깊어졌는데, 어느 날 갑자기 이
경상북도 포항시 장기면
러한 의문점에 대해 환히 깨달을 수 있었다. 나는 벌떡 일어나 다음과 같이 말했
'나를 지킨다는 것'의 의미
다. 천하 만물 중에 지켜야 할 것은 오직 '나'뿐이다. 내 밭을 지고 도망갈 사람이
주장 제시
있겠는가? 그러니 밭은 지킬 필요가 없다. 내 집을 지고 달아날 사람이 있겠는
가? 그러니 집은 지킬 필요가 없다. (중략) □: 설의적 표현 → 내용을 강조함.

「그러나 유독 '나'라는 것은 그 성품이 달아나기를 잘하며 출입이 무상하다.
「」: '나'를 지켜야 하는 이유   일정하지 않고 늘 변한다.
(중략) 이익으로 유혹하면 떠나가고, 위험과 재앙으로 겁을 주면 떠나가며, 질탕
인간의 마음은 유혹이나 위험에 쉽게 흔들림(열거법, 예시)
한 음악 소리만 들어도 떠나가고, 미인의 예쁜 얼굴과 요염한 자태만 보아도 떠
나간다. 그런데 한번 떠나가면 돌아올 줄 몰라 붙잡아 만류할 수 없다. 그러므로
천하 만물 중에 잃어버리기 쉬운 것으로는 '나'보다 더한 것이 없다.」그러니 꽁꽁
묶고 자물쇠로 잠가 '나'를 굳게
철저하게 수양하여 '나'를 굳게 지켜야 함(비유법, 설의법)
지켜야 하지 않겠는가?
▶ 귀양을 와서 '나'를 지켜야 하는 까닭을 깨달음.
            – 정약용, 〈수오재기〉 천(박)

● 이 글의 갈래–고전 수필 '기(記)'
여러 가지 사물에 관해 기술한 것으로, 어떤
사건을 겪거나 경험을 하게 된 ❶ [   ]을
기록한 글

● 글쓴이의 깨달음의 과정

귀양을 가기 전
'수오재'라는 이름에 ❷ [   ]을 품음.

↓

귀양살이를 하면서
'수오'의 의미를 이해하게 됨.

● '천하 만물'과 '나'에 대한 글쓴이의 인식

천하 만물
지킬 필요가 없음.

↕

'나'
잃어버리기 쉬우므로 지켜야 함.

답 ❶ 과정 ❷ 의문

필수 예제

1. 이와 같은 글에 대한 설명으로 적절하지 않은 것은?
① 일상의 경험에서 얻은 깨달음을 전달한다.
② 다른 문학 갈래에 비해 글의 형식이 자유롭다.
③ 자기 고백적인 글로 글쓴이의 개성이 잘 드러난다.
④ 글쓴이가 자신의 생각을 독자에게 직접 말하는 방
식을 취한다.
⑤ 갈등을 바탕으로 사건을 흥미롭게 구성하여 재미
와 감동을 준다.

정답|해설 ⑤ | 이 글은 글쓴이의 경험이나 성찰을 바탕으로
하여 감동이나 교훈을 전달하는 교술 갈래에 속한다. 갈등을 바탕
으로 사건을 구성해 재미와 감동을 주는 것은 서사 갈래인 소설
또는 극 갈래의 특징에 해당한다.

확인 문제

1. 이 글에 대한 설명으로 가장 적절한 것은?
① 우화를 삽입하여 교훈을 알기 쉽게 전하고 있다.
② 의문형 문장을 반복하여 깨달음을 강조하고 있다.
③ 상대의 주장에 대한 비판적 태도를 드러내고 있다.
④ 권위 있는 인물의 말을 인용하여 교훈을 전달하고
있다.
⑤ 다른 사람과의 대화를 통해 가치관의 차이를 부각
하고 있다.

전략 ❷ | 현대 수필 감상하기

물통을 들고 걸을 때마다 생각나는 사람이 있다. 우리 집에서 가까운 텃밭을
<small>글쓴이의 밭 가까이에 물이 없어서, 글쓴이는 멀리 떨어진 수로에서 물을 한 통씩 길어 옴.</small>
일구시는 어떤 할아버지인데, 물을 주러 가시는 모습을 몇 번 본 적이 있다. 「그
<small>일상생활의 다양한 대상을 소재로 함. → 수필의 특성</small>
할아버지는 몸 반쪽이 마비되어 걷는 게 그리 자유롭지 못하다. 성한 한쪽 팔로
<small>「 」: 텃밭에 물을 주러 가는 할아버지의 힘겨운 모습</small>
물통을 들고 걸어가시는 모습은 거의 몸부림에 가까우면서도 이상한 평화 같은
것을 느끼게 한다. 절뚝절뚝 몸이 심하게 흔들릴 때마다 물은 찰랑거리면서 그의
낡은 바지를 적시고 길 위에 쏟아져, 결국 반 통도 채 남지 않게 된다. 그렇게 몇
<small>제목의 의미 – 할아버지의 '반 통의 물'에는 생명에 대한 사랑이 담겨 있음.</small>
번씩 오가는 걸 나는 때로는 끌 듯이 지나가는 발소리로 듣기도 하고, 때로는 마
른 길 위에 휘청휘청 내고 간 젖은 길을 보고 알기도 한다.」

그 젖은 길은 이내 말라 버리곤 했지만, ㉠나는 그 길보다 더 아름답고 빛나는
<small>이유: 생명을 사랑하는 할아버지의 소중한 마음이 느껴지기 때문에</small>
길을 별로 보지 못했다. 그리고 어느 날부터인가 나 역시 그 밭의 채소들처럼 할
아버지의 발소리를 기다리게 되었다. 반 통의 물을 잃어버린 그 발소리를.

물통을 나르다가 문득 이런 생각이 들곤 한다. 내가 열 번 오가야 할 것을 그 할
<small>▶ 불편한 몸으로 밭에 물을 길어다 주는 할아버지</small>
<small>몸이 불편하여 길에 물을 흘리기 때문</small>
아버지는 스무 번 오가야 할 것이지만, 내가 이 채소들을 키우는 일도 그 할아버
<small>글쓴이와 할아버지의 닮은 점: 힘이 들더라도 채소의 생명을 위해 기운을 쏟아부음.</small>
지와 크게 다르지 않은 어떤 안간힘 때문은 아닐까. 몸에 피가 돌지 않는 것처럼
문득문득 마음 한쪽이 굳어져 가는 걸 느
끼면서, 절뚝거리면서, 그러면서도 남
은 반 통의 물을 살아 있는 것들에게
<small>생명을 사랑하는 마음</small>
쏟아붓고 싶은 마음, 그런 게 아니
었을까. ▶ 할아버지의 생명에 대한 사랑이
담겨 있는 '반 통의 물'
－ 나희덕, 〈반 통의 물〉 미 , 비(박안)

● 글쓴이의 경험과 깨달음

경험
몸이 불편한데도 채소에 물을 주기 위해 애쓰는 **❶□□□□**를 봄.

↓

깨달음
생명을 소중히 여기는 마음이 가장 중요함을 깨달음.

● 할아버지와 글쓴이의 닮은 점

할아버지와 글쓴이는 모두 **❷□□**을 소중히 여기는 마음을 지님.

● 글쓴이가 이 글을 쓰게 된 과정

밭을 일구는 과정에서 **❸□□** 있는 경험
을 함.

↓

경험을 성찰함으로써 깨달음을 얻음.

↓

가치 있는 경험과 그것에서 얻은 깨달음을 글
로 표현함.

🔑 ❶ 할아버지 ❷ 생명 ❸ 가치

필수예제

2. 이 글에 대한 설명으로 가장 적절한 것은?

① 자연이 주는 풍요로움을 예찬하고 있다.

② 다른 대상과 자신을 비교하며 농사 일의 고단함을
토로하고 있다.

③ 너그러운 마음으로 타인의 단점을 감싸 주는 삶의
태도를 권유하고 있다.

④ 일상생활 속의 체험에서 깨달은 생명을 소중히 여
기는 마음의 중요성을 전달하고 있다.

⑤ 계절의 변화에 따른 풍경 묘사를 통해 자연과 함
께하는 삶에서 느끼는 만족감을 표현하고 있다.

정답|해설 ④ | 이 글의 글쓴이는 불편한 몸으로 채소에 물
을 주는 할아버지를 본 경험에서 생명을 소중히 여기는 마음을 깨
닫고 이를 전달하고 있다.

오답 풀이 ② 자신과 할아버지의 공통점, 즉 생명을 키우기
위해 기운을 쏟아 붓는 태도를 제시하였을 뿐, 농사일의 고단함을
토로하지는 않았다.

확인문제

2. ㉠의 의미로 적절한 것은?

① 할아버지가 오가는 길은 풍경이 매우 아름다웠다.

② 할아버지가 흘린 물이 길을 깨끗하고 아름답게 만
들었다.

③ 할아버지가 흘린 물이 길 위에 아름다운 무늬를
만들었다.

④ 할아버지가 흘린 물 덕분에 길가의 풀들이 아름답
게 자랐다.

⑤ 할아버지가 불편한 몸으로 정성을 다해 채소에 물
을 주는 그 마음이 아름답게 느껴졌다.

필수 체크 전략 ②

[01~04] 다음을 읽고 물음에 답하시오.

가 산기슭이 가로막고 있어 백탑이 보이지 않기에 말을 급히 몰아 수십 보를 채 못 가서 겨우 산기슭을 벗어났는데, 안광이(눈의 정기) 어질어질하더니 홀연히 검고 동그란 물체가 오르락내리락한다. 이제야 깨달았다. 사람이란 본래 의지하고 붙일 곳 없이 단지 하늘을 이고 땅을 밟고 이리저리 나다니는 존재라는 것을.

말을 세우고 사방을 둘러보다가 나도 모르게 손을 들어 이마에 얹고,

"한바탕 통곡하기 좋은 곳이로구나." / 했더니 정 진사가,

나 "천지간에 이렇게 시야가 툭 터진 곳을 만나서는 별안간 통곡할 것을 생각하시니, 무슨 까닭입니까?" (중략)

"사람들은 단지 인간의 칠정(七情) 중에서 오로지 슬픔만이 울음을 유발한다고 알고 있지, 칠정이 모두 울음을 자아내는 줄은 모르고 있네. 기쁨이 극에 달하면 울음이 날 만하고, 분노가 극에 치밀면 울음이 날 만하며, 즐거움이 극에 이르면 울음이 날 만하고, 사랑이 극에 달하면 울음이 날 만하며, 미움이 극에 달하면 울음이 날 만하고, 욕심이 극에 달해도 울음이 날 만한 걸세. 막히고 억눌린 마음을 시원하게 풀어 버리는 데에는 소리를 지르는 것보다 더 빠른 방법이 없네. / 통곡 소리는 천지간에 우레와 같아 지극한 감정에서 터져 나오고, 터져 나온 소리는 사리에 절실할 것이니 웃음소리와 뭐가 다르겠는가? 사람들이 태어나서 사정이나 형편이 이런 지극한 경우를 겪어 보지 못하고 칠정을 교묘하게 배치하여 슬픔에서 울음이 나온다고 짝을 맞추어 놓았다네. 그리하여 초상이 나서야 비로소 억지로 '아이고' 하는 등의 소리를 질러 대지."

다 하니 정 진사는,

"지금 여기 울기 좋은 장소가 저토록 넓으니, 나 또한 그대를 좇아 한바탕 울어야 마땅하겠는데, 칠정 가운데 어느 정에 감동받아 울어야 할지 모르겠습니다."

하기에 나는,

"그건 갓난아이에게 물어보시게. 갓난아이가 처음 태어나 칠정 중 어느 정에 감동하여 우는지? 갓난아이는 태어나 처음으로 해와 달을 보고, 그다음에 부모와 앞에 꽉 찬 친척들을 보고 즐거워하고 기뻐하지 않을 수 없을 것이네. (중략)

갓난아이가 어머니 ㉠태중에 있을 때 캄캄하고 막히고 좁은 곳에서 웅크리고 부대끼다가 갑자기 ㉡넓은 곳으로 빠져나와 손과 발을 펴서 기지개를 켜고 마음과 생각이 확 트이게 되니, 어찌 참소리를 질러 억눌렸던 정을 다 크게 씻어 내지 않을 수 있겠는가!

그러므로 갓난아이의 거짓과 조작이 없는 참소리를 응당 본받는다면, 금강산 비로봉에 올라 동해를 바라봄에 한바탕 울 적당한 장소가 될 것이고, 황해도 장연(長淵)의 금모래 사장에 가도 한바탕 울 장소가 될 것이네. 지금 요동 들판에 임해서 여기부터 산해관(山海關)까지 ⓐ일천이백 리가 도무지 사방에 한 점의 산이라고는 없이, 하늘 끝과 땅끝이 마치 아교로 붙인 듯, 실로 꿰맨 듯하고 고금의 비와 구름만이 창창하니, 여기가 바로 한바탕 울어 볼 장소가 아니겠는가?"

– 박지원, 〈통곡할 만한 자리〉 금, 미

01 이 글에 대한 설명으로 적절하지 않은 것은?

① 글쓴이의 실제 경험을 기록한 글이다.

② 질문과 대답의 방식으로 내용이 전개된다.

③ 비유를 사용하여 글쓴이의 주장을 뒷받침한다.

④ 설의적 표현으로 전달하고자 하는 의미를 강조한다.

⑤ 부정적 현실을 긍정적으로 인식하는 참신한 발상이 드러난다.

문제 해결 전략

이 글은 글쓴이가 중국을 여행한 후 그 경험을 바탕으로 쓴 **❶**으로, 통념을 뛰어넘는 글쓴이의 **❷** 발상이 돋보이는 작품이다. 이를 파악하며 선택지를 살펴본다.

답 ❶ 기행문 ❷ 창의적

02 이 글에 나타난 글쓴이의 생각으로 적절하지 <u>않은</u> 것은?

① 광활한 요동 벌판은 울기 좋은 장소이다.

② 소리 지르며 욺으로써 감정을 정화할 수 있다.

③ 지극한 감정에서 터져 나온 울음은 웃음과 다를 바가 없다.

④ 갓난아이가 태어나 우는 것은 탁 트인 곳으로 나온 기쁨 때문이다.

⑤ 요동 벌판을 보고 울고 싶다면 거대한 자연을 접한 두려움을 느끼며 울면 된다.

03 다음을 고려할 때, ㉠, ㉡의 의미로 가장 적절한 것은?

> 이 글은 연암 박지원이 중국 청나라를 방문한 체험을 담은 문집 《열하일기》에 수록된 작품이다. 《열하일기》는 청나라의 정치·경제·사회·문화 등 다방면의 현실에 대한 풍부한 견문과 이를 바탕으로 한 박지원의 실학사상으로 이루어져 있다. 《열하일기》는 단순한 기행문을 넘어서, 청나라의 선진적인 문물을 받아들여 낙후한 조선의 현실을 개혁하고자 하는 그의 노력을 집대성하였다는 점에서 큰 의의를 지닌다.

	㉠	㉡
①	폐쇄적인 조선	낙후한 조선의 현실
②	폐쇄적인 조선	청나라의 새로운 문물
③	청나라의 새로운 문물	청나라의 실학사상
④	청나라의 새로운 문물	폐쇄적인 조선
⑤	박지원의 실학사상	낙후한 조선의 현실

문제 해결 전략

〈보기〉를 통해 연암 박지원이 ❶ 사상을 추구하여 ❷ 의 앞선 문물을 받아들이고자 하였음을 파악하고, 이를 바탕으로 하여 ㉠, ㉡의 의미를 추론해 본다.

답 ❶ 실학 ❷ 청나라

04 다음에서 ⓐ를 가장 잘 나타내는 사자성어는?

① 인생무상(人生無常)

② 호연지기(浩然之氣)

③ 기고만장(氣高萬丈)

④ 군계일학(群鷄一鶴)

⑤ 물아일체(物我一體)

[05~08] 다음을 읽고 물음에 답하시오.

가 하루는 마을 주민 황 씨(黃氏)가 아우 자익(子益)에게 골짜기 안에 있는 폭포가 몹시 기이하다고 말해주었다. 자익이 내게 알려 주기에 마침내 흔연히 함께 갔다. 아우 대유(大有)와 조카 인상(寅祥)과 악상(嶽祥)이 따라왔다. 세 사람은 모두 말을 타고 두 아이는 걸어갔다.

골짜기 어귀에 이르자 인가 서너 채가 보였다. 산을 등진 채 물을 두르고 있어 밭두둑과 울타리가 썰렁했다. 문을 두드리니 한 구부정한 노인이 나왔다. 수염과 눈썹이 온통 희어 칠팔십 세쯤 되어 보였다. 폭포가 어디에 있는지 묻자 지름길을 가리키며 들어가는 길을 아주 자세히 일러 주었다.

나 그렇게 오륙 리쯤 갔는데도 폭포는 종내 찾을 수가 없었다. 지쳐서 바위 위에 앉아 산과일을 따서 먹으며 사방을 둘러보았다. 멧부리는 빙 둘러서고 산마루는 첩첩인데 시내 골짜기는 깊고도 그윽해 바라다보이는 것은 온통 서리 맞은 숲의 붉고 누런 단풍뿐이었다. 동북쪽은 경계가 더욱 그윽이 빼어나 바라보니 은은하여 마치 신기한 것이 있을 것만 같은지라 마음이 몹시 즐거웠다.

날은 이미 뉘엿해졌지만 또 폭포를 놓칠 수 없어 다시금 옛 길을 따라서 내려가 비로소 한 갈래 좁은 길을 찾았다. 앞서 노인이 일러 준 것과 비슷해서 시험 삼아 그 길을 따라가 보았다. 얼마 못 가 바로 산등성이로 점점 올라가기만 했다. 마침내 폭포가 있는 곳은 알 수가 없었다.

다 얼마 후 골짜기 안에서 사람 소리가 들렸다. 자익이 먼저 시내로 내려갔다가 이곳에 이른 것이었다. 그의 말이 자기가 폭포를 보았다 하므로 어찌 생겼더냐고 묻자 검은 바위가 드높게 겹겹이 포개져 있는데 약한 물줄기가 이를 덮어 조금도 볼만한 게 없다고 했다. 내가 대유와 서로 보면서 입을 벌려 웃으며 말했다.

"이런 것을 구경하자고 발품을 팔겠는가?"

마침내 가지 않고 돌아와 비탈진 바위 위에서 밥을 먹었다. 자익이 웃으며 말했다.

"오늘 이후로 마땅히 천하에 말만 번드레한 못 믿을 인사들이 더욱 싫어질 듯합니다."

황 씨에게 속고 만 것을 유감스러워한 것이었다.

라 산에서 내려온 뒤 길을 알려 준 노인을 만나 본 것을 얘기하자 노인이 말했다.

"아닙니다. 그 위에 진짜 폭포가 있습니다. 하지만 냇물을 따라 내려가면 길이 끊겨 도달할 수가 없지요. 꼭 산등성이를 따라서 가야 이르러 굽어볼 수가 있답니다."

그제야 내가 갔던 길이 바른 길인 줄을 알았다. (㉠)이 안타까울 뿐이었다. 하지만 또한 폭포의 실상이 자익이 본 것 정도에 그치지 않음이 기뻤고, 잠시 남겨 두어 뒷날의 유람할 거리로 삼게 된 것이 더욱 여운이 있음을 깨달았다. 유람한 날은 신미년(1691년) 8월 21일이고, 그 이튿날 이 글을 쓴다.

– 김창협, 〈보지 못한 폭포〉 **창**

05 **이와 같은 글에 대한 설명으로 적절하지 않은 것은?**

① 글쓴이의 개성이나 가치관이 잘 드러난다.

② 편지, 야담, 일기, 비평 등과 같은 갈래에 속하는 글이다.

③ 글쓴이가 실제로 겪은 일이나 현실에 존재하는 사물에 관해 서술한다.

④ 형식적 제약이 적으며 작가의 대리인인 화자나 서술자를 내세워 서술한다.

⑤ 글쓴이 자신이 직접 어떤 사실이나 경험, 생각을 이야기한다는 점에서 소설과 차이점을 보인다.

> **문제 해결 전략**
> 이 글은 고전 **❶**〔　　　〕로, **❷**〔　　　〕 갈래에 속한다는 것을 고려하여 선택지의 옳고 그름을 판단해 본다.
>
> 답 **❶** 수필 **❷** 교술

06 **이 글의 서술 방식에 대한 설명으로 적절하지 않은 것은?**

① 간결한 문장으로 담담하게 서술하고 있다.

② 공간의 이동에 따라 내용을 전개하고 있다.

③ 여정, 견문, 감상을 중심으로 서술하고 있다.

④ 글쓴이의 경험과 그것에서 얻은 깨달음을 서술하고 있다.

⑤ 어떤 사건이 일어난 원인을 찾아 가는 방식으로 내용을 전개하고 있다.

07 **이 글의 내용과 일치하지 않는 것은?**

① 글쓴이는 황 씨의 말을 계기로 폭포를 보러 가게 되었다.

② 황 씨와 노인은 모두 진짜 폭포가 어디에 있는지 알고 있다.

③ 자익은 폭포가 기이하다고 했던 황 씨의 말을 거짓이라고 여겼다.

④ 글쓴이는 진짜 폭포를 보지 못한 일을 긍정적으로 받아들이고 있다.

⑤ 글쓴이는 산등성이를 따라 끝까지 올라갔음에도 폭포를 찾지 못했다.

08 **㉠에 들어갈 내용으로 적절한 것은?**

① 처음부터 잘못된 길로 들어선 것

② 좀 더 애써서 앞으로 나아가지 못한 것

③ 신뢰하지 못할 노인의 말을 무작정 믿은 것

④ 현실에 존재하지 않는 대상을 찾아 헤맨 것

⑤ 폭포를 찾으러 가는 길의 아름다움을 즐기지 못한 것

> **문제 해결 전략**
> 글쓴이가 **❶**〔　　　〕를 보지 못한 이유가 무엇인지 생각해 보고, 이러한 경험을 통해 글쓴이가 어떤 **❷**〔　　　〕을 얻었을지 추론해 본다.
>
> 답 **❶** 폭포 **❷** 깨달음

[09~10] 다음을 읽고 물음에 답하시오.

가 내가 라면을 처음 먹어 본 것은 초등학교 5학년 무렵이다. 하굣길에 읍내 아버지 사무실에 갔다가 사환으로 있던 동네 형을 만났다. (중략)

형은 내게 그 양은 냄비에 도랑물을 떠 오라고 시켰고 자신은 짚단을 끌어 내려 불을 피웠다. 초겨울 찬바람이 손을 시리게 만드는 저녁 무렵, 나는 생애 최초로 라면을 먹었다. ㉠그 맛은 기존의 질서에서 살짝 일탈한 위반의 맛이었다. 동시에 인스턴트했고 중독의 예감을 안겨 주는 맛이었다.

나 그로부터 삼 년 뒤에 나는 서울의 변두리 동네로 전학을 와서 어느 독서실에 출입하게 되었다. 독서실에도 그 형 또래의 형들이 득시글거렸고 그들 역시 내게 라면을 끓여 먹는 방법을 가르쳐 주었다. 그 대신 그들이 먹을 라면 값은 내가 내도록 했다. ㉡어쩌면 형이란 작자들은 시골이나 서울이나 그렇게 똑같은지. 돈이 없으면 조용히 굶을 일이지 몽매한 아우들의 쥐꼬리만 한 용돈을 갈취해서 제 배를 채우려고 드는가 말이다. 독서실에서 라면을 끓이는 방법은 환경에 걸맞게 더욱 도시적이고 현대적이었다. (중략) 그 라면은 시골에서 먹던 것보다 짧고 더욱 인스턴트했고 냄새가 강했다.

다 그로부터 대략 이 년 뒤, 서울 도심에 있는 고등학교로 진학했다. (중략) 수업이 끝난 뒤 우리는 각자 밥을 꽉 눌러 채운 도시락을 하나씩 들고 분식집에 모였다. 그러면 주인은 미리 껍질을 벗겨 놓은 라면을, 역시 미리 수프를 풀어 끓여 놓은 냄비 속에 빠뜨렸다. (중략) 그때 그 라면이 얼마나 맛있었으면 도서관에 남아 공부를 하려고 라면을 먹는지, 라면을 먹으려고 도서관에 남아 있는지 잘 모를 지경이었다.

라 ㉢그런데 언제부터인가 라면의 맛을 잃어버렸다. 라면의 종류는 과거와 비교할 수 없이 많아졌고 재료 역시 좋아졌지만 내가 찾는 그 맛은 어디에도 없었다. ㉣한동안 나는 초겨울 빈들에 구하기도 힘든 찌그러진 양은 냄비를 들고 나가 짚으로 라면을 끓여 먹어 보기도 했다. 또 어렵사리 분유 깡통을 구해 젓가락을 넣다가 합선 사고를 내기도 했고 납작한 양은 냄비를 찾아 시장을 헤맨 적도 있다. (중략) 그렇지만 그때와 같은 맛은 결코 돌아오지 않았다.

마 얼마 전에 나는 나름의 결론을 내렸다. 나는 라면을 먹고 싶어 하는 것이 아니라 그때 그 시절을 먹고 싶어 하는 거라고. ㉤무지개를 찾는 소년처럼 헛되이, 저 멀리에서 황홀하게 빛나는 그 시절을 되찾으려는 것이라고.

– 성석제, 〈소년 시절의 맛〉 해

09 이 글에 대한 설명으로 적절하지 **않은** 것은?
① 그리움과 아쉬움의 정서를 담고 있다.
② 글쓴이의 체험을 서사적으로 전개하고 있다.
③ 특정 사물을 매개로 하여 어린 시절을 회상하고 있다.
④ 과거와 대비되는 오늘날의 사회 현실을 부정적으로 묘사하고 있다.
⑤ 시간 순서에 따라 경험한 것과 그것에서 느낀 점을 나열하고 있다.

10 ㉠~㉤에 대한 설명으로 적절하지 **않은** 것은?
① ㉠: 처음 먹어 본 라면 맛이 그만큼 강렬했다는 의미이다.
② ㉡: 익살스럽고 해학적인 작가의 개성을 느낄 수 있는 부분이다.
③ ㉢: 어릴 적 먹던 라면에서 느꼈던 강렬한 맛을 느끼지 못하게 되었다는 의미이다.
④ ㉣: 과거의 라면 맛을 느끼고자 초등학교 때의 방법으로 라면을 끓이려는 글쓴이의 노력이 드러난다.
⑤ ㉤: 불가능한 일을 이루려고 헛된 노력을 한 것을 후회하는 글쓴이의 심리가 드러난다.

교과서 대표 전략 ①

대표 예제 01~03

[01~03] 다음을 읽고 물음에 답하시오.

흔들리는 나뭇가지에 꽃 한번 피우려고
눈은 얼마나 많은 도전을 멈추지 않았으랴

싸그락 싸그락 두드려 보았겠지
난분분 난분분 춤추었겠지
미끄러지고 미끄러지길 수백 번,

바람 한 자락 불면 휙 날아갈 사랑을 위하여
햇솜 같은 마음을 다 퍼부어 준 다음에야
마침내 피워 낸 저 황홀 보아라

봄이면 가지는 그 한 번 덴 자리에
㉠세상에서 가장 아름다운 상처를 터뜨린다

　　　　　　　　　　　　　　　　　　　　　 - 고재종, 〈첫사랑〉 금 , 비(박안) , 신

01

이와 같은 갈래에 대한 설명으로 적절하지 않은 것은?

① 추상적인 정서를 구체적인 시어로 형상화한다.
② 비유나 상징을 활용하여 화자의 정서와 태도를 더욱 문학적으로 표현한다.
③ 시에 등장하는 시어들은 사전적 의미뿐만 아니라 시인이 부여한 특별한 의미를 지닌다.
④ 시어의 배열과 반복에 따라 리듬감을 형성하는데 이를 통해 시의 음악성을 느낄 수 있다.
⑤ 주로 갈등을 중심으로 시상이 전개되며 시적 화자는 갈등의 전개 과정을 전달하는 역할을 한다.

유형 해결 전략
문학 **❶**　　　　의 형상화 방식을 이해하고 있는지 묻는 문제이다. 이 글이 **❷**　　　　갈래에 속한다는 것을 파악하여 알맞은 선택지를 찾는다.

🅑 **❶** 갈래 **❷** 서정

02

이 시에 사용된 표현 방법에 대한 설명을 모두 고른 것은?

• 보기 •
ㄱ. 설의적 표현을 활용하여 의미를 강조하였다.
ㄴ. 대상을 의인화하여 행위의 주체로 표현하였다.
ㄷ. 말을 주고받는 방식을 통해 대상에 대한 긍정적 인식을 나타내었다.
ㄹ. 음성 상징어를 활용해 사랑을 이루기 위해 노력하는 대상의 모습을 감각적으로 표현하였다.

① ㄱ, ㄴ　　　② ㄱ, ㄹ　　　③ ㄱ, ㄴ, ㄹ
④ ㄱ, ㄷ, ㄹ　　⑤ ㄴ, ㄷ, ㄹ

유형 해결 전략
이 시에 사용된 **❶**　　　　을 파악하는 문제이다. 이 시의 기본 발상이 '자연 현상에서 발견한 **❷**　　　　의 속성'임을 이해하고, 이를 형상화하기 위해 〈보기〉의 표현 방법들이 사용된 부분이 있는지 시에서 직접 확인해 본다.

🅑 **❶** 표현 방법 **❷** 사랑

03

〈보기〉를 참고하여 ㉠의 함축적 의미를 서술하시오.

• 보기 •
　제목을 고려할 때, 이 시는 눈이 노력과 헌신 끝에 피워 낸 눈꽃에 빗대어 '첫사랑'을 표현하고 있음을 알 수 있다.

• 조건 •
· ㉠에 사용된 수사법을 언급할 것
· '㉠은 ~을/를 의미하는 ~적 표현이다.'의 문장 형식으로 쓸 것

유형 해결 전략
시구의 의미를 파악하는 문제이다. ㉠의 원관념이 '눈꽃이 진 자리에 피어난 **❶**　　　　'임을 이해한 후, 이것이 '**❷**　　　　'의 어떠한 속성을 형상화한 것인지 생각해 본다.

🅑 **❶** 봄꽃 **❷** 첫사랑

대표 예제 04~06

[04~06] 다음을 읽고 물음에 답하시오.

어둠은 새를 낳고, 돌을
낳고, 꽃을 낳는다.
아침이면,
어둠은 온갖 물상(物象)을 돌려주지만
㉠스스로는 땅 위에 굴복한다.
㉡무거운 어깨를 털고
물상들은 몸을 움직이어
㉢노동의 시간을 즐기고 있다.
㉣즐거운 지상의 잔치에
ⓐ금(金)으로 타는 태양의 즐거운 울림.
아침이면,
㉤세상은 개벽을 한다.

– 박남수, 〈아침 이미지 1〉 천(이)

04

이 시에 대한 설명으로 적절하지 않은 것은?

① 시간의 흐름에 따라 시상이 전개되고 있다.
② 의도적으로 행을 구분해 시적 긴장감을 부여하고 있다.
③ 활유법을 활용하여 대상의 생산적인 이미지를 강화하고 있다.
④ 다양한 심상을 사용하여 대상의 생동감 있는 모습을 표현하고 있다.
⑤ 대립하는 관계에 있는 두 시어를 대조시켜 주제를 형상화하고 있다.

유형 해결 전략
시에 사용된 표현 방법을 파악하는 문제이다. '❶　　　'은 시에서 부정적 의미로 자주 사용되지만 이 시에서는 만물을 잉태하고 있는 존재라는 ❷　　　 의미로 사용되었음을 이해한다.

답 ❶ 어둠 ❷ 긍정적

05

㉠~㉤에 대한 설명으로 적절하지 않은 것은?

① ㉠: 아침이 되어 스스로 사라지는 어둠의 모습을 표현하고 있다.
② ㉡: 밤 동안 물상들을 덮고 있던 어둠의 무게감을 표현하고 있다.
③ ㉢: 아침이 되자 물상들이 활동을 시작하는 건강한 모습을 표현하고 있다.
④ ㉣: 활기차고 생동감 넘치는 아침의 모습을 표현하고 있다.
⑤ ㉤: 물상들의 급격한 변화로 혼란스러워진 세상의 모습을 표현하고 있다.

유형 해결 전략
시구의 ❶　　　를 파악하는 문제이다. 이 시가 생동감 넘치는 ❷　　　의 이미지를 감각적으로 표현하고 있음을 이해하고 각 시구의 의미를 파악해 본다.

답 ❶ 의미 ❷ 아침

06

다음 시에서 ⓐ와 유사한 심상이 드러나는 것은?

① 제삿날 큰집에 모이는 불빛도 불빛이지만
② 해 질 녘 울음이 타는 가을 강을 보겠네.

저것봐, 저것봐, / 네보담도 내보담도
그 기쁜 첫사랑 ③ 산골 물소리가 사라지고
그다음 ④ 사랑 끝에 생긴 울음까지 녹아나고
이제는 미칠 일 하나로 바다에 다 와 가는
⑤ 소리 죽은 가을 강을 처음 보겠네.

– 박재삼, 〈울음이 타는 가을 강〉에서

유형 해결 전략
특정한 시구에 사용된 ❶　　　을 이해하는지 묻는 문제이다. ⓐ가 ❷　　　적 심상을 ❸　　　적 심상으로 전이시킨 표현인 것을 파악하고, 이와 유사한 표현을 찾는다.

답 ❶ 공감각적 심상 ❷ 시각 ❸ 청각

대표 예제 07~08

[07~08] 다음을 읽고 물음에 답하시오.

가 감히 묻는다. / "이빨을 준 건 누구인가?"

사람들은 대답하리라. / "하늘이 주었다."

다시 묻는다. "하늘이 무엇 때문에 이빨을 주었을까?"

사람들은 이렇게 대답하리라. / "씹게 하려는 것이다."

다시 이렇게 물어보자.

"사물을 씹도록 한 것은 무엇 때문인가?"

그러면 사람들은 이렇게 대답하리라.

"그게 바로 '이치'입니다. 새나 짐승들은 손이 없으므로 반드시 부리나 주둥이를 구부려 땅에 대고 먹을 것을 구하지요. 그러므로 학과 같이 다리가 긴 새는 목을 길게 만들 수밖에 없는 것이지요. 그래도 혹 땅에 닿지 않을까 염려하여 부리를 길게 만들었습니다. 만일 닭의 다리를 학의 다리처럼 길게 만들었다면 뜨락에서 굶어 죽었을 겁니다." / 나는 크게 웃으면서 다시 말하리라.

"그대들이 말하는 '이치'라는 것은 소, 말, 닭, 개에게나 해당할 뿐이다. 하늘이 이빨을 내린 것이 반드시 구부려서 사물을 씹도록 한 것이라 해 보자. 그러면 지금 저 코끼리에게는 쓸데없는 어금니를 주어 땅으로 고개를 숙이면 어금니가 먼저 닿는다. 이런 모습은 오히려 씹는 것에 방해가 되는 게 아닌가?"

나 우리가 배운 것으로는 생각이 소, 말, 닭, 개에게 미칠 뿐, 용, 봉, 거북, 기린 같은 짐승에게까지는 미치지 못한다. 코끼리가 범을 만나면 코로 때려 죽이니 그 코야말로 천하무적이다. 그러나 쥐를 만나면 코를 둘 데가 없어서 하늘을 우러러 멍하니 서 있을 뿐이다. 그렇다고 쥐가 범보다 무서운 존재라 말한다면 조금 전에 말한바 이치가 아니다.

대저 코끼리는 오히려 눈에 보이는 것인데도 그 이치를 모르는 것이 이와 같다. 하물며 천하 사물이 코끼리보다도 만 배나 더한 것임에랴. 그러므로 성인이 주역을 지을 때 코끼리 상(象) 자를 취하여 지은 것도 만물의 변화를 궁구(窮究)하려는 까닭이었으리라.

— 박지원, 〈상기〉 신

07

(가)에 대한 이해와 감상으로 적절하지 않은 것은?

① 글쓴이는 논리적 사고 과정을 중요시하는 사람 같아.

② '사람들'의 통념을 비판적으로 보는 태도에서 글쓴이의 개성이 느껴져.

③ 실제 대화가 아니라, 예상 답변을 미리 떠올려 보고 이에 반박하는 내용이야.

④ 글쓴이는 '코끼리'의 사례를 들어 '사람들'의 말이 지닌 논리적인 허점을 지적하고 있어.

⑤ 글쓴이는 문답법을 통해 상반되는 두 관점을 소개하고 이에 대한 절충안을 도출하고 있어.

유형 해결 전략

글의 내용과 전개 방식에 대한 이해를 묻는 문제이다. 글쓴이가 '**①**'과 문답을 주고받는 상황을 **②**하고 있음을 파악한다.

답 ❶ 사람들 ❷ 가정

08

다음 빈칸에 들어갈 내용으로 적절하지 않은 것은?

> 박지원이 〈상기〉를 지었던 당시 사람들은 세상 모든 것은 하늘의 이치로부터 비롯된 이(理)의 작용 아래 움직인다는 관점을 가지고 있었어요. 모든 현상을 하늘의 이치와 연관 지어 생각한 것이지요. 이를 바탕으로 보면, 박지원은 〈상기〉를 통해 _____고 말하려 하였다고 추측할 수 있지요.

① 고정되고 편협한 시각은 문제가 있다

② 하늘의 이치를 절대화하는 시각에서 벗어나야 한다

③ 모든 사물에 적용되는 절대적인 이치를 찾아야 한다

④ 모든 것을 하늘의 이치라고 하는 사고방식을 버려야 한다

⑤ 하나의 고정된 관점이 아니라 변화하는 관점에서 만물을 탐구해야 한다

유형 해결 전략

〈보기〉를 바탕으로 하여 글의 **①**를 파악하는 문제이다. 하늘의 **②**를 절대적인 것으로 여기던 당시 사람들에 대해 글쓴이가 어떤 태도를 취하고 있는지를 먼저 파악해 본다.

답 ❶ 주제 ❷ 이치

대표 예제 09~10

[09~10] 다음을 읽고 물음에 답하시오.

가 어느 날 약수터 옆에 서 있는 참나무 한 그루가 내 눈에 들어왔다. 인연이란 참으로 묘하디 묘한 것이어서 하필이면 나무에 박혀 있는 녹슨 대못이 먼저 눈에 보였다. 오래 전에 누군가 바가지를 걸어 놓기 위해 박아 놓은 것 같았다. 손으로는 빼낼 재간이 없어 그대로 내려왔는데 두고두고 그 대못이 가슴에 남았다.

그다음 주말에 나는 배낭에 장도리를 챙겨 넣고 약수터로 올라갔다. 녹슨 못을 빼내고 나니 마음이 그렇게 후련할 수가 없었다. 그 나무와의 인연은 그렇게 시작됐다. (중략) 괜히 마음이 심산스러울 때, 남에게 무심코 아픈 말을 내뱉고 후회할 때, 또한 이유 없는 공허함에 사로잡힐 때면 나는 그 나무를 보러 올라가곤 했다.

나 우리네 민간 신앙으로 우주 나무는 사람의 염원을 하늘에 전달해 주는 역할을 한다. 이를테면 나는 평범하기 짝이 없는 참나무를 나의 우주 나무로 삼게 된 셈이었다.

가을이 시작될 무렵 지방에 살고 계신 어머니가 몸이 편찮으시다는 연락을 받았다. 곧장 내려가 볼 수 없었던 나는 마음을 달래려 저녁 무렵 산으로 올라갔다. 그리고 나무를 올려다보며 어머님의 건강을 빌었다. 모든 사물에 영혼이 깃들어 있다는 말을 이제 나는 믿는다. 내가 지방에 다녀오고 나서 얼마 후에 어머님은 가까스로 건강을 되찾았다.

다 지난 주말에도 나는 산에 다녀왔다. 눈이 내린 날이었다. (중략) 나는 내가 못을 빼냈던 자리를 찾아보았다. 상처는 아직도 완전히 아물지 않은 상태였다.

그 헐벗은 나무를 보며 나는 생각했다. 그동안 나는 사소한 일에도 얼마나 자주 마음이 흔들렸던가. 또 어쩌다 상처를 받게 되면 얼마나 많은 원망의 시간을 보냈던가.

그리고 나는 길을 잃은 사람이 다시 찾아올 수 있도록 변함없이 그 자리에 서 있었던 적이 있었던가. 그렇게 말없이 기다림을 실천한 적이 있었던가.

라 이제부터는 한 그루 나무처럼 살고 싶다. 자기 자리에 굳건히 뿌리를 내리고 세월이 가져다주는 변화를 조용히 받아들이며 가끔은 누군가 찾아와 기대고 쉴 수 있는 사람이 되었으면 싶다. 겉모습은 어쩔 수 없이 변하더라도 속마음은 변하지 않는 사람이 되고 싶다. 한 그루 나무처럼 말이다.

– 윤대녕, 〈한 그루 나무처럼〉 비(박영)

09

이 글의 내용과 일치하지 않는 것은?

① 글쓴이는 참나무를 통해 위안과 휴식을 얻고 있다.
② 글쓴이는 참나무에 영혼이 깃들어 있다고 생각한다.
③ 글쓴이는 헐벗은 참나무의 모습을 안타깝게 생각한다.
④ 글쓴이는 참나무의 못을 빼 주며 나무와 인연을 맺는다.
⑤ 글쓴이는 어머니의 건강이 회복된 것이 참나무 덕분이라고 생각한다.

유형 해결 전략
글의 세부 내용을 파악하는 문제이다. 글쓴이가 **❶** 와 교감한 경험을 통해 삶의 자세를 **❷** 한 내용을 담고 있음을 이해하고, 선택지의 내용을 글에서 직접 확인해 본다.

답 ❶ 참나무 ❷ 성찰

10

글쓴이가 참나무를 통해 성찰한 내용이 아닌 것은?

① 상처를 준 사람을 원망했던 것을 반성한다.
② 사소한 일에도 마음이 흔들렸던 것을 반성한다.
③ 말없이 기다림을 실천하지 못했던 것을 반성한다.
④ 자연의 순리를 조용히 받아들이는 삶을 살고 싶다.
⑤ 목표를 향해 흔들림 없이 나아가는 삶을 살고 싶다.

유형 해결 전략
글쓴이가 나무를 통해 얻은 **❶** 을 파악하는 문제이다. (다), (라)에서 겨울날 헐벗은 **❷** 의 모습을 보고 글쓴이가 생각한 바를 정리해 본다.

답 ❶ 깨달음 ❷ 참나무

[01~03] 다음을 읽고 물음에 답하시오.

㉠이 꽃그늘 아래서

내 일생이 다 지나갈 것 같다.

기다리면서 서성거리면서

아니, 이미 다 지나갔을지도 모른다.

아이를 기다리는 ⓐ오 분간

㉡아카시아꽃 하얗게 흩날리는

이 그늘 아래서

어느새 나는 머리 희끗한 노파가 되고,

버스가 저 모퉁이를 돌아서

내 앞에 멈추면

여섯 살배기가 뛰어내려 안기는 게 아니라

훤칠한 청년 하나 내게로 걸어올 것만 같다.

㉢내가 늙은 만큼 그는 자라서

서로의 삶을 맞바꾼 듯 마주 보겠지.

ⓑ기다림 하나로도 깜박 지나가 버릴 생(生),

내가 늘 기다렸던 이 자리에

그가 오래도록 돌아오지 않을 때쯤

㉣너무 멀리 나가 버린 그의 썰물을 향해

ⓒ떨어지는 꽃잎,

또는 지나치는 버스를 향해

무어라 중얼거리면서 내 기다림을 완성하겠지.

중얼거리는 동안 꽃잎은 한 무더기 또 진다.

아, 저기 버스가 온다.

㉤나는 훌쩍 날아올라 꽃그늘을 벗어난다.

– 나희덕, 〈오 분간〉 동

01 이 시에 대한 설명으로 적절하지 않은 것은?

① 감탄사를 사용하여 시상을 전환한다.

② 표면에 화자를 노출시켜 시상을 전개한다.

③ 자연물을 인격화하여 주제 의식을 드러낸다.

④ 시의 전반에 화자의 관조적 태도가 드러난다.

⑤ 통사 구조와 시어를 반복하여 통해 운율을 형성한다.

02 ㉠~㉤에 대한 설명으로 적절하지 않은 것은?

① ㉠: 아이를 기다리는 공간이자 화자의 내면을 드러내는 공간이다.

② ㉡: 꽃그늘의 아름다운 모습을 색채 이미지로 묘사하며 계절감을 드러내고 있다.

③ ㉢: 꽃그늘 아래에서 자신은 노인이 되고, 아이는 성인이 된 미래를 생각하고 있다.

④ ㉣: 성장하여 어른이 된 아이가 화자의 품을 떠난 상황을 비유적으로 표현한 부분이다.

⑤ ㉤: 짧은 생을 기다림으로 보낸 과거를 후회하며 기다림의 상념에서 벗어나고 있다.

03 다음을 참고하여 ⓐ, ⓒ가 지닌 공통점을 파악하고, 이것이 ⓑ의 의미와 어떻게 연결되는지 서술하시오.

'오 분'은 매우 짧은 시간이야.

'낙화(落花)'는 순식간, 매우 짧은 시간 동안 일어나는 일이라는 이미지를 지니지.

도움말

ⓐ, ⓒ가 지닌 '짧다'는 이미지는, 인생은 ❶[   ] 하나로도 깜박 지나가 버릴 만큼 ❷[   ]는 화자의 깨달음으로 연결된다.

📘 ❶ 기다림 ❷ 짧다

[04~06] 다음을 읽고 물음에 답하시오.

가 비닐우산은 참 볼품없는 우산이다. 눈만 흘겨도 금방 부러져 나갈 듯한 살이며, 당장이라도 팔랑거리면서 살을 떠날 듯한 비닐 덮개며, 한 군데도 탄탄한 데가 없다. 그러나 그런 대로 우리의 사랑을 받을 만한 덕(德)을 갖추고 있기 때문에, 아주 몰라라 할 수만은 없는 우산이기도 하다.

나 값이 이렇기 때문에 어디다 놓고 와도 섭섭하지 않은 것이 또한 이 비닐우산이다. (중략) 하루 종일 썩인 머리로 대포 한 잔하는 자리에서까지 우산 간수 때문에 걱정을 할 수는 없지 않은가? 버리고 와도 꺼림할 게 없는 비닐우산은 그래서 좋은 것이다.

다 좀 오래된 이야기 하나가 생각난다. 퇴근을 하려고 일어서다 보니, 부슬부슬 창밖에 비가 내린다. 나는 캐비닛 뒤에 두었던 헌 비닐우산을 펴 들고 사무실을 나왔다. (중략) 그때였다. 누군가가 뛰어들었다. 책가방을 든 어린 소녀였다. 젖은 이마에 머리카락이 흩어져 있었다. 나 하나의 머리도 가리기 어려운 곳을 예고도 없이 뛰어든 그 귀여운 침범자는 다만 미소로써 양해를 구할 뿐 말이 없었다. 우리는 버스 정류장까지 함께 걸었다. 옷은 젖지만, 그래도 우산을 받고 있다는 안도감이 있었다. 마침내 소녀의 버스가 왔다. 미소와 목례를 함께 보내고 그는 떠났다. 이상한 공허감이 비닐우산 속에 남았다. 그것은 백 원으로선 살 수 없는 체험일 것이다.

라 비닐우산은 참 볼품없는 우산이다. 한 군데도 탄탄한 데가 없다. 그러나 버리기에는 너무나도 아름다운 효용성이 있음으로 하여 두고두고 보고 싶은 우산이다. 그리고 값싼 인생을 살며, 조금만 바람이 불어도 넘어질 듯한 부실한 사람, 그런 몸으로나마 아이들의 머리 위에 내리는 찬비를 가려 주려고 버둥대는 삶, 비닐우산은 어쩌면 나와 비슷한 데도 적지 않은 것 같아서, 때때로 혼자 받고 비 오는 길을 쓸쓸히 걷는 우산이기도 하다.

— 정진권, 〈비닐우산〉 천(이)

---

04 이와 같은 글에 대한 설명으로 적절하지 <u>않은</u> 것은?

① 인생에 대한 사색이 담겨 있다.
② 무형식의 형식을 갖는 문학이다.
③ 누구나 쓸 수 있는 대중적인 문학이다.
④ 글쓴이를 대신하는 허구적 대리인이 등장한다.
⑤ 일상적이고 사소한 대상이 제재가 될 수 있다.

> **도움말**
> 이 글은 수필이다. 수필은 **❶[   ]** 이 자유로우며 글쓴이의 **❷[   ]** 이 드러난다는 점, 비전문적이며 대중적이라는 특성을 지닌다.
>
> 目 ❶ 형식 ❷ 개성

05 이 글의 내용과 일치하지 <u>않는</u> 것은?

① 글쓴이는 비닐우산이 아름다운 효용성을 지녔다고 생각한다.
② 글쓴이는 비닐우산이 가격이 저렴해 부담이 없어 좋다고 생각한다.
③ 글쓴이는 비닐우산이 사랑을 받을 만한 덕을 갖추고 있다고 생각한다.
④ 글쓴이는 헌 비닐우산을 쓰고 집에 가는 길에 한 소녀와 동행했던 경험을 떠올린다.
⑤ 글쓴이는 비닐우산을 보며 약한 몸으로나마 자식들을 보호해 주려 노력하셨던 아버지의 모습을 떠올린다.

06 이 글에 드러나는 글쓴이의 개성적인 시각을 〈조건〉에 맞추어 서술하시오.

> **조건**
> • 소재에 대한 글쓴이의 관점을 중심으로 쓸 것
> • 일반적인 관점과 글쓴이의 관점을 비교하여 글쓴이의 시각이 개성이 있음을 드러낼 것

_____

_____

누구나 합격 전략

[1~4] 다음을 읽고 물음에 답하시오.

> 나는 이제 너에게도 슬픔을 주겠다.
> 사랑보다 소중한 슬픔을 주겠다.
> 겨울밤 거리에서 귤 몇 개 놓고
> 살아온 추위와 떨고 있는 할머니에게
> 귤값을 깎으면서 기뻐하던 너를 위하여
> 나는 슬픔의 평등한 얼굴을 보여 주겠다.
> 내가 어둠 속에서 너를 부를 때
> 단 한 번도 평등하게 웃어 주질 않은
> 가마니에 덮인 동사자가 다시 얼어 죽을 때
> 가마니 한 장조차 덮어 주지 않은
> 무관심한 너의 사랑을 위해
> 흘릴 줄 모르는 너의 눈물을 위해
> 나는 이제 너에게도 기다림을 주겠다.
> 이 세상에 내리던 함박눈을 멈추겠다.
> 보리밭에 내리던 봄눈들을 데리고
> 추워 떠는 사람들의 슬픔에게 다녀와서
> 눈 그친 눈길을 너와 함께 걷겠다.
> 슬픔의 힘에 대한 이야기를 하며
> 기다림의 슬픔까지 걸어가겠다.
>
> — 정호승, 〈슬픔이 기쁨에게〉 미

---

1 이 시를 다음과 같이 세 부분으로 나눌 때, 〈보기〉의 ㄱ~ㄷ을 빈칸에 들어갈 순서에 따라 바르게 배열한 것은?

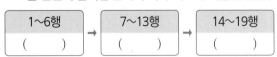

1~6행		7~13행		14~19행
( )	→	( )	→	( )

• 보기 •
ㄱ. '나'는 이기적인 '너'에게 슬픔을 주고자 함.
ㄴ. '나'는 무관심한 '너'에게 기다림을 주고자 함.
ㄷ. '나'는 슬픔의 힘을 이야기하며 '너'와 함께 걸어
가고자 함.

① ㄱ → ㄴ → ㄷ ② ㄱ → ㄷ → ㄴ
③ ㄴ → ㄱ → ㄷ ④ ㄴ → ㄷ → ㄱ
⑤ ㄷ → ㄱ → ㄴ

---

2 이 시에 대한 이해가 가장 적절한 것은?

① **준수**: 기쁨이 슬픔에게 말을 건네는 방식을 취하고 있어.

② **현아**: 추상적 개념인 슬픔과 기쁨을 의인화하여 시상을 전개하고 있어.

③ **준영**: 시인은 기쁨과 슬픔에 대한 일반적인 인식을 그대로 따르고 있어.

④ **진서**: 인격을 부여받은 슬픔과 기쁨이 서로 대화를 나누는 방식으로 전개되고 있어.

⑤ **도현**: 기쁨과 슬픔을 화자로 등장시켜 소외된 계층에 대한 문제를 다각도로 조명하고 있어.

---

3 이 시의 '나'와 '너'에 대한 설명으로 적절한 것은?

① '나'는 '너'에 대해 비판적 태도를 드러낸다.
② '너'는 소외 계층과 더불어 사는 삶을 추구한다.
③ '나'와 '너'는 모두 소외된 이웃에게 관심을 보인다.
④ '나'는 이기적인 존재이고 '너'는 이타적인 존재이다.
⑤ '나'는 '너'가 긍정적으로 변화하지 못할 것이라고
생각한다.

---

4 〈보기〉의 내용에 해당하는 시행을 찾아 쓰시오.

• 보기 •
겉으로 보기에는 모순된 말이지만, 사실은 그 속에
진리를 담고 있는 표현으로 이 시의 주제 의식과 밀
접한 관련이 있는 구절이다.

[5~6] 다음을 읽고 물음에 답하시오.

가 말을 세우고 사방을 둘러보다가 나도 모르게 손을 들어 이마에 얹고,

"한바탕 통곡하기 좋은 곳이로구나." / 했더니 정 진사가,

"천지간에 이렇게 시야가 툭 터진 곳을 만나서는 별안간 통곡할 것을 생각하시니, 무슨 까닭입니까?"

하고 묻기에 나는,

"그렇긴 하나, 글쎄. 천고의 영웅들이 잘 울고, 미인들이 눈물을 많이 흘렸다고 하나, 기껏 소리 없는 눈물이 두어 줄기 옷깃에 굴러떨어진 정도에 불과하였지, 그 울음소리가 천지 사이에 울려 퍼지고 가득 차서 마치 악기에서 나오는 소리와 같다는 얘기는 들어 보지 못했네.

사람들은 단지 인간의 칠정(七情) 중에서 오로지 슬픔만이 울음을 유발한다고 알고 있지, 칠정이 모두 울음을 자아내는 줄은 모르고 있네. 기쁨이 극에 달하면 울음이 날 만하고, 분노가 극에 치밀면 울음이 날 만하며, 즐거움이 극에 이르면 울음이 날 만하고, 사랑이 극에 달하면 울음이 날 만하며, 미움이 극에 달하면 울음이 날 만하고, 욕심이 극에 달해도 울음이 날 만한 걸세. 막히고 억눌린 마음을 시원하게 풀어 버리는 데에는 소리를 지르는 것보다 더 빠른 방법이 없네."

나 하니 정 진사는,

"지금 여기 울기 좋은 장소가 저토록 넓으니, 나 또한 그대를 좇아 한바탕 울어야 마땅하겠는데, 칠정 가운데 어느 정에 감동받아 울어야 할지 모르겠습니다." / 하기에 나는,

"그건 갓난아이에게 물어보시게. 갓난아이가 처음 태어나 칠정 중 어느 정에 감동하여 우는지? 갓난아이는 태어나 처음으로 해와 달을 보고, 그다음에 부모와 앞에 꽉 찬 친척들을 보고 즐거워하고 기뻐하지 않을 수 없을 것이네. (중략) 이를 두고, 신성하게 태어나거나 어리석고 평범하게 태어나거나 간에 사람은 모두 죽게 되어 있고, 살아서는 허물과 걱정 근심을 백방으로 겪게 되므로, 갓난아이는 자신이 태어난 것을 후회하여 먼저 울어서 자신을 위로하는 것이라고 한다면, 이는 갓난아이의 본마음을 참으로 이해하지 못해서 하는 말이네. 갓난아이가 어머니 태중에 있을 때 캄캄하고 막히고 좁은 곳에서 웅크리고 부대끼다가 갑자기 넓은 곳으로 빠져나와 손과 발을 펴서 기지개를 켜고 마음과 생각이 확 트이게 되니, 어찌 참소리를 질러 억눌렸던 정을 다 크게 씻어 내지 않을 수 있겠는가!"

– 박지원, 〈통곡할 만한 자리〉 금 . 미

5 다음 대화에서 이 글의 '나'와 정 진사에 대한 이해가 적절하지 않은 것은?

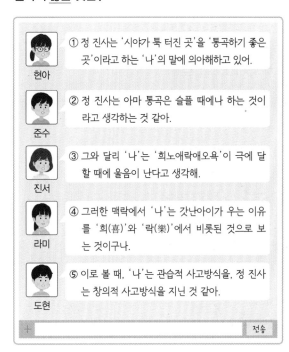

① 정 진사는 '시야가 툭 터진 곳'을 '통곡하기 좋은 곳'이라고 하는 '나'의 말에 의아해하고 있어. (현아)

② 정 진사는 아마 통곡은 슬플 때에나 하는 것이라고 생각하는 것 같아. (준수)

③ 그와 달리 '나'는 '희노애락애오욕'이 극에 달할 때에 울음이 난다고 생각해. (진서)

④ 그러한 맥락에서 '나'는 갓난아이가 우는 이유를 '희(喜)'와 '락(樂)'에서 비롯된 것으로 보는 것이구나. (라미)

⑤ 이로 볼 때, '나'는 관습적 사고방식을, 정 진사는 창의적 사고방식을 지닌 것 같아. (도현)

6 〈보기〉를 참고하여 이 글에 담긴 글쓴이의 생각을 정리한 내용으로 가장 적절한 것은?

• 보기 •

이 글의 작가인 박지원은 북학파의 대표적 인물이다. 그리고 이 글은 그가 청나라에 사신으로 다녀온 뒤 청나라의 발전된 모습을 소개한 책인 《열하일기》에 수록된 글이다. 이러한 점을 고려할 때, (나)에서 말하는 '갓난아이의 울음'은 단순히 드넓은 요동 벌판을 보았을 때의 감동을 비유한 것이라기보다는, 좁고 폐쇄적인 조선을 벗어나 발전된 청나라에 들어서면서 느낀 감동을 비유한 것이라고 해석할 수 있다.

① 조선의 부패한 정치를 개혁해야 한다.

② 청나라에 대한 사대주의를 버려야 한다.

③ 조선을 신분 차별이 없는 나라로 만들어야 한다.

④ 청나라로부터 조선의 전통을 온전히 지켜내야 한다.

⑤ 청나라의 앞선 문물을 받아들여 폐쇄적인 조선을 개혁해야 한다.

[1~2] 다음을 읽고 물음에 답하시오.

가 어둠은 새를 낳고, 돌을
　낳고, 꽃을 낳는다.
　아침이면,
　어둠은 온갖 물상(物象)을 돌려주지만
　스스로는 땅 위에 굴복한다.
　무거운 어깨를 털고
　물상들은 몸을 움직이어
　노동의 시간을 즐기고 있다.
　즐거운 지상의 잔치에
　금(金)으로 타는 태양의 즐거운 울림.
　아침이면,
　세상은 개벽을 한다.

　　　　　　　－ 박남수, 〈아침 이미지 1〉 천(이)

나 가시리 가시리잇고 나는
　　ㅂ리고 가시리잇고 나는
　　　　위 증즐가 大平盛代(대평셩디)

　날러는 엇디 살라 ㅎ고
　　ㅂ리고 가시리잇고 나는
　　　　위 증즐가 大平盛代(대평셩디)

　잡ㅅ와 두어리마ᄂᆞᆫ
　　선ㅎ면 아니 올셰라
　　　　위 증즐가 大平盛代(대평셩디)

　셜온 님 보내ᄋᆞᆸ노니 나는
　　가시는 ᄃᆞᆺ 도셔 오쇼셔 나는
　　　　위 증즐가 大平盛代(대평셩디)

　　　－ 작자 미상, 〈가시리〉 천(박) , 천(이) , 비(박안) , 지 , 해

---

1 다음은 (가), (나)를 통해 서정 갈래의 특징을 정리하는 과정이다. ㈀~㈂에 알맞은 내용을 순서대로 쓰시오.

(가)	(나)
• 어둠은 새를 낳고, 돌을 낳고, 꽃을 낳는다.(1,2행) • 아침이면,(3행, 11행)	위 증즐가 大平盛大(대평성디)(각 연의 마지막 행)

공통점
같거나 비슷한 시어, 구절, 문장을 (㈀)함.

㈀의 효과
(㈁)을 형성함.

서정 갈래의 특징
(㈂).

도움말
(가), (나)의 공통점을 찾아 서정 갈래의 특징을 파악하는 문제이다.
　❶　이 드러난다는 것이 서정 갈래의 특징임을 이해한다.

답 ❶ 운율

2 (가)와 〈보기〉에서 시어 어둠 이 나타내는 의미의 차이점을 서술하시오.

보기
육첩방은 남의 나라
창밖에 밤비가 속살거리는데,

등불을 밝혀 어둠 을 조금 내몰고,
시대처럼 올 아침을 기다리는 최후의 나,

　　　　－ 윤동주, 〈쉽게 쓰여진 시〉에서

도움말
일반적으로 시에서 '　❶　'은 고난, 시련, 역경, 암울함 등의 　❷　 의미로 사용되는 경우가 많으나 (가)의 '어둠'은 생명을 잉태한 긍정적 이미지를 나타내고 있다.

답 ❶ 어둠 ❷ 부정적

[3~4] 다음을 읽고 물음에 답하시오.

넓은 벌 동쪽 끝으로
옛이야기 지줄대는 실개천이 회돌아 나가고,
얼룩백이 황소가
해설피 금빛 게으른 울음을 우는 곳,

── 그곳이 차마 꿈엔들 잊힐 리야.

질화로에 재가 식어지면
비인 밭에 밤바람 소리 말을 달리고
엷은 졸음에 겨운 늙으신 아버지가
짚베개를 돋아 고이시는 곳,

── 그곳이 차마 꿈엔들 잊힐 리야.

흙에서 자란 내 마음
파아란 하늘빛이 그리워
함부로 쏜 화살을 찾으려
풀섶 이슬에 함초롬 휘적시던 곳,

── 그곳이 차마 꿈엔들 잊힐 리야

전설(傳說) 바다에 춤추는 밤물결 같은
검은 귀밑머리 날리는 어린 누이와
아무렇지도 않고 예쁠 것도 없는
사철 발 벗은 아내가
따가운 햇살을 등에 지고 이삭 줍던 곳,

── 그곳이 차마 꿈엔들 잊힐 리야.

하늘에는 성근 별
알 수도 없는 모래성으로 발을 옮기고,
서리 까마귀 우지짖고 지나가는 초라한 지붕,
흐릿한 불빛에 돌아앉아 도란도란거리는 곳,

── 그곳이 차마 꿈엔들 잊힐 리야.

– 정지용, 〈향수〉 천(박), 동, 비(박영)

3 다음은 이 시의 시인과 가상으로 진행한 면담이다. 마지막 질문에 대한 시인의 대답으로 적절하지 <u>않은</u> 것은?

학생: 〈향수〉는 어떤 작품인지 선생님께 해설을 직접 듣고 싶어요.

시인: 〈향수〉는 1923년에 일본 유학을 떠나기 전 내 마음속 고향의 따뜻한 정경을 그려 본 작품입니다.

학생: 〈향수〉를 창작하시면서 특히 어떤 요소에 중점을 두셨나요?

시인: _____

① 고향의 모습이 감각적으로 느껴지도록 다양한 심상을 활용하였습니다.
② 고향의 느낌을 효과적으로 살리기 위해 토속적인 시어를 사용했습니다.
③ 각 연의 끝에 동일한 후렴구를 반복하여 그리움의 정서를 반복적으로 환기하였습니다.
④ 고향에 가족을 두고 떠나온 시적 화자를 설정해 고향에 대한 간절한 그리움을 드러내었습니다.
⑤ 고향의 아름다운 자연과 시적 화자의 처지를 대조하여 고향을 그리워하는 마음을 강조하였습니다.

도움말
이 시는 감각적 심상, 토속적 시어, [**❶**]의 반복, 다양한 표현 기법 등이 유기적으로 연관되어 '고향에 대한 [**❷**]'을 효과적으로 형상화하고 있다.

답 **❶** 후렴구 **❷** 그리움

4 다음의 이것이 적용된 시구를 이 시에서 모두 찾아 쓰시오.

> 이것은 두 가지 이상의 감각이 단순히 물리적으로 동시에 지각되는 경우를 가리키는 것이 아니라, 한 감각을 다른 감각으로 전이(轉移)시킨 표현을 말합니다.

도움말
이 시에서는 [**❶**]적 이미지를 [**❷**]적 이미지로 전이시킨 공감각적 이미지가 사용된 부분이 두 번 나타난다.

답 **❶** 청각 **❷** 시각

[5~6] 다음을 읽고 물음에 답하시오.

> 흔들리는 나뭇가지에 꽃 한번 피우려고
> 눈은 얼마나 많은 도전을 멈추지 않았으랴
>
> 싸그락 싸그락 두드려 보았겠지
> 난분분 난분분 춤추었겠지
> 미끄러지고 미끄러지길 수백 번,
>
> 바람 한 자락 불면 휙 날아갈 사랑을 위하여
> 햇솜 같은 마음을 다 퍼부어 준 다음에야
> 마침내 피워 낸 저 황홀 보아라
>
> 봄이면 가지는 그 한 번 덴 자리에
> 세상에서 가장 아름다운 상처를 터뜨린다
>
> — 고재종, 〈첫사랑〉 금, 비(박안), 신

5 주어진 예를 참고하여, 다음 (1)~(3)에서 이 시에 대한 설명으로 알맞은 것에 해당하는 글자를 모아 이 시의 '주제'를 완성하여 쓰시오.

(예)

발상
- 자연 속에서 평화롭게 살고 싶은 소망 …… 감
- 자연 현상의 모습에서 발견한 사랑의 속성 …… 인 ✓

(1)

화자
- 화자가 표면에 드러나 있다. …… 수
- 화자가 표면에 드러나 있지 않다. …… 내

(2)

운율
- 동일한 글자 수를 규칙적으로 반복한다. …… 서
- 비슷하거나 같은 시어, 시구를 반복한다. …… 헌

(3)

심상
- 청각적, 시각적 심상이 두드러진다. …… 신
- 다양한 공감각적 심상을 활용하였다. …… 정

↓

주제

인 [ ] 와 [ ] [ ] 으로 이루어 낸 사랑의 결실

도움말

제시된 선택지 중 알맞은 설명을 찾는 과정에서 화자, **①**[ ], **②**[ ] 과 같은 각각의 구성 요소들이 시의 주제를 형상화하는 데 어떻게 기여하고 있는지 파악할 수 있다.

답 ❶ 운율 ❷ 심상

6 이 시의 화자가 〈보기〉의 화자를 위로하는 말로 가장 적절한 것은?

> • 보기 •
> 아리랑 아리랑 아라리요
> 아리랑 고개로 넘어간다
> 나를 버리고 가시는 님은
> 십 리도 못 가서 발병 난다
> — 작자 미상, 〈신아리랑〉에서 천(박)

① 만남과 이별은 절대자의 섭리입니다. 절대자의 뜻을 겸허하게 받아들이세요.

② 떠난 임이 다시 돌아오리라는 믿음을 버리면 안 됩니다. 포기하지 말고 끝까지 기다리세요.

③ 사랑은 쟁취하는 자의 것입니다. 떠나는 임을 원망만 하지 말고 적극적으로 붙잡아 보세요.

④ 사랑은 본래 바람 한 자락 불면 휙 날아갈 가변적인 것입니다. 사랑 말고 다른 소중한 가치를 찾아보세요.

⑤ 마음이 너무 아프겠군요. 하지만 이별의 아픔으로 성숙해진 당신은 훗날 더욱 아름다운 사랑을 할 수 있을 것입니다.

도움말

①[ ] 이 인내와 헌신으로 피워 낸 눈꽃이 녹은 자리에서 피어난 봄꽃을 '세상에서 가장 아름다운 **②**[ ]'라고 표현한 이유를 생각해 본다.

답 ❶ 눈 ❷ 상처

[7~8] 다음을 읽고 물음에 답하시오.

"좀 넉넉히 넣어요. 넉넉히."

당근씨를 막 뿌리려는 남편에게 나는 몇 번이나 말했다. 다른 씨앗들은 한번 키워 보았기 때문에 감을 잡을 수 있겠는데, 부추씨와 당근씨는 올해 처음 뿌리는 것이라 대중이 서지 않았던 것이다. (중략)

밭 바로 옆에는 우물이나 수도가 없다. 조금 걸어가야 그 마을 사람들에게 농수를 공급하는 수로가 있는데, 호스나 관으로 연결하기에는 거리가 제법 된다. 또 그러기에는 작은 밭에 너무 수선스러운 일인 것 같아 그냥 물을 한 통 한 통 길어다 주었다. 푸성귀들을 키우는 것은 물이 아니라 농부의 발소리라는 말이 그냥 나온 게 아닌가 보다. 우리 밭을 흡족하게 적시려면 수로까지 적어도 열 번은 왕복을 해야 하니 그것도 만만치 않은 노릇이었다.

물통을 들고 걸을 때마다 생각나는 사람이 있다. 우리 집에서 가까운 텃밭을 일구시는 어떤 할아버지인데, 물을 주러 가시는 모습을 몇 번 본 적이 있다. 그 할아버지는 몸 반쪽이 마비되어 걷는 게 그리 자유롭지 못하다. 성한 한쪽 팔로 물통을 들고 걸어가시는 모습은 거의 몸부림에 가까우면서도 이상한 평화 같은 것을 느끼게 한다. 절뚝절뚝 몸이 심하게 흔들릴 때마다 물은 찰랑거리면서 그의 낡은 바지를 적시고 길위에 쏟아져, 결국 반 통도 채 남지 않게 된다. 그렇게 몇 번씩 오가는 걸 나는 때로는 끌 듯이 지나가는 발소리로 듣기도 하고, 때로는 마른 길 위에 휘청휘청 내고 간 젖은 길을 보고 알기도 한다.

그 젖은 길은 이내 말라 버리곤 했지만, 나는 그 길보다 더 아름답고 빛나는 길을 별로 보지 못했다. 그리고 어느 날부터인가 나 역시 그 밭의 채소들처럼 할아버지의 발소리를 기다리게 되었다. 반 통의 물을 잃어버린 그 발소리를.

물통을 나르다가 문득 이런 생각이 들곤 한다. 내가 열 번 오가야 할 것을 그 할아버지는 스무 번 오가야 할 것이지만, 내가 이 채소들을 키우는 일도 그 할아버지와 크게 다르지 않은 어떤 안간힘 때문은 아닐까. 몸에 피가 돌지 않는 것처럼 문득문득 마음 한쪽이 굳어져 가는 걸 느끼면서, 절뚝거리면서, 그러면서도 남은 반 통의 물을 살아 있는 것들에게 쏟아 붓고 싶은 마음, 그런 게 아니었을까.

이 짤막한 이야기들은 그렇게 밭을 가꾸는 동안 절뚝거리던 내 영혼의 발소리 같은 것이다. 감히 농사라고는 할 수 없지만, 자연과의 행복한 합일이라고도 부를 수 없지만, 그 어둠과 불구에 힘입어 푸른 것들을 만나러 가곤 했다. 그들에게 물을 주고 돌아오는 물통은 언제나 비어 있다.

– 나희덕, 〈반 통의 물〉 비(박안), 미

7 이 글의 낭독 영상을 제작하려 한다. 영상에 삽입할 삽화의 내용을 구상한 것으로 적절하지 <u>않은</u> 것은?

① 준수 — 글쓴이가 가꾸는 밭은 작고 소박하게 표현하자.

② 현아 — 낡은 옷차림을 한 할아버지가 한쪽 팔로만 물통을 들고 걷는 장면을 표현하자.

③ 준영 — 할아버지가 텃밭에 물을 주러 가기 전에 물통에 물을 반만 채우는 모습을 담은 장면도 좋겠어.

④ 진서 — 마른 땅 위에 할아버지가 흘린 물이 남긴 자국을 글쓴이가 물끄러미 바라보는 장면도 그리면 좋겠어.

⑤ 도현 — 그때 글쓴이는 작은 생명들을 살려 내기 위해 애쓰는 할아버지에게 감동한 듯한 표정을 짓고 있으면 좋겠어.

도움말

글쓴이는 몸이 [❶] 한 할아버지가 물통의 물을 [❷] 이상 흘리면서도 길을 몇 번씩 오가며 물을 길어 채소에 물을 주는 것을 본 경험을 통해 생명을 사랑하는 마음의 소중함을 깨닫는다.

립 ❶ 불편 ❷ 반

8 다음은 글쓴이가 이 글을 쓴 과정을 추측하여 정리한 것이다. ㉠~㉢에 알맞은 말을 쓰시오.

(㉠)을/를 일구는 과정에서 가치 있는 경험을 함.

↓

자신의 (㉡)을/를 떠올리고, 그 (㉡)을/를 성찰함으로써 (㉢)을/를 얻음.

↓

의미 있는 (㉡)에서 얻은 (㉢)을/를 진솔하게 글로 표현함.

도움말

수필은 글쓴이가 자신의 실제 [❶]에서 얻은 소재를 바탕으로 하며, 자신의 경험과 [❷]을 진솔하게 표현하는 글이다.

립 ❶ 경험 ❷ 깨달음

서사 갈래란 무엇일까?

서사 갈래란 실제로 일어났을 법한 이야기를
허구적 인물과 사건을 통해 형상화하는 문학 양식을 말합니다.

극 갈래란 무엇일까?

극 갈래란 서술자 없이 인물의 대사와 행동을 통해
사건과 갈등을 직접 보여 주는 문학 양식을 말합니다.

2주 1일 개념 돌파 전략 ①

개념 ❶ | 서사 갈래의 개념과 특성

■ **개념**: 서술자를 통해 인물, 사건, 배경 등으로 이루어진 ❶⬚의 세계를 형상화하는 문학의 한 갈래로, 소설이 대표적임.

■ **특성**
• 현실을 반영하여 현실에 있을 법한 이야기로 꾸며 냄.
• 고유한 개성을 가진 인물이 배경 속에서 사건의 주체로서 행동함.
• ❷⬚을 중심으로 하여 사건이 전개됨.
• 작가가 내세운 ❸⬚가 사건의 전개 과정을 독자에게 전달함.

> 🔑 ❶ 허구 ❷ 갈등 ❸ 서술자

개념⁺
≫서술자
• 인물의 성격이나 행동, 사건 등 작품 전체의 이야기를 전달하는 사람
• 서술자의 ⬚, 역할, 태도에 따라 작품의 내용을 제시하는 방법과 문학적 효과가 달라짐.

> 🔑 위치

개념 ❷ | 소설 구성의 3요소

인물	• 소설에 등장하는 사람으로, 사건과 갈등의 주체가 됨. • 인물의 ❶⬚ 제시 방법: 서술자가 직접적으로 설명하거나(직접 제시), 인물의 말과 행동을 통해 간접적으로 제시함(간접 제시).
사건	• 인물들 간에 일어나는 일로, ❷⬚을 중심으로 이루어짐. • '발단 – 전개 – 위기 – 절정 – 결말'의 구성 단계를 통해 사건 전개에 필연성을 부여함.
배경	• 인물의 행위와 사건이 일어나는 시간과 ❸⬚ 등의 구체적인 정황 • 이야기에 현실감을 주며, 인물의 심리나 사건 전개를 암시적으로 드러내기도 함.

> 🔑 ❶ 성격 ❷ 갈등 ❸ 공간

개념⁺
≫갈등
• 개념: 한 인물 내부의 혼란이나 인물과 그를 둘러싼 외적 요소의 대립
• 종류

내적 갈등	인물의 ⬚에서 일어나는 갈등
외적 갈등	인물과 ⬚의 갈등
	인물과 사회의 갈등
	인물과 운명의 갈등
	인물과 자연의 갈등

> 🔑 내면, 인물

개념 ❸ | 소설의 시점

■ **시점**: 소설에서 서술자가 이야기를 서술해 나가는 방식이나 관점. 시점은 서술자의 ❶⬚와, 서술자가 누구에 대해, 어디까지 서술하느냐에 따라 다음 네 가지로 나뉨.

■ **시점의 종류**

1인칭	주인공 시점	작품 속 ❷⬚인 '나'가 자신의 이야기를 서술하는 시점
	관찰자 시점	작품 속의 '나'가 인물들을 ❸⬚하는 입장에서 주인공에 대해 이야기하는 시점
3인칭 관찰자 시점		작품 밖의 서술자가 인물의 속마음을 모른 채 외부로 드러난 사실만을 관찰하여 객관적으로 서술하는 시점
3인칭 전지적 시점		작품 밖의 서술자가 전지전능한 입장에서 인물의 속마음, 과거 행적, 사건의 처음과 끝을 모두 말해 주는 시점

> 🔑 ❶ 위치 ❷ 주인공 ❸ 관찰

개념⁺
≫못 미더운 서술자
• 1인칭 시점의 서술자가 어리거나 아는 것이 없거나 비도덕적이어서 상황이나 대상을 잘못 인식하고 미숙하게 판단하는 사람인 경우
• 서술자의 특성에 따라 다양한 ⬚를 줌.

> 어린 서술자의 경우,
> 순수한 시선을 부각하거나
> 사건의 이면을 드러내기도 해.

> 🔑 효과

01 다음 설명이 맞으면 O표, 틀리면 X표를 하시오.

(1) 서사 갈래는 인물이 어떤 배경 속에서 사건의 주체로 행동하는 모습을 서술자 없이 직접 보여 준다. ( )

(2) 서사 갈래에서는 갈등을 중심으로 하여 사건이 전개된다. ( )

(3) 소설의 서술자는 실제 작가와 동일한 인물이다. ( )

02 괄호 안에 들어갈 알맞은 말을 쓰시오.

(1) 소설 구성의 3요소는 인물, (ㅅㄱ), 배경이다.

(2) (ㅇㅈ) 갈등에는 인물과 인물, 인물과 사회, 인물과 운명, 인물과 자연 사이의 갈등이 있다.

(3) 인물의 성격을 서술자가 직접 설명하는 방법을 직접 제시, 인물의 말과 행동을 통해 드러내는 방법을 (ㄱㅈ) 제시라고 한다.

03 다음 (1)~(4)의 설명에 해당하는 시점을 〈보기〉에서 찾아 그 기호를 쓰시오.

─• 보기 •─
ㄱ 3인칭 전지적 시점   ㄴ 1인칭 주인공 시점
ㄷ 1인칭 관찰자 시점   ㄹ 3인칭 관찰자 시점

(1) 작품 속 주인공인 '나'가 자신의 이야기를 하는 시점 ( )

(2) 작품 속의 '나'가 인물들을 관찰하며 주인공에 대해 이야기하는 시점 ( )

(3) 작품 밖의 서술자가 인물의 속마음을 모른 채 사실만을 관찰하여 객관적으로 서술하는 시점 ( )

(4) 작품 밖의 서술자가 전지전능한 입장에서 인물의 속마음, 과거 행적, 사건의 처음과 끝을 모두 전해 주는 시점 ( )

04 다음 ㉠~㉤ 중 적절하지 않은 것은?

소설은 갈등의 문학이다. 이 갈등이 전개되는 양상에 따라 소설의 구성 단계를 다음과 같이 나눌 수 있다.

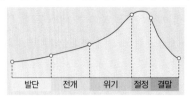

이 때 ㉠ 사건의 실마리가 제시되는 시작 단계를 발단, ㉡ 사건이 발전되어 나가면서 갈등이 시작되는 단계를 전개, ㉢ 갈등이 점차 고조되어 나가는 단계를 위기, ㉣ 갈등이 해소되는 단계를 절정, ㉤ 갈등이 마무리되고 인물의 운명이 결정되는 단계를 결말이라고 한다.

① ㉠   ② ㉡   ③ ㉢
④ ㉣   ⑤ ㉤

05 다음 글에 대한 설명으로 적절하지 않은 것은?

성북동으로 이사 나와서 한 대엿새 되었을까, 그날 밤 나는 보던 신문을 머리맡에 밀어 던지고 누워 새삼스럽게,
"여기도 정말 시골이로군!" / 하였다.
뭐 바깥이 컴컴한 걸 처음 보고 시냇물 소리와 쏴 하는 솔바람 소리를 처음 들어서가 아니라 황수건이라는 사람을 이날 저녁에 처음 보았기 때문이다.
그는 말 몇 마디 사귀지 않아서 곧 못난이란 것이 드러났다.

— 이태준, 〈달밤〉 [미]

① 인물의 내적 갈등이 드러나 있다.

② 작품의 시간적·공간적 배경이 나타나 있다.

③ 작품 속에 등장하는 '나'가 이야기를 전달하고 있다.

④ 서술자가 자신이 만난 인물에 대해 이야기하고 있다.

⑤ 서술자가 인물에 대한 자신의 생각을 단적으로 제시하고 있다.

개념 ④ | 극 갈래의 개념과 특성

■ **개념:** 서술자 없이 배우의 **❶ [　　　]** 와 행동으로 표현하는 문학의 한 갈래로, 희곡이 대표적임.

■ **특성**
- 종합 예술(연극, 영화, 오페라 등)을 위한 대본임.
- 사건을 중심으로 내용이 전개되며, 그 사건을 **❷ [　　]** 으로 보여 줌.
- 대체로 갈등과 그 해결 과정을 통해 극의 주제가 제시됨.
- 사건을 전달하는 **❸ [　　]** 가 따로 존재하지 않음.

답 ❶ 대사 ❷ 현재형 ❸ 서술자

개념+

≫서사 갈래와 극 갈래의 공통점과 차이점
- 공통점: [　　] 을 중심으로 사건이 전개됨.
- 차이점: 서사 갈래는 이야기를 전달해 주는 서술자가 존재하지만, 극 갈래는 서술자 없이 인물의 [　　] 나 행동으로 사건 진행을 직접 보여 줌.

답 갈등, 대사

개념 ⑤ | 희곡의 구성 요소와 구성 단계

■ **구성 요소**

해설	희곡의 첫머리에서 무대 장치, 등장인물, 배경 등을 설명하는 부분
대사	등장인물이 하는 말. 사건을 전개하고, 인물의 내면 심리나 **❶ [　　]** 을 드러내며 작품의 주제를 구현함.
지시문	• **❷ [　　]** 지시문: 등장인물의 동작, 표정, 말투 등을 지시함. • 무대 지시문: 배경, 무대 장치, 음향 효과 및 조명 처리 등을 설명하고 지시함.

■ **구성 단계**

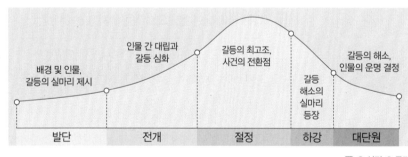

발단	전개	절정	하강	대단원
배경 및 인물, 갈등의 실마리 제시	인물 간 대립과 갈등 심화	갈등의 최고조, 사건의 전환점	갈등 해소의 실마리 등장	갈등의 해소, 인물의 운명 결정

답 ❶ 성격 ❷ 동작

개념+

≫희곡의 구성단위
- 막: 무대의 커튼이 올랐다가 다시 내릴 때까지의 단위. 공간의 변화나 긴 시간의 경과를 보여 줌.
- 장: 막의 하위 단위로, 조명 또는 등장인물의 등장 및 퇴장으로 구분함. 새로운 사건의 시작이나 짧은 시간의 경과를 보여 줌.

≫대사의 종류
- 대화: 등장인물 간에 서로 주고받는 대사
- 독백: 청자가 없다고 생각하고 등장인물이 [　　] 중얼거리는 대사
- 방백: 작품 속 다른 등장인물은 들을 수 없고 [　　] 에게만 들리는 것으로 약속한 대사

답 혼자, 관객

개념 ⑥ | 희곡 VS 시나리오

	희곡	시나리오
공통점	• 대사와 해설, 지시문으로 구성됨. • 사건이 현재형으로 진행됨.	
차이점	• 무대 상연을 전제함. • 시간과 공간, 등장인물의 수에 제약이 **❶ [　　]** • '막'과 '장'이 구성단위임. • 장면 전환이 어려움.	• 영화나 드라마 촬영을 전제하며, 촬영에 필요한 특수 용어가 사용됨. • 시간과 공간, 등장인물 수에 제약이 비교적 적음. • '**❷ [　　]** '이 구성단위임. • 장면의 전환이 자유로움.

답 ❶ 있음 ❷ 장면

개념+

≫주요 시나리오 용어
- S#(scene number): 장면 번호.
- Nar.(narration): 내레이션. 화면 밖에서 들리는 설명 형식의 [　　].
- E.(effect): [　　].
- Ins.(insert): 장면의 이해를 돕기 위해 화면과 화면 사이에 다른 화면을 끼우는 것.
- O.L.(overlap): 하나의 화면이 끝나기 전에 다음 화면이 겹치면서 먼저 화면이 차차 사라지게 하는 방법.

답 대사, 효과음

06 다음 설명이 맞으면 O표, 틀리면 X표를 하시오.

(1) 극 갈래는 배우의 행동과 대사를 통해 갈등을 보여 준다. (　　)

(2) 극 갈래는 서사 갈래와 마찬가지로 갈등을 중심으로 이야기가 전개된다. (　　)

(3) 극 갈래는 서사 갈래와 마찬가지로 서술자의 서술로 인물의 성격과 내면 심리가 드러난다. (　　)

07 ㉠~㉢에 해당하는 희곡의 구성 요소를 〈보기〉에서 찾아 쓰시오.

┌ 보기 ────────────┐
해설, 대사, 지시문
└────────────────┘

┌──────────────────────┐
㉠ ┌ 때: 현대, 늦가을
　　│ 곳: 종합 병원 폐 외과 과장실
　　│ 무대: XX 종합 병원 폐 외과 과장실. 정면 우측에
　　└ 　밖으로 통하는 문이 있다. (중략)
회기: ㉡ (조소하는 태도로) ㉢ 나는 환자의 생명을 구해 줌으로써 기쁘게 해 주겠다거나 사회를 위해서 선심을 쓰겠다는 생각은 없소.
　　　　　　　　　　　 – 차범석, 〈성난 기계〉 신 , 해
└──────────────────────┘

08 〈보기〉에서 시나리오의 특성으로 알맞은 것을 모두 골라 그 기호를 쓰시오.

┌ 보기 ────────────────────┐
ㄱ. 장면(scene)이 기본 구성단위이다.
ㄴ. 희곡에 비해 장면 전환이 자유롭다.
ㄷ. 희곡에 비해 등장인물 수에 제약이 적다.
ㄹ. 시간적·공간적 배경의 제한을 많이 받는다.
└──────────────────────────┘

09 다음에 대한 설명으로 적절하지 <u>않은</u> 것은?

┌──────────────────────┐
S# 46. 병원 진료실 (오후)

　인서트(insert). 진료실 앞 병원 복도. 의자에 차분히 앉아 있는 아름이.

　진료실에 앉은 미라와 주치의. 주치의의 표정이 어둡다.

주치의 안과에서 아름이 눈에 대한 소견을 받았습니다. 아름 어머니, 아름이가 계속 이렇게 책이나 컴퓨터를 보면 실명을 …….

　　　　　– 최민석 외 각본, 〈두근두근 내 인생〉 천(박)
└──────────────────────┘

① 영상을 촬영하기 위해 쓰인 글이다.

② 인물의 표정을 지시하는 부분이 있다.

③ 촬영에 필요한 특수 용어가 사용되었다.

④ 현재 일어나고 있는 사건을 과거의 일로 표현하고 있다.

⑤ 장면을 효과적으로 편집하기 위해 장면 번호를 사용하고 있다.

10 다음과 같은 글에 대한 설명으로 적절하지 <u>않은</u> 것은?

┌──────────────────────┐
여자　이해 못하실 걸요, 어머닌. (천천히 슬프고 낙담해서 사진들을 핸드백 속에 담는다.) 오늘 즐거웠어요. 정말이에요 ……. 그럼, 안녕히 계세요.

　여자, 작별 인사를 하고 문 앞까지 걸어 나간다.

남자　잠깐만요, 덤 …….
여자　(멈칫 선다. 그러나 얼굴은 남자를 외면한다.)

　　　　　　　　　– 이강백, 〈결혼〉 비(박안)
└──────────────────────┘

① 실제 작가의 경험을 사실적으로 서술한다.

② 대사를 통해 인물이 처한 상황을 드러낸다.

③ 관객 앞에서 공연할 것을 전제하는 글이다.

④ 지시문으로 인물의 행동과 표정을 지시한다.

⑤ 인물의 심리나 행동을 전달하는 서술자가 존재하지 않는다.

개념 돌파 전략 ②

[1~3] 다음을 읽고 물음에 답하시오.

| 앞부분 줄거리 | '나'의 식구들은 육이오 전쟁에서 빨치산으로 활동하던 삼촌이 죽었으리라 체념한다. 그러나 할머니는 삼촌이 살아 돌아올 것이라는 점쟁이의 말을 믿고 삼촌을 맞이할 준비를 하도록 식구들을 채근한다.

가 할머니가 대문간에 서서 ㉠호통을 치는 바람에 혼곤한 잠
  _{정신이 흐릿하고 고달픈}
에서 깨었다. (중략) 여러 날 겹치는 피로와 긴장 때문에 얼굴
모양들이 모두 말이 아니었다. 아버지는 부황이 든 사람처럼
  _{오래 굶주려서 살가죽이 들떠서 붓고 누렇게 되는 병}
얼굴이 누렇게 떠 부석부석했고, 어머니는 숫제 강마른 대꼬
챙이였다. 외가 식구들이라 해서 특별히 나은 사람도 없었다.
그런데 우리 할머니만이 청청해 가지고 첫새벽부터 기진맥진
한 사람들을 게으른 소 잡도리하듯 했다. 아버지와 어머니를
  _{아주 요란스럽게 닦달하거나 족치듯}
대문간에 나란히 불러 놓고 무섭게 닦아세우는 중이었다. 장
명등이 꺼져 있었다. 기름이 아직 반나마 들어 있는데도 어느
  _{대문 밖이나 처마 끝에 달아 두고 밤에 불을 켜는 등}
바람이 언제 끄고 갔는지 유리 갓에 물기가 촉촉했다. 장명등
일로 할머니는 몹시 심정이 상해 버렸다. 하느님이 간밤에 몰
래 들어와서 아버지와 어머니의 정성을 시험하고 간 증거로
삼아 버렸다.

나 아홉 시가 지나고 어느덧 열 시가 다 되었다. 그런데도 우
리 집엔 아무 일도 일어나지 않았다. (중략)

  기왕 해놓은 밥이니까 먼저들 들라고 말하면서도 할머니
자신은 한사코 조반상을 거부해 버렸다. 진시가 벌써 지났는
  _{오전 일곱 시부터 아홉 시까지의 시간}
데도 할머니는 여전히 ㉡태평이었다. 적어도 겉으로는 그렇
게 보였다. 애당초 말이 났을 때부터 자기는 시간 같은 건 그
리 염두에 두지 않았다는 것이다. 중요한 것은 '아무 날'이지
그까짓 '아무 시' 따위는 별것 아니라는 것이었다. 하늘이 주
관하는 일에도 간혹 실수가 있는 법인데 하물며 사람이 하는
일이야 따져 무얼 하겠냐는 것이었다. 아무리 점쟁이가 용하
다고는 해도 시간만큼은 이쪽에서 너그럽게 받아들여야 된다
는 주장이었다. 할머니한테는 아직도 그날 하루가 창창히 남
아 있었던 것이다. 어느 때 와도 기필코 올 사람이니까 그때까
지 더 두고 기다렸다가 모처럼 한번 모자 겸상을 받겠다면서
할머니는 추호도 지친 기색을 나타내지 않았다.

– 윤흥길, 〈장마〉 비(박영)

디딤돌 문제

❶ 이 소설은 [____]전쟁을 배경으로 한 가족에게 벌어진 사건들을 어린 아이인 '[____]'의 시각에서 서술하고 있다.
❷ 꺼져 있는 '[____]'은 삼촌의 생환에 문제가 있음을 암시하는 불길한 징조라고 할 수 있다.

답 ❶ 육이오, 나 ❷ 장명등

1 이 글의 갈래상 특징으로 적절하지 <u>않은</u> 것은?

① 이야기를 전달하는 서술자가 있다.
② 현실에서 있을 법한 일을 꾸며 낸 것이다.
③ 허구적 사건을 통해 삶의 진실을 전달한다.
④ 사건과 갈등을 현재형으로 서술하여 보여 준다.
⑤ 인물의 말과 행동에서 인물의 성격이 드러난다.

2 이 글에 대한 설명으로 적절하지 <u>않은</u> 것은?

가람 ① 육이오 전쟁을 시대적 배경으로 설정했어.
나승 ② 사건을 겪은 서술자가 이야기를 전달하고 있어.
다솜 ③ 배경 묘사를 통해 인물의 심리 변화를 드러내고 있어.
라미 ④ 인물의 말을 간접적으로 인용하여 인물의 심리를 드러내고 있어.
마현 ⑤ 인물들의 외양과 행동을 묘사하여 사건의 분위기를 독자들에게 전달하고 있어.

전송

3 ㉠과 ㉡에 담겨 있는 할머니의 심리로 가장 적절한 것은?

① 점쟁이의 말에 대한 의심
② 돌아오지 않는 아들에 대한 원망
③ 아들이 무사히 돌아올 것이라는 믿음
④ 아들의 귀환을 체념한 식구들에 대한 분노
⑤ 아들이 돌아오지 못할 것이라고 체념하는 마음

[4~5] 다음을 읽고 물음에 답하시오.

| 앞부분 줄거리 | 어느 날 갑자기 아빠가 사라지며 집까지 없어진 지소는 "평당 500만 원"이라고 써진 주택 매매 전단을 보고, 오백만 원만 있으면 집을 얻을 수 있다고 생각하게 된다. 지소는 노부인의 개를 몰래 훔쳐서 사례금으로 오백만 원을 받은 후 개를 다시 돌려주겠다는 계획을 세우고, 실행에 옮긴다.

노부인 제 발로 집을 나간 거야, 월리는. (혼잣말로) 모두 때가 되면 다 떠나는 거야.

지소 (큰 소리로) 그렇지 않아요!

지소의 반응에 ㉠고개를 들어 지소를 다시 쳐다보는 노부인.

노부인 네가 그걸 어떻게 아니?

지소 (당황하며) 그게⋯⋯.

노부인 (지소를 노려보며) 어떻게 아느냐고?

지소 우리⋯⋯. 우리 아빠도 길을 잃어버렸어요..

㉡지소의 말에 굳은 표정이 풀리는 노부인의 얼굴

노부인 아빠가 집을 나갔니?

지소 아니요, 집을 나간 게 아니라⋯⋯. 아니, 나가긴 한 건데 길을 잃어버려서 집을 못 찾고 있는 거 같아요. 그래도 아빠는 언젠가 길을 찾아서 집에 돌아올 거예요. 월리도 그렇고요.

[A]
┌ **노부인** (지소를 말없이 바라보다가) 네 생각엔 정말 그럴 거 같니? / **지소** (단호하게) 네!

단호한 지소의 대답에 노부인의 표정이 진지해진다.

노부인 음? (자리에서 일어나 지소에게 다가오며) 그럼 뭘 어떻게 해야 하는 건데?

지소 찾아봐야죠. (기어들어 가는 소리로) 전단이라도 붙이고⋯⋯. / **노부인** 전단?

지소 (당당히) 전단요. 개를 찾는다는 전단. ㉢(다시 기어들어 가는 목소리로) 거기에 사례금도⋯⋯.

노부인 사례금? (대충 알겠다는 표정으로) 그래, 얼마면 되겠니?

└ **지소** (갑자기 큰 소리로) 오⋯⋯, 오백만 원이요.

㉣아차 싶은 지소의 표정. ㉤그런 지소를 노려보는 노부인. 수영도 황당하다는 듯이 지소를 쳐다본다.

노부인 (가만히 지소를 바라보다가 수영을 손짓으로 부르며) 들었지? 꼬마가 하라는 대로 해 줘.

– 바바라 오코너 원작, 김성호 외 각본, 〈개를 훔치는 완벽한 방법〉 비(박영)

❶ 노부인과 지소의 심리를 인물의 표정과 □□□, 행동을 통해 나타내고 있다.

❷ 현재형으로 인물의 표정과 행동을 지시하는 □□□에서 극 갈래의 특성이 드러난다.

답 ❶ 대사 ❷ 지시문

4 [A]를 다음과 같이 소설로 바꾸어 썼을 때, 달라진 점으로 적절한 것은?

> "네 생각엔 정말 그럴 거 같니?" / "네!"
> 지소의 단호한 대답에, 월리가 제 발로 집을 나 갔을 것이라던 노부인의 굳은 생각이 흔들리기 시작했다.
> "그럼 뭘 어떻게 해야 하는 건데?"
> "전단이라도 붙이고 찾아봐야죠!"
> 지소는 당당하게 대답했지만, 그 뒷말을 덧붙일 때에는 떳떳하지 못한 마음에 저절로 기어들어가는 목소리가 나왔다.
> "사례금도 걸고요⋯⋯. 오백만 원 정도⋯⋯."

① 등장인물의 수가 더 많아지게 된다.

② 갈등이 더욱 심해지는 양상을 보이게 된다.

③ 독자가 인물의 속마음을 전혀 알 수 없게 된다.

④ 서술자 없이 인물이 직접 이야기를 이끌어 나가게 된다.

⑤ 인물의 대사뿐만 아니라, 서술자의 서술에 의해서도 사건이 전개된다.

5 ㉠~㉤에 대한 이해로 적절하지 않은 것은?

① ㉠: 지소가 예상 밖의 반응을 보이자 지소를 다시 살펴보고 있다.

② ㉡: 지소의 아빠 이야기를 듣고 긴장감을 풀고 있다.

③ ㉢: 개를 훔쳐서 돈을 받으려는 자신의 행동에 떳떳하지 못해 하는 심리가 드러난다.

④ ㉣: 계획했던 것보다 너무 적은 액수를 부른 뒤 후회하는 심리가 드러난다.

⑤ ㉤: 지소의 진심이 무엇인지 판단하려고 하는 행동이다.

전략 ❶ | 인물의 성격과 서술자의 특징 파악하기

| 앞부분 줄거리 | 성북동에 이사 온 '나'는 신문 보조 배달부인 황수건과 만나고, 아무것도 아닌 것을 열심스럽게 이야기하는 엉뚱한 그와의 대화를 즐기게 된다. 황수건은 똑똑지 못하다는 이유로 보조 배달부 자리를 잃고, '나'는 마음 아파한다. 어느 날 한참 동안 보이지 않던 황수건이 '나'를 찾아온다.

하루는 나는 거의 그를 잊어버리고 있을 때,

"이 선생님 곕쇼?" / 하고 수건이가 찾아왔다. <u>반가웠다.</u> (중략)
<small>황수건에 대한 '나'의 호감이 단적으로 드러나는 말</small>

"그런뎁쇼, 선생님?" / "왜 그러우?" / "삼산학교에 말씀예요, 그 제 대신 들어온 급사가 저보다 근력이 세게 생겼습죠?" / "나는 그 사람을 보지 못해서 모르겠소." / 하니 그는 <u>은근한 말소리로 히죽거리며,</u>
<small>황수건의 행동을 희화화함.</small>

"제가 거길 또 들어가 볼랴굽쇼, 운동을 합죠." / 한다.
<small>삼산학교에서 일을 하다 그만둔 이력이 있는 황수건은 학교에 복직하고 싶어 함.</small>

"어떻게 운동을 하오?" / "「그까짓 거 날마당 사무실로 갑죠. 다시 써 달라고 졸라 댑죠. 아, 그랬더니 새 급사란 녀석이 저보다 크기도 무척 큰뎁쇼, 이 녀석이 막 불근댑니다그려. 그래 한번 쌈을 해야 할 턴뎁쇼, 그 녀석이 근력이 얼마나 센지 알아야 뎀벼들 턴뎁쇼, 허……」", / "그렇지, 멋모르고 대들었다 매만
<small>「」: 문제의 근본 원인과 해결책을 제대로 파악하지 못하고 엉뚱한 생각을 함.</small>
맞지." / 하니 그는 한 걸음 다가서며 또 은근한 말을 한다.
<small>황수건에 대한 호의적, 수용적 태도가 드러남.</small>

"그래섭쇼, 엊저녁엔 큰 돌멩이 하나를 굴려다 삼산학교 대문에다 났습죠. 그
<small>새 급사의 근력을 시험해 보기 위한 행동 – 엉뚱함.</small>
리구 오늘 아침에 가 보니깐 없어졌는뎁쇼, 이 녀석이 나처럼 억지루 굴려다 버렸는지, 뻔쩍 들어다 버렸는지 그만 못 봤거든입쇼, 제길……."

하고 머리를 긁는다. ▶ 황수건이 오랜만에 찾아와 근황을 전하고, '나'는 그런 황수건을 반갑게 맞이함.

– 이태준, 〈달밤〉 미

● 이 글에 드러나는 황수건의 특징

- 아무것도 아닌 것을 가지고 열심스럽게 이야기함.
- 새 급사의 근력을 알아보기 위해 학교 대문에 큰 ❶ [ ]를 굴려다 놓음.

↓

- 쓸데없는 말을 많이 하고, 붙임성이 좋음.
- 문제의 근본 원인과 해결책을 제대로 파악하지 못하고, 엉뚱한 면이 있음.

● 이 글의 시점과 효과

작품 속의 '나'가 주인공(황수건)의 삶을 관찰하여 전달함. → 1인칭 ❷ [ ] 시점

↓

주인공에 대한 최소한의 정보만 전달함으로써 독자가 황수건에 대해 더 호기심을 갖고 이야기에 집중하게 함.

● 이 글의 서술자의 태도

황수건을 ❸ [ ]으로 바라봄.
→ 소외된 사람들에 대한 공감과 연민이라는 주제 의식을 형상화하는 데 기여함.

답 ❶ 돌멩이 ❷ 관찰자 ❸ 호의적

필수예제 1. 이 글의 '황수건'에 대한 설명으로 적절하지 <u>않은</u> 것은?

① 세상 물정에 어둡고 엉뚱한 면이 있다.
② 사회적으로 높은 평가를 받지는 못한다.
③ 기발한 방법으로 새 급사를 시험해 보려 한다.
④ 삼산학교의 새 급사를 자신의 경쟁자로 생각한다.
⑤ 학교의 급사로 일할 수 있도록 '나'에게 부탁한다.

정답 | 해설 ⑤ | 학교의 급사로 다시 들어가고 싶은 마음을 드러내기는 하였으나 '나'에게 일자리를 부탁하지는 않았다.

오답 풀이 ① 복직하고 싶다고 날마다 사무실에 찾아가 졸라 대고 새 급사의 힘을 시험해 보는 행동에서 알 수 있다. ② 황수건은 똑똑지 못하다는 이유로 신문 보조 배달부 자리를 잃게 되었다.

확인문제 1. 이 글의 서술자에 대한 설명으로 적절하지 <u>않은</u> 것은?

① 황수건에게 공감하며 대화를 나누고 있다.
② 황수건을 오랜만에 만나 반가워하고 있다.
③ 황수건의 말을 통해 그의 근황을 전달하고 있다.
④ 황수건과 자신의 갈등 양상을 상세히 서술하고 있다.
⑤ 황수건과의 대화를 서술하여 황수건의 성격을 드러내고 있다.

전략 ❷ | 갈등의 전개 양상 파악하기

| 앞부분 줄거리 | '나'가 세를 놓은 문간방에 권 씨네 식구가 이사를 온다. '나'는 권 씨가 불합리한 정부 정책에 항의하다가 전과자가 되었음을 우연히 알게 된다. 어느 날 '나'가 근무하는 학교에 권 씨가 갑자기 찾아와 난산을 겪고 있는 아내의 수술비로 쓸 십만 원을 빌려 달라고 한다.

가 나는 한동안 망설이지 않을 수 없었다. 그의 진지함 앞에서 '아아, 그거 참 안 됐군요.'라든가 '그래서 어떡하죠.' 하는 상투적인 말로 섣불리 이쪽의 감정을 전달하기엔 사실 말이지 '십만 원 가까이'는 내게 너무나 큰 부담이었다. (중략)

<u>'나'의 내적 갈등</u>

끼니조차 감당 못하는 주제에 막벌이 아니면 어쩌다 간간이 얻어걸리는 출판사 싸구려 번역 일 가지고 어느 해에 빚을 갚을 것인가? <u>제대로 된 수입이 없는 권 씨가 '나'에게 빌린 돈을 갚지 못할 것이라고 생각함.</u> 책임이 따르는 동정은 피하는 게 상책이었다. 그리고 기왕 피할 바엔 저쪽에서 감히 두 말을 못 하도록 야멸차게 굴 필요가 있었다. (중략)

<u>'나'는 이성적이고 냉정한 면이 있음.</u>

"지금 내 형편에 현금은 어렵군요. 원장한테 바로 전화 걸어서 내가 보증을 서마고 약속할 테니까 권 선생도 다시 한번 매달려 보세요. 의사도 사람인데 설마 사람을 생으로 죽게야 하겠습니까?"

▶ '나'는 권 씨의 부탁을 거절함.

나 나는 내심 그의 입에서 끈끈한 가래 묻은 소리가, 이를테면, 오 선생 너무하다든가 잘 먹고 잘 살라든가 하는 말이 날아와 내 이마에 탁 <u>부탁을 거절한 '나'를 원망하는 말</u> 눌어붙는 순간에 대비하고 있었는지도 모른다. 그래서 그가 갑자기 돌아서면서 나를 똑바로 올려다봤을 때 그처럼 흠칫 놀랐을 것이다.

"오 선생, 이래 봬도 나 대학 나온 사람이오."

▶ 상처받은 자존심을 회복하려 애쓰는 권 씨
– 윤흥길, 〈아홉 켤레의 구두로 남은 사내〉 천(이), 비(박안)

● 등장인물의 성격 파악하기

• '나'

> '책임이 따르는 동정은 피하는 게 상책이었다.'
> ↓
> • (이웃에게 연민은 느끼나) 자신의 안락한 삶을 포기하고 돕지는 못함.
> • 이성적이고 냉정한 면이 있음.

• 권 씨

> "오 선생, 이래 봬도 나 대학 나온 사람이오."
> ↓
> 빈민층으로 몰락한 소시민이지만 지식인으로서의 ❶   을 지키고 싶어 함.

● 이 글에 나타난 갈등 양상

• 내적 갈등: 권 씨에게 돈을 빌려줄 것인지 말 것인지를 고민하는 '나'의 내적 갈등
• 외적 갈등

| 인물 VS 인물 | 아내의 수술비를 빌려 달라는 권 씨의 부탁을 '나'가 ❷   하면서 갈등을 겪음. |
| 인물 VS 사회 | 선량한 지식인인 권 씨가 산업화를 겪으며 빈민층으로 ❸   하는 과정에서 갈등을 겪음. |

답 ❶ 자존심 ❷ 거절 ❸ 몰락

필수 예제 **2.** (가), (나)에 나타난 갈등 양상을 〈보기〉에서 모두 고른 것은?

> • 보기 •
> ㄱ. 개인의 내적 갈등   ㄴ. 개인과 사회의 갈등
> ㄷ. 개인과 개인의 갈등   ㄹ. 개인과 운명의 갈등

① ㄱ   ② ㄱ, ㄴ   ③ ㄱ, ㄷ
④ ㄴ, ㄷ   ⑤ ㄷ, ㄹ

확인 문제 **2.** 이 글에서 〈보기〉에 해당하는 부분을 찾아 쓰시오.

> • 보기 •
> • 권 씨의 부탁을 거절한 '나'의 예상을 벗어나는 권 씨의 반응임.
> • 상처 입은 자존심을 회복하고자 하는 권 씨의 심리가 드러남.

정답 | 해설 ③ | ㄱ. '나'는 권 씨가 돈을 갚을 능력이 안 되니 그의 부탁을 거절해야 한다는 생각과, 위급한 상황에 빠진 권 씨에 대한 안타까움 사이에서 갈등을 겪는다. ㄷ. 아내의 수술비를 빌려 달라는 권 씨의 부탁을 '나'가 거절하면서 갈등을 겪는다.

오답 풀이 ㄴ. '앞부분 줄거리'에서 권 씨가 불합리한 정부 정책에 항의하다가 전과자가 되고, 사회 빈민층으로 전락해 가는 것에서 개인과 사회의 갈등이 나타난다.

[01~03] 다음을 읽고 물음에 답하시오.

가 | 앞부분 줄거리 | '나'는 성북동으로 이사한 후 만나게 된 신문 보조 배달부 황수건과 친분을 쌓게 된다. 황수건이 그토록 바라던 신문 원배달부가 되지 못하고 보조 배달부 자리에서마저 해고된 것을 알게 된 '나'는 참외 장사를 하고 싶어 하는 그에게 조건 없이 삼 원을 내어 준다.

그는 삼 원 돈에 덩실덩실 춤을 추다시피 뛰어나갔다. 그리고 그 이튿날, / "선생님 잡수시라굽쇼." / 하고 나 없는 때 참외 세 개를 갖다 두고 갔다. / 그러고는 온 여름 동안 그는 우리 집에 얼씬하지 않았다. 들으니 참외 장사를 해 보긴 했는데 이내 장마가 들어 밑천만 까먹었고, 또 그까짓 것보다 한 가지 놀라운 소식은 그의 아내가 달아났다는 것이었다.

나 그런데 요 며칠 전이었다. 밤인데 달포 만에 황수건이가
_{한 달이 조금 넘는 기간}
우리 집을 찾아왔다. 웬 포도를 큰 것으로 대여섯 송이를 종이에 싸지도 않고 맨손에 들고 들어왔다. 그는 벙긋거리며,

"선생님 잡수라고 사 왔습죠." / 하는 때였다. 웬 사람 하나가 날쌔게 그의 뒤를 따라 들어오더니 다짜고짜로 수건이의 멱살을 움켜쥐고 끌고 나갔다. 수건이는 그 우둔한 얼굴이 새하얗게 질리며 꼼짝 못 하고 끌려 나갔다.

나는 수건이가 포도원에서 포도를 훔쳐 온 것을 직각하였
_{보거나 듣는 즉시 곧바로 깨달음}

다. 쫓아 나가 매를 말리고 포돗값을 물어 주었다. 포돗값을 물어 주고 보니 황수건이는 어느 틈에 사라지고 보이지 않았다.

나는 그 다섯 송이의 포도를 탁자 위에 얹어 놓고 오래 바라보며 아껴 먹었다.

다 어제다. 문안에 들어갔다 늦어서 나오는데 불빛 없는 성북동 길 위에는 밝은 달빛이 깁을 깐 듯하였다.
_{명주실로 바탕을 조금 거칠게 짠 비단}

그런데 포도원께를 올라오노라니까 누가 맑지도 못한 목청으로, / "사…… 케…… 와 나…… 미다카 다메이…… 키…… 카……." / 를 부르며 큰길이 좁다는 듯이 휘적거리며 내려왔
_{'술은 눈물인가 한숨인가.'라는 뜻으로, 당시 유행했던 일본 가요의 한 구절}
다. 보니까 황수건이 같았다. 나는, / "수건인가?" / 하고 알은 체하려다 그가 나를 보면 무안해할 일이 있는 것을 생각하고, ㉠휙 길 아래로 내려서 나무 그늘에 몸을 감추었다.

그는 길은 보지도 않고 달만 쳐다보며, 노래는 이 이상은 외우지도 못하는 듯 첫 줄 한 줄만 되풀이하면서 전에는 본 적이 없었는데 담배를 다 퍽퍽 빨면서 지나갔다. 달밤은 그에게도 유감한 듯하였다.

– 이태준, 〈달밤〉 **미**

01 (가)~(다)에 대한 설명으로 적절하지 않은 것은?

① (가): '나'는 황수건이 장사에 실패한 것을 다른 사람을 통해 알게 되었다.
② (나): 황수건은 감사의 뜻으로 '나'에게 포도를 가져왔다.
③ (나): '나'는 황수건이 가져온 포도가 훔친 것임을 미처 모르고 포도를 먹었다.
④ (다): 황수건은 답답한 마음을 노래로 표현하였다.
⑤ (다): 황수건은 '나'가 지나가는 것을 알지 못하였다.

02 ㉠에 담긴 '나'의 의도를 추측한 내용으로 적절한 것은?

① 도둑질을 한 황수건이 싫어져서 피한 것이다.
② 황수건이 또 포도를 훔쳐 올까 봐 피한 것이다.
③ 황수건이 아닌 다른 사람일 수도 있어서 피한 것이다.
④ 황수건이 자신을 보고 포도 사건으로 무안해하지 않도록 배려한 것이다.
⑤ 자신보다 모자란 황수건이 스스로의 잘못을 뉘우치도록 시간을 준 것이다.

문제 해결 전략
(가), (나)를 통해 ❶ [   ]에 대한 '나'의 태도를 파악한 뒤 ㉠의 앞뒤 내용을 고려하여 '나'의 의도를 추측해 본다.

답 ❶ 황수건

03 이 글에서 〈보기〉에 해당하는 소재를 찾아 2음절로 쓰시오.

• 보기 •
• 인물에 대한 서술자의 연민을 드러내어 작품에 서정적 분위기를 더해 줌.
• 인물의 비참하고 비극적인 이야기를 낭만적인 분위기로 이끄는 시간적 배경임.

[04~05] 다음을 읽고 물음에 답하시오.

| 앞부분 줄거리 | '나'는 난산으로 위독한 아내의 수술비를 빌려 달라는 권 씨의 부탁을 거절하나 곧 양심의 가책을 느끼고 돈을 마련하여 그의 아내의 출산을 돕는다. 그러나 권 씨는 병원에 나타나지 않았고, 그날 밤 '나'의 집에는 강도가 든다.

가 "일어나, 얼른 일어나라니까."

나 외엔 더 깨우고 싶지 않은지 강도의 목소리는 무척 낮고 조심스러웠다. 나는 일어나고 싶었지만 도무지 일어날 수가 없었다. 멱을 겨눈 식칼이 덜덜덜 위아래로 춤을 추었다. 만약 강도가 내 목통이라도 찌르게 된다면 그것은 고의에서가 아니라 지나친 떨림으로 인한 우발적인 상해일 것이었다. 무척 모자라는 강도였다. 나는 복면 위의 눈을 보는 순간에 상대가 그 방면의 전문가가 못 됨을 금방 알아차렸던 것이다. 딴에 진탕 마신 술로 한껏 용기를 돋웠을 텐데도 보기 좋을 만큼 큰 눈이 착하게만 타고난 제 천성을 어쩌지 못한 채 나를 퍽 두려워하고 있었다.

나 터지려는 웃음을 꾹 참은 채 강도의 애교스러운 행각을 시종 주목하고 있던 나는 살그머니 상체를 움직여 동준이를 잠재울 때 이부자리 위에 떨어뜨린 식칼을 집어 들었다. (중략)

그가 고의로 사람을 찌를 만한 위인이 못 되는 줄 일찍이 간파했기 때문에 나는 칼을 되돌려 준 걸 조금도 후회하지 않았다. 아니나 다를까, 그는 식칼을 옆구리 쪽 허리띠에 차더니만 몹시 자존심이 상한 표정이 되었다.

다 "어렵다고 꼭 외로우란 법은 없어요. 혹 누가 압니까, 당신도 모르는 사이에 당신을 아끼는 어떤 이웃이 당신의 어려움을 덜어 주었을지?"

"개수작 마! 그따위 이웃은 없다는 걸 난 똑똑히 봤어! 난 이제 아무도 안 믿어!" (중략)

현관문을 열고 마당으로 내려선 다음 부주의하게도 그는 식칼을 들고 왔던 자기 본분을 망각하고 엉겁결에 문간방으로 들어가려 했다. 그의 실수를 지적하는 일은 훗날을 위해 나로서는 부득이한 조처였다.

[A] ┌ "대문은 저쪽입니다."

문간방 부엌 앞에서 한동안 망연해 있다가 이윽고 그는 대문 쪽을 향해 느릿느릿 걷기 시작했다. 비틀비틀 걷기 시작했다. 대문에 다다르자 그는 상체를 뒤틀어 이쪽을 보았다.

└ "이래 봬도 나 대학까지 나온 사람이오."

누가 뭐라고 그랬나? 느닷없이 그는 자기 학력을 밝히더니만 대문을 열고는 보안등 하나 없는 칠흑의 어둠 저편으로 자진해서 삼켜져 버렸다.

– 윤흥길, 〈아홉 켤레의 구두로 남은 사내〉 **천(이)**, **비(박안)**

04 **[A]를 다음과 같이 바꾸어 썼을 때의 효과로 가장 적절한 것은?**

> 오 선생은 일찌감치 내가 강도가 아닌 자기네 문간방 사내임을 간파하고 나를 조롱하고 경멸한 것이었다. 대문은 저쪽이라는 오 선생의 말을 듣고 대문을 나서는 순간에는 난 도무지 더 이상 살고 싶은 기분이 아니었다. 이래 봬도 내가 대학까지 나온 사람이라고 말을 해 보았지만, 이미 허물어진 내 자존심은 회복될 수 없었다.

① 1인칭 시점에서 3인칭 시점으로 변화한다.
② 주인공의 내면세계를 섬세하게 전달할 수 있다.
③ 독자가 주인공의 심리를 추측하며 작품을 읽게 된다.
④ 독자가 주인공에게 긴장감과 신비감을 느낄 수 있다.
⑤ 작가가 작품에 직접 개입하여 자신의 인생관을 드러낼 수 있다.

05 **다음을 참고할 때, 이 글의 주제로 가장 적절한 것은?**

>
> 산업화가 급격히 진행되던 1970년대, 소요 사건의 주동자로 몰려 전과자가 되어 궁핍하게 살아가던 권 씨는 아내의 수술비를 마련하지 못하는 절박한 처지에 놓입니다. 자존심을 지키며 살고 싶은 선량한 이 인물은 결국 강도로 전락하고 말지요.

① 이웃 간의 용서와 화해
② 소시민들의 비인간성 비판
③ 물질 만능주의가 만연한 현실 고발
④ 마을 공동체 구성원 간의 돈독한 관계의 중요성
⑤ 소외된 사람들의 고단한 삶과 시대의 부조리함 고발

[06~07] 다음을 읽고 물음에 답하시오.

가 | 앞부분 줄거리 | 의사인 창섭은 병원을 확장하기 위해 아버지에게 땅을 팔자는 제안을 하러 고향에 온다. 고향집으로 가는 길에 창섭은 나무다리가 생긴 후에는 사람들에게 잊힌 돌다리를 고치고 있는 아버지와 마주친다. 창섭이 아버지보다 먼저 집에 들어오니 집에는 어머니가 있었다.

"인전 어머니서껀 서울로 모셔 갈 채빌 허러 왔다우."

ⓐ*···이랑 함께'의 뜻을 나타내는 보조사*
㉠"서울루! 제발 아이들허구 한데서 살아 봤음 원이 없겠다." / 하고 어머니는 땅보다 조상님들 산소나 사당보다 손자 아이들에게 더 마음이 끌리시는 눈치였다. 그러나 아버지만은 그처럼 단순히 들떠질 마음이 아니었다.

아버지는 아들의 뒤를 쫓아 이내 개울에서 들어왔다. 아들은, 의사인 아들은, 마치 환자에게 치료 방법을 이르듯이, 냉정히 차근차근히 이야기를 시작하였다. ㉡외아들인 자기가 부모님을 진작 모시지 못한 것이 잘못인 것, 한집에 모이려면 자기가 병원을 버리기보다는 부모님이 농토를 버리시고 서울로 오시는 것이 순리인 것, 병원은 나날이 환자가 늘어 가나 입원실이 부족되어 오는 환자의 삼분지 일밖에 수용 못 하는 것, 지금 시국에 큰 건물을 새로 짓기란 거의 불가능의 일인 것, 마침 교통 편한 자리에 삼층 양옥이 하나 난 것, (중략) ㉢시골에 땅을 둔대야 일년에 고작 삼천 원의 실리가 떨어질지 말지 하지만 땅을 팔아다 병원만 확장해 놓으면, 적어도 일년에 만 원 하나씩은 이익을 뽑을 자신이 있는 것, 돈만 있으면 ㉣땅은 이담에라도, 서울 가까이라도 얼마든지 좋은 것으로 살 수 있는 것…… 아버지는 아들의 의견을 끝까지 잠잠히 들었다. 그리고,

㉤"점심이나 먹어라. 나두 좀 생각해 봐야 대답허겠다."

나 "원, 요즘 사람들은 힘두 줄었나 봬! 그 다리 첨 놀 제 내가 어려서 봤는데 불과 여남은 이서 거들던 돌인데 장정 수십 명이 한나절을 씨름을 허다니!"

"ⓐ나무다리가 있는데 건 왜 고치시나요?"

"너두 그런 소릴 허는구나. 나무가 돌만 하다든? 넌 그 다리서 고기 잡던 생각두 안 나니? 서울루 공부갈 때 ⓑ그 다리 건너서 떠나던 생각 안 나니? 시체 사람들은 모두 인정이란 게 사람헌테만 쓰는 건 줄 알드라! 내 할아버니 산소에 상돌을 그 다리로 건네다 모셨구, 내가 천잘 끼구 그 다리루 글 읽으러
천자문을
댕겼다. 네 어미두 그 다리루 가말 타구 내 집에 왔어. 나 죽건 그 다리루 건네다 묻어라……. 난 서울 갈 생각 없다."

– 이태준, 〈돌다리〉 **신**

06 ㉠~㉤에 대한 이해로 적절하지 **않은** 것은?

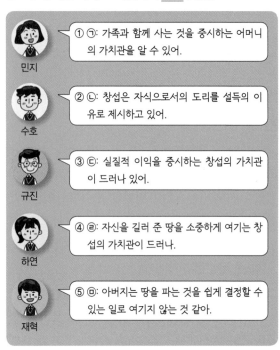

민지 ① ㉠: 가족과 함께 사는 것을 중시하는 어머니의 가치관을 알 수 있어.

수호 ② ㉡: 창섭은 자식으로서의 도리를 설득의 이유로 제시하고 있어.

규진 ③ ㉢: 실질적 이익을 중시하는 창섭의 가치관이 드러나 있어.

하연 ④ ㉣: 자신을 길러 준 땅을 소중하게 여기는 창섭의 가치관이 드러나.

재혁 ⑤ ㉤: 아버지는 땅을 파는 것을 쉽게 결정할 수 있는 일로 여기지 않는 것 같아.

07 ⓐ와 ⓑ에 대한 설명으로 적절하지 **않은** 것은?

① ⓐ는 ⓑ보다 튼튼하지는 않지만 쉽게 만들 수 있다.

② ⓐ에 대한 창섭의 생각에서 실리주의적인 가치관을 읽을 수 있다.

③ ⓑ에는 가족의 역사가 담겨 있다는 것이 아버지의 생각이다.

④ ⓑ는 만들기는 어렵지만 나무보다 안정적이고 변하지 않는다.

⑤ ⓐ는 전통적 사고와 가치, ⓑ는 근대적 사고와 가치를 상징한다.

> **문제 해결 전략**
>
> 나무다리가 있는데 **①** 는 왜 고치냐는 창섭의 질문과 이에 대한 **②** 의 대답으로 나무다리와 돌다리의 특징과 상징적 의미를 파악해 본다.

답 ❶ 돌다리 **❷** 아버지

[08~10] 다음을 읽고 물음에 답하시오.

가 "땅이란 걸 어떻게 일시 이해를 따져 사구 팔구 허느냐? 땅 없어 봐라, 집이 어딨으며 나라가 어딨는 줄 아니? 땅이란 천지만물의 근거야. 돈 있다구 땅이 뭔지두 모르구 욕심만 내 문서 쪽으로 사 모기만 하는 사람들, 돈놀이처럼 변리(邊利)만 생각허구 제 조상들과 그 땅과 어떤 인연이란 건 도시(都是) 생각지 않구 헌신짝 버리듯 하는 사람들, 다 내 눈엔 괴이한 사람들루밖엔 뵈지 않드라." / "……"

도무지

"네가 뉘 덕으루 오늘 의사가 됐니? 내 덕인 줄만 아느냐? 내가 땅 없이 뭘루? (중략) 땅을 파는 건 그게 하눌을 파나 다름없는 거다."

나 창섭은 입이 얼어 버리었다. 손만 부비었다. 자기의 생각은 너무나 자기 본위(本位)였던 것을 대뜸 깨달았다. ⓘ땅에

판단이나 행동에서 중심이 되는 기준

는 이해를 초월한 일종 종교적 신념을 가진 아버지에게 아들의 이단적인 계획이 용납될 리 만무였다.

다 아들은 아버지가 고쳐 놓은 돌다리를 건너 저녁차를 타러 가 버리었다. 동구 밖으로 사라지는 아들의 뒷모양을 지키고 섰을 때, 아버지의 마음도 정말 임종에서 유언이나 하고 난 것

죽음을 맞이함.

처럼 외롭고 한편 불안스러운 심사조차 설레었다.

ⓛ아버지는 종일 개울에서 허덕였으나 저녁에 잠도 달게 오지 않았다. 젊어서 서당에서 읽던 백낙천(白樂天)의 시가

중국 당나라의 시인(772~846)

다 생각이 났다. ⓒ늙은 제비 한 쌍을 두고 지은 노래였다. 제 배 속이 고픈 것은 참아 가며 입에 얻어 물은 것은 새끼들부터 먹여 길렀으나, 새끼들은 자라서 나래에 힘을 얻자 어디로인

날개

지 저희 좋을 대로 다 날아가 버리어, 야위고 늙은 어버이 제비 한 쌍만 가을바람 소슬한 추녀 끝에 쭈그리고 앉았는 광경

으스스하고 쓸쓸한

을 묘사하였고, ⓔ나중에는 그 늙은 어버이 제비들을 가리켜, 새끼들만 원망하지 말고, 너희들이 새끼 적에 역시 그러했음도 깨달으라는 풍자의 시였다. / '흥!'

노인은 어두운 천장을 향해 쓴웃음을 짓고 날이 밝기를 기다려 ⓜ누구보다도 먼저 어제 고쳐 놓은 돌다리를 보러 나왔다.

| 뒷부분 줄거리 | 노인은 자신이 고쳐 놓은 돌다리 앞에서 앞으로도 자연의 이치에 따라 모든 것을 보살피며 살아갈 것을 다짐한다.

– 이태준, 〈돌다리〉 신

---

08 이 글에 나타난 갈등 양상으로 적절한 것은?

① 땅을 중시하는 아버지 ↔ 가족을 중시하는 아들

② 근검절약을 중시하는 아버지 ↔ 현재의 행복을 위한 소비를 중시하는 아들

③ 땅의 본래적 가치를 중시하는 아버지 ↔ 땅의 금전적 가치를 중시하는 아들

④ 종교보다는 실질적 이득이 중요하다는 아버지 ↔ 종교적 신념을 중시하는 아들

⑤ 돈이 있으면 땅에 투자해야 한다는 아버지 ↔ 돈이 있으면 병원을 지어야 한다는 아들

문제 해결 전략

인물의 말을 통해 ❶□□□와 ❷□□이 지닌 가치관의 차이점을 파악해 본다.

답 ❶ 아버지 ❷ 아들

---

09 ⓘ~ⓜ에 대한 반응으로 적절하지 않은 것은?

① ⓘ: 땅을 팔자는 자신의 계획이 아버지의 땅에 대한 신념을 고려하지 못한 것임을 깨달은 것이군.

② ⓛ: 자신과 반대되는 주장을 하는 아들이 원망스럽고 괘씸하기 때문이군.

③ ⓒ: 시에 나오는 늙은 제비와 자신의 처지가 닮았다고 생각하는 것 같군.

④ ⓔ: 다 큰 자식이 부모의 품을 떠나는 것은 당연한 일이니 받아들이라는 깨달음을 전하고 있군.

⑤ ⓜ: 아버지가 돌다리에 대해 강한 애착을 지니고 있음을 짐작할 수 있군.

---

10 다음을 참고하여 작가가 이 작품을 쓴 의도를 서술하시오.

이 글이 창작된 일제 강점기는 우리 사회가 급격한 변화를 겪던 시기로, 물질 만능주의가 퍼져 가면서 고향의 땅을 금전적 가치로 인식하는 사고가 나타나기 시작하였다. 이러한 상황을 고려할 때, 〈돌다리〉의 작가는 _____ .

• 조건 •

'~ 위해 이 작품을 썼을 것이다.'의 형식으로 쓸 것

2주 3일 필수 체크 전략 ①

전략 ❶ | 대사와 행동으로 갈등 양상 파악하기

| 앞부분 줄거리 | 파수꾼들은 마을을 이리 떼로부터 지키는 역할을 하고 있었다. 그런데 어느 날 새로 파수꾼이 된 소년 '다'가 이리 떼는 처음부터 존재하지 않았다는 사실을 알게 되고, 그 사실을 적은 편지를 촌장에게 보낸다. 편지를 본 촌장은 '다'를 회유하기 위해 찾아온다.

다 촌장님은 이리가 무섭지 않으세요? / **촌장** 없는 걸 왜 무서워하겠니?
　　　　　　　　　　　　　　　　　　　　이리 떼가 없다는 것을 시인함.

다 촌장님도 아시는군요? / **촌장** 난 알고 있지.

다 아셨으면서 왜 숨기셨죠? 모든 사람들에게, 저 덫을 보러 간 파수꾼에게 왜

　　말하지 않은 거예요?

촌장 말해 주지 않는 것이 더 좋기 때문이다.
　　　　상식을 무시하고 자기 멋대로 생각함.─독선적인 성격
다 거짓말 마세요, 촌장님! 일생을 이 쓸쓸한 곳에서 보내는 것이 더 좋아요? 사
거짓을 거짓이라고 말하고자 함. → 비판적 지식인을 상징함.
　　람들도 그렇죠! "이리 떼가 몰려온다." 이 헛된 두려움에 시달리는데 그게 더
　　　　　　　　　사람들에게 공포감을 주는 존재
　　좋아요?

촌장 얘야, 이리 떼는 처음부터 없었다. 없는 걸 좀

　　두려워한다는 것이 뭐가 그렇게 나쁘다는 거냐?

　　「지금까지 단 한 사람도 이리에게 물리지 않았단
　　「」:촌장의 합리화 ─ 이리 떼에 대한 경계심은 마을 질서 유지의 원동력임.
　　다. 마을은 늘 안전했어. 그리고 사람들은 이리 떼
　　　　　　　□:촌장이 자기 합리화를 위해 사용한 어휘
　　에 대항하기 위해서 단결했다. 그들은 질서를 만

　　든 거야. 질서, 그게 뭔지 넌 알기나 하니? 모를 거야, 너는. 그건 마을을 지켜

　　주는 거란다.」(중략)

다 제가 본 흰 구름은 아름답고 평화로웠어요. 저는 그걸 보여 주려는 겁니다. 이
　이리 떼의 정체　　　　　　　　　진실을 밝히려는 의지를 굽히지 않음.
　제 곧 마을 사람들이 온다죠? 잘됐어요. 저는 망루 위에 올라가서 외치겠어요.
　　　　　　　　　　　　　　　　▶ 진실을 숨기기 위해 파수꾼 다를 설득하는 촌장
　　　　　　　　　　　　　　　　　　 ─ 이강백, 〈파수꾼〉　미 , 지

● 이 글의 갈등 양상

촌장
마을의 ❶ 를 유지하기 위해 이리 떼가 없다는 진실을 밝혀서는 안 됨.

↕

파수꾼 '다'
마을의 평화로운 생활을 위해 ❷ 을 밝혀야 함.

● 이 작품의 우화적 이중 구조

표면적 내용
촌장이 권력 유지를 위해 이리 떼가 있다고 거짓말을 함.

↓

풍자하고자 하는 현실
분단 현실을 앞세우며 안보가 최우선이라는 논리를 악용하여 정권을 유지하려고 했던 1970년대의 정치 상황

답 ❶ 질서 ❷ 진실

필수 예제 **1.** '촌장'과 '다'에 대한 설명으로 적절하지 **않은** 것은?

① 촌장: 이리 떼가 없다는 사실을 인정하고 있다.

② 촌장: 사람들에게 이리 떼가 없다고 밝히려 한다.

③ 촌장: 이리 떼를 경계함으로써 마을 사람들이 질서를 유지할 수 있다고 생각한다.

④ 다: 거짓을 거짓이라고 말하고자 하는 용기를 지닌 인물이다.

⑤ 다: 촌장의 회유에도 의지를 굽히지 않고 진실을 밝히려고 한다.

정답|해설 ② | 촌장은 진실을 밝히면 마을의 질서가 무너진다며 파수꾼 다가 진실을 밝히지 못하도록 회유하고 있다.

확인 문제 **1.** 〈보기〉를 참고할 때, 이 작품의 주제로 가장 적절한 것은?

● 보기 ●
　촌장과 파수꾼 다 사이의 갈등은, 파수꾼 다가 촌장에게 굴복하고 이리 떼가 온다고 거짓을 외침으로써 해소된다.

① 진실이 통하지 않는 사회의 비극

② 현대인의 기계적인 삶에 대한 풍자

③ 도시 빈민이 겪는 삶의 고통과 좌절

④ 산업 사회에서 소외된 현대인의 비극

⑤ 개인적 욕망과 신분적 제약 사이의 갈등

전략 ❷ | 촬영 기법, 시나리오 용어 알기

| 앞부분 줄거리 | 선천성 조로증을 앓고 있는 소년 아름의 가족은 치료비를 마련하기 위해 방송에 출연한다. 방송 후 서하라는 소녀가 아름에게 전자 우편을 보내오고, 둘은 전자 우편을 주고받으며 가까워진다. 어느 날 서하는 "아름이 넌 어떨 때 가장 살고 싶어지니?"라고 묻는다.

S# 52. 몽타주(서하와의 교신)
<u>따로따로 촬영한 화면을 적절하게 떼어 붙여서 만든 화면</u>
  인서트(insert). 푸른 하늘에 뭉게뭉게 떠 있는 하얀 구름.
<u>아름의 목소리와 겹치는 삽입 화면 → 이후 나열되는 인서트 장면들은 소소한 일상의 모습들임.</u>
아름(소리) 푸른 하늘의 하얀 뭉게구름을 볼 때,

  인서트(insert). 트램펄린 위에서 뛰어노는 아이들의 모습. 아이들의 즐거운 웃음소리.

아름(소리) 아이들의 해맑은 웃음소리를 들을 때, 나는 살고 싶어져.

  인서트(insert). 햇살 아래, 빨랫줄에 걸려 있는 베갯잇. 나란히 누워 그 향기를 맡는 미라와 아름이.
<u>아름의 엄마</u>
아름(소리) 맑은 날 오후, 엄마와 함께 햇빛을 머금은 포근한 빨래 냄새를 맡을 때도. (중략)

  인서트(insert). 아름이가 나열하는 것들의 이미지가 아름답게 보인다.

아름(소리) 「저녁 무렵, 골목길에서 밥 먹으라고 손주를 부르는 할머니의 소리가
「 」: 아름이 소망하는 삶의 행복한 순간들
울려 퍼질 때도, 여름날 엄마가 아빠 등목을 해 주며 찬물을 끼얹는 걸 볼 때도 나는 살고 싶어져. 초승달이 뜬 초저녁에 아빠와 함께 초롱초롱한 금성을 보면서도, 반짝반짝 빛을 내며 야간 비행을 하는 비행기를 볼 때도 살고 싶어지고는 해. 서하야, 너는 어때?」
<u>한 화면이 사라짐과 동시에 다른 화면이 점차로 나타나는 촬영 기법</u>
아름이의 목소리 점점 작아지며 디졸브(dissolve).
▶ 서하가 보낸 이메일에 답하며 자신이 살고 싶어질 때를 떠올리는 아름
– 최민석 외 각본, 〈두근두근 내 인생〉 `천(박)`, `비(박안)`

● 이 글에 드러난 몽타주 기법의 효과

아름이 살고 싶다고 느꼈던 여러 순간들을 따로 촬영하고, 그 이미지들을 이어 붙여서 아름의 목소리와 함께 제시함.

- 아름이 제시하는 상황들을 더욱 구체적이고 생생하게 느껴지게 함.
- 일상적인 것들의 ❶ [　　] 과 아름다움에 대해 생각하게 함.

● 아름이 살고 싶어지는 때

소박한 일상의 순간들

↓

건강하고 평범한 삶에 대한 ❷ [　　] 의 간절한 바람이 느껴짐.

답 ❶ 소중함 ❷ 아름

필수 예제

2. 이 글에 대한 설명으로 적절하지 않은 것은?

① 촬영과 편집이 용이하도록 장면 번호를 제시하고 있다.
② 몽타주 기법을 활용해 일상적인 것들의 소중함을 표현하고 있다.
③ 인물의 목소리가 점점 작아짐과 동시에 인물의 표정을 크게 강조하고 있다.
④ 현재 말을 하는 인물의 모습은 보여 주지 않고 목소리만 등장시키고 있다.
⑤ 따로따로 촬영한 장면들을 이어 붙여서 새로운 의미를 지닌 장면으로 만들어 나타내고 있다.

정답|해설 ③ | '아름의 목소리 점점 작아지며'에서 인물의 목소리가 점점 작아짐과 동시에 제시된 장면이 점차 사라지고 다음 장면이 새로 나타나는 디졸브(dissolve)가 활용되고 있으나, 인물의 표정을 크게 강조하는 시유(C.U.)는 사용되지 않았다.

확인 문제

2. 이 글에 드러난 아름의 심리로 가장 적절한 것은?

① 자신의 희망이 헛된 바람임을 인정하고 있다.
② 소박하고 평범한 삶을 간절하게 바라고 있다.
③ 남들과는 다른 특별한 삶을 살 수 있기를 소망하고 있다.
④ 매 순간에 집중하며 충실하게 살지 못했던 과거를 후회하고 있다.
⑤ 자신이 좋아하는 서하와 미래를 함께하고 싶은 마음을 드러내고 있다.

[01~02] 다음을 읽고 물음에 답하시오.

| 앞부분 줄거리 | 파수꾼 가, 나는 사람들에게 이리 떼의 출현을 알리는 역할을 해 왔다. 새로운 파수꾼 다는 이리 떼가 존재하지 않는다는 것을 알게 되고, 이 사실을 편지로 적어 운반인에게 부탁하여 촌장에게 보낸다. 편지를 전하기 전에 내용을 읽어 본 운반인은 편지의 내용을 마을 사람들에게 퍼뜨리고, 이를 알게 된 촌장은 파수꾼 다를 찾아 와 이리 떼의 존재가 거짓임을 시인하며 오늘만은 거짓을 말해 달라고 회유한다. 그리고 진실은 내일 밝히겠다고 약속한다. 파수꾼 다는 촌장에게 설득된다.

가 촌장 (관객들을 향해) 어서 오십시오, 주민 여러분. 이 애가 그 말을 꺼낸 파수꾼입니다. 저기 빙긋 웃고 있는 식량 운반인, 이 애가 틀림없지요? 네, 그렇다고 확인했습니다. 이리 떼인지 아니면 흰 구름인지, 직접 이 아이의 입을 통하여 들어 봅시다. (중략)

파수꾼 다는 망루 위에 올라간다. 긴 침묵. 마침내 부르짖는다.

다 이리 떼다, 이리 떼! 이리 떼가 몰려온다!

파수꾼 가의 손이 번쩍 들려지며 그도 외친다. 파수꾼 나는 신이 나서 양철 북을 두드린다. 북소리, 한동안 계속된다.

가 북소리 중지! 이리 떼는 물러갔다!

촌장 주민 여러분! 이것으로 진상은 밝혀졌습니다. 흰 구름은 없으며 이리 떼뿐입니다. 이 망루는 영구히 유지되어야겠지요. 양철 북도 계속 쳐야 할 것입니다. 여러분, 다음 이리의 습격 때까진 잠시 시간적 여유가 있습니다. 그 틈을 이용하여 돌아가십시오. 가시거든 마을 광장에 다시 모이시기 바랍니다. 수다쟁이 운반인의 처벌을 논의합시다. 그럼 어서 돌아가십시오. 이리 떼가 여러분을 물어뜯으러 옵니다.

망루 위에서 파수꾼 다가 내려온다.

나 난 네가 이렇게 용감해질 줄은 몰랐구나.

촌장 고맙다. 정말 잘해 주었다.

나 촌장 애, 나 좀 보자. (한갓진 곳으로 데리고 가서) 너한테는 안됐다만, 넌 이곳에서 일생을 지내야 한다. / 다 …… 네?

촌장 마을엔 오지 마라. / 다 (침묵)

– 이강백, 〈파수꾼〉 미, 지

01 이 글의 등장인물에 대한 설명으로 적절한 것은?

① 촌장은 파수꾼 다와의 약속을 지켰다.
② 촌장은 어쩔 수 없이 마을 사람들에게 진실을 알렸다.
③ 촌장은 결국 자신의 말을 따른 파수꾼 다를 용서하였다.
④ 파수꾼 다는 촌장에게 회유당해 주민들에게 진실을 숨겼다.
⑤ 파수꾼 가와 나는 진실을 숨기고 거짓을 말하는 촌장을 비판하였다.

02 다음을 참고할 때, 이 글에 대한 감상으로 적절하지 <u>않은</u> 것은?

〈파수꾼〉은 1974년에 발표된 작품이다. 당시 권력자들은 우리나라의 분단 현실을 앞세워 안보 위기를 과장해 사회 전반에 공포 분위기를 확산시켰고, 정권에 유리한 방향으로 사회 질서를 유지해 나가려 하였다. 이러한 상황에서 국민들은 무엇이 진실이고 거짓인지 판단하기 어려웠고, 진실을 말하고자 했던 많은 지식인이 정권의 탄압을 받았다.

① 진실을 알지 못하는 주민들은 권력자들에게 기만당한 국민들을 의미하겠군.
② 양철 북을 두드리는 파수꾼 나는 부당한 권력에게서 벗어나려고 노력하는 존재를 상징하는군.
③ 촌장은 안보 위기를 과장하여 사회 질서를 유지해 나가려 했던 권력자의 모습을 보여 주는군.
④ 이리 떼는 권력자들이 공포 분위기를 조성하기 위해 만든 안보 위기라는 허상을 의미하겠군.
⑤ 촌장에게 회유와 보복을 당하는 파수꾼 다는 권력자에게 탄압을 받았던 지식인을 상징하는군.

문제 해결 전략

제시된 글을 바탕으로 하여 촌장, 파수꾼 가와 나, 파수꾼 다, 마을 주민들, 이리 떼의 ❶ ▢▢▢ 의미를 생각해 본다.

답 ❶ 상징적

[03~04] 다음을 읽고 물음에 답하시오.

| 앞부분 줄거리 | 어느 날 갑자기 아빠가 사라지며 집까지 잃은 지소는 엄마와 함께 승합차에서 산다. 다가오는 자신의 생일에 집에서 생일 파티를 열고 싶은 지소는 집을 구할 돈을 마련하기 위해 노부인의 개 월리를 훔치고 노부인을 찾아가 사례금을 적은 전단을 붙일 것을 권유한다. 노부인은 지소의 말대로 전단을 붙이고, 지소는 사례금을 받기 위해 노부인을 찾아간다.

기 S# 84. 레스토랑 마르셀 – 홀과 집무실, 낮

벽에 걸린 커다란 유화를 바라보는 노부인과 지소.

노부인 이 그림이 얼마짜린 줄 아니? / **지소** 얼만데요?

노부인 이억 오천만 원이란다.

지소 (얼마인지 상상이 안 되는 표정으로) ······.

노부인 이 그림을 그린 화가는 나이 서른에 혼자 그림을 그리다가 사고로 죽었어. 그래서 작품이 몇 개 되지가 않아. 난 이 사람 그림을 모으고 있었어. 그런데 인제 그만둘 때가 된 거 같아.

지소, 그림 밑에 보이는 화가의 이름을 찾아서 쳐다본다. ㉠'윤서오'라는 글씨 시유(C.U.). / ㉡인서트(Ins.). 'S# 66'에서 월리의 방울 목걸이를 떼며 보았던 월리의 이름표.

지소 윤서오? 혹시 이 사람······.

노부인 내 아들이란다. 얘는 그림 그리는 걸 아주 좋아했어. 화가가 되고 싶어 했어. 난 절대 안 된다고 그랬고······. 그랬더니 어느 날 집을 나갔어. 집 나가면서 나한테 마지막으로 한 말이 뭔지 알아? 이 세상에서 날 제일 미워한다고 그랬어. 그리고 그렇게 죽을 때까지 한 번도 나한테 연락을 하지 않았단다. 죽었다고 연락이 와서 찾아갔더니 개가 한 마리 지키고 있더라고. / **지소** 그 개가······, 월리인가요?

지소, 손에 들고 있던 전단을 뒤로 감춘다.

나 S# 97. 레스토랑 마르셀 – 홀, 저녁

홀에 들어온 지소는 월리에게 방울 목걸이를 달아 준다.

지소 월리, 내가 미안했어. 내가 너무 나만 생각해서······. 너도 나랑 마찬가지로 집이 필요한데 말이지. 미안. 널 기다리는 사람이 있어. 나도 내가 기다리는 사람이 빨리 돌아왔으면 좋겠는데······. 안녕.

| 뒷부분 이야기 | 지소는 노부인에게 월리를 데려다주며 자신이 개를 훔쳤다는 사실, 갑자기 떠난 아빠 이야기, 차에서 사는 이야기 등을 털어 놓는다. 노부인은 지소를 용서하고, 지소는 승합차에서 사랑하는 가족들의 축하를 받으며 진정한 생일을 보낸다.

– 바바라 오코너 원작, 김성호 외 각본, 〈개를 훔치는 완벽한 방법〉 비(박영)

03 이 글에 대한 이해로 적절하지 **않은** 것은?

① 준수 '윤서오'는 노부인과 월리 모두와 관계가 깊은 인물이야.

② 현오 지소는 노부인에게 월리를 찾은 대가로 사례금을 요구하고 있어.

③ 준영 노부인이 월리를 아끼는 이유는 월리가 아들의 개이기 때문이야.

④ 도현 지소는 월리가 노부인의 죽은 아들의 개임을 알게 된 후 심경에 변화가 생긴 것 같아.

⑤ 진서 지소가 월리를 훔친 이유는 자신의 생일에 집에서 생일 파티를 하고 싶었기 때문이야.

04 ㉠, ㉡에 대한 설명으로 적절하지 **않은** 것은?

① ㉠은 '윤서오'라는 글씨를 화면에 크게 나타내라는 의미이다.

② ㉠을 통해 관객들은 그림을 그린 화가의 이름이 '윤서오'임을 알 수 있다.

③ ㉡의 '인서트'는 화면의 특정 동작이나 상황을 강조하기 위해 삽입한 화면을 뜻하는 시나리오 용어이다.

④ ㉡이 없었다면 관객들이 '윤서오'와 월리의 관계를 좀 더 빨리 파악할 수 있었을 것이다.

⑤ ㉡은 관객들이 이어지는 노부인의 이야기에 더 주목하게 하는 역할을 한다.

문제 해결 전략

시나리오의 특수 용어인 시유(C.U.)와 인서트(Ins.)를 이해한다. 시유(C.U.)는 특정 부분을 집중적으로 ❶ 하여 찍는 것이고, 인서트(Ins.)는 화면과 화면 사이에 다른 ❷ 을 끼워 넣는 것을 말한다.

답 ❶ 확대 ❷ 화면

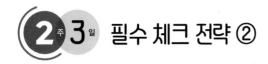

[05~06] 다음을 읽고 물음에 답하시오.

| 앞부분 줄거리 | 가난한 사기꾼인 '남자'는 결혼하기 위해 여러 가지 물건과 하인을 빌린다. 단, 빌린 물건은 제각기 정해진 시간 동안에만 사용할 수 있다는 조건이 붙는다. '남자'와 맞선을 보기로 한 '여자'가 나타나고, '여자'는 '남자'가 부자이면 꼭 붙들겠다고 어머니에게 맹세를 했다며 '남자'가 부자인 것에 황홀해한다. 여자는 자신의 어릴 적 별명인 '덤'에 대한 이야기를 한다.

가 여자 어렸을 때 제 별명이 뭔지 아시겠어요? 덤이에요, 덤.

남자 덤?

여자 네. 왜 조금 더 주는 것 있잖아요. 그거래요, 제가. 아버진 사랑을 주고, 그리고 또 덤으로 저를 어머니에게 주었죠. (중략) 아버진 덤이 태어나자 달아나셨대요. 말하자면 **뺑소닐** 치신 거죠. ㉠나중에 알고 보니 사기꾼이었고 어머니에게 보여 줬던 그 많은 재산은 모두 다 잠시 빌렸던 거래요.

남자 덤, 덤, 덤.

여자 하지만요, ㉡저는 아버질 미워 안 해요. 그분에겐 뭔가 덤이라는 옛 이름처럼 그리운 데가 있어요. 덤, 혹시 그분도 그렇게 이 세상에 태어나셨던 건 아닐지…… 안 그래요?

남자 덤, 덤, 덤…….

나 여자 그래서 어머니는요, 단단히 벼르시는 거예요. 이 덤을 키워서는 결코 사기꾼에겐 주지 않겠다고요. 전 어머니 말을 이해해요.

남자 나도 알 만합니다. / 여자 고마워요.

남자 뭘요, 고맙기는요.

여자 사실 이런 덤 이야기는 처음인 걸요. 아무에게도 말하지 않았답니다. 그냥 가슴속에 덮어 두었죠. 그러고 보면 당신은 참 친절하신 분이에요.

다 ㉢남자는 일어나 넥타이를 풀어 그것을 빌렸던 남성 관객에게 가서 되돌려 준다. 그의 눈은 물기에 젖어 있다. 남자 빌린 건 돌려 드립니다. 시간은 정확하게 지켰습니다. 그런데 ㉣왠지 모르게 슬퍼진 건 무슨 까닭일까요? (관객석을 거닐며 그는 자기에게 들려주듯 중얼거린다.) ㉤덤, 덤, 덤, 난 당신을 사랑해. 덤, 덤, 난 당신을 사랑해…….

여자 거기서 뭘 하시죠?

남자 (계속 혼잣말처럼) 덤, 난 당신을 사랑해……

— 이강백, 〈결혼〉 비(박안) , 비(박영)

---

05 이 글의 등장인물에 대한 이해로 적절하지 **않은** 것은?

민지 ① '남자'는 자신이 빈털터리임을 숨기고 '여자'와 결혼하려 하고 있어.

수호 ② '여자'는 자신을 부자에게 시집보내려는 어머니의 마음을 이해하고 있어.

규진 ③ '남자'는 '여자'의 속마음 이야기를 듣고 여자에게 사랑을 느끼게 된 것 같아.

하연 ④ '여자'는 '남자'가 빈털터리인 것에 개의치 않고 자신의 속마음 이야기를 하고 있어.

재혁 ⑤ '여자'는 자신이 솔직한 이야기를 할 수 있도록 도와준 '남자'에게 호감을 표현하고 있어.

06 ㉠~㉤에 대한 설명으로 적절하지 **않은** 것은?

① ㉠: '여자'의 어머니가 돈에 집착하게 된 원인이다.

② ㉡: '여자'가 자신의 아버지와 비슷한 점이 있는 '남자'를 미워하지 않을 것임을 암시하고 있다.

③ ㉢: 객석과 무대의 경계를 허무는 실험적인 기법이 나타난다.

④ ㉣: '여자'의 진솔한 말을 들은 '남자'가 심리적 변화를 겪고 있음을 짐작할 수 있다.

⑤ ㉤: '남자'가 '여자'를 사랑하게 되었음을 관객과 '여자'가 알게 하는 역할을 한다.

문제 해결 전략

(다)에서 '남자'의 대사가 모두 방백임을 이해한다. ❶ [ ]은 무대 위에 있는 다른 등장인물은 듣지 못하고 ❷ [ ]만 들을 수 있다고 약속되어 있는 대사를 말한다.

🔑 ❶ 방백 ❷ 관객

[07~09] 다음을 읽고 물음에 답하시오.

가 하인, 남자에게 봉투를 하나 내민다. / 남자는 봉투에서 쪽지를 꺼내 읽더니 아무 말없이 여자에게 건네준다.

여자 "나가라!" 나가라가 뭐예요?

남자 네. 주인으로부터 온 경고문입니다. 시간이 다 지났으니 나가라는 거지요.

여자 나가라…… 그럼 당신 것이 아니었어요?

남자 내 것이라곤 없습니다. / **여자** (충격을 받는다.)

남자 모두 빌린 것들뿐이었지요. 저기 두둥실 떠 있는 달님도, 저 은빛의 구름도, 이 하늬바람도, 그리고 어쩌면 여기 있는 나마저도, 또 당신마저도…….

| 중간 부분 줄거리 | 남자는 여자에게 청혼을 하지만 여자는 남자가 빈털터리이기 때문에 작별을 고한다.

나 **여자** (악의적인 느낌이 없이) 당신은 사기꾼이에요.

남자 그래요, 난 사기꾼입니다. 이 세상 것을 잠시 빌렸었죠. 그리고 시간이 되니까 하나둘씩 되돌려 주어야 했습니다. 이제 난 본색이 드러나고 이렇게 빈털터리입니다. 그러나 덤, 여기 있는 사람들에게 물어봐요. 누구 하나 자신 있게 이건 내 것이다, 말할 수 있는가를. 아무도 없을 겁니다. 없다니까요. 모두들 덤으로 빌렸지요. 눈동자, 코, 입술, 그 어느 것 하나 자기 것이 아니고 잠시 빌려 가진 거예요. ㉠(누구든 관객석의 사람을 붙들고 그가 가지고 있는 물건을 가리키며) 이게 당신 겁니까? 정해진 시간이 얼마지요? 잘 아꼈다가 그 시간이 되면 꼭 돌려주십시오. 덤, 이젠 알겠어요?

여자, 얼굴을 외면한 채 걸어 나간다. / 하인, 서서히 그 무서운 구둣발을 이끌고 남자에게 다가온다. 남자는 뒷걸음질을 친다. 그는 마지막으로 절규하듯이 여자에게 말한다. (중략)

남자 덤, 당신은 내 말을 들었어요? 여기 증인이 있습니다. 이 증인 앞에서 약속하지만, 내가 이 세상에서 덤 당신을 빌리는 동안에, 아끼고, 사랑하고, 그랬다가 언젠가 그 시간이 되면 공손하게 되돌려 줄 테요. 덤! 내 인생에서 당신은 나의 소중한 덤입니다. 덤! 덤! 덤!

다 남자, 하인의 구둣발에 걸어챈다. / 여자, 더 이상 참을 수 없다는 듯 다급하게 되돌아와서 남자를 부축해 일으키고 포옹한다.

여자 그만해요! / **남자** 이제야 날 사랑합니까?

여자 그래요! 당신 아니고 또 누굴 사랑하겠어요!

남자 어서 결혼하러 갑시다. 구둣발에 차이기 전에!

여자 이래서요, 어머니도 말짱한 사기꾼과 결혼했었다던데…….

남자 자아, 빨리 갑시다! / **여자** 네, 어서 가요!

– 이강백, 〈결혼〉 비(박안), 비(박영)

---

07 (다)에 대한 반응으로 적절하지 <u>않은</u> 것은?

① '남자'의 진실된 말이 여자의 마음을 움직인 듯해.

② '남자'와 작별하려던 '여자'가 마음을 바꾸었나 봐.

③ '여자'는 우리가 소유한 모든 것은 결국 덤으로 빌린 것이라는 '남자'의 생각에 공감한 듯해.

④ 앞으로 노력하여 '여자'를 부자로 만들어 주겠다는 '남자'의 약속이 '여자'의 마음을 움직인 듯해.

⑤ '여자'가 '남자'에게 '사기꾼'이라고 할 때 악의적인 느낌이 없었던 것에서 결말을 예측할 수 있었어.

08 이 글에서 〈보기〉에 해당하는 소재를 찾아 3음절로 쓰시오.

> • 보기 •
> '남자'를 쫓아내기 위한 도구로, 하인은 이를 사용하여 험악한 분위기를 조성하고 극적 긴장을 최고조에 이르게 한다.

09 ㉠에 대한 설명으로 적절하지 <u>않은</u> 것은?

① 관객을 극에 참여시키고 있다.

② 여자가 소유의 본질을 깨닫게 하려는 의도가 담겨 있다.

③ 작품의 주제 의식을 관객에게 적극적으로 전달하는 효과가 있다.

④ 무대와 객석의 경계가 불분명하다는 연극의 일반적인 특성이 잘 드러난다.

⑤ 소유의 본질이라는 주제를 형상화하는 데에 효과적으로 기여하는 설정이다.

> **문제 해결 전략**
> 이 작품은 ❶[   ]들의 소지품을 소품으로 활용하고 관객에게 직접 말을 거는 등 다양한 실험적 기법을 사용하고 있다.

답 ❶ 관객

대표 예제 01~02

[01~02] 다음을 읽고 물음에 답하시오.

| 앞부분 줄거리 | 장인은 머슴 일을 해 주면 점순과 혼인시켜 주기로 '나'와 계약했지만 점순의 작은 키를 핑계로 약속을 지키지 않는다. 억울한 '나'는 구장에게 호소하지만 구장은 마름인 장인의 눈치를 보며 장인 편을 든다. 점순은 구장에게 갔다 별 소득 없이 돌아온 '나'에게 화를 내며 충동질하고, '나'는 참을 수 없어 장인과 몸싸움을 벌인다.

가 ㉠엉금엉금 기어가 장인님의 바짓가랑이를 꽉 움키고 잡아 나꼈다. / 내가 머리가 터지도록 매를 얻어맞은 것이 이 때문이다. ㉡그러나 여기가 또한 우리 장인님이 유달리 착한 곳이다. 여느 사람이면 사경을 주어서라도 당장 내쫓았지, 터진 머리를 불솜으로 손수 지져 주고, 호주머니에 희연 한 봉을 넣어 주고, 그리고
_{일제 강점기 때의 담배 이름}

"올 갈엔 꼭 성례를 시켜 주마. 암말 말구 가서 뒷골의 콩밭이나 얼른 갈아라."

하고 등을 뚜덕여 줄 사람이 누구냐.

나는 장인님이 너무나 고마워서 어느덧 눈물까지 났다. 점순이를 남기고 인젠 내쫓기려니 하다 뜻밖의 말을 듣고,

"빙장님! 인제 다시는 안 그러겠어유……."

이렇게 맹서를 하며 불랴살야 지게를 지고 일터로 갔다.

나 그러나 이때는 그걸 모르고 장인님을 원수로만 여겨서 잔뜩 잡아당겼다.

"아! 아! 이놈아! 놔라, 놔, 놔……."

㉢장인님은 헛손질을 하며 솔개미에 챈 닭의 소리를 연해 질렀다. (중략) / "할아버지! 놔라, 놔, 놔, 놔놔."

그래도 안 되니까, / "얘, 점순아! 점순아!"
_{악을 쓰는 것}

㉣이 악장에 안에 있었든 장모님과 점순이가 헐레벌떡하고 단숨에 뛰어나왔다. / 나의 생각에 장모님은 제 남편이니까 역성을 할는지도 모른다. 그러나 점순이는 내 편을
_{무조건 한쪽 편을 들어 주는 일}
들어서 속으로 고수해서 하겠지……. 대체 이게 웬 속인지
_{고소해서}
(지금까지도 난 영문을 모른다.) 아버질 혼내 주기는 제가 내래 놓고 이제 와서는 달려들며

"에그머니! 이 망할 게 아버지 죽이네!" / 하고 ㉤내 귀를 뒤로 잡어당기며 마냥 우는 것이 아니냐. 그만 여기에 기운이 탁 꺾이어 나는 얼빠진 등신이 되고 말았다.

– 김유정, 〈봄·봄〉 천(박) , 금 , 동 , 비(박영) , 지 , 해

01

이 글의 서술상 특징으로 가장 적절한 것은?

① 사건이 발생한 시기와 서술하는 시기가 일치한다.
② 여러 개의 삽화를 나열하여 주제 의식을 강화하였다.
④ 현학적 표현으로 인물의 과시적인 성격을 드러내고 있다.
④ 작품 밖 서술자가 인물의 심리를 상세히 전달하고 있다.
⑤ 사건이 일어난 시간 순서를 뒤바꾸어 배치하여 긴장감을 극대화하였다.

유형 해결 전략

글에 나타난 **❶** 특징을 파악하는 문제이다. 먼저 글의 내용을 파악한 후, 이러한 **❷** 을 전달하기 위해 작가가 어떤 서술 방식을 사용하였는지 선택지를 통해 파악해 본다.

답 ❶ 서술상 ❷ 내용

02

㉠~㉤ 중, 〈보기〉의 밑줄 친 부분과 가장 관련이 깊은 것은?

┌ 보기 ┐
　해학적 상황이 발생할 때, 독자는 우월한 정보 능력 때문에 상황을 투시하고 판단할 수 있다. 반면, 정보 결핍 상태에 있는 인물은 상황을 알아채지 못하고 그 상황을 사실로 받아들이게 된다.
└

① ㉠　　② ㉡　　③ ㉢　　④ ㉣　　⑤ ㉤

유형 해결 전략

〈보기〉에 제시된 표현상 특징이 나타난 부분을 찾는 문제이다. '정보 **❶** 상태에 있는 인물'이 '**❷** '임을 파악한 후 '나'가 자신이 처한 상황을 알아채지 못하는 부분을 찾는다.

답 ❶ 결핍 ❷ 나

대표 예제 03~05

[03~05] 다음을 읽고 물음에 답하시오.

| 앞부분 줄거리 | 폐 전문 외과 의사인 회기는 심각한 폐 질환을 앓고 있는 환자 인옥으로부터 수술을 요청받지만, 수술 결과가 나쁠 경우에 받을 원망과 감당해야 할 책임을 의식하여 인옥을 냉정하게 대한다.

회기 ⊙(조소하는 태도로) 나는 환자의 생명을 구해 줌으로써 기쁘게 해 주겠다거나 사회를 위해서 선심을 쓰겠다는 생각은 없소. 나도 이 병원에서 월급을 받고 일하는 고용인이니까, 댁과 마찬가지로……

인옥 (다시 애원하며) 그러니 수술을 해 주시면 되잖아요?

회기 ⓛ(냉정하게) 원래 나는 자신 없는 일엔 손을 안 대는 성질이오.

인옥 환자가 죽어 가도 말씀이에요?

회기 그렇다고 내가 죽일 수는 없소. 나는 나를 위해서 사는 거지, 그 누구를 위해서 사는 사람은 아니니까.

인옥 ⓒ(안타깝게) 선생님……

회기 댁이 공장에서 담배를 사서 피울 사람을 생각하지 않는 것과 마찬가지 이치지요. 그렇잖아요?

인옥 ⓔ(원망스럽게 쳐다보며) 선생님은 냉정하시군요……
ⓐ기계처럼……. (이때 금숙의 표정이 크게 동요된다.)
생각이나 처지가 확고하지 못하고 흔들림.

회기 (창밖으로 시선을 돌리며) 직업이란 사람을 기계로 만들게 마련이죠. 댁의 손처럼……

인옥 그리고 내 손처럼……. (이제는 눈물도 말라 버린 표정으로) 그렇다고 마음까지 기계가 될 수는 없잖아요?…… (서서히 일어서며) 어두운 공장에서 담배 개비를 스무 개씩 집어넣는 것은 내 손이지만, 제 마음은 언제나 어린것들을 생각하고 나를 생각했어요…… 어떻게 하면 살 수 있을까 하고 …….

회기 ⓜ(약간 감동되며) 내 얘기가 좀 지나쳤는지 모르지만 나는 결코 댁이 죽어도 좋다는 것은 아닙니다. 그 대신 좋은 약을 소개해 드릴 테니 써 보세요.

— 차범석, 〈성난 기계〉 신, 해

03

이 글의 등장인물에 대한 설명으로 적절하지 않은 것은?

① 인옥은 수술을 거부하는 회기가 인간미가 없다고 생각한다.

② 회기는 어려운 수술에 대한 책임을 떠안는 것을 부담스러워한다.

③ 인옥은 어린 자식들을 위해 자신이 살아남아야 한다고 말하고 있다.

④ 인옥은 회기의 냉정한 반응에 낙심하여 삶에 대한 애착을 버리고 있다.

⑤ 회기는 수술의 성공 가능성이 낮다는 이유로 인옥의 수술 요청을 거절하고 있다.

유형 해결 전략

해당 인물의 ❶[　　　]와 행동을 통해 인물의 ❷[　　　]와 상대에 대한 태도를 파악하여 적절하지 않은 선택지를 고른다.

답 ❶ 대사 ❷ 심리

04

⊙~ⓜ에 대해 연기 지도를 한다고 할 때, 가장 적절한 것은?

① ⊙: 인옥에 대한 미안한 마음을 드러내 주세요.

② ⓛ: 동요하지 않기 위해 애써 인옥을 외면하는 모습을 보여 주세요.

③ ⓒ: 내적 갈등에 빠진 회기를 안쓰러워하는 마음을 표현해 주세요.

④ ⓔ: 회기를 이해하면서도 원망하는 이중적인 모습을 표현해 주세요.

⑤ ⓜ: 가족을 생각하는 인옥의 말에 마음이 흔들린 모습을 표현해 주세요.

유형 해결 전략

❶[　　　]에서 지시하는 인물의 행동과 표정이 앞뒤 ❷[　　　]와 맺는 관계를 생각해 본다.

답 ❶ 지시문 ❷ 대사

05

ⓐ에서 드러나는 '회기'와 '기계'의 공통점을 쓰시오.

교과서 대표 전략 ②

[01~02] 다음을 읽고 물음에 답하시오.

| 앞부분 줄거리 | 환갑이 다 된 초등학교 동기들이 모여서 어린 시절을 회상한다. 마지막 순서로 최건호('나')가 어린 시절(한국 전쟁 즈음)의 사랑 이야기를 시작한다. 어린 시절의 '나'는 명은이라는 눈뜬장님 소녀를 알게 되었다. 명은의 외할머니는 '나'에게, 부모가 한꺼번에 죽는 것을 보고 명은의 눈이 멀었으니 명은 앞에서는 절대로 부모 이야기, 사람이 죽고 사람을 죽이는 이야기, 장님 이야기는 꺼내지 말라고 당부한다.

가 나는 주일 학교를 마치기 무섭게 신광 교회에서 곧장 시청을 향해 달려갔다. 명은이에게 건넬 선물을 장만하기 위해서였다. 전황에 대한 새로운 소식은 앞 못 보는 명은이에게 의미 _{전쟁의 실제 상황} 있는 선물이 될 뿐만 아니라 내가 결코 시골뜨기라고 만만히 볼 상대가 아님을 서울내기 계집애한테 일깨워 주는 확실한 증거물이 될 것이었다.

아무도 없는 정원 내부를 기웃거리며 철책 앞에서 서성거리는 참인데 관사 현관문이 빼꼼히 열렸다. 명은이 외할머니가 손짓으로 나를 불렀다. 나는 난생처음 익산 군수 관사 안으로 주뼛주뼛 발을 들여놓았다. 잔뜩 겁을 집어먹은 채 낯선 구조의 양옥집 거실을 통과하는 나를 액자 속의 이승만 대통령이 근엄한 표정으로 내려다보고 있었다. 나는 명은이가 들어 있는 작은 방으로 안내되었다. (중략) 며칠 사이에 눈에 띄게 야윈 모습이었다. 그래서 전보다 더욱 새하얗고 전보다 더욱 예뻐 보였다.

나 명은이는 단 하루 사이에 놀라우리만큼 기력을 되찾아 이튿날 또다시 정원에서 나비와 함께 공놀이를 시작했다. 나를 피해 정원수 위로 숨어 버린 나비를 대신해서 얼른 공을 집어 명은이에게 돌려준 다음 나는 <u>득의</u>에 찬 목소리로 그날 치의 _{일이 뜻대로 이루어져 만족하거나 뽐냄.} 선물을 전했다.

"영국군 29여단 글로스터 대대가 60여 시간 사투 끝에 중공군을 무찌르고 적성 고지를 사수했디야."

시청 앞 게시판에서 공들여 외워 온 벽보 내용을 뜻도 모르는 채 앵무새처럼 고스란히 옮기면서 나는 명은이의 반응을 살폈다. 아니나 다를까, 명은이의 손아귀에서 스르르 힘이 풀리면서 공이 잔디밭으로 굴러 떨어졌다. 명은이의 그런 반응을 나는 일종의 감동의 표시로 받아들였다. (중략)

"듣기 싫단 말야! 제발 그만두란 말야!"
명은이가 쇠꼬챙이 같은 소리를 내지르며 갑자기 잔디밭에 퍼더버리고 앉았다. 전혀 예상치 못한 돌발 사태에 별안간 어안이 벙벙해져서 나는 어찌할 바를 몰랐다.

– 윤흥길, 〈종탑 아래에서〉 천(박)

01 이 글에 대한 설명으로 적절하지 않은 것은?
① 구체적인 지명에서 사실감을 느낄 수 있다.
② 지역 방언을 사용하여 현장감을 높이고 있다.
③ 이야기 속에 이야기가 있는 액자식 구성이 사용되었다.
④ 인물의 미흡한 상황 인식이 긴장감을 고조시키고 있다.
⑤ 작품 밖 서술자가 인물의 심리를 자세히 전달하고 있다.

도움말
이 글에서 '❶ ____'의 심리는 직접적으로 제시되고 있지만, 명은의 심리는 '나'가 보고 느낀 것을 통해 독자가 ❷ ____ 해야 한다.

🔑 ❶나 ❷추측

02 이 글의 '나'에 대한 이해로 적절하지 않은 것은?
① 예상 밖의 명은의 반응에 당황하고 있다.
② 전쟁의 비극성과 심각성을 잘 인식하고 있다.
③ 명은에게 애정과 열등감을 동시에 느끼고 있다.
④ 명은 외할머니의 당부를 제대로 이해하지 못하고 있다.
⑤ 명은이 전쟁 소식을 듣고 좋아할 것이라 생각하고 있다.

[03~05] 다음을 읽고 물음에 답하시오.

| 앞부분 줄거리 | '나'는 명은에게 전황 소식을 함부로 전한 잘못을 깨달은 후 명은과 화해한다. '나'는 교회 종을 치는 딸고만이 아버지가 직접 보고 싶다는 명은을 데리고 교회에 가는 길에 명은에게 늙고 병들어 기사에게 버림받은 ㉠백마 이야기를 해 준다.

가 늙고 병든 백마는 성내를 이리저리 떠돌다가 어떤 종탑 앞에 이르렀다. 누구든지 종을 쳐서 억울한 사연을 호소할 수 있게끔 성주가 세워 놓은 종탑이었다. 백마의 눈에 종탑을 휘휘 감고 올라간 칡넝쿨이 보였다. 배고픔에 못 이겨 백마는 칡넝쿨을 뜯어 먹기 시작했다. 그러다 종 줄을 잘못 건드리는 바람에 그만 종을 울리고 말았다. 종소리를 들은 성주가 무슨 사연인지 자세히 알아보도록 부하에게 지시했다. 그리하여 백마의 억울한 사연을 알게 된 성주는 은혜를 저버린 기사를 벌주고 백마를 죽을 때까지 따뜻이 보살펴 주었다.

"억울한 사람은 누구든지 종을 칠 수 있다고?"

느슨히 잡고 있던 내 손을 갑자기 꽉 움켜쥐면서 명은이가 물었다. 나는 괜스레 우쭐해진 나머지 얼김에 말갈망도 못할 _{자기가 한 말의 뒷수습} 허세를 부리고 말았다.

"그렇다니깨. 아무나 다 종을 침시나 맘속으로 소원을 빌면은 그 소원이 죄다 이뤄진디야"

나 "건호야, 날 다시 교회로 데려가 줘. 내 손으로 종을 쳐 보고 싶어." / "그랬다간 큰일 나! 딸고만이 아부지 손에 맞어 죽을 거여!" (중략)

"제발 부탁이야. 딱 한 번만 내 손으로 직접 종을 쳐 보고 싶어."

다 명은이가 소원을 이룰 수만 있다면 딸고만이 아버지한테 맞아 죽어도 상관없다고 각오를 다지면서 나는 젖은 빨래를 쥐어짜듯 모자라는 용기를 빨끈 쥐어짰다. (중략)

주변에 아무런 인기척이 없음을 거듭 확인하고 나서 나는 종탑 가까이 명은이를 잡아끌었다.

라 "소원을 빌어! 소원을 빌어!"

종소리와 경쟁하듯 목청을 높여 명은이를 채근하는 한편 나도 맘속으로 소원을 빌기 시작했다. 명은이가 소원을 다 빌 때까지 딸고만이 아버지를 잠시 귀먹쟁이로 만들어 달라고 빌고 또 빌었다. (중략)

명은이 입에서 별안간 울음이 터져 나오기 시작했다. 때때 옷을 입은 어린애를 닮은 듯한 그 울음소리를 무동 태운 채 종소리는 마치 하늘 끝에라도 닿으려는 기세로 독수리처럼 높이높이 솟구쳐 오르고 있었다.

뎅그렁 뎅 뎅그렁 뎅 뎅그렁 뎅……

– 윤흥길, 〈종탑 아래에서〉 **천(박)**

---

03 ㉠에 대한 설명으로 적절하지 않은 것은?

① 백마가 종소리를 통해 억울함에서 벗어났다는 이야기이다.

② 명은이 종을 치고 싶다는 생각을 하는 데에 영향을 미쳤다.

③ ㉠의 '백마'는 백마와 마찬가지로 억울한 상황에 처한 명은과 대응한다.

④ ㉠의 '성주'는 백마를 종으로 인도하는 인물로, 딸고만이 아부지와 대응한다.

⑤ 내용이 명은과 '나'가 함께 종을 치는 결말로 자연스럽게 이어지게 하는 역할을 한다.

> **도움말**
> 명은이 **①**〔　백마　〕 이야기에 관심을 보이는 이유를 이야기에 등장하는 백마의 **②**〔　처지　〕와 관련 지어 추측해 본다.
>
> 답 **①** 백마 **②** 처지

04 다음 설명에 해당하는 소재를 찾아 3음절로 쓰시오.

> • 명은에게는 구원의 희망을 상징함.
> • 전쟁의 비극을 세상에 전하며 평화를 바라는 소리임.

_____

05 이 소설의 주제를 서술하시오.

> • 조건 •
> • 명은이 종을 칠 수 있게 도와 준 '나'의 행동이 지니는 의미를 고려할 것
> • '전쟁의 상처를 치유할 수 있는 것은 ~(이)다.'의 문장 형식으로 쓸 것

_____

[06~08] 다음을 읽고 물음에 답하시오.

| 앞부분 줄거리 | 밀린 밥값을 떼어 먹고 공사판을 떠난 영달은 삼포로 가는 정 씨를 만나 동행하게 된다. 삼포로 향하던 두 사람은 시골 마을의 술집을 전전하는 백화라는 여자를 만나게 되고, 세 사람은 동행한다. 백화는 영달에게 호감을 느끼고 자신의 고향으로 함께 가자고 제안하지만 백화와 같이 살 만한 경제적 능력이 없는 영달은 이를 거절한다. 백화를 떠나보낸 후 정 씨와 영달이 삼포행 기차를 기다리는데 한 노인이 말을 걸어온다.

정 씨 옆에 앉았던 노인이 두 사람의 행색과 무릎 위의 배낭을 눈여겨 살피더니 말을 걸어왔다.

"어디 일들 가슈?" / "아뇨, 고향에 갑니다."

"고향이 어딘데……." / "삼포라고 아십니까?"

"어, 알지. 우리 아들놈이 거기서 도자를 끄는데……."
    '불도저'의 잘못

"삼포에서요? 거 어디 공사 벌일 데나 됩니까? 고작해야 고기잡이나 하고 감자나 매는데요."

"어허! 몇 년 만에 가는 거요?" / "십 년."

노인은 그렇겠다며 고개를 끄덕였다.

"말도 말우, 거긴 지금 육지야. 바다에 방둑을 쌓아 놓고, 추럭이 수십 대씩 돌을 실어 나른다고."
'트럭'의 잘못

"뭣 땜에요?"

"낸들 아나. 뭐 관광호텔을 여러 채 짓는다면서 복잡하기가 말할 수 없데."

"동네는 그대로 있을까요?"

"그대로가 뭐요. 맨 천지에 공사판 사람들에다 장까지 들어섰는걸."

"그럼 나룻배도 없어졌겠네요."

"바다 위로 신작로가 났는데, 나룻배는 뭐에 쓰오. 허허, 사람이 많아지니 변고지. 사람이 많아지면 하늘을 잊는 법이거든."
    갑작스러운 재앙이나 사고

작정하고 벼르다가 찾아가는 고향이었으나, 정 씨에게는 풍문마저 낯설었다.
바람처럼 떠도는 소문

옆에서 잠자코 듣고 있던 영달이가 말했다.

"잘됐군. 우리 거기서 공사판 일이나 잡읍시다."

그때에 기차가 도착했다. 정 씨는 발걸음이 내키질 않았다. 그는 마음의 정처를 방금 잃어버렸던 때문이었다. 어느 결에 정 씨는 영달이와 똑같은 입장이 되어 버렸다.

㉠기차가 눈발이 날리는 어두운 들판을 향해서 달려갔다.

– 황석영, 〈삼포 가는 길〉 미·창

06 이 글에 대한 이해로 적절하지 <u>않은</u> 것은?

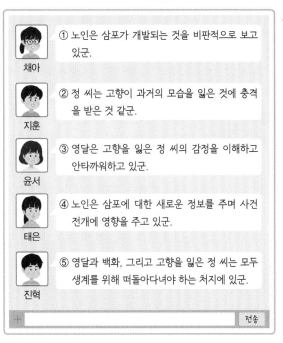

채아 ① 노인은 삼포가 개발되는 것을 비판적으로 보고 있군.

지훈 ② 정 씨는 고향이 과거의 모습을 잃은 것에 충격을 받은 것 같군.

윤서 ③ 영달은 고향을 잃은 정 씨의 감정을 이해하고 안타까워하고 있군.

태은 ④ 노인은 삼포에 대한 새로운 정보를 주며 사건 전개에 영향을 주고 있군.

진혁 ⑤ 영달과 백화, 그리고 고향을 잃은 정 씨는 모두 생계를 위해 떠돌아다녀야 하는 처지에 있군.

전송

07 [A], [B]에 들어갈 내용으로 적절하지 <u>않은</u> 것은?

10년 전 삼포	→	현재의 삼포
[A]		[B]

① [A]: 고기잡이하고 감자를 매는 곳

② [A]: 정 씨의 고향이자 정신적인 안식처

③ [A]: 산업화로 물질적 풍요로움을 주는 공간

④ [B]: 트럭이 다니고 공사를 하는 매우 복잡한 곳

⑤ [B]: 정 씨가 더 이상 정착하고 싶지 않아 하는 곳

도움말

과거의 삼포는 산업화, **❶** 이전의 훼손되지 않은 농어촌 공동체로, 정 씨에게는 정신적인 **❷** 였다.

🔒 ❶ 근대화 ❷ 안식처

08 ㉠의 의미를 정 씨와 영달의 앞날과 관련 지어 서술하시오.

[09~10] 다음을 읽고 물음에 답하시오.

| 앞부분 줄거리 | 50대 가정주부 인희는 통증 때문에 진료를 받으러 갔다가 자궁암 말기임을 알게 된다. 죽음을 예감한 인희는 가족들과 이별 인사를 나눈 뒤 남편 정철과도 이별할 준비를 한다.

가 S# 73. 침실

조금은 어두운, 그러나 따뜻해 보이는.

인희, 정철, 조금은 낯설고 멋쩍게 침대에 걸터앉아 있다. (중략)

인희 나…… 보고 싶을 것 같아?

정철 (고개를 끄덕인다.)

인희 언제? 어느 때?

정철 다.

인희 다 언제?

정철 아침에 출근하려고 넥타이 맬 때.

인희 (안타까운 마음으로 본다.) 또?

정철 (고개를 돌려, 눈물을 참으며) 맛없는 된장국 먹을 때.

인희 또?

정철 맛있는 된장국 먹을 때.

인희 또?

정철 술 먹을 때, 술 깰 때, 잠자리 볼 때, 잘 때, 잠 깰 때, 잔소리 듣고 싶을 때, 어머니 망령 부릴 때, 연수 시집갈 때, 정수 대학 갈 때, 그놈 졸업할 때, 설날 지짐이 할 때, 추석날 송편 빚을 때, 아플 때, 외로울 때.

인희 (눈물이 그렁그렁하고, 괜한 옷섶만 만지고 두리번거리며) 당신, 빨리 와. 나 심심하지 않게. (눈물이 주룩 흐른다.)

정철 (인희를 안고, 눈물 흘린다.)

인희 (울며 웃으며) 여보, 나 이쁘면 뽀뽀나 한번 해 줘라.

정철 (인희 얼굴을 손으로 안고, 입을 맞춰 준다.)

두 사람, 다시 안고 운다.

정철 고마웠다.

울고.

나 S# 74. 몽타주

1. 정원에서 돌을 고르며 행복한 얼굴을 한 인희와 정철.

2. 화장실에서 정철에게 등목을 해 주는 인희.

3. 서로 밥을 먹여 주는 인희와 정철.

4. 거실 소파에서 인희, 정철 무릎에 누워 있다. 정철, 재미난 책을 읽어 주고, 인희는 재미있는지 환하게 웃는다.

다 S# 76. 침실

침실 가득 밝은 햇살이 들어온다.

인희, 정철의 팔에 안겨 깊은 잠이 들어 있다. (중략)

정철 여보……. / **인희** ……. / **정철** 인희야.

그러나 인희는 대답 없고, 정철. 이를 앙다물고 운다.

눈물 뚝 떨어져 인희의 **뺨** 위로 흐른다.

인희, 너무도 편안하게 깊이 잠들어 있다.

그런 두 사람 보여 주며 카메라 멀어지면서, 엔딩.

– 노희경, 〈세상에서 가장 아름다운 이별〉 **창**

09 이 글에 대한 설명으로 가장 적절한 것은?

① 장면의 전환이 자유롭지 않다.

② 무대 상연을 목적으로 쓰인 글이다.

③ 장면의 의미를 해설하는 서술자가 있다.

④ 희곡에 비해 시간적·공간적 제약을 덜 받는다.

⑤ 희곡에 비해 한 장면에 등장할 수 있는 인물의 수가 제한적이다.

10 (가)~(다)에 대한 설명으로 적절하지 <u>않은</u> 것은?

① (가): 정철은 대사를 통해 살아가는 모든 순간 인희를 그리워할 것임을 나타내고 있다.

② (가): 인희는 행동을 통해 정철 앞에서 슬픔을 드러내지 않으려고 억누르는 마음을 표현하고 있다.

③ (나): 정철과 인희의 행복한 일상생활을 유기적인 이야기의 흐름에 따라 보여 주고 있다.

④ (나): 제시된 장면들은 죽음을 앞둔 인물의 처지와 대비를 이룸으로써 결말의 슬픔을 배가시킨다.

⑤ (다): 밝은 빛이 들어오는 배경을 통해 인희가 가족들과 아름답게 이별했음을 상징적으로 보여 준다.

도움말

선택지 ③번에서 '**❶**'이란 전체를 구성하는 각 부분이 서로 밀접한 **❷**을 지니는 것을 의미한다.

답 ❶ 유기적 **❷** 관련

[1~2] 다음을 읽고 물음에 답하시오.

그는 이튿날 저녁, 집을 알고 오는데도 아홉 시가 지나서야, / "신문 배달해 왔습니다." / 하고 소리를 치며 들어섰다.

"오늘은 왜 늦었소?" / 물으니,

"자연 그럽죠." / 하고 다른 이야기를 꺼냈다.

자기는 워낙 이 아래 있는 삼산학교에서 일을 보다 어떤 선생하고 뜻이 덜 맞아 나왔다는 것, 지금은 신문 배달을 하나 원배달이 아니라 보조 배달이라는 것, 저희 집엔 양친과 형님 내외와 조카 하나와 저희 내외까지 식구가 일곱이란 것, 저희 아버지와 저희 형님의 이름은 무엇무엇이며, 자기 이름은 황가인 데다가 목숨 수 자하고 세울 건 자로 황수건이기 때문에, 아이들이 노랑 황수건이라고 놀려서 성북동에서는 가가 호호에서 노랑 황수건 하면 다 자긴 줄 알리라고 자랑스럽게 이야기하다가 이날도,

"어서 그만 다른 집에도 신문을 갖다 줘야 하지 않소?" 하니까 그때서야 마지못해 나갔다.

우리 집에서는 그까짓 반편과 무얼 대꾸를 해 가지고 그러느냐 하되, 나는 그와 지껄이기가 좋았다.

– 이태준, 〈달밤〉 **미**

1 이 글에 대한 설명으로 적절하지 않은 것은?

① 서술자가 인물의 말을 요약하여 전달하고 있다.

② 작품 속 인물이 다른 인물을 관찰해 전달하고 있다.

③ 서술자가 대상에 대한 긍정적 태도를 드러내고 있다.

④ 사건을 겪은 당사자가 자신의 속마음을 전달하고 있다.

⑤ 작품 밖 서술자가 인물을 관찰하여 이야기를 서술하고 있다.

2 '황수건'에 대한 설명으로 적절하지 않은 것은?

① 학교에서 일을 한 적이 있다.

② 자신을 포함해 일곱 식구와 함께 살고 있다.

③ '나'의 집에 신문을 배달하러 오는 사람이다.

④ 자신의 이야기를 '나'에게 거리낌없이 하고 있다.

⑤ 아이들이 자신을 '노랑 황수건'이라고 놀리는 것을 불쾌해한다.

[3~4] 다음을 읽고 물음에 답하시오.

정거장에서 샘말 십 리 길을 내려오노라면 반이 될락 말락 한 데서부터 샘말 동네보다는 그 건너편 산기슭에 놓인 공동묘지가 먼저 눈에 뜨인다. (중략)

어느 것이라고 집어낼 수는 없어도, 창옥의 무덤이 어디쯤이라고는 짐작이 된다. 창섭은 마음으로 '창옥아' 불러 보며 묵례(默禮)를 보냈다.

다만 오뉘뿐으로 나이가 훨씬 떨어진 누이였었다. 지금도 눈에 선하다. 자기가 마침 방학으로 와 있던 여름이었다. 창옥은 저녁 먹다 말고 갑자기 복통으로 뒹굴었다. 읍으로 뛰어 들어 가 의사를 청해 왔다. 의사는 주사를 놓고 돌아갔다. 그러나 밤새도록 열은 내리지 않았고 새벽녘엔 아파하는 것도 더해 갔다. 다시 의사를 데리러 갔으나 의사는 바쁘다고 환자를 데려오라 하였다. 하라는 대로 환자를 데리고 들어갔으나 역시 오진을 했었다. 다시 하루를 지나 고름이 터지고 복막이 절망적으로 상해 버린 뒤에야 겨우 맹장염인 것을 알아 낸 눈치였다.

그때 창섭은, ㉠자기도 어른이기만 했으면 필시 의사의 멱살을 들었을 것이었다. 이런 누이의 허무한 죽음에서 창섭은 뜻을 세워, 아버지가 권하는 고농(高農)을 마다하고 의전(醫專)으로 들어갔고, 오늘에 이르는, 맹장 수술로는 서울서도 정평이 있는 한 권위가 된 것이다.

– 이태준, 〈돌다리〉 **신**

3 이 글의 서술 방식으로 적절한 것은?

① 과거의 사건을 요약하여 전달하고 있다.

② 공간적 배경을 그림 그리듯이 묘사하고 있다.

③ 대화를 통해 사건을 장면화하여 제시하고 있다.

④ 인물의 외양을 묘사하여 성격을 드러내고 있다.

⑤ 창옥과 창섭의 시점을 교차하여 사건을 입체적으로 서술하고 있다.

4 ㉠에서 드러나는 창섭의 심리로 적절한 것은?

① 창옥의 복통을 유발한 자신에 대한 자책

② 창옥의 진료를 거부한 의사에 대한 분노

③ 창옥의 맹장염을 오진한 의사에 대한 분노

④ 창옥의 복통 증상을 무시한 아버지에 대한 원망

⑤ 창옥을 병원으로 데려오라고 한 의사에 대한 의심

[5~6] 다음을 읽고 물음에 답하시오.

가 **회기** (조소하는 태도로) 나는 환자의 생명을 구해 줌으로써 기쁘게 해 주겠다거나 사회를 위해서 선심을 쓰겠다는 생각은 없소. 나도 이 병원에서 월급을 받고 일하는 고용인이니까, 댁과 마찬가지로…….

인옥 (다시 애원하며) 그러니 수술을 해 주시면 되잖아요?

회기 (냉정하게) 원래 나는 자신 없는 일엔 손을 안 대는 성질이오.

인옥 환자가 죽어 가도 말씀이에요?

회기 그렇다고 내가 죽일 수는 없소. 나는 나를 위해서 사는 거지, 그 누구를 위해서 사는 사람은 아니니까. (중략)

| 중간 부분 줄거리 | 얼마 후 인옥의 남편인 상현이 회기를 찾아온다. 상현은 수술을 하기에는 돈이 너무 많이 든다며 인옥의 수술을 해 주지 말 것을 거듭 당부한다.

회기 (강하게) 아내가 죽어 가도 내버려 두는 법이 어디 있단 말이오?

상현 (㉠처음에 지녔던 겸손과 비굴은 찾아볼 수 없는 태도로) 참견 마세요! 내 처를 내가 죽이건 살리건 무슨 걱정이오! 나 살고 남도 있지! (㉡불쑥 일어서서 손가방을 쥐며) 아무튼 실례했습니다! (㉢하며 문을 탁 닫고 나가 버린다.)

(회기는 감전된 사람처럼 멍하니 서 있고 금숙은 회기를 주시하고만 있다. ㉣무거운 침묵이 흐른다.)

회기 (여전히 허공을 바라보며) 정 간호사!

금숙 예?

회기 아까 그 환자의 주소 알지!

금숙 예, 접수부를 보면…….

회기 좋아! 그럼 속달 우편으로 보내요.

금숙 예? (㉤하며 가까이 온다.)

회기 수술을 받고 싶으면 편지 받는 즉시 찾아오라고!

– 차범석, 〈성난 기계〉 신, 해

나 S# 60. 할머니 방

인희, 할머니와 손을 잡고 쪼그리고 앉아 있다.

인희 (애처로운 마음 숨기고 또박또박) 어머니, 나 아범이 좋은 데 데려간대. 힘들어 안 가고 싶기도 한데, 가 보려고 해. 그냥 이 집이 조금 무섭네. 정 떼려고 그러는지. 소란 피우지 말고 있어요.

할머니 (고개를 끄덕인다.) ……

인희 (할머니 손을 세게 한번 꼭 쥐고) 나, 가요.

할머니 어여…… 가.

인희 (고개를 끄덕이며, 흐르는 눈물을 닦고 짐짓 밝게) 네, 갈게요.

S# 63. 차 안

인희, 정수의 손을 꼭 잡고 있다. 정수, 창밖으로 시선을 외면한다. / 인희, 정수의 손을 잡고 뒷거울로 운전하는 연수를 마냥 보고 있다. / 정철, 역시 뒷거울로 인희를 본다.

S# 66. 전원주택 앞

연수의 차, 선다.

S# 67. 차 안

연수, 정철의 안전띠를 풀어 주고, 몸을 뒤로 돌려 인희를 본다.

연수 다 왔어요.

– 노희경, 〈세상에서 가장 아름다운 이별〉 창

5 (가), (나)의 갈래가 지닌 공통점으로 적절하지 <u>않은</u> 것은?

① 사건과 갈등을 현재형으로 전달한다.

② 대사와 행동을 통해 사건 전개를 보여 준다.

③ 장면 전환과 공간적 배경의 변환이 자유롭다.

④ 인물이 겪는 갈등과 그 해결 과정이 중심이 된다.

⑤ 소설의 서술자와 같은 존재가 없어 직접적인 심리 묘사가 어렵다.

6 (가)의 '회기'에 대한 설명으로 적절하지 <u>않은</u> 것은?

① 회기는 이기적인 태도를 드러내었다.

② 회기는 환자보다 자신의 안위를 우선시한다.

③ 회기가 인옥에게 수술이 자신 없다고 한 것은 거짓말이다.

④ 인옥의 수술에 대한 태도 변화로 보아 회기는 입체적 인물이다.

⑤ 회기가 인옥의 수술을 하기로 결심하게 된 원인은 상현에 대한 분노이다.

[1~2] 다음을 읽고 물음에 답하시오.

그런데 점순이가 그 상을 내앞에 나려놓며 제 말로 지껄이는 소리가

"구장님한테 갔다 그냥 온담 그래!"

하고 엊그제 산에서와 같이 되우 쫑알거린다. 딴은 내가 더 단단히 덤비지 않고 만 것이 좀 어리석었다, 속으로 그랬다. 나도 저쪽 벽을 향하야 외면하면서 내말로

"안 된다는 걸 그럼 어떻건담!" / 하니까,

"쉄을 잡아채지 그냥 둬, 이 바보야!" / 하고 또 얼굴이 빨개지면서 성을 내며 안으로 샐쭉하니 튀들어가지 않느냐. 이때 아무도 본 사람이 없었게 망정이지, 보았다면 내 얼굴이 에미 잃은 황새 새끼처럼 가엾읍다 했을 것이다.

사실, 이때만치 슬펐든 일이 또 있었는지 모른다. 다른 사람은 암만 못생겼다 해두 괜찮지만 내 안해 될 점순이가 병신으로 본다면 참 신세는 따분하다. 밥을 먹은 뒤 지게를 지고 일터로 갈랴 하다 도루 벗어던지고 바깥마당 공석 우에 들어 누어서, 나는 차라리 죽느니만 같지 못하다 생각했다.

내가 일 안 하면 장인님 저는 나이가 먹어 못 하고 결국 농사 못 짓고 만다. 뒷짐으로 트림을 끌꺽 하고 대문 밖으로 나오다 날 보고서 / "이 자식아, 왜 또 이러니?"

"관격이 났어유, 어이구 배야!" / "기껏 밥 처먹구 나서 무슨 관격이야? 남의 농사 버려 주면 이 자식아, 징역 간다, 봐라!" / "가두 좋아유. 아이구 배야!"

참말 난 일 안 해서 징역 가도 좋다 생각했다. 일후 아들을 낳어도 그 앞에서 '바보, 바보.' 이렇게 별명을 들을 테니까 오늘은 열 쪽에 난대도 결정을 내고 싶었다.

[A]
장인님이 일어나라고 해도 내가 안 일어나니까 눈에 독이 올라서 저편으로 힝하게 가더니 지게막대기를 들고 왔다. (중략) 그래도 안 일어나니까 이번에는 배를 지게막대기로 우에서 쿡쿡 찌르고 발길로 옆구리를 차고 했다. 장인님은 원체 심청이 궂어서 그러지만, 나도 저만 못하지 않게 배를 채었다. 아픈 것을 눈을 꽉 감고 넌 해라 난 재미난 듯이 있었으나, 볼기짝을 후려갈길 적에는 나도 모르는 결에 벌떡 일어나서 그 수염을 잡아챘다마는, 내 골이 난 것이 아니라 정말은 아까부터 벅 뒤 울타리 구멍으로 점순이가 우리들의 꼴을 몰래 엿보고 있었기 때문이다. 가뜩이나 말 한마디 톡톡히 못 한다고 바보라는데 매까지 잠자코 맞는 걸 보면 짜정 바보로 알 게 아닌가.

– 김유정, 〈봄·봄〉 천(박), 금 , 동, 비(박영), 지 , 해

1 다음은 이 글의 '나'와 진행한 가상 인터뷰이다. 그 내용이 적절하지 <u>않은</u> 것은?

학생: 밥을 먹은 뒤 왜 일을 하러 가지 않았나요?

'나': ① 점순이와 대화 후 충격을 받아서 삶에 의욕이 없어요. ② 구장님에게 갔다가 성례 약속을 못 받고 왔다고 저더러 바보라고 했거든요.

학생: 장인에게 꾀병을 부린 이유는 뭔가요?

'나': ③ 더 이상 바보 소리를 듣고 싶지 않아서요. ④ 징역을 가는 한이 있더라도 이번엔 장인에게 성례를 하라는 말을 꼭 듣고 말겠다고 결심했지요.

학생: 장인에게 맞을 때에는 화가 많이 났겠어요.

'나': ⑤ 네, 너무 화가 나서 나도 모르게 장인 수염을 잡아채 버렸지요.

도움말

어리숙한 **❶[　　　]**가 **❷[　　　]**의 말을 곧이곧대로 받아들이고 있음에 주목한다.

답 ❶ 나 ❷ 점순

2 [A]를 다음과 같이 3인칭 관찰자 시점으로 바꾸어 썼을 때 독자가 느낄 수 있는 변화를 서술하시오.

장인이 지게막대기로 배를 찌르고 옆구리를 채도 그는 눈을 꽉 감을 뿐 아무런 대꾸도 하지 않았다. 그러나 장인이 엉덩이를 걷어차는 순간, 그는 벌떡 일어나 장인의 수염을 잡아챘다. 부엌 뒤에서는 점순이가 이러한 광경을 지켜보고 있었다.

도움말

1인칭 **❶[　　　]** 시점은 '나'가 자신의 이야기를 전달하므로 '나'의 **❷[　　　]**가 상세하게 제시된다.

답 ❶ 주인공 ❷ 심리

[3~4] 다음을 읽고 물음에 답하시오.

가 S# 59. 아름이의 병실(오후)

어둠 속에서 요란한 효과음 들려오며 페이드인(fade-in).

유혈이 낭자한 게임 속 세상. 아름이가 게임을 하고 있다.

그런 아름이를 걱정스레 바라보는 대수와 미라.

거친 말을 연발하는 아름이의 표정에 감정이라곤 없어 보인다.

식판을 든 미라. 조심스레 아름이에게 다가간다.

미라 밥 먹고 하지?

아름 이따 먹을게요.

미라 약 먹을 시간 지났잖아.

아름 금방 끝나요.

미라 벌써 두 시간째야. 그만하고 얼른! (게임기를 뺏으려 한다.)

아름 내버려 둬요, 좀!

게임기를 뺏기지 않으려다가 식판을 치고 만 아름이.

식판이 요란한 소리를 내며 바닥에 나뒹군다.

그 소리에 복도를 지나던 사람이 아름이의 병실을 힐끔 쳐다본다.

미라, 주섬주섬 떨어진 음식을 정리하기 시작한다.

대수 너, 이게 뭐하는 짓이야!

아름 (미안한 마음에 도리어 화를 내며) 그러니까 이따 먹는댔 잖아요.

대수 너 그거 안 내려놔?

아름 (게임에만 몰두한다.) …….

대수 아빠 말 안 들려!

아름 (대수가 게임기를 뺏으려 하자) 왜 그래요, 진짜! 좀 내버려 려 두세요! / (뿌리치며) 낫지도 않는 걸 왜 자꾸 먹으래! 어차피 죽을 거!

대수, 미라 (놀라 아무 말도 못 한 채) …….

아름 (봇물 터지듯이 말하며) 내가 지금까지 엄마, 아빠 말 안 들은 적 있어요? 그냥 죽기 전에 내가 하고 싶은 거 좀 하 겠다는데, (게임기 흔들며) 내가 지금 하고 싶은 게 이거라 고요. 왜 이까짓 것도 못 하게 해요? 네? 내가 살면 얼마나 산다고!

나 S# 61. 아름이의 병실(다음날 오후)

(중략) 컷 투(cut to). 침대에 걸터앉은 대수와 누워 있는 아름이. 부자는 서먹한 채 말이 없다. / 4시를 향해 가는 시계. 대수, 일 나가 기 전에 인사는 해야 할 것 같아 아름이의 눈치를 본다.

그때 먼저 말을 거는 아름이.

아름 아빠……. / **대수** 응?

아름 ㉠아빠, 나 오늘 아빠랑 같이 다니면 안 돼? 하늘 공원 에 별 보러 가고 싶어.

대수, 아름이를 안타깝게 본다.

– 최민석 외 각본, 〈두근두근 내 인생〉 천(박)

3 〈보기1〉, 〈보기2〉를 참고하여 (가)에서 아름이 게임에 몰 두한 이유를 서술하시오.

• 보기 1 •

아름은 자신을 촬영한 방송을 보고 본인도 투병 중 이라며 전자 우편을 보내온 또래의 소녀 서하와 전자 우편을 주고받으며 우정을 쌓는다. 어느 날 연출자와 미라의 대화를 우연히 듣게 된 아름은, 사실은 서하 가 영화감독 지망생이고 시나리오를 쓰기 위해 열여 섯 살 소녀를 가장하여 자신에게 전자 우편을 보낸 것을 알게 되어 큰 충격을 받는다.

• 보기 2 •

인간의 몸은 적절한 균형을 맞추도록 프로그래밍 되어 있다. 그래서 우리는 우울감을 느끼거나 긴장, 불안을 느낄 때, 빠르고 쉽게 그 상태를 벗어나기 위 해 자극적인 행동을 한다. 대표적인 예가 쇼핑, 오락, 술이나 담배 등의 일탈 행동이다.

도움말

〈보기 1〉에서 **❶**□□□의 정체를 알게 된 **❷**□□이 어떤 심정일지 생각해 본다.

目 ❶ 서하 **❷** 아름

4 (가)의 내용을 고려할 때 ㉠의 앞에 들어갈 적절한 지시 문을 쓰고, 그 이유를 서술하시오.

도움말

(가)에서 아름은 평소와 달리 **❶**□□에만 몰두하며 부모님께 대드는 행동을 하였고, 이 때문에 아름과 대수는 **❷**□□한 상황에 놓이게 되었다.

目 ❶ 게임 **❷** 서먹

[5~6] 다음을 읽고 물음에 답하시오.

| 앞부분 줄거리 | 정희는 남편과 함께 마련한 도시의 새 아파트로 이사한 후, 소음으로 가득 찬 그곳을 '한데'라고 느끼며 괴로워한다. 결국 시골 마을을 돌아다녀 이사를 갈만 한 집을 발견한 정희는 남편에게 이사를 가자고 말한다.

집이란, 그런 곳이어야 하지 않을까. 육신이 몸담은 가장 정신적인 곳. 그걸 집이라고 할 수 있지 않을까. 뒷마당 없는 집, 우리 인생의 보물 창고가 되어 줄 공간이 없는 집은 집이 아니라 건물일 뿐이다. 그것은 집이라는 이름을 단 '상품'일 뿐이다. 한데, 지금은 영원히 사라져 버렸다고 여겼던 그 '집'이 거기 있었다. 정희는 그 집을 발견한 것만으로도 그날 행복했다. / "뭐? 집을 발견했다구?" / "그렇다니까."(중략)

"내가 이거 환장하겠구만. 다른 여자들은 말이야, 어떻게 하면 이 집 밑천 삼아 더 좋은 집, 더 큰 집 장만할 생각, 재산 늘릴 생각, 아이들 공부시킬 생각으로 다들 눈이 벌건 세상인데 겨우 집 장만하니까 이 집 싫다고 딴 집 보러 다녀? 막말로 시골 이사 가면 누가 우리 환영해 준대? 누가 우리 먹여 살려 준대?"

남편은 남편대로 '호강에 초 친' 마누라 두었다고 분해하고 원통해하고 서러워했다. / 정희는 정희대로 날이면 날마다 윙윙대는 소음 가득한 시멘트 공간 속에서 "이건 집이 아니야, 이런 게 집? 웃기지 말라 그거야. 어떻게 뒷마당은 고사하고 앞마당도 없는 게 집이야? 어떻게 윗집, 아랫집, 옆집 콱콱 막힌 게 집이야? 어떻게 먹고 싸고 자기만 하는 게 집이야?" 하면서 시름시름 앓기 시작했다. 집 장만하자 집을 부정하는 아내가 급기야 앓아눕자 아무리 그런 아내가 밉기로서니 남편인데 나 몰라라 할 수는 없는 일이었다. 그 아내와 남편 사이에 모종의 '합의점'이 찾아진 건 그 아내가 한 계절을 고스란히 앓고 난 그해 겨울이었다.

"그래, 내가 어떻게 하면 좋을지 처음부터 자세하게 또박또박 말해 봐." / "이사 가." / "이 집은 어떡하고?"

"팔고." / "어떻게 장만한 집인데 그렇게 쉽게 팔자는 소리가 나와. 난 못 팔아."

"이건 집도 아냐." / "집도 아닌 걸 왜 팔아? 넌 양심도 없냐?" / "그럼 세를 놓지!"

남편의 입이 그제야 헤벌어졌다. 그것이 그들 부부가 한 계절의 씨름 끝에 다다른 합의점이었다. 도시의 '집도 아닌 집'을 세놓은 돈으로 정희는 '집'을 샀고 그녀의 남편은 도시의 멀쩡한 집을 맥없이 세놓아 '집도 아닌 집'을 산 폭이었다.

– 공선옥, 〈한데서 울다〉 천(이)

5 '집'에 대한 정희의 생각과 거리가 먼 것은?

① 집은 마음을 평온하게 해 주는 곳이어야 해.
② 집은 시끄러운 소리 없이 조용한 곳이어야 해.
③ 집은 앞마당이든 뒷마당이든 마당이 있어야 해.
④ 집은 사방이 막힌 곳이 없이 탁 트인 곳이어야 해.
⑤ 집은 재산으로서 충분한 경제적 가치를 지니고 있어야 해.

도움말

❶　　　는 집이란 소음이 없고 조용하며 마음을 평안하게 해 주는 곳이어야 한다고 생각하는 반면, ❷　　　은 경제적인 수단으로서의 집을 더 중요시하고 있다.

답 ❶ 정희 ❷ 남편

6 〈보기1〉의 밑줄 친 부분과 〈보기2〉를 참고하여 이 글의 제목에 담긴 의미를 서술하시오.

• 보기 1 •

〈한데서 울다〉 뒷부분 줄거리

정희는 시골집으로 이사 갔지만, 번개탄 장수의 확성기 소리와 사냥꾼의 총소리 가득한 시골 역시 평온한 곳이 아니었다. 정희는 다시 도시의 '집도 아닌 집'을 보러 다닌다. 도시의 주차장에서 낯선 남자의 위협에 놀란 정희는 시골집으로 돌아오는 길에 우연히 번개탄 장수를 만난다. 그로부터 뜻하지 않은 위안을 받은 정희는 아직은 도시보다 따뜻함이 남아 있는 시골에 정착하기로 마음먹는다.

• 보기 2 •

• 한데: 사방, 상하를 덮거나 가리지 아니한 곳. 곧 집 채의 바깥을 이른다.

도움말

정희에게 도시는 '한데'와 같이 평안하게 살 수 없는 곳이었으며, 타인을 배려하지 않는 ❶　　　이나 폭력적인 남성들이 그러한 '❷　　　'를 구성하고 있다.

답 ❶ 소음 ❷ 한데

[7~8] 다음을 읽고 물음에 답하시오.

여자 넥타이를……. / 남자 그것엔 관심 없습니다.

여자 ㉠왜 빼앗기셨죠? (옆에 와 부동자세로 서 있는 하인을 훔쳐보며) 그것도 난폭하게.

남자 그렇지요. 난폭하게 주인을 덮치는 그런 하인에겐 난 전혀 관심 없어요. 오히려 당신 어머니의 성품이 너그러우신지…….

여자 하지만요, 저는……. (입을 다물어 버린다.)

남자 알았어요. 문제는 빼앗긴 물건인가 본데, 그야 되돌려 받기 어렵지는 않습니다. ㉡(하인에게 큰 소리로) 여봐, 가져와! (묵묵부답인 하인. 까치발을 딛고 일어나서 그의 귀에 속삭인다.) 여봐! 그 가져간 것 오 분만 더 빌려주게.

하인 ㉢(대답이 없다.)

남자 딱 오 분만 더. 사정해도 안 되겠나, 응?

하인 (반응이 없다.) / 남자 좋아, 좋다고.

여자 뭐래요, 하인이?

남자 네, 나더러 잘해 보라고 그럽니다.

남자, 관객석을 투덕투덕 걸어 다니다가 넥타이를 맨 남성 관객 앞에 앉는다.

남자 물론 그래요. (속상하다는 듯이) 저 인정사정도 없는 하인이 나더러 잘해 보라고 그런 말 한마디 하진 않았어요. 하지만 말입니다, 나도 그래요, 기죽을 필요야 없는 겁니다. 그렇잖아요? 도대체 지가 뭐라고 겨우 심부름이나 하는 주제에……. 속 좀 상합니다만, 그야 뭐 그건 당신에게도 마찬가지니까 말해 보나 마나겠고……. 저, 당신 넥타이 참 좋습니다. 정말 좋아요. 아름다운 색깔, 기막히게 멋진 무늬, 딱 오 분만 빌립시다. 정확하게 오 분만. 더 이상은 어기지 않겠습니다. ㉣빌려주시렵니까? (남성 관객으로부터 넥타이를 빌려 착용하며) 고맙습니다. 빌린 동안에는 소중히 다룰 겁니다. 사실 이건 내 것이 아니라 당신 것인데……. 혹시 모르긴 하지요, 당신도 누구에게서 빌려 온 건지는. 아무튼 잘 사용하고 돌려 드리겠어요. 자아, 그럼 당신은 시간을 재고, 난 이만.

㉤남자, 급한 걸음으로 여자에게 돌아간다.

남자 어때요, 이젠? / 여자 네, 당신은 멋진 분이세요.

남자 (웃으며) 뭘요. / 여자 아니, 정말 그래요.

남자 (넥타이를 빌려준 남성 관객을 향하여) 이 영광을 당신에게 돌려 드립니다.

– 이강백, 〈결혼〉 비(박안) , 비(박영)

7 다음은 한 학생이 〈보기〉의 작가 노트를 참고하여 이 작품의 주제를 파악하는 과정이다. ①∼⑤ 중 적절하지 않은 것은?

• 보기 •
　무대를 따로 만들 필요도 있지 않고 별다른 조명이나 효과의 도움을 받지 않아도 된다. 그러나 절대적으로 필요한 것은 그 장소에 모인 사람들이다. 이 연극의 등장인물, 하인은 그들로부터 잠시 모자라든가 구두, 넥타이 등을 빌려야 한다. (중략) 이 잠시 빌렸다가 되돌려 준다는 것엔 더 깊은 의미가 있고 이 연극에 있어 중대한 역할을 차지하게 된다.
　　　　　　　　– 이강백, 《이강백 희곡 전집 1》

• 무대 장치나 효과 – 별다른 것이 필요 없음. ····· ①
• 꼭 필요한 것 – 배우와 관객 ···················· ②
• 소품은 어디서 구하는가? – 관객에게 빌림. ······· ③
• 관객에게 소품을 빌리는 이유
－ 무대 장치를 간소화했기 때문에·················· ④
↓
주제: 우리가 가진 것은 본래 빌린 것이므로 모두 소중히 여겨야 한다. ·························· ⑤

도움말
이 작품은 특별한 무대 소품 없이 ❶　　　의 물건을 이용하고 있다. 이와 같은 설정은 극의 상황과 ❷　　　의식을 관객에게 적극적으로 전달하는 효과가 있다.

답 ❶ 관객 ❷ 주제

8 ㉠∼㉤ 중에서 이 글을 시나리오로 각색할 때, 그대로 반영하기 어려운 것은?

① ㉠　　② ㉡　　③ ㉢　　④ ㉣　　⑤ ㉤

도움말
희곡은 ❶　　　상연을 전제로 쓴 대본이고, 시나리오는 ❷　　　나 드라마를 촬영하기 위해 쓴 대본이다.

답 ❶ 무대 ❷ 영화

시험 대비 마무리 전략

● 문학의 갈래별 특성 한눈에 보기

❶ 서정 갈래

개념	인간의 감정과 생각을 운율이 있는 압축된 언어로 노래하는 문학 양식
하위 갈래	고대 가요, 향가, 고려 가요, 시조, 민요, 한시, 현대 시 등

특성
· 말소리나 어구, 음보, 글자 수 등이 반복되면서 운율이 형성된다.
· 감각과 경험을 생생하게 전달하기 위해 심상이 쓰인다.
· 비유, 상징, 반어, 역설 등의 다양한 표현 방법이 쓰인다.
· 함축적 의미를 지닌 시어가 사용된다.
· 화자, 정서, 운율, 심상 등이 주된 구성 요소이다.

❷ 서사 갈래

개념	현실에서 실제로 일어났을 법한 이야기를 허구적 인물과 사건을 통해 형상화하는 문학 양식
하위 갈래	설화, 고전 소설, 신소설, 현대 소설 등

특성
· 현실을 반영하여 현실에 있을 법한 이야기로 꾸며 낸 것이다.
· 고유한 개성을 지닌 인물이 배경 속에서 사건의 주체로서 행동한다.
· 갈등을 중심으로 하여 사건이 전개되며, 서술자가 사건을 전달한다.
· 인물, 사건, 배경, 서술자 등이 주된 구성 요소이다.

2주차 학습을 마친 기쁜 마음을 운율이 있는 언어로 표현해 볼까?

비유, 심상, 함축적 언어를 활용해 더 인상적으로!

소설을 만들어 보자. 먼저 현실에 있을 법한 일에다가, 상상력 다섯 스푼을 넣어야 해.

그리고 구성 요소를 갖추어 시간의 흐름에 따라 이야기를 전개하면? 완성!

서정 갈래 / 서사 갈래

이어서 공부할 내용

☑ 신유형·신경향·서술형 전략   ☑ 적중 예상 전략 **❶**, **❷**회

❸ 극 갈래

개념	인물의 대사와 행동을 통해 사건과 갈등을 직접 보여 주는 문학 양식
하위 갈래	가면극, 인형극, 창극, 희곡, 시나리오, 드라마 대본 등
특성	·종합 예술(연극, 영화 등)을 위한 대본이다. ·사건을 중심으로 하여 내용이 전개되며, 그 사건을 현재형으로 보여 준다. ·대체로 갈등과 그 해결 과정을 통해 극의 주제가 제시된다. ·사건을 전달하는 서술자가 따로 존재하지 않는다. ·등장인물, 대사, 행동 등이 주된 구성 요소이다.

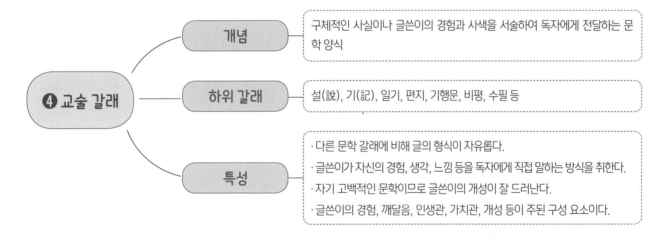

❹ 교술 갈래

개념	구체적인 사실이나 글쓴이의 경험과 사색을 서술하여 독자에게 전달하는 문학 양식
하위 갈래	설(說), 기(記), 일기, 편지, 기행문, 비평, 수필 등
특성	·다른 문학 갈래에 비해 글의 형식이 자유롭다. ·글쓴이가 자신의 경험, 생각, 느낌 등을 독자에게 직접 말하는 방식을 취한다. ·자기 고백적인 문학이므로 글쓴이의 개성이 잘 드러난다. ·글쓴이의 경험, 깨달음, 인생관, 가치관, 개성 등이 주된 구성 요소이다.

신유형·신경향·서술형 전략

[01~03] 다음을 읽고 물음에 답하시오.

산모퉁이를 돌아 논가 외딴 우물을 홀로 찾아가선 가만히 들여다봅니다.

우물 속에는 달이 밝고 구름이 흐르고 하늘이 펼치고 파아란 바람이 불고 가을이 있습니다.

그리고 한 사나이가 있습니다.
어쩐지 그 사나이가 미워져 돌아갑니다.

돌아가다 생각하니 그 사나이가 가엾어집니다.
도로 가 들여다보니 사나이는 그대로 있습니다.

다시 그 사나이가 미워져 돌아갑니다.
돌아가다 생각하니 그 사나이가 그리워집니다.

우물 속에는 달이 밝고 구름이 흐르고 하늘이 펼치고 파아란 바람이 불고 가을이 있고 추억처럼 사나이가 있습니다.

- 윤동주, 〈자화상〉 비(박), 신

01

이 시에 대한 이해로 적절하지 않은 것은?

① 시상이 전개됨에 따라 화자의 심리 변화가 뚜렷하게 나타난다.
② 특정 시행을 변주하고 반복하여 시적 안정감을 구현하고 있다.
③ 동일한 종결 어미를 반복하여 고백적인 어조를 형성하고 있다.
④ 역설적 표현을 활용하여 화자의 정서를 효과적으로 부각하고 있다.
⑤ 화자가 표면에 직접 드러나지는 않으나 스스로를 객관화하여 드러내고 있다.

02

우물에 대한 이해로 가장 적절한 것은?

① 화자가 자아를 성찰하게 하는 매개체이다.
② 화자가 지향하는 이상적 인격을 지닌 존재이다.
③ 화자에게 부조리한 현실을 보여 주는 매개체이다.
④ 화자가 타자와의 관계를 되돌아보게 하는 사물이다.
⑤ 현실에 대한 화자의 저항 의지를 부각하는 소재이다.

03

기출 변형 2021학년도 6월 고1 학력평가

다음은 이 시가 창작된 당시의 신문 기사를 가상으로 작성한 것이다. 이를 참고하여 이 시를 감상한 내용으로 가장 적절한 것은?

윤동주의 시집 《하늘과 바람과 별과 시》가 출간되었다. 이 시집에는 1939년 창작한 〈자화상〉 등이 실려 있다. 시인 윤동주는 일제 강점기를 살아가는 지식인으로서, 어려움에 처해 있는 조국을 떠나와 일본에서 자신만 편안하게 공부하는 것을 자책하며 부끄러워했고, 이를 그의 시 세계에 담아냈다.

- 〈△△ 일보〉(1941년 ○○월 ○○일)

① '사나이'는 화자와 달리 적극적으로 일제에 저항하는 사람들을 의미하겠군.
② '파아란 바람'은 화자를 고통스럽게 하는 일제 강점기의 현실을 의미하겠군.
③ '우물' 속의 '사나이'를 미워하는 것은 부정적 현실과의 대결 의지를 표현한 것이겠군.
④ '달'과 '구름'이 있는 '우물' 속의 아름다운 풍경은 화자가 부끄럽게 생각하는 안락한 생활을 의미하겠군.
⑤ 화자가 '사나이'에게 느낀 미움은 타협적 태도로 일제 강점기를 살아가는 자신에 대한 부끄러움을 의미하는 것이겠군.

[04~06] 다음을 읽고 물음에 답하시오.

가 "장인님! 인젠 저……."

내가 이렇게 뒤통수를 긁고, 나이가 찼으니 성례를 시켜 줘야 하지 않겠느냐고 하면, 그 대답이 늘

⊙"이 자식아! 성례구 뭐구 미처 자라야지!" / 하고 만다.

이 자라야 한다는 것은 내가 아니라 장차 내 안해가 될 점순이의 키 말이다.

나 "아이구, 배야!" (중략)

"너, 이 자식, 왜 또 이래, 응?"

"배가 좀 아파서유!"

하고 풀 우에 슬며시 쓰러지니까 장인님은 약이 올랐다. ⓒ저도 논에서 철벙철벙 둑으로 올라오드니 잡은 참 내 멱살을 웅켜잡고 뺨을 치는 것이 아닌가……

"이 자식아, 일허다 말면 누굴 망해 놀 셈속이냐? 이 대가릴 까놀 자식."

우리 장인님은 약이 오르면 이렇게 손버릇이 아주 못됐다. 또, 사위에게 이 자식 저 자식 하는 이놈의 장인님은 어디 있느냐. 오작해야 우리 동리에서 누굴 물론하고 그에게 욕을 안 먹는 사람은 명이 짜르다 한다. 조고만 아이들까지도 그를 돌라 세 놓고 '욕필이(번 이름이 봉필이니까), 욕필이' 하고 손가락질을 할 만치 두루 인심을 잃었다. 허나, 인심을 정말 잃었다면 욕보다 읍의 배 참봉 댁 마름으로 더 잃었다. 번이 마름이란 욕 잘하고, 사람 잘 치고, 그리고 생김 생기길 호박개 같애야 쓰는 거지만, 장인님은 외양이 똑 됐다. 작인이 닭 마리나 좀 보내지 않는다든가 애벌논 때 품을 좀 안 준다든가 하면 그해 가을에는 영락없이 땅이 뚝뚝 떨어진다.

다 고개를 푹 숙이고 밥함지에 그릇을 포개면서 날더러 들으래는지 혹은 제 소린지

"밤낮 일만 하다 말 텐가!"

하고 혼자서 쭝얼거린다. 고대 잘 내외하다가 이게 무슨 소린가 하고 난 정신이 얼떨떨했다. 그러면서도 한편 무슨 좋은 수나 있는가 싶어서 나도 공중을 대고 혼잣말로

"그럼 어떻게?" / 하니까,

ⓒ"성례시켜 달라지 뭘 어떻게."

하고 되알지게 쏘아붙이고 얼굴이 발개져서 산으로 그만 도망질을 친다.

ⓔ나는 잠시 동안 어떻게 되는 심판인지 맹을 몰라서 그 뒷모양만 덤덤히 바라보았다.

라 "부려만 먹구 왜 성례 안 하지유!"

나는 이렇게 호령했다. 허지만, 장인님이 선뜻 오냐 낼이라두 성례시켜 주마 했으면 나도 성가신 걸 그만두었을지 모른다. 나야 이러면 때린 건 아니니까 나중에 장인 쳤다는 누명도 안 들을 터이고 얼마든지 해도 좋다.

한번은 장인님이 헐떡헐떡 기어서 올라오드니 내 바지가랭이를 요렇게 노리고서 담박 웅켜잡고 매달렸다. (중략)

더럽다, 더럽다. 이게 장인님인가?
나는 한참을 못 일어나고 쩔쩔맸다. 그러다 얼굴을 드니(눈에 참 아무것도 보이지 않았다.) 사지가 부르르 떨리면서 나도 엉금엉금 기어가 장인님의 바지가랭이를 꽉 웅키고 잡아 나꿨다.

내가 머리가 터지도록 매를 얻어맞은 것이 이 때문이다. ⓔ그러나 여기가 또한 우리 장인님이 유달리 착한 곳이다. 여느 사람이면 사정을 주어서라도 당장 내쫓았지, 터진 머리를 불솜으로 손수 지져 주고, 호주머니에 희연 한 봉을 넣어 주고, 그리고

ⓜ"올 갈엔 꼭 성례를 시켜 주마. 암말 말구 가서 뒷골의 콩밭이나 얼른 갈아라."

하고 등을 뚜덕여 줄 사람이 누구냐.

나는 장인님이 너무나 고마워서 어느덧 눈물까지 났다.

– 김유정, 〈봄·봄〉 천(박) , 금 , 동 , 비(박영) , 지 , 해

04 서술형

'나'와 장인 사이에서 갈등이 일어난 원인과 해결 방안을 〈조건〉에 맞게 각각 서술하시오.

┌─ 조건 ─
• 갈등의 원인은 '나'와 장인의 입장이 모두 드러나게 쓸 것
• 해결 방안은 '나'의 입장에서 쓸 것
└─

05

기출 변형 2020학년도 11월 고1 학력평가

〈보기〉를 참고하여 이 글을 감상한 내용으로 적절하지 않은 것은?

• 보기 •

김유정 소설의 특징은 '희화성(戱畫性)'이다. 우둔하고 순진한 인물이 현실을 제대로 인식하지 못하고 익살스런 행동과 엉뚱한 말을 하는 모습은 독자의 웃음을 자아낸다. 김유정은 식민지 치하 농촌의 궁핍성을 정확히 통찰하고 있으면서도, 고발적 공격성을 전면에 내세우지 않고 인간적인 애정이 담긴 웃음을 통해 세상을 바라보았다. 더불어 비속어와 방언을 자유자재로 구사하는 고유의 문체는 작품에 생동감을 불어 넣는 김유정만의 독특한 개성이라 할 수 있다.

① 번번이 장인에게 당하는 '나'의 모습은 독자의 웃음을 자아낸다.

② '이 대가릴 까놀 자식'과 같은 표현은 작품의 현장감을 높이는 요소이다.

③ '나'는 마름인 장인에게 착취당하는 무능력한 소작인으로 풍자와 비판의 대상이다.

④ 성례를 두고 벌어지는 '나'와 장인의 갈등 상황은 독자에게 해학적 웃음을 유발한다.

⑤ '마름이란 욕 잘하고~똑 됐다.'에서 당시 소작인들에게 횡포를 부리던 마름의 행태를 짐작할 수 있다.

도움말

〈보기〉에서 김유정 작품의 특징은 고발적 ❶◻◻◻ 을 전면에 내세우지 않고 인간적인 애정이 담긴 ❷◻◻ 을 유발하는 것이라고 하였다.

目 ❶ 공격성 ❷ 웃음

06

⊙~⑩에 대한 감상으로 적절하지 않은 것은?

① ⊙: 점순의 키를 핑계로 대는 상투적인 답변이다.

② ⓛ: 장인이 급하고 거친 성격을 지녔음이 드러난다.

③ ⓒ: '나'를 충동질하는 점순이의 당돌한 성격이 드러난다.

④ ⓔ: 끝까지 장인의 의도를 모르는 우둔한 성격이 드러난다.

⑤ ⑩: '나'에 대한 장인의 미안함이 드러나며 갈등이 완전히 해소된다.

[07~09] 다음을 읽고 물음에 답하시오.

가 하인, 또다시 남자에게 달려들어서 넥타이를 풀어낸다. 남자는 빼앗기지 않으려 힘껏 저항하지만 하인의 억센 힘을 당해 내지 못한다.

결국은 빼앗기고 하인은 기계적인 동작으로 넥타이를 가지고 나간다. 여자는 두 남자의 다툼에 놀란다. (중략)

여자 왜 빼앗기셨죠? (옆에 와 부동자세로 서 있는 하인을 훔쳐보며) 그것도 난폭하게.

남자 그렇지요. 난폭하게 주인을 덮치는 그런 하인에겐 난 전혀 관심 없어요. 오히려 당신 어머니의 성품이 너그러우신지…….

여자 하지만요, 저는……. (입을 다물어 버린다.)

남자 알았어요. 문제는 빼앗긴 물건인가 본데, 그야 되돌려 받기 어렵지는 않습니다. (하인에게 큰 소리로) 여봐, 가져와! (묵묵부답인 하인, 까치발을 딛고 일어나서 그의 귀에 속삭인다.) 여봐! 그 가져간 것 오 분만 더 빌려주게.

하인 (대답이 없다.)

남자 딱 오 분만 더. 사정해도 안 되겠나, 응?

하인 (반응이 없다.)

남자 좋아, 좋다고.

여자 뭐래요, 하인이?

남자 네, 나더러 잘해 보라고 그럽니다.

남자, 관객석을 투덕투덕 걸어 다니다가 넥타이를 맨 남성 관객 앞에 앉는다.

남자 물론 그래요. (속상하다는 듯이) 저 인정사정도 없는 하인이 나더러 잘 해보라고 그런 말 한마디 하진 않았어요. 하지만 말입니다, 나도 그래요, 기죽을 필요야 없는 겁니다. 그렇잖아요? (중략) 저어, 당신 넥타이 참 좋습니다. 정말 좋아요. 아름다운 색깔, 기막히게 멋진 무늬, 딱 오 분만 빌립시다. 정확하게 오 분. 더 이상은 어기지 않겠습니다. 빌려주시렵니까? ⊙(남성 관객으로부터 넥타이를 빌려 착용하며) 고맙습니다. 빌린 동안에는 소중히 다룰 겁니다. 사실 이건 내 것이 아니라 당신 것인데…… 혹시 모르긴 하지요. 당신도 누구에게서 빌려 온 건지는. 아무튼 잘 사용하고 돌려 드리겠어요. 자아, ⓛ그럼 당신은 시간을 재고. 난 이만.

나 하인, 남자에게 봉투를 하나 내민다.

남자는 봉투에서 쪽지를 꺼내 읽더니 아무 말 없이 여자에게 건네준다.

여자 "나가라!" 나가라가 뭐예요?

남자 네. 주인으로부터 온 경고문입니다. 시간이 다 지났으니 나가라는 거지요.

여자 나가라……. 그럼 당신 것이 아니었어요?

남자 내 것이라곤 없습니다. / **여자** (충격을 받는다.)

남자 모두 빌린 것들뿐이었지요. 저기 두둥실 떠 있는 달님도, 저 은빛의 구름도, 이 하늬바람도, 그리고 어쩌면 여기 있는 나마저도, 또 당신마저도……. (미소를 짓고) 잠시 빌린 겁니다.

다 남자 덤, 난 가진 것 하나 없습니다. 모두 빌렸던 겁니다. 그런데 덤, 당신은 어떻습니까? 당신이 가진 건 뭡니까? 무엇이 정말 당신 겁니까? ㉢(넥타이를 빌렸던 남성 관객에게) 내 말을 들어 보시오. 그럼 당신은 나를 이해할 거요. 내가 당신에게서 넥타이를 빌렸을 때, 그때 내가 당신 물건을 어떻게 다뤘었소? 마구 험하게 했었소? 어딜 망가뜨렸소? 아니요, 그렇진 않았습니다. 오히려 빌렸던 것이니까 소중하게 아꼈다간 되돌려 드렸지요. 덤, 당신은 내 말을 듣고 있어요? 여기 증인이 있습니다. 이 증인 앞에서 약속하지만, 내가 이 세상에서 덤, 당신을 빌리는 동안에 아끼고, 사랑하고, 그랬다가 언젠가 끝나는 그 시간이 되면 공손하게 되돌려 줄 테요. 덤! 내 인생에서 당신은 나의 소중한 덤입니다. 덤! 덤! 덤!

남자, 하인의 구둣발에 걷어 채인다. 여자, 더 이상 참을 수 없다는 듯 다급하게 되돌아와서 남자를 부축해 일으키고 포옹한다.

– 이강백, 〈결혼〉 비(박안), 비(박영)

07

서술형

㉠~㉢에 사용된 기법과 그 효과를 서술하시오.

조건

'~(으)로써 ~하고 있다.'의 문장 형식으로 쓸 것

08

기출 변형 2021학년도 6월 고1 학력평가

이 글을 활용하여 연극을 상연하기 위해 학생들이 협의한 내용으로 적절하지 않은 것은?

① (가)에서 하인 역을 맡은 친구는 표정 변화 없이 일관된 태도로 남자를 대하게 해야겠어.

② (가)에서 여자 역을 맡은 친구는 남자에게 넥타이를 빼앗긴 이유를 물어볼 때 의아한 표정을 짓게 해야겠어.

③ (나)에서 남자 역을 맡은 친구는 경고문을 읽을 때 경고문의 내용을 받아들이지 못하겠다는 표정을 짓게 해야겠어.

④ (다)에서 여자 역을 맡은 친구가 남자에게 되돌아올 때 남자의 진실된 고백에 감동한 표정을 짓게 해야겠어.

⑤ (다)에서 남자 역을 맡은 친구가 증인 앞에서 약속을 할 때 넥타이를 빌려 준 관객을 손으로 가리키면서 말하게 해야겠어.

09

〈보기〉를 바탕으로 이 글의 주제를 이해한 내용으로 가장 적절한 것은?

보기

이강백의 〈결혼〉은 빌린 물건들을 제한된 시간 후에 되돌려 주어야 한다는 설정을 통해 소유의 본질과 사랑의 의미에 대해 생각해 보게 하는 작품이다.

① 진정한 사랑은 상대방의 거짓말까지 이해해 주는 것이다.

② 물건을 빌릴 때에는 그에 따르는 대가를 치를 각오를 해야 한다.

③ 사랑하는 사람도 빌린 대상이므로 돌려주기 전까지 더 사랑해야 한다.

④ 진정한 사랑은 나 자신보다 상대방을 더 소중히 여기고 배려하는 것이다.

⑤ 정말 값진 물건은 오랜 시간 소유하고 있어도 가치가 변하지 않는 것이다.

도움말

남자는 빌린 물건을 돌려주는 과정을 통해 모든 것은 빌린 것이므로 영원히 ❶ [ ] 할 수 없으며, 사랑하는 사람을 빌리는 동안에 헌신적으로 ❷ [ ] 해야 한다는 생각을 하게 된다.

❶ 소유 ❷ 사랑

적중 예상 전략 1회

[01~03] 다음을 읽고 물음에 답하시오.

넓은 벌 동쪽 끝으로
옛이야기 지줄대는 실개천이 회돌아 나가고,
얼룩백이 황소가
㉠해설피 금빛 게으른 울음을 우는 곳,

— 그곳이 차마 꿈엔들 잊힐 리야.

㉡질화로에 재가 식어지면
비인 밭에 밤바람 소리 말을 달리고
엷은 졸음에 겨운 늙으신 아버지가
짚베개를 돋아 고이시는 곳,

— 그곳이 차마 꿈엔들 잊힐 리야.

흙에서 자란 내 마음
파아란 하늘빛이 그리워
함부로 쏜 화살을 찾으려
㉢풀섶 이슬에 함초롬 휘적시던 곳,

— 그곳이 차마 꿈엔들 잊힐 리야.

㉣전설(傳說) 바다에 춤추는 밤물결 같은
검은 귀밑머리 날리는 어린 누이와
아무렇지도 않고 예쁠 것도 없는
사철 발 벗은 아내가
㉤따가운 햇살을 등에 지고 이삭 줍던 곳,

— 그곳이 차마 꿈엔들 잊힐 리야.

하늘에는 성근 별
알 수도 없는 모래성으로 발을 옮기고,
서리 까마귀 우지짖고 지나가는 초라한 지붕,
흐릿한 불빛에 돌아앉아 도란도란거리는 곳,

— 그곳이 차마 꿈엔들 잊힐 리야.

– 정지용, 〈향수〉 천(박) , 동 , 비(박영)

01 이 시에 대한 설명으로 적절하지 않은 것은?

① 특정 시행을 반복하여 고향에 대한 화자의 그리움을 부각하고 있다.
② 시간의 흐름에 따른 대상의 변화 양상을 중심으로 시상을 전개하고 있다.
③ 토속적 정감을 주는 시어를 활용하여 고향의 평화롭고 아늑한 모습을 표현하고 있다.
④ 고향의 정경을 유기적 관련성 없이 병렬적으로 제시하며 주제 의식을 구현하고 있다.
⑤ 시각, 청각, 촉각 등 다양한 감각적 이미지를 활용하여 고향의 풍경을 다채롭게 묘사하고 있다.

02 이 시에 대한 감상으로 적절하지 않은 것은?

① 1연: 원경에서 근경으로 이동하며 평화로운 고향의 모습을 제시하고 있다.
② 2연: 고단한 아버지가 있는 한가로운 여름밤의 정경을 감각적으로 표현하고 있다.
③ 3연: 상징적인 시어를 사용하여 꿈 많던 어린 시절 화자의 모습을 나타내고 있다.
④ 4연: 화자의 누이와 투박한 모습의 아내가 함께 노동하는 모습을 나타내고 있다.
⑤ 5연: 풍족하지는 않지만 가족들이 정겹게 모여 있는 고향 집의 모습을 제시하고 있다.

03 ㉠~㉤ 중 〈보기〉에서 설명하는 표현 방법이 사용된 것은?

> • 보기 •
> 대상을 인식하기 위한 감각을 다른 종류의 감각으로 전이하여 표현하는 방법

① ㉠   ② ㉡   ③ ㉢
④ ㉣   ⑤ ㉤

예를 들어 '달콤한 바람'은 피부로 느낄 수 있는 대상인 '바람'을 '달콤하다'는 미각적 이미지로 나타낸 표현이야.

[04~07] 다음을 읽고 물음에 답하시오.

㉠동지(冬至)ㅅ둘 기나긴 밤을 한 허리를 버혀 내어
춘풍(春風) 니불 아래 서리서리 너헛다가
㉡어론 님 오신 날 밤이여든 구뷔구뷔 펴리라

- 황진이 미 , 비(박안) , 비(박영) , 신 , 지

04 이 시에 대한 설명으로 적절하지 않은 것은?

① 대상에 대한 원망의 정서가 드러나 있다.
② 비물질적인 대상을 물질처럼 형상화하고 있다.
③ 의지적인 어조로 화자의 태도를 드러내고 있다.
④ 대조적인 이미지를 활용하여 정서를 표현하고 있다.
⑤ 불가능한 상황을 상상하며 화자의 정서를 강조하고 있다.

05 ㉠과 ㉡에 대한 설명으로 적절하지 않은 것은?

① ㉠은 일 년 중 낮이 가장 짧고 밤이 가장 긴 때를 의미한다.
② ㉠은 물리적으로도 긴 시간이지만 임에 대한 그리움 때문에 화자에게는 정신적으로도 긴 시간이다.
③ ㉠부터 ㉡의 사이는 화자에게 외로움과 그리움의 시간이다.
④ ㉡은 화자가 고대하는 긍정적인 시간이다.
⑤ ㉡은 ㉠과 대비되는 시간으로 화자의 그리움이 최고조에 이르는 때이다.

06 시적 화자의 정서가 이 시와 가장 유사한 것은?

① 마음이 어린 후(後)니 하는 일이 다 어리다
   만중운산(萬重雲山)에 어느 님 오리마는
   지는 잎 부는 바람에 행여 귄가 하노라
② 눈 마즈 휘어진 디를 뉘라셔 굽다턴고
   구블 절(節)이면 눈 속에 프르소냐
   아마도 세한고절(歲寒孤節)은 너뿐인가 ᄒ노라
③ 추강(秋江)에 밤이 드니 물결이 차노매라
   낚시 드리우니 고기 아니 무노매라
   무심(無心)한 달빛만 싣고 빈 배 저어 오노라
④ 강호(江湖)에 봄이 드니 미친 흥(興)이 절로 난다
   탁료계변(濁醪溪邊)에 금린어(錦鱗魚) 안주로다
   이 몸이 한가하옴도 역군은(亦君恩)이샷다
⑤ 흔 손에 막디 잡고 또 흔 손에 가싀 쥐고
   늙는 길 가싀로 막고 오는 백발(白髮) 막디로 치려
   터니 / 백발(白髮)이 제 몬져 알고 즈럼길노 오더라

07 〈보기〉에 해당하는 시어를 이 시에서 모두 찾아 쓰시오.

> **• 보기 •**
> 우리말의 묘미를 살린 음성 상징어로, 임에 대한 간절한 그리움을 효과적으로 드러내고 있다.

> 음성 상징어는 소리나 움직임을 표현한 말로,
> 의성어와 의태어가 있어.

[08~11] 다음을 읽고 물음에 답하시오.

밭 바로 옆에는 우물이나 수도가 없다. 조금 걸어가야 그 마을 사람들에게 농수를 공급하는 수로가 있는데, 호스나 관으로 연결하기에는 거리가 제법 된다. 또 그러기에는 작은 밭에 너무 수선스러운 일인 것 같아 그냥 물을 한 통 한 통 길어다 주었다. ㉠푸성귀들을 키우는 것은 물이 아니라 농부의 발소리라는 말이 그냥 나온 게 아닌가 보다. 우리 밭을 흡족하게 적시려면 수로까지 적어도 열 번은 왕복을 해야 하니 그것도 만만치 않은 노릇이었다.

ⓛ물통을 들고 걸을 때마다 생각나는 사람이 있다. 우리 집에서 가까운 텃밭을 일구시는 어떤 할아버지인데, 물을 주러 가시는 모습을 몇 번 본 적이 있다. 그 할아버지는 몸 반쪽이 마비되어 걷는 게 그리 자유롭지 못하다. ⓒ성한 한쪽 팔로 물통을 들고 걸어가시는 모습은 거의 몸부림에 가까우면서도 이상한 평화 같은 것을 느끼게 한다. 절뚝절뚝 몸이 심하게 흔들릴 때마다 물은 찰랑거리면서 그의 낡은 바지를 적시고 길 위에 쏟아져, 결국 반 통도 채 남지 않게 된다. 그렇게 몇 번씩 오가는 걸 나는 때로는 끌 듯이 지나가는 발소리로 듣기도 하고, 때로는 마른 길 위에 휘청휘청 내고 간 젖은 길을 보고 알기도 한다.

ⓔ그 젖은 길은 이내 말라 버리곤 했지만, 나는 그 길보다 더 아름답고 빛나는 길을 별로 보지 못했다. 그리고 어느 날부터인가 나 역시 그 밭의 채소들처럼 할아버지의 발소리를 기다리게 되었다. 반 통의 물을 잃어버린 그 발소리를.

물통을 나르다가 문득 이런 생각이 들곤 한다. 내가 열 번 오가야 할 것을 그 할아버지는 스무 번 오가야 할 것이지만, ⓜ내가 이 채소들을 키우는 일도 그 할아버지와 크게 다르지 않은 어떤 안간힘 때문은 아닐까. 몸에 피가 돌지 않는 것처럼 문득문득 마음 한쪽이 굳어져 가는 걸 느끼면서, 절뚝거리면서, 그러면서도 남은 반 통의 물을 살아 있는 것들에게 쏟아붓고 싶은 마음, 그런 게 아니었을까.

– 나희덕, 〈반 통의 물〉 미 , 비(박안)

08 이 글에 대한 설명으로 적절하지 <u>않은</u> 것은?

① 이 글의 '나'는 글쓴이와 동일한 존재이다.
② 물을 직접 길어다 채소를 키운 개인적 경험을 담고 있다.
③ 특정한 형식을 따르지 않고 글쓴이의 생각을 자유롭게 풀어내고 있다.
④ 독자에게 교훈을 전달하고 이를 따르도록 권유하면서 글을 마무리하고 있다.
⑤ '반 통의 물을 잃어버린 그 발소리'와 같이 글쓴이의 개성이 드러나는 표현이 나타난다.

이 글은 글쓴이의 경험과 경험에서 얻은 깨달음을 전하는 교술 갈래에 속해.

09 이 글의 서술상 특징으로 가장 적절한 것은?

① 통념을 반박하고 새로운 관점을 제시함으로써 교훈을 주고 있다.
② 통시적 관점에서 대상의 변화 과정을 중심으로 대상을 묘사하고 있다.
③ 특정 대상을 관찰하고 난 후 자신의 주관적 느낌과 생각을 드러내고 있다.
④ 다양한 일화를 병렬적으로 나열하여 각 일화 간의 인과 관계를 드러내고 있다.
⑤ 특정 대상과 대화하는 형식을 취함으로써 대상에 대한 애정을 드러내고 있다.

10 ㉠~㉤에 대한 설명으로 적절하지 <u>않은</u> 것은?

① ㉠: 채소를 키우는 데에는 사람의 노력이 많이 필요하다는 것을 의미한다.
② ㉡: 일상생활 속 다양한 대상이 글의 소재가 될 수 있다는 수필의 특성이 드러난다.
③ ㉢: 대상의 모습을 받아들이는 방식에서 글쓴이의 개성이 드러난다.
④ ㉣: 개성적인 발상을 통해 대상이 지닌 의미를 참신하게 표현하고 있다.
⑤ ㉤: 몸이 성한데도 불구하고 할아버지와 같이 최선을 다하지 않은 자신에 대한 부끄러움이 나타난다.

서술형

11 이 글에 나타난 글쓴이의 깨달음을 한 문장으로 서술하시오.

[12~14] 다음을 읽고 물음에 답하시오.

가 수오재(守吾齋), 즉 '나를 지키는 집'은 큰형님이 자신의 서재에 붙인 이름이다. 나는 처음 그 이름을 보고 의아하게 여기며, "나와 단단히 맺어져 서로 떠날 수 없기로는 '나'보다 더한 게 없다. ㉠비록 지키지 않는다 한들 '나'가 어디로 갈 것인가. 이상한 이름이다."라고 생각했다.

나 ㉡장기로 귀양 온 이후 나는 홀로 지내며 생각이 깊어졌는데, 어느 날 갑자기 이러한 의문점에 대해 환히 깨달을 수 있었다. 나는 벌떡 일어나 다음과 같이 말했다.

천하 만물 중에 지켜야 할 것은 오직 '나'뿐이다. 내 밭을 지고 도망갈 사람이 있겠는가? 그러니 밭은 지킬 필요가 없다. 내 집을 지고 달아날 사람이 있겠는가? 그러니 집은 지킬 필요가 없다. (중략)

그러나 유독 이 '나'라는 것은 그 성품이 달아나기를 잘하며 출입이 무상하다. 아주 친밀하게 붙어 있어 서로 배반하지 못할 것 같지만 잠시라도 살피지 않으면 어느 곳이든 가지 않는 곳이 없다. 이익으로 유혹하면 떠나가고, 위험과 재앙으로 겁을 주면 떠나가며, 질탕한 음악 소리만 들어도 떠나가고, 미인의 예쁜 얼굴과 요염한 자태만 보아도 떠나간다. (중략) 그러니 꽁꽁 묶고 자물쇠로 잠가 '나'를 굳게 지켜야 하지 않겠는가?

다 나는 '나'를 허투루 간수했다가 '나'를 잃은 사람이다. ㉢어렸을 때는 과거 시험을 좋게 여겨 그 공부에 빠져 있었던 것이 10년이다. 마침내 조정의 벼슬아치가 되어 사모관대에 비단 도포를 입고 백주 도로를 미친 듯 바쁘게 돌아다니며 12년을 보냈다. 그러다 갑자기 상황이 바뀌어 친척을 버리고 고향을 떠나 한강을 건너고 문경새재를 넘어 ㉣아득한 바닷가 대나무 숲이 있는 곳에 이르러서야 멈추게 되었다. 이때 '나'도 땀을 흘리고 숨을 몰아쉬며 허둥지둥 내 발뒤꿈치를 쫓아 함께 이곳에 오게 되었다. / 나는 '나'에게 말했다.

"너는 무엇 때문에 여기에 왔는가? 여우나 도깨비에게 홀려서 왔는가? 바다의 신이 불러서 왔는가? 너의 가족과 이웃이 소내에 있는데, 어째서 그 본고장으로 돌아가지 않는가?"

그러나 '나'는 멍하니 꼼짝도 않고 돌아갈 줄을 몰랐다. 그 안색을 보니 마치 얽매인 게 있어 돌아가려 해도 돌아갈 수 없는 듯했다. 그래서 '나'를 붙잡아 함께 머무르게 되었다.

라 유독 큰 형님만이 '나'를 잃지 않고 편안하게 수오재에 단정히 앉아 계신다. 본디부터 지키는 바가 있어 '나'를 잃지 않으신 때문이 아니겠는가? 이것이야말로 큰형님이 자신의 서재 이름을 '수오'라고 붙이신 까닭일 것이다. (중략)

㉤드디어 내 생각을 써서 큰형님께 보여 드리고 수오재의 기문(記文)으로 삼는다.

– 정약용, 〈수오재기〉 천(박), 미

12 이 글의 서술상 특징으로 적절하지 <u>않은</u> 것은?
① 의문을 제기하며 도입부를 시작하고 있다.
② 수사적 의문문을 활용해 의미를 강조하고 있다.
③ 대상의 속성을 대조하며 깨달음을 표현하고 있다.
④ 성현의 말을 인용해 주장의 타당성을 강화하고 있다.
⑤ '나'를 두 개의 자아로 나누어 자아성찰의 과정을 구체적으로 보여 주고 있다.

13 이 글에 나타난 글쓴이의 깨달음으로 적절하지 <u>않은</u> 것은?
① 나의 본성을 온전하게 유지하는 것이 중요하다.
② 철저하게 수양하여 본질적인 자아를 지켜야 한다.
③ '나'는 작은 유혹과 자극에도 쉽게 잃어버릴 수 있는 대상이다.
④ 집과 밭은 다른 사람이 가져갈 수 없으므로 지킬 필요가 없다.
⑤ 천하 만물 중에서 굳게 지켜야 할 대상을 스스로 찾아내야 한다.

14 ㉠~㉤에 대한 설명으로 적절하지 <u>않은</u> 것은?
① ㉠: 깨달음을 얻기 전에 가졌던 상식적인 생각이다.
② ㉡: 글쓴이가 깨달음을 얻은 계기가 된 사건이다.
③ ㉢: 글쓴이가 '나'를 지키지 못하게 만든 경험이다.
④ ㉣: 글쓴이가 벼슬에 회의를 느끼고 낙향하게 되었음을 의미한다.
⑤ ㉤: 이 글이 한문 문학 양식인 기(記)에 해당함을 알 수 있는 부분이다.

[01~05] 다음을 읽고 물음에 답하시오.

[앞부분 줄거리] 육이오 전쟁이 일어나자 '내(동만)'의 삼촌은 빨치산으로 활동하고, 외삼촌은 국군으로 전쟁에 나간다. '나'는 경찰의 꾐에 빠져 삼촌의 행방을 말하게 되고, 이에 할머니의 분노를 산다. 외삼촌의 전사 소식에 외할머니는 빨치산을 향해 저주를 퍼붓고, 이를 삼촌에 대한 저주로 받아들인 할머니는 외할머니와 크게 싸운다. 그 후 식구들은 삼촌이 죽었을 거라 체념하지만 할머니는 삼촌이 살아 돌아온다는 점쟁이의 말을 굳게 믿고 식구들을 채근하며 삼촌을 기다린다. 점쟁이가 말한 날이 되었지만 삼촌은 나타나지 않고, 구렁이 한 마리가 나타난다.

가 나는 잽싸게 헛간으로 달려갔다. 지겟작대기를 양손으로 힘껏 거머쥐었다. 내 쪽으로 가까이 오기만 하면 단매에 요절을 낼 요량으로 작대기를 쥔 양쪽 팔을 높이 들었다. 그러자 억센 힘으로 내 팔을 움켜잡는 누군가의 손이 있었다. (중략)

난데없는 구렁이의 출현으로 말미암아 우리 집은 삽시에 엉망진창이 되어 버렸다. 무엇보다 큰 걱정이 할머니의 졸도였다. (중략) / 모두가 제정신이 아닌 그 북새 속에서도 끝까지 냉정을 잃지 않는 사람은 애오라지 외할머니 혼자뿐이었다.

나 외할머니는 두 손을 천천히 가슴 앞으로 모아 합장했다.

"에구 이 사람아, 집안일이 못 잊어서 이렇게 먼 질을 찾아왔는가?" / (중략) 하지만, 아무리 간곡한 말씨로 거듭 타일러 봐도 구렁이는 좀처럼 움직일 기척을 안 보였다. 이때 울바자 너머에서 어떤 아낙네가 뱀을 쫓는 묘방을 일러 주었다. 모습은 안 보이고 목소리만 들리는 그 여자는 머리카락을 태워 냄새를 피우면 된다고 소리쳤다.

외할머니의 지시에 따라 나는 할머니의 머리카락을 얻으러 안방으로 달려갔다. (중략) 내가 건네주는 머리카락을 받아 땅에 내려놓은 다음, 외할머니는 천천히 고개를 들어 늙은 감나무를 올려다보았다.

"자네 오면 줄라고 노친께서 여러 날 들여 장만헌 것일세. 먹지는 못헐망정 눈요구라도 허고 가소. 다아 자네 노친 정성 아닌가? 내가 자네를 쫓을라고 이러는 건 아니네. 그것만은 자네도 알아야 되네. 남새가 나드라도 너무 섭섭타 생각 말고, 집안일일랑 아모 걱정 말고 머언 걸음 부데 펜안히 가소."

다 그러자 눈앞에서 벌어지는, 그야말로 희한한 광경에 놀라 사람들은 저마다 탄성을 올렸다. 외할머니가 아무리 타일러도 그때까지 움쩍도 하지 않고 그토록 오랜 시간을 버티던 그

것이 서서히 움직이기 시작한 것이다. (중략)

"쉬이! 쉬어이!" / 외할머니의 쉰 목청을 뒤로 받으며 그것은 우물곁을 거쳐 넓은 뒤란을 어느덧 완전히 통과했다. 다음은 숲이 우거진 대밭이었다.

"고맙네, 이 사람! 집안 일은 죄다 성님한티 맽기고 자네 혼자 몸띵이나 지발 성혀서 먼 걸음 펜안히 가소. 뒷일은 아모 염려 말고 그저 펜안히 가소. 증말 고맙네, 이 사람아."

라 이야기를 다 듣고 나서 할머니는 사돈을 큰방으로 모셔 오도록 아버지한테 분부했다. 사랑채에서 쉬고 있던 외할머니가 아버지 뒤를 따라 큰방으로 건너왔다. 외할머니로서는 벌써 오래전에 할머니하고 한 다께끼 단단히 벌인 이후로 처음 있는 큰방 출입이었다. "고맙소." (중략) ⓐ할머니가 손을 내밀었다. 외할머니가 그 손을 잡았다. 손을 맞잡은 채 두 할머니는 한동안 말을 잇지 못했다.

마 할머니의 긴 일생 가운데서, 어떻게 생각하면, 잠도 안 자고 먹지도 않고 그러고도 놀라운 기력으로 며칠 동안이나 식구들을 들볶아 대면서 삼촌을 기다리던 그 짤막한 기간이 사실은 꺼지기 직전에 마지막 한순간을 확 타오르는 촛불의 찬란함과 맞먹는, 할머니에겐 가장 자랑스럽고 행복에 넘치던 시간이었나 보다. 임종의 자리에서 할머니는 내 손을 잡고 내 지난날을 모두 용서해 주었다. 나도 마음속으로 할머니의 모든 걸 용서했다.

㉠정말 지루한 장마였다.

– 윤흥길, 〈장마〉 비(박영)

---

01 이 글의 서술자에 대한 설명으로 가장 적절한 것은?

① 어린아이인 '나'가 관찰한 바를 자신의 시각에서 서술하고 있다.

② 작품 밖의 서술자가 주인공의 일대기를 시간 순서대로 전달하고 있다.

③ 작품 밖의 서술자가 인물의 내면을 전지전능한 입장에서 서술하고 있다.

④ 작품 밖의 서술자가 이념의 대립이라는 무거운 주제를 직접적으로 서술하고 있다.

⑤ 작품 속의 서술자가 주인공을 비롯한 등장인물의 내면을 속속들이 전달하고 있다.

02 이 글의 등장인물에 대한 이해로 적절하지 <u>않은</u> 것은?

① '나': 구렁이를 해치려고 하는 것에서 분별력이 부족한 어린아이다운 모습이 나타난다.

② '나': 할머니의 모든 것을 용서하는 모습에서 일련의 사건을 통해 정신적으로 성장하였음을 알 수 있다.

③ 할머니: 구렁이를 아들의 환생으로 믿고 졸도한 것으로 보아 무속 신앙을 철저히 믿음을 알 수 있다.

④ 할머니: 점쟁이의 말을 끝까지 믿고 아들을 맞이할 준비를 하는 것에서 아들의 생환에 대한 강력한 열망을 알 수 있다.

⑤ 외할머니: 냉정을 잃지 않고 사태를 침착하게 수습하는 것에서 무속 신앙을 믿지 않는 이성적인 성격이 드러난다.

03 이 글에서 '구렁이'의 출현이 의미하는 바로 적절한 것은?

① '나'의 가족의 상처가 심화되는 원인이 된다.

② '나'와 할머니의 갈등이 깊어지는 원인이 된다.

③ 외할머니가 슬픔을 극복할 수 있는 계기가 된다.

④ 우리 민족의 갈등이 극복되기 어려움을 암시한다.

⑤ 할머니와 외할머니의 갈등이 해소되는 실마리가 된다.

04 ㉠에 대한 설명으로 적절하지 <u>않은</u> 것은?

① 한 줄 띄어져 있어 독자에게 여운을 남긴다.

② 육이오 전쟁이 더욱 첨예한 양상을 띠게 될 것임을 암시한다.

③ 작품 전체에 음울한 분위기를 형성하던 장마가 끝났음을 알린다.

④ 과거형 문장을 통해 장마가 끝났고, 가족 간의 갈등이 종결되었음을 나타낸다.

⑤ '지루한' 장마였다는 것은 그 기간이 실제보다 더 길게 느껴질 만큼 힘든 날이었음을 의미한다.

 이 작품에서 갈등은 장마와 함께 시작되고, 장마가 끝날 때 해소돼.

05 ⓐ의 상황과 의미가 통하는 한자 성어로 적절한 것은?

① 죽마고우(竹馬故友)　② 노심초사(勞心焦思)

③ 아전인수(我田引水)　④ 감탄고토(甘呑苦吐)

⑤ 동병상련(同病相憐)

[06~10] 다음을 읽고 물음에 답하시오.

[앞부분 줄거리] 실제 나이는 열여섯 살이지만 선천성 조로증으로 신체 나이는 여든 살이 넘은 소년 아름. 이제 서른세 살이 된 젊은 부모 대수와 미라. 이들은 함께하는 하루하루를 소중히 여기며 씩씩하고 밝게 살아가고 있다. 대수는 택시 운전을 하고 미라는 세탁 공장에 나가서 열심히 일하지만, 각종 노인성 질환으로 고통받는 아름의 치료비를 내기엔 턱없이 부족하다. 이들은 아름의 치료비를 마련하려고, 아름의 사연을 소개하는 텔레비전 방송에 출연한다.

가 S# 17. 아름이의 방(낮~해 질 녘)

아빠의 과거를 생각하며 글을 쓰던 아름이. 갑자기 얼굴이 일그러진다. / 밀려오는 심장의 통증. 대수가 눈치챌까 봐 힘겹게 걸어가 방문을 닫고는, 약통에서 진통제를 꺼내 먹고 진정하려 한다.

식은땀이 흐르고, 그렇게 괴로워하다가 약에 취해 꾸부린 채 까무룩 잠이 드는 아름이.

(ⓐ). 시간 경과.

바닥에 엎드린 채 잠든 아름이의 주름진 손가락이 보인다.

어느새 불그스레 희미해진 햇살이 작은 창으로 길게 스며들고 있다.

그때 '띵' 전자 우편 수신을 알리는 소리. 잠에서 깨는 아름이.

접속해 보면 편지함에 편지 한 통이 와 있다.

보낸 사람 이름은 '이서하', 제목은 '아름에게'.

아름이, 고개를 갸웃거리며 편지를 열어 보면 편지 내용이 화면에 채워진다.

안녕? 나는 이서하라고 해. 열여섯 살. 너랑 같은 나이야.

네 전자 우편 주소는 방송국을 통해 겨우 받아 냈어.

아마 나도 아픈 아이란 걸 알고 알려 준 것 같아.

방송을 본 후 너와 친구가 될 수 있을 것 같다는 생각이 들었어.

물론 아름이 너만큼은 아니겠지만, 일 분이 영원처럼 느껴지는 시간에 대해, 나도 조금은 알고 있거든. 행운을 빌어.

아름 이서하?

두근두근. 갑자기 가슴이 뛰고, 목이 바짝바짝 타면서, 온몸에 열기가 느껴지는 아름이.

■ S# 49. 아름이의 병실(밤)

(중략) 습관처럼 전자 우편함의 '새로 고침'을 딸깍하던 아름이. 드디어 전자 우편 수신을 알리는 소리.

아름이, 벌떡 일어난다. 서하의 편지다. 떨리는 손으로 편지를 열어 본다.

서하(소리) 답장이 늦어 미안해. 사실 많이 고민했어. 사진.

하지만 나만 네 얼굴을 아는 건 불공평하겠다 싶어.

난 네 부모님 얼굴까지 알고 있으니까.

맘에 안 들지도 모르지만 한 장을 보내.

첨부된 사진을 딸깍하는 아름이. 사진을 화면 가득 키워서 본다.

싱그러움이 느껴지는 소녀의 손. 그리고 그 아래로 소녀의 그림자와 운동화 끄트머리. 소녀의 손과 그림자가 섞인 그 이미지 사진에서, 차마 아픈 모습을 보여 주고 싶지 않은 사춘기 소녀의 마음이 느껴진다.

사진에 손을 가만히 가져다 대 보는 아름이.

사진 속 서하의 손과 아름이의 손이 포개지고, 맞잡은 것 같아지는 소녀와 소년의 손.

■ S# 59. 아름이의 병실(오후)

(생략) 게임기를 뺏기지 않으려다가 식판을 치고 만 아름이.

식판이 요란한 소리를 내며 바닥에 나뒹군다.

그 소리에 복도를 지나던 사람이 아름의 병실을 힐끔 쳐다본다.

미라, 주섬주섬 떨어진 음식을 정리하기 시작한다. (중략)

대수 너 그거 안 내려놔?

아름 ㉠(게임에만 몰두한다.) ……

대수 아빠 말 안 들려!

아름 (대수가 게임기를 뺏으려 하자) 왜 그래요, 진짜! 좀 내버려 두세요! / (뿌리치며) 낫지도 않는 걸 왜 자꾸 먹으래! 어차피 죽을 거!

대수, 미라 (놀라 아무 말도 못 한 채) ……

아름 (봇물 터지듯이 말하며) 내가 지금까지 엄마, 아빠 말 안

들은 적 있어요? 그냥 죽기 전에 내가 하고 싶은 거 좀 하겠다는데, (게임기 흔들며) 내가 지금 하고 싶은 게 이거라고요. 왜 이까짓 것도 못하게 해요? 네? 내가 살면 얼마나 산다고!

– 최민석 외, 〈두근두근 내 인생〉 천(박), 비(박안)

06 '아름'에 대한 설명으로 적절하지 <u>않은</u> 것은?

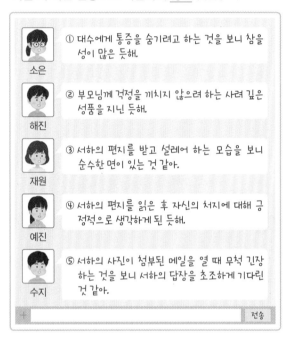

① **소은** 대수에게 통증을 숨기려고 하는 것을 보니 참을성이 많은 듯해.

② **해진** 부모님께 걱정을 끼치지 않으려 하는 사려 깊은 성품을 지닌 듯해.

③ **재원** 서하의 편지를 받고 설레어 하는 모습을 보니 순수한 면이 있는 것 같아.

④ **예진** 서하의 편지를 읽은 후 자신의 처지에 대해 긍정적으로 생각하게 된 듯해.

⑤ **수지** 서하의 사진이 첨부된 메일을 열 때 무척 긴장하는 것을 보니 서하의 답장을 초조하게 기다린 것 같아.

07 이 글을 영화로 제작할 때, 연출자가 고려할 사항으로 적절하지 <u>않은</u> 것은?

① S# 17: 통증으로 아파하는 것을 강조하기 위해서 아름의 얼굴을 클로즈업해야겠어.

② S# 17: 전자 우편을 열어 보는 아름이 반가워하는 표정을 짓도록 배우에게 지시해야겠어.

③ S# 49: 서하 역 배우의 얼굴은 촬영하지 않되 편지를 읽게 하여 목소리만 삽입해야겠어.

④ S# 49: 사춘기 소년과 소녀의 풋풋하고 설레는 감정을 잘 표현할 수 있는 음악을 삽입해야겠어.

⑤ S# 49: 아름 역 배우에게 서하가 보낸 사진을 보며 서하에게 공감을 느끼고 서서히 친근감을 느끼는 모습을 표현하도록 지시해야겠어.

08 〈보기〉를 바탕으로 S# 17을 창작했다고 할 때, S# 17의 글쓴이가 고려한 사항으로 가장 적절한 것은?

● 보기 ●
나는 모니터 속 메일을 꼼꼼하게 다시 읽어 보았다. '안녕? 나는 이서라고 해. 열일곱. 너랑 같은 나이야.' '네 속 시간들에 대해 내가 다른 이름을 붙여 주고 싶었어.' '여름에도 겨울이 있고, 가을에도 봄이 있대.' 그 아이의 목소리가 내 속에서 메아리쳐 자꾸 울렸다. 그래서 그 애 말대로 내가 정말 산이라도 된 기분이었다.
'같은 나이야, 같은 나이야…… 봄이 있대, 봄이 있대…….'
내 또래의 여자아이에게 그런 메시지를 받아 본 건 태어나 처음이었다. 남자아이였음, 그랬으면 달랐을까? 아마 달랐을 거다. 부끄럽지만 사실 그랬다. 그 아이는 왠지 어느 여자애들과는 달라 보였다.
– 김애란, 소설 〈두근두근 내 인생〉

① 인물이 있는 공간을 바꾸어 원작과 다른 분위기를 조성해야겠어.
② 서술자 대신 해설자를 설정하여 인물의 심리를 설명하게 해야겠어.
③ 다른 인물을 추가적으로 설정하여 이야기를 풍성하게 만들어야겠어.
④ 편지의 내용을 제시하여 인물 간의 갈등을 효과적으로 드러내야겠어.
⑤ 인물의 행동을 통해 심리를 간접적으로 알 수 있도록 바꾸어 써야겠어.

극 갈래에서 인물의 심리는 인물의 말이나 행동, 해설, 지시문 등을 통해 파악할 수 있어.

09 〈보기〉를 참고할 때, @에 들어갈 시나리오 용어로 적절한 것은?

● 보기 ●
한 장면에서 다음 장면으로 넘어가는 것을 말한다.

① 몽타주
② 인서트(insert)
③ 디졸브(dissolve)
④ 페이드인
⑤ 컷 투(cut to)

10 〈보기〉는 (나)와 (다) 사이의 중간 줄거리이다. 이를 바탕으로 하여 (다)에 나타난 외적 갈등의 원인을 서술하시오.

● 보기 ●
아름은 서하가 사실은 영화감독 지망생이고 시나리오를 쓰기 위해 열여섯 살 소녀를 가장하여 자신에게 전자 우편을 보낸 것을 알게 되어 큰 충격을 받는다.

● 조건 ●
갈등의 표면적 원인과 이면적 원인을 모두 쓸 것

_____

_____

[11~14] 다음을 읽고 물음에 답하시오.

가 [앞부분 줄거리] 의사인 회기는 환자인 인옥에게서 수술을 요청받지만, 수술 결과가 나쁠 경우 받을 원망을 의식하여 인옥을 냉정하게 대한다.

인옥 (다시 애원하며) 그러니 수술을 해 주시면 되잖아요?

회기 (냉정하게) @원래 나는 자신 없는 일엔 손을 안 대는 성질이오. (중략)

인옥 (㉠) 선생님은 냉정하시군요…… 기계처럼…….

[중간 부분 줄거리] 얼마 후 인옥의 남편인 상현이 회기를 찾아온다. 그는 성공 가능성이 낮은 수술을 하기에는 돈이 너무 많이 든다며 회기에게 아내의 폐 수술을 해 주지 말 것을 거듭 당부한다.

회기 (뭉클 불쾌감이 솟으며) ⓑ아니, 그럼 부인이 죽어도 괜찮단 말이오?

상현 어차피 죽을 목숨이라면…… 그대로 두는 게죠. ⓒ그 돈이 있으면 나와 어린것들이 살아날 수 있으니까요!

회기 (㉡) 그건 너무 심하지 않소?

상현 (반항적으로) 심한 건 내 아내죠. 그 병이 어떤 병이라고 수술을 합니까? 그것도 공으로 한다면 또 모르지만, 돈 쓰고 저 죽고 하면, 남은 우리들은 어떻게 살아가라고. 선생님! 그러니 나는…….

회기 (외치며) 그건 살인이나 다름없소…….

ⓓ(이 말이 떨어지자 금숙은 의아한 표정으로 회기를 쳐다본다.)

정답과 해설 26쪽

나

회기 (여전히 허공을 바라보며) 정 간호사! / 금숙 예?

회기 아까 그 환자의 주소 알지!

금숙 예, 접수부를 보면…….

회기 좋아! 그럼 속달 우편으로 보내요.

금숙 예? (하며 가까이 온다.)

회기 수술을 받고 싶으면 편지 받는 즉시 찾아오라고!

금숙 (놀란 표정으로) 아니, 그렇지만…….

회기 (속삭이듯) 자신은 있어! 그 대신 수혈용 혈액을 충분히 준비할 것을 잊지 마! 알겠어?

금숙 (ⓒ) 선생님, 웬일이세요?

회기 응? (가볍게 웃으며) ⓔ이번 환자는 꼭 살려 보고 싶은 의욕이 생기는군! / 금숙 왜요?

회기 (분노를 띠며) 그 친구에게 살해당할 바엔 내가 맡아서 살리지! 참을 수 없는 모욕을 당한 것 같아!

금숙 (흘끗 쳐다보며) 기계가 노하셨네요…….

– 차범석, 〈성난 기계〉 신 , 해

11 〈보기〉는 (나)의 일부를 소설로 바꾸어 쓴 것이다. 이 글과 〈보기〉의 이야기 전달 방식에 대한 설명으로 적절하지 <u>않은</u> 것은?

> **보기**
>
> 회기는 상현과의 대화를 다시 떠올렸다. 가족의 생계를 핑계로 병약한 아내가 수술 받지 못하도록 하다니. 회기는 마치 참을 수 없는 모욕을 당한 기분이었다. 그런 남편에게 환자가 살해하는 것을 보고 있을 수만은 없었다. 결심한 회기는 금숙에게 말했다.
>
> "정 간호사! 그 환자에게 속달 우편으로 보내요. 수술을 받고 싶으면 편지 받는 즉시 찾아오라고!"

① 이 글과 〈보기〉 모두 인물, 사건, 배경으로 구성된다.

② 이 글은 지시문이 글 전체에 사용되었으나, 〈보기〉는 일부분에만 사용되었다.

③ 이 글은 대사를 통해 인물의 심리 변화를 보여 주지만, 〈보기〉는 이를 요약적으로 서술하고 있다.

④ 이 글은 등장인물이 대사와 행동을 통해 상황을 보여 주지만, 〈보기〉는 서술자가 상황을 전달해 준다.

⑤ 이 글은 인물의 대사와 행동을 통해 심리를 간접적으로 제시하지만, 〈보기〉는 서술자가 인물의 심리를 직접적으로 전달하기도 한다.

12 ㄱ～ⓒ에 들어갈 지시문 내용으로 가장 적절한 것은?

	ㄱ	ㄴ	ㄷ
①	원망스럽게 쳐다보며	궁금한 표정으로	실망스러운 표정으로
②	원망스럽게 쳐다보며	노골적으로 분노를 터뜨리며	빙그레 웃으며
③	슬픈 표정으로	궁금한 표정으로	빙그레 웃으며
④	슬픈 표정으로	노골적으로 분노를 터뜨리며	실망스러운 표정으로
⑤	즐거운 표정으로	호의적인 표정으로	빙그레 웃으며

 빈칸에 들어갈 행동 지시문을 추론할 때에는 갈등 관계, 인물의 행동과 대사를 고려해 봐.

13 ⓐ～ⓔ에 대한 이해로 적절하지 <u>않은</u> 것은?

① ⓐ: 회기의 냉정한 성격이 드러난다.

② ⓑ: 상현의 생각에 대한 회기의 호기심이 드러난다.

③ ⓒ: 상현의 비인간적이고 이기적인 성격이 드러난다.

④ ⓓ: 회기의 달라진 모습에 대한 놀라움이 드러난다.

⑤ ⓔ: 회기가 인간성을 회복했음이 드러난다.

서술형

14 작품의 주제를 고려하여 [기계]의 의미를 서술하시오.

> **조건**
>
> '기계는 ～을/를 의미한다.'의 문장 형식으로 쓸 것

_____

_____

book.chunjae.co.kr

교재 내용 문의 ·········	교재 홈페이지 ▶ 고등 ▶ 교재상담
교재 내용 외 문의 ·······	교재 홈페이지 ▶ 고객센터 ▶ 1:1문의
발간 후 발견되는 오류 ·····	교재 홈페이지 ▶ 고등 ▶ 학습지원 ▶ 학습자료실

실력향상 필수학습!
고득점을 예약하자!

내신전략

고등 국어 문학

BOOK 2

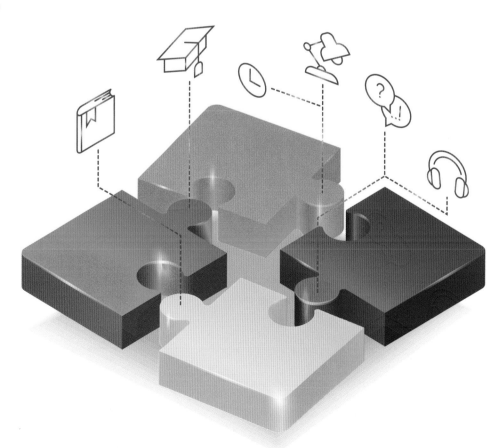

천재교육

내신전략

고등 국어 **문학**

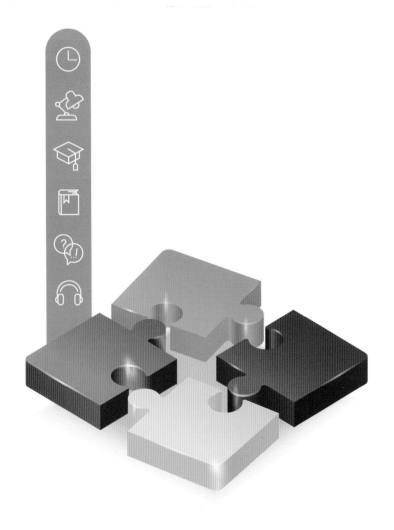

내신전략

고등 국어 문학

시험에 잘 나오는

개념BOOK 2

천재교육

내신전략

고등 국어 **문학**

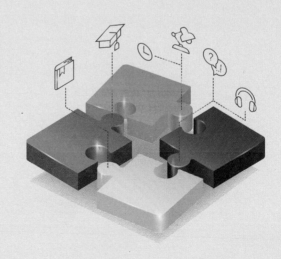

개념BOOK 하나면
국어 공부 끝!

시험에 잘 나오는 개념북이야~
차례부터 한번 살펴보자!

차례

1 한국 시가 문학의 전통

1. 한국 시가 문학의 형식적 연속성

3단 구성	향가의 '기–서–결'의 3단 구성 방식은 이후 시조의 '초장–중장–종장'의 3장 형식에 영향을 줌.
낙구의 형식	10구체 향가에서 ❶ 첫머리에 나타난 감탄사는 시조와 가사에 계승되어, 시조와 가사의 마지막 행에서도 감탄사가 나타남.
3음보율과 4음보율	• 고려 가요나 민요 〈아리랑〉 등에서 나타나는 ❷ 의 율격은 이후 현대 시인 김소월의 〈진달래꽃〉에서도 계승되어 나타남. • 조선 시대에 많이 창작된 시조나 가사 작품들은 대체로 4음보의 율격을 드러냄.

2. 한국 시가 문학의 내용적 특성

● 이별의 슬픔과 임에 대한 그리움

● 자연과의 조화를 추구하는 태도

● 삶의 애환을 웃음으로 받아넘기는 태도 ➜ 한국 시가 문학의 주요 주제로서 계승되어 옴.

고대 가요 〈공무도하가〉, 고려 가요 〈가시리〉, 민요
〈아리랑〉, 김소월의 〈진달래꽃〉 등은 모두 이별의 슬
픔과 임에 대한 그리움을 노래하고 있어.

🅐 ❶ 낙구 ❷ 3음보

바로 확인

한국 시가 문학의 흐름에 대한 설명으로 적절하지 <u>않은</u> 것은?

① 조선 시대에 널리 향유된 시조는 향가의 영향을 받은 측면이 있다.

② 우리 시가의 전통적 율격은 현대 시에서도 찾아볼 수 있다.

③ 시조는 민요의 3음보 율격을 계승하였다.

답 | ③

가 가시리 가시리잇고 나ᄂᆞᆫ / ᄇᆞ리고 가시리잇고 나ᄂᆞᆫ　○: 여음
가시렵니까
　　위 증즐가 大平盛代(대평셩디)　　　▶ 기: 원망에 찬 애원
　　　　　　□: 후렴구

날러는 엇디 살라 ᄒᆞ고 / ᄇᆞ리고 가시리잇고 나ᄂᆞᆫ
떠나는 임에 대한 원망과 슬픔
　　위 증즐가 大平盛代(대평셩디)　　　▶ 승: 애원(원망)의 고조

잡ᄉᆞ와 두어리마ᄂᆞᆫ / 선ᄒᆞ면 아니 올셰라
서운하면 아니 올까 두렵습니다 → 임을 붙잡지 못하는 이유
　　위 증즐가 大平盛代(대평셩디)　　　▶ 전: 감정의 절제와 체념

셜온 님 보내ᄋᆞᆸ노니 나ᄂᆞᆫ / 가시ᄂᆞᆫ 둣 도셔 오쇼셔 나ᄂᆞᆫ
① (화자를) 서럽게 하는 임 / ② 이별을 서러워하는 임
　　위 증즐가 大平盛代(대평셩디)　　　▶ 결: 소망과 기원

　　　　　　　　　　　　　－ 작자 미상, 〈가시리〉 천(박), 천(이), 비(박안), 신, 지, 해

나 나 보기가 역겨워 / 가실 때에는 / 말없이 고이 보내 드리우리다. //
　　　　이별의 상황을 가정함.　　　체념의 자세　　▶ 이별의 상황에 대한 체념
영변(寧邊)에 약산(藥山) / 진달래꽃 / 아름 따다 가실 길에 뿌리우리다. //
실제 지명 제시 - 향토적 분위기 조성　　　　　▶ 떠나는 임에 대한 축복
가시는 걸음걸음 / 놓인 그 꽃을 / 사뿐히 즈려밟고 가시옵소서. //
　　　　　　　　이별의 정한을 숭고한 사랑으로 승화함.　▶ 원망을 뛰어넘는 사랑
「나 보기가 역겨워 / 가실 때에는 / 죽어도 아니 눈물 흘리우리다.」 ▶ 슬픔의 극복과 승화
「」: ① 슬픔을 드러내지 않겠다는 '애이불비'의 자세
　　② 매우 슬플 것이라는 반어적 표현
　　　　　　　　　　　　　－ 김소월, 〈진달래꽃〉 천(박), 금, 동, 비(박안), 해

▶ (가)는 고려 가요, (나)는 현대 시이다. 두 작품의 화자 모두 이별에서 오는 슬픔, 안타까움을 노래하고 있으며 3음
보의 율격을 활용해 리듬감을 형성하고 있다.

바로 확인

(가), (나)의 공통점으로 적절하지 않은 것은?

① 임과 이별하며 느끼는 정한을 노래하고 있다.

② 3음보의 율격을 활용해 리듬감을 형성하고 있다.

③ 10구체 향가에 쓰인 낙구의 감탄사가 계승되어 그 형태가 남아 있다.

답 | ③

2 **고대 가요**

뜻 고대 부족 국가 시대부터 삼국 시대 초기까지 불리던 노래

제천 의식에서 불린 노래가 기원이므로 초기에는 주로 집단 노동요·의식요가 주를 이루었고, 점차 개인의 정서를 노래하는 작품도 창작되었어.

특징
● 음악, 무용, 시가가 분화되지 않았던 원시 종합 예술에서 발생하였고, 나중에는 [❶　　　]적이고 서정적인 내용의 노래가 창작됨.

● 당시에는 기록 수단이 없었기 때문에 구전되어 오다가 후대에 [❷　　　]로 기록되어 전함.

● 주로 배경 설화와 함께 전해짐.

　예 정읍은 전주에 소속된 현(縣)이다. 이 고을 사람이 행상을 떠나 오래도록 돌아오지 않았다. 그 아내는 산 위 바위에 올라가 남편이 있을 먼 곳을 바라보면서 남편이 밤길에 오다가 해를 입지나 않을까 염려하였다. 고개에 올라 남편을 기다리던 아내는 언덕에 망부석으로 변해 남아 있다고 한다.

　　　　　　　　　　　　　　　　　－〈정읍사〉의 배경 설화, 《고려사 악지》

　　　　　　　　　　　　　　　　　　　　　답 ❶ 개인 ❷ 한자

바로확인

고대 가요에 대한 설명으로 적절하지 않은 것은?

① 노래로 전해지다가 문헌에 기록으로 남게 되었다.

② 초기에는 노래로만 창작되다가 이후 원시 종합 예술로 발전하였다.

③ 집단의 의식을 담은 노래에서 점차 개인의 서정을 담은 노래로 변화하였다.

　　　　　　　　　　　　　　　　　　　　　　　　답 | ②

정읍사 _어느 행상인의 아내 창

돌하 노피곰 도두샤
소망, 기원의 대상
어긔야 머리곰 비취오시라
　　　　멀리 멀리
「어긔야 어강됴리
「 」: 리듬을 맞추기 위한 뜻이 없는 여음구, 조흥구
아으 다롱디리」
　　　　▶ 기: 달에게 남편의 무사를 기원함.

져재 녀러 신고요
남편이 행상인임을 짐작할 수 있음.
어긔야 즌 디룰 드디욜셰라

어긔야 어강됴리
　　　　▶ 서: 남편에게 나쁜 일이 생길까 염려함.
어느이다 노코시라

어긔야 내 가논 디 졈그룰셰라
① 임 ② 나(화자) ③ 임과 나
어긔야 어강됴리

아으 다롱디리　▶ 결: 남편의 무사한 귀가를 바람.

[현대어 풀이] 달님이시여, 높이높이 돋으시어 / 아! 멀리멀리 비치시라. / 시장에 가 계신가요? / 아, 진 곳을 디딜까 두려워라. / 어느 것이나 다 놓아 버리십시오. / 아! 내 (임) 가는 그 길 저물까 두려워라.

▶ 이 작품은 행상을 나가 오랫동안 돌아오지 않는 남편이 무사히 돌아오길 바라는 소망을 표현한 고대 가요이다. 《고려사 악지》에 백제의 노래로 소개되어 있어 구비 전승되던 백제의 노래가 후대에 기록된 것으로 본다. 이 작품에서 여음구를 지우고 그 나머지 구절들을 정리하면 평시조와 비슷한 형태가 되는데, 이 때문에 이 작품을 시조 형식의 기원이 되는 작품으로 보기도 한다.

바로 확인

이 시에 대한 설명으로 적절하지 않은 것은?

① '돌'을 기원의 대상으로 삼아 개인적 서정을 노래하였다.
② 현전하는 유일한 고구려 노래로, 배경 설화와 함께 전해진다.
③ 여음구를 빼고 전체적 흐름을 볼 때 시조 형식의 기원이 되는 작품이다.

답 | ②

③ 향가

뜻 한자의 음과 뜻을 빌려 국어 문장을 표현한 표기법인 [❶ ____]로 기록된 정형 시가

특징
- **창작 시기**: 신라 시대부터 고려 전기까지 창작됨.
- **작가층**: 승려, 화랑 등 귀족 계층이 주류 작가층을 이룸.
- **내용**: 부처님을 찬양하며 신앙심을 표현한 불교적 노래가 가장 많으며, 그 외에도 민요, 동요, 토속 신앙과 관련된 노래, 임금을 그리워하는 유교적인 내용을 담은 노래도 있음.

종류

4구체	향가의 초기 형태. 구전되어 오던 민요나 동요가 정착된 것으로 봄.
8구체	4구체에서 10구체로 발전해 가는 과정에서 생긴 과도기의 형태로 봄.
10구체	• 가장 정제되고 세련된 형태의 향가. • '기(4구)-서(4구)-결(2구)'의 세 부분으로 구성됨. • 낙구라고 불리는 마지막 2구의 첫머리는 [❷ ____]로 시작함.

> 10구체 향가의 형식상 특징(3단 구성, 낙구의 감탄사)은 이후 시조에 영향을 주었어.

답 ❶ 향찰 ❷ 감탄사

바로확인

향가에 대한 설명으로 적절하지 <u>않은</u> 것은?

① 신라 시대에 주로 불리었으나 고려 시대에 들어와서도 창작되었다.

② 4구체, 8구체, 10구체로 나눌 수 있으며, 10구체가 가장 세련된 형식이다.

③ 신라 시대에 들여와 향찰로 기록되어 널리 향유되었던 중국의 노래를 일컫는다.

답|③

제망매가 _월명사 동, 미, 비(박안), 비(박영), 신

생사(生死) 길은
　삶과 죽음의 길
예 있으매 머뭇거리고,
여기=이곳=이승
「나는 간다는 말도 「 」: 누이가 갑작스럽게 죽었음을 암시함.
　'나'=누이
못다 이르고 어찌 갑니까.」
　　　　　　　▶ 누이의 죽음에 대한 안타까움

어느 가을 이른 바람에
　누이가 이른 나이에 죽었음을 암시함.
이에 저에 떨어질 잎처럼,
　　　원관념: 죽은 누이
한 가지에 나고
같은 부모
가는 곳 모르온저.
　　　　▶ 누이의 죽음에서 느끼는 삶의 무상함.

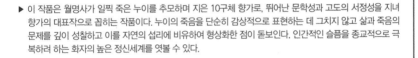

아아, 미타찰(彌陀刹)에서 만날 나
불교의 극락세계, 누이와 재회할 공간(윤회 사상)
도(道) 닦아 기다리겠노라. ▶ 죽은 누이와의 재회를 소망함.
이별의 슬픔을 종교적으로 승화함.

▶ 이 작품은 월명사가 일찍 죽은 누이를 추모하며 지은 10구체 향가로, 뛰어난 문학성과 고도의 서정성을 지녀 향가의 대표작으로 꼽히는 작품이다. 누이의 죽음을 단순히 감상적으로 표현하는 데 그치지 않고 삶과 죽음의 문제를 깊이 성찰하고 이를 자연의 섭리에 비유하여 형상화한 점이 돋보인다. 인간적인 슬픔을 종교적으로 극복하려 하는 화자의 높은 정신세계를 엿볼 수 있다.

바로 확인

이 시에 드러난 화자의 태도로 적절하지 않은 것은?

① 누이의 죽음을 겪고 실의에 빠져 절망하고 있다.

② 자연 현상에 빗대어 삶과 죽음을 표현하고 있다.

③ 사별의 아픔과 슬픔을 종교적으로 승화하고 있다.

답 | ①

4 고려 가요

뜻 고려 시대 평민들이 부르던 노래를 가리킴. '고려 속요(俗謠)', 또는 '장가(長歌)',
세속의 노래   길이가 긴 노래
'여요(麗謠)'라고도 함.
고려의 노래

전승
- 고대부터 내려온 민요에 바탕을 두고 형성된 것이어서 작자를 알 수 없는 작품
이 많음.
- 구전되다가 한글이 창제된 이후 문자로 기록됨. 조선 시대 지배층은 고려 가요
가 저급하다고 보고 노랫말을 고치거나 일부 작품을 삭제하기도 함.

내용 남녀 간의 사랑, 자연에 대한 예찬, 이별의 안타까움 등 ❶[＿＿＿]들의 소박한 감
정을 진솔하게 표현한 작품이 많음.

> 남녀 간의 애정을 다룬 작품의 경우 조선 시대 유학
> 자들이 '남녀상열지사(남녀가 서로 사랑하는 노랫
> 말)'라 하여 문헌에 싣지 않았어. 그래서 전해지는
> 작품은 일부에 불과해.

형식
- 대부분 ❷[＿＿＿]음보를 기본으로 하며, 3·3·2조의 음수율이 많이 나타남.
- 대체로 여러 개의 연이 연속되는 분연체이며, 각 연마다 **후렴구**가 붙음.
행이나 연이 끝날 때마다 나타나는 여음
- 운율을 형성하는 여음(구), 조흥구가 발달되어 있음.
의미 표현보다는 율조와 감흥을 일으키는 구절   흥을 돋우는 구절

답 | ❶ 평민 ❷ 3

바로 확인

고려 가요의 특징으로 적절한 것은?

① 대부분 4음보의 음보율과 3·3·2조의 음수율을 지닌다.

② 고려 시대 귀족들의 사랑과 삶의 모습을 진솔하게 담고 있다.

③ 대체로 여러 개의 연이 연속되며 각 연마다 후렴구가 붙어 있다.

답 | ③

⑤ 한시

뜻 　중국을 비롯한 주변 국가에서 발달한, 한문으로 쓰인 [❶].

> 한시는 한문으로 기록되기는 했지만, 우리 조상들이 지닌 고유한 생각이나 감정을 표현했기 때문에 우리 문학이라고 봐.

발달
- **삼국 시대**: 삼국의 국가 체제가 정비되면서 [❷]가 보급되어 한문학(漢文學)이 발전하기 시작하면서 한시가 본격적으로 창작되기 시작함.
- **고려 시대**: 과거 제도가 실시되고 불교가 융성하면서 한시가 발달함.
- **조선 시대**: 한자에 익숙한 사대부 계층이 꾸준히 창작함.

형식
- **절구**: 4개의 구로 된 한시. 기승전결에 따라 시상이 전개되며, 선경후정의 방식이 사용된 경우가 많음.
  > 앞부분에서는 시적 대상의 모습이나 경치를, 뒷부분에서는 그것에서 느낀 정서나 태도를 드러내는 방식
- **율시**: 8개의 구, 총 4연으로 이루어진 한시

> 한시는 한 구가 다섯 글자이면 '오언', 일곱 글자이면 '칠언'이라고 해.

예

雨歇長堤草色多　비 갠 긴 언덕엔 풀빛이 푸르른데,　▶기: 비온 뒤 강변의 경치(선경)
우 헐 장 제 초 색 다

送君南浦動悲歌　남포로 임 보내며 슬픈 노래 울먹이네.　▶승: 임을 보내는 슬픔(후정)
송 군 남 포 동 비 가

大同江水何時盡　대동강 물이야 어느 때 마를거나,　▶전: 마르지 않는 강물(선경)
대 동 강 수 하 시 진

別淚年年添綠波　해마다 이별 눈물 강물을 더하는 것을　▶결: 화자의 슬픔(후정)
별 루 년 년 첨 록 파

➡ 한 구가 7글자, 총 4구로 된 '칠언 절구'임.　　　　　　　　　– 정지상, 〈송인〉 金

답 ❶ 정형시 ❷ 한자

청산별곡 _작자 미상 금 , 비(박영) _____

3 3 2 3 3 2
살어리 살어리랏다 청산(靑山)애 살어리랏다.　　→ 3음보, 3·3·2조 율격
　　　　이상향, 현실 도피처(=바다)　① 살고 싶구나, 살리라 ② 살 수밖에 없다
멀위랑 ᄃ래랑 먹고 청산(靑山)애 살어리랏다.
　　소박한 음식
얄리얄리 얄랑셩 얄라리 얄라　　　　　　　　　　　　　▶ 청산에 대한 동경
후렴구 – ① 고려 가요의 형식적 특성 ② 'ᄅ, ㅇ' → 밝고 경쾌한 느낌
　　　　③ 운율을 형성하고 흥을 돋움. ④ 구조적 통일성과 안정감을 줌.

우러라 우러라 새여 자고 니러 우러라 새여.
　　화자가 동병상련을 느끼는 감정 이입의 대상
널라와 시름 한 나도 자고 니러 우니로라.
　　너보다　　　　많은　　　　　　화자의 비애와 슬픔
얄리얄리 얄라셩 얄라리 얄라　　　　　　　　　　　　　▶삶의 고독과 비애

① 날아가던 새 ② 갈던 밭이랑(흙을 높이 쌓아 농작물을 심는 곳)
가던 새 가던 새 본다 믈 아래 가던 새 본다.
　　　　　　속세. '청산, 바다'와 대비되는 공간
「잉 무든 장글란 가지고 믈 아래 가던 새 본다.」「 」: 속세에 대한 미련
① 이끼 묻은 쟁기일랑 ② 날이 무딘 병기일랑 ③ 이끼 묻은 은장도일랑
얄리얄리 얄라셩 얄라리 얄라　　　　　　　　　　　　　▶ 속세에 대한 미련과 번민

이링공 뎌링공 ᄒ야 나즈란 디내와손뎌.
　　이럭저럭　　　　　　낮을 지내 왔건만
오리도 가리도 업슨 바므란 ᄯ 엇디 호리라.
　　　　　　밤-고독한 시간　　비탄, 한탄의 심정
얄리얄리 얄라셩 얄라리 얄라　　　　　　　　　　　　　▶ 절망적인 고독과 비탄

어듸라 더디던 돌코 누리라 마치던 돌코.
① 피할 수 없는 운명 ② 화자의 비애를 야기하는 매개체
믜리도 괴리도 업시 마자셔 우니노라.
미워할 이도 사랑할 이도   운명에 체념함.
얄리얄리 얄라셩 얄라리 얄라   ▶삶의 운명에 대한 체념

살어리 살어리랏다 바른래 살어리랏다.
           이상향, 현실 도피처(=청산)
ᄂᆞ 무자기 구조개랑 먹고 바른래 살어리랏다.
소박한 음식. 1연의 '멀위랑 두래'와 대응됨.
얄리얄리 얄라셩 얄라리 얄라   ▶바다에 대한 동경

가다가 가다가 드로라 에졍지 가다가 드로라.   「 」: ① 사슴이 장대 위에서 해금을 켜는 것을
                    부엌   → 기적이 일어나길 바라는 심정
「사스미 짒대예 올아셔 히금(奚琴)을 혀거를,드로라.   ② 사슴으로 분장한 광대가 장대에 올라
                                                      해금을 켜는 것을
얄리얄리 얄라셩 얄라리 얄라   ▶기적을 바라는 절박한 삶

가다니 비브른 도긔 설진 강수를 비조라.
          배부른 독에   독한 술 – 괴로움을 잊기 위한 도구
조롱곳 누로기 미와 잡스와니 내 엇디 ᄒᆞ리잇고.
                    체념적 태도
얄리얄리 얄라셩 얄라리 얄라
                          ▶술을 통한 고뇌 해소

▶ 이 작품은 〈서경별곡〉, 〈만전춘별사〉와 더불어 고려 가요 중에서도 문학성이 뛰어난 작품으로 꼽힌다. 이 시의 화자
는 괴로운 현실의 도피처인 '청산', '바다'를 동경하지만 현실의 문제의 부딪혀 결국은 술로 시름을 달래며 체념하고
있다. 당시 고려인의 삶의 고뇌와 비애를 잘 보여 주는 작품이다.

이 시를 감상한 내용으로 적절하지 않은 것은?

① 자연물에 화자의 감정을 이입해서 드러내고 있어.

② 연마다 후렴구를 반복해서 시 전체에 안정감을 주고 있어.

③ 부정적 현실에 처한 화자가 이를 극복하려는 의지적 태도를 보이고 있어.

답|③

6 시조 ①_형식과 내용

뜻 고려 중엽에 발생하여 고려 말기에 그 형태가 완성된 우리 고유의 [❶   ]로, 오늘날에도 창작되고 있는 우리 시가 문학의 대표적 갈래

특징
- 3장 6구 45자 내외
- 4음보, '3·4조, 4·4조'의 음수율이 나타남.
- 종장의 첫 음보는 [❷   ]글자로 고정됨.

　　예ㅡ 초장: 쟈근 거시 \/ 노피 떠셔 \/ 만믈(萬物)을 \/ 다 비취니 ➡ 4음보
　　　　　　　　　 3　　　　　4　　　　　3　　　　　4
　　3장 중장: 밤듕의 \/ 광명(光明)이 \/ 너만 ᄒᆞ니 \/ 또 잇ᄂᆞ냐
　　　　 └ 종장: 보고도 \/ 말 아니 ᄒᆞ니 \/ 내 벋인가 \/ ᄒᆞ노라
　　　　　　　 3글자로 고정됨.
　　　　　　　　　　　　　　　　　　　　　－ 윤선도, 〈오우가〉 천(이), 동

내용
① **고려 후기**: 고려에서 조선으로 왕조가 교체되는 시점에서 유교적 충의 사상을 노래한 시조, 고려 충신들의 단심(丹心)과 기울어져 가는 국운을 한탄하는 절의가가 나타남.

② **조선 전기**: 신흥 사대부가 유교적 이념과 검소한 생활 태도를 강조하고 자연을 예찬하는 내용의 시조를 창작함. 또한 기생이 시조를 향유하게 되면서 주체적이고 인간적인 애정을 노래한 시조가 등장함.

③ **조선 후기**: 임진왜란과 병자호란 이후 사대부들이 우국충절을 노래하는 시조를 많이 창작함. 또한 평민층이 시조의 새로운 향유층으로 등장하면서 [❸   ]가 창작되어 가혹한 수탈에 시달리는 현실을 풍자하고 삶의 고달픔을 해학적으로 그려 냄.

> 이렇듯 시조는 발전 과정에서 작자층이 점차 확대되었고, 이에 따라 내용도 다양해지게 되었어.

답 ❶ 정형시 ❷ 3 ❸ 사설시조

가 강호(江湖)에 ᄀᆞ올이 드니 고기마다 슬져 잇다
　　자연　　　　　　　　　가을의 풍요로움
　　소정(小艇)에 그물 시러 흘니 씌여 더져 두고
　　작은 배　　　　　흐르는 대로 던져 두고 → 유유자적하는 삶
　　이 몸이 소일(消日)ᄒᆞ옴도 역군은(亦君恩)이샷다　▶ 고기를 잡으며 즐기는 강호(江湖)에서의 삶
　　하는 일 없이 세월을 보냄도　임금의 은혜를 생각함.

　　　　　　　　　　　　　　　　　　　　　　　　－ 맹사성, 〈강호사시가〉 금

나 십 년(十年)을 경영(經營)ᄒᆞ여 초려 삼간(草廬三間) 지여 내니
　　　　　　　준비하여　　　　세 칸밖에 안 되는 작은 초가 – 욕심 없는 삶
　「나 ᄒᆞᆫ 간 둘 ᄒᆞᆫ 간에 청풍(淸風) ᄒᆞᆫ 간 맛겨 두고」
　「　」: 자연과 하나되는 물아일체의 경지(의인법)
　　강산(江山)은 들일 되 업스니 둘러 두고 보리라　▶ 자연에 대한 사랑과 안빈낙도
　　　　　　강산을 병풍처럼 인식함. → 자연에 동화되어 풍류를 즐김.

　　　　　　　　　　　　　　　　　　　　　　　　－ 송순 비(박안), 신, 창

▶ (가)는 강호에서 자연을 즐기며 한가롭게 지내는 삶을 노래하면서 이를 임금의 은혜와 결부하여 표현한 조선 전기 강호가도의 대표적 작품이다. (나)는 자연 속에서 안분지족하고자 하는 마음을 노래한 시조로 자연과의 물아일체라는 작가의 자연관이 잘 드러난 조선 전기의 작품이다. (가), (나) 모두 사대부의 풍류와 자연 친화적 태도를 잘 드러내고 있다.

바로 확인

(가), (나)에 대한 감상으로 적절한 것은?

① (가), (나) 모두 자연을 즐기며 한가롭게 노니는 삶을 노래하고 있다.

② (가)는 임에 대한 사랑과 그리움을, (나)는 유교적 충과 효를 노래하고 있다.

③ (가)는 자연 속에서 살고 싶은 소망, (나)는 임을 그리워하는 정서를 노래하고 있다.

답 | ①

7 시조 ②_종류

1. 시조의 종류

평시조	• 3장 6구 45자 내외를 기본으로 하여 구성된 정형시 • 평시조가 한 수 있으면 '단시조', 두 수 이상이 모여 한 작품을 이루면 '연시조'라고 함.
엇시조	• 평시조와 사설시조의 과도기적 형식 • 평시조의 형식에서 종장의 첫 구절을 제외한 어느 한 부분이 평시조보다 한 구 길어진 형태임.
사설시조	• 평시조의 형식에서 초장이나 중장이 두 구 이상 길어진 시조 • 조선 후기에 등장함.

시조의 초·중장을 읽을 때에는 그 길이를 보고 시조의 종류를 확인하고, 어떤 표현 기법이 쓰였는지 파악해 봐. 그리고 시상이 집약된 부분인 종장을 읽을 때에는 주제를 파악해 보도록 해.

2. 평시조와 사설시조의 비교

	평시조	사설시조
작자층	주로 양반 사대부 계층	주로 ❶[ ] (작자 미상이 많음.)
형식	3장 6구 형식, 45자 내외이며, 각 장은 4음보로 이루어짐.	초장, 중장이 제한 없이 길어짐. 종장은 첫 3음절을 제외하고 길어짐.
내용	• 충과 효 등의 유교적 교훈 • 선비의 변함없는 ❷[ ]에 대한 예찬 • 자연 속에서 느끼는 한가로운 삶과 자연에 대한 예찬	• 남녀 간의 사랑과 이별 등 평민들의 진솔한 감정 • 지배 계층에 대한 비판과 풍자 • 삶의 애환
표현	유교적 세계관이나 정신적 품격 등에 대해 비유적, 관념적으로 노래함.	생활과 밀착된 구체적이고 사실적인 표현이 나타나며, 풍자와 해학이 두드러짐.

답 ❶ 평민 ❷ 절개

가 이 몸이 죽어 가서 무엇이 될꼬 하니 ▶ 절개를 지키다 죽은 후 자신의 모습을 가정함.

봉래산(蓬萊山) 제일봉에 낙락장송(落落長松) 되어 있어
　　　　　　가지가 길게 축축 늘어진 큰 소나무 – 화자 ▶ 지조 있는 소나무가 될 것이라고 생각함.

백설이 만건곤(滿乾坤)할 제 독야청청(獨也靑靑)하리라
하늘과 땅에 가득 찰┘ (비유적으로)홀로 절개를 굳세게 지키리라 ▶ 시련 속에서도 꿋꿋하게 절개를 지킬 것을 다짐함.

　　　　　　　　　　　　　　　　　　　　　　　　– 성삼문 **미** , **지**

나 님이 오마 ᄒ거늘 저녁밥을 일 지어 먹고 중
　　화자가 기다리는 대상　　　　　　　일찍

문(中門) 나서 대문(大門) 나가 지방(地方) 우
　　　　　　　　　　　　　문지방 위에 올라가 앉아

희 치드라 안자 이수(以手)로 가액(加額)ᄒ고
　　　　　　손으로 이마를 가리고

오는가 가는가 건넌 산(山) ᄇ라보니 거머흿들 셔 잇거늘 져야 님이로다
　검은 듯 흰 듯한 것이 서 있기에 저것이 임이로구나 – 화자의 착각 ▶ 임이 온다고 하여 저녁을 먹고 임을 기다림.

보션 버서 품에 품고 신 버서 손에 쥐고 곰븨님븨 님븨곰븨 쳔방지방 지방쳔방 즌 듸
　　　　　　　　　　　　　　　　　　　의태어 – 엎치락뒤치락 허둥지둥

ᄆ른 듸 글희지 말고 워렁충창 건너가셔 졍(情)엣말 ᄒ려 ᄒ고 곁눈을 흘긧 보니 상년
　　　　　　　의성어 – 우당탕퉁탕　　　　　정 있는 말 하려고 곁눈을 흘겨 보니

(上年) 칠월(七月) 사흔날 골가 벅긴 주추리 삼대 슬드리도 날 소겨라
　　　　　　　　　　　　삼의 줄기 ▶ 임을 만나러 달려갔으나 착각임을 깨달음.

모쳐라 밤일식만졍 힝혀 낮이런들 뇸 우일 번 ᄒ괘라 ▶ 자신의 행동을 겸연쩍어함.
3음절을 지킴. 　밤이기에 망정이지 낮이었다면 남을 웃길 뻔했구나 → 낙천적, 해학적

　　　　　　　　　　　　　　　　　　　　　– 작자 미상 **동** , **비(박안)**

▶ (가)는 평시조로, 사육신 중 한 명인 성삼문이 왕위를 찬탈한 수양 대군에 맞서 단종의 복위를 꾀하다가 발각되어 처형당할 때 자신의 충절을 노래한 작품이다. 지조와 절개를 지키고자 하는 화자의 강한 의지가 잘 드러난다. (나)는 사설시조로, 임을 기다리는 화자의 모습을 의성어와 의태어를 사용해 행동을 과장하여 묘사함으로써 해학적으로 표현한 작품이다. 임이 오지 않았음을 알고 실망하기보다는 겸연쩍어하는 화자의 모습에서, 사설시조 특유의 낙천적이고 해학적인 태도를 엿볼 수 있다.

(가)와 (나)에 대한 설명으로 적절하지 <u>않은</u> 것은?

① (나)에는 (가)의 형식적 특징을 엄격히 유지한 부분이 있다.

② (가)와 (나) 모두 낙천적이고 해학적인 삶의 태도가 담겨 있다.

③ 형식면에서 (가)는 (나)보다 시대적으로 앞선 시기에 발달하였다.

답 | ②

⑧ 가사

뜻 고려 말기에서 조선 초기에 걸쳐 발생한, 시가와 [❶   ]의 중간 형태를 지닌 문학 양식. 시조와 더불어 조선 시대를 대표하는 문학 갈래임.

> 가사는 형식은 운문 문학에 속하지만 내용은 개인적 정서뿐만 아니라 교훈, 여행의 감상 등을 담은 작품이 많아서 교술 시가로 보기도 해.

형식
- '3·4조, 4·4조'의 음수율을 지닌 4음보의 연속체로 길이에 제한이 없음.
- 마지막 행이 시조의 [❷   ]과 같은 형식인 것을 정격 가사, 그렇지 않은 것을 변격 가사라고 함.

전개
- **조선 전기**: 주로 사대부 계층을 중심으로 향유되어 연군, 강호, 안빈낙도와 자연 친화 등 사대부들의 세계관과 미의식을 드러낸 작품이 많이 등장함.
- **조선 후기**: 사대부들이 현실의 다양한 문제를 가사로 표현하고, 여성들도 창작에 참여하면서 다양한 주제의 작품이 출현함.

종류

은일 가사	벼슬을 떠나 자연 속에서 사는 선비들의 모습이 나타나는 가사
유배 가사	유배지에서의 삶을 다룬 가사. ➡ 임금에 대한 충성된 마음을 호소하는 내용이 많음.
기행 가사	여행의 견문과 감상을 담은 가사
내방 가사	여성들의 생활과 감정을 노래한 가사

답 | ❶ 산문 ❷ 종장

바로 확인

가사에 대한 설명으로 적절하지 <u>않은</u> 것은?

① 3음보의 연속체로 길이에 제한이 없다.
② 시조와 더불어 조선 시대를 대표하는 문학 갈래이다.
③ 초기의 가사는 주로 사대부들이 창작하고 향유하였다.

답 | ①

속미인곡 _정철 동 , 비(박안) , 지

㉮ 뎨 가는 뎌 각시 본 듯도ᄒᆞ더이고

련샹(天上) 빅옥경(白玉京)을 엇디ᄒᆞ야
<small>임금이 있는 한양을 뜻함.</small>

니별(離別)ᄒᆞ고

ᄒᆡ 다 뎌 뎌믄 날의 눌을 보라 가시ᄂᆞᆫ고
▶ '여인 1'의 질문 – 백옥경을 떠난 이유

㉯ 어와 네여이고 이내 스셜 드러 보오

내 얼굴 이 거동이 **님** 괴얌즉 ᄒᆞ가마ᄂᆞᆫ

엇딘디 날 보시고 네로다 녀기실ᄉᆡ

나도 님을 미더 군ᄯᅳ디 젼혀 업서

이리야 교ᄐᆡ야 어ᄌᆞ러이 ᄒᆞ돗던디

반기시는 ᄂᆞᆺ비치 녜와 엇디 다ᄅᆞ신고

누어 싱각ᄒᆞ고 니러 안자 혜여ᄒᆞ니

「내 몸의 지은 죄 뫼ᄀᆞ티 싸혀시니
<small>「 」: 임과 이별한 이유를 자신과 조물주 탓이라고 함. → 운명론적</small>

하ᄂᆞᆯ히라 원망ᄒᆞ며 사ᄅᆞᆷ이라 허믈ᄒᆞ랴
<small>인생관, 임금을 원망하지 않는 신하의 자세</small>

셜워 플텨 혜니 조믈(造物)의 타시로다」
▶ '여인 2'의 대답 – 자책과 체념

㉰ 글란 싱각 마오 ᄆᆞ친 일이 이셔이다
▶ '여인 1'의 위로와 '여인 2'의 대답

㉱ 님을 뫼셔 이셔 님의 일을 내 알거니

믈 ᄀᆞᆮ튼 얼굴이 편ᄒᆞ실 적 몃 날일고
▶ '여인 2' – 임에 대한 염려

▶ 이 작품은 임금을 사모하고 그리워하는 마음을 임과 이별한 여인의 심정에 빗대어 표현한 가사이다. 순우리말의 묘미를 잘 살려 화자의 간절함을 표현했다는 점에서 가사 문학의 백미로 꼽히는 작품이다.

[현대어 풀이]

(가) 저기 가는 저 각시 본 듯도 하구나. / 천상의 백옥경(궁궐)을 어찌하여 이별하고 / 해 다 져 저문 날에 누굴 보러 가시는가?

(나) 어와 너로구나. 내 사정 이야기 들어 보오. / 내 얼굴 이 행동이 임에게 사랑받을 만한가마 / 어쩐지 날 보시고 너로구나 (하며 특별하게) 여기시매 / 나도 임을 믿어 딴 뜻이 전혀 없어 / 응석과 애교를 부리며 지나치게 굴었던지 / 반기시는 얼굴빛이 옛날과 어찌 다르신고? / 누워 생각하고 일어나 앉아 헤아려 보니 / 내 몸의 지은 죄가 산같이 쌓였으니 / 하늘을 원망하며 사람을 탓하겠는가. / 서러워 생각해 보니 조물주의 탓이로다.

(다) 그렇게는 생각하지 마오. / (마음에) 맺힌 일이 있습니다.

(라) 임을 (예전에) 모셔 봐서 임의 일을 내가 잘 알거니 / 물 같은 얼굴(연약한 몸)이 편하실 때 몇 날일까?

다음을 참고할 때, 이 글에 나타난 '님'의 의미를 쓰시오.

> 1585년(선조 18년)에 정철은 나라를 해하려는 무리의 우두머리로 몰려 벼슬을 그만두고 전라도로 낙향하게 된다. 그는 임금에 대한 그리움을 〈속미인곡〉을 통해 드러냈다.

답 | 임금(선조)

9 민요

뜻 예로부터 민중 사이에서 자연스럽게 형성되어 전해오는 [❶] 가요

특징
- 서민들의 생활 감정과 삶이 함축되어 있고, 노동·의식·놀이 등을 위해 부름.
- 3음보와 4음보의 율격을 지닌 노래가 많음.
- 여러 연이 이어진 연속체로 된 긴 노래가 많고, 대개 [❷] 가 붙어 있음.
- 동일한 구조와 후렴구가 반복되어 사람들의 흥을 돋우고 노랫말을 쉽게 [❸] 할 수 있게 하였기 때문에 오랜 시간 사람들 사이에서 불리며 이어져 올 수 있었음.

> 후렴구는 각 연을 나눔으로써 한 편의 노래라는 형식적 동질성을 갖추게 해. 또 운율을 형성하고 흥을 돋우지.

예

   3   3   4
[아리랑∨아리랑∨아라리요] 3·3·4조, 3음보

[아리랑 고개로 넘어간다] ☐ : 매 연마다 반복되는 후렴구
                      (음운 'ㅇ, ㄹ'을 반복하여 운율 형성)

나를 버리고 가시는 님은

십 리도 못 가서 발병 난다
떠나는 임에 대한 원망 → 강한 서정성이 드러남.

                                       – 작자 미상, 〈신아리랑〉 천(박) , 해

답 ❶ 구전 ❷ 후렴구 ❸ 기억

바로확인

민요에 대한 설명으로 적절하지 <u>않은</u> 것은?

① 긴 노래가 많고 대개 후렴구가 붙어 있다.

② 사대부들의 생활 감정과 삶이 함축되어 있다.

③ 민중 속에서 자연 발생하여 오랫동안 전해 오는 구전 가요이다.

답 | ②

정선 아리랑 _작자 미상 비(박영)

정선의 구명은 무릉도원이 아니냐
강원도 정선의 옛 이름은 무릉도원이 아니냐 → 정선은 고려 충렬왕 때 사람이 살기 좋다 하여 '도원'으로 불림.
무릉도원은 어데 가고서 산만 충충하네
　　　　　　　　　여러 겹으로 겹쳐 있네
아리랑 아리랑 아라리요 ┐
　　　　　　　　　　　├ 후렴구
아리랑 고개고개로 나를 넘겨 주게 ┘
▶ 산에 겹겹이 쌓인 정선의 쓸쓸한 모습

명사십리가 아니라면은 해당화가 왜 피며 ▨: 애상감을 심화하는 존재들
함경도에 있는 모래사장
모춘 삼월이 아니라면은 두견새는 왜 우나
늦봄. 음력 3월
아리랑 아리랑 아라리요

아리랑 고개고개로 나를 넘겨 주게
▶ 정선에서 느끼는 애상감
「　」: 서로 사랑하는 처녀와 총각이 불어난 강물 때문에 아우라지를 사이
　　에 두고 서로 바라보며 안타까워했다는 이야기가 전해짐.
정선 북면 여량리에 있는 나루
「아우라지 뱃사공아 배 좀 건네주게
　제철보다 일찍 꽃이 피는 동백
싸릿골 올동백이 다 떨어진다」
아우라지 건너편에 있는 마을
아리랑 아리랑 아라리요

아리랑 고개고개로 나를 넘겨 주게
▶ 사랑하는 임을 만나고 싶은 간절한 마음

▶ 이 작품은 강원도 지역의 민요로, 정선의 지역적 특성 및 지역 사람의 삶의 모습과 정서를 담고 있다. 민요는 구비 전승되는 특징 때문에 내용이 변화하여 연을 추가하여 부르기도 하는데, 〈정선 아리랑〉은 그중에서도 변화·추가된 사설이 매우 다양한 작품이다.

바로확인

이 작품에 대한 설명으로 적절하지 않은 것은?

① 여러 연으로 이어져 구성되어 있다.
② '정선'이라는 특정 지역의 지역적 특성이 드러난다.
③ 연마다 반복되는 후렴구에는 작품의 주제가 담겨 있다.

답 | ③

10 고전 시가의 주제 ①_자연과 함께하는 삶

우리 조상들은 자연 속에서 자연을 가까이하며 즐기는 삶을 살아왔고 이러한 삶의 모습은 수많은 고전 시가에서 드러난다.

> 시적 화자의 가치관, 상황, 현실 인식에 따라 자연 속에서 삶을 누리는 방식이나 자연을 바라보는 태도는 작품마다 조금씩 달라.

유형

- **자연과 물아일체를 지향하는 삶**: 자연을 매개로 자기 수양을 다짐하거나 자연 속에서의 소박한 삶을 긍정하며 ❶ [　　　　]하는 삶을 지향함.

- **부정적 현실을 거부하고 자연에서 은둔하는 삶**: 속세의 부정적 현실과 ❷ [　　　　]하고 이와 대조되는 아름다운 자연에 은둔하며 삶의 만족을 찾음.

- **자연의 삶과 세속적 삶 사이의 갈등**: 자연 속 삶을 지향하면서도 나라의 정치와 임금의 안위를 걱정하는 등, 자연 속에서 살아가는 삶과 현실의 삶 사이에서 겪는 내면적 ❸ [　　　　]을 드러냄.

  > 예 장안(長安)을 도라보니 북궐(北闕)이 천 리(千里)로다.
  >   한양　　　　　　　궁궐(임금이 계신 곳)　　　정서적 거리감
  > 어주(漁舟)에 누어신들 니즌 스치 이시랴.
  >   고기잡이배　　　　　(나랏일을) 잊은 적이 있으랴.
  > 두어라 내 시롬 아니라 제세현(濟世賢)이 업스랴.　　▶ 어부의 생활 중 느끼는
  >   내가 걱정할 일 아니라　세상을 구할 현인이 없겠느냐?　　　세상에 대한 근심과 염려
  >   　　　　　　　　　　 → 우국지정
  > 　　　　　　　　　　　　　　　　　　 – 이현보, 〈어부사〉 중 제5수

  답 ❶ 안빈낙도 ❷ 단절 ❸ 갈등

바로확인

다음 시에서 소개하는 다섯 가지 벗이 무엇인지 모두 쓰시오.

> 내 버디 몃치나 ᄒᆞ니 수석(水石)과 송죽(松竹)이라 / 동산(東山)의 ᄃᆞᆯ 오르니 긔 더옥 반갑고야 / 두어라 이 다ᄉᆞᆺ 밧긔 또 더ᄒᆞ야 머엇ᄒᆞ리
> 　　　　　　　　　　　　　　　　　　 – 윤선도, 〈오우가(五友歌)〉에서 천(이), 동

답 | 수(물), 석(바위), 송(소나무), 죽(대나무), ᄃᆞᆯ(달)

상춘곡 _정극인 천(박), 해

이 나의 생활이 어떠한가? – 자신의 생활에 대한 자부심

홍진(紅塵)에 뭇친 분네 이내 생애(生涯) 엇더ᄒᆞ고
붉은 먼지 – 속세를 비유적으로 이르는 말

녯 사롬 풍류(風流)를 미출가 못 미출가
옛사람과 비교할 때 자신이 즐기는 풍류가 그에 못지않다는 자부심의 표현

천지간(天地間) 남자(男子) 몸이 날만 ᄒᆞᆫ 이 하건마ᄂᆞᆫ
나만한 사람이 많지만

산림(山林)에 뭇쳐 이셔 지락(至樂)을 ᄆᆞᆯ 것가
자연 – 학문을 닦고 풍류를 즐기는 공간

수간모옥(數間茅屋)을 벽계수(碧溪水) 앏픠 두고
몇 칸 안 되는 작은 초가   자연을 즐기는 사람

송죽(松竹) 울울리(鬱鬱裏)예 풍월주인(風月主人) 되여셔라
▶ 서사: 자연에 묻혀 사는 즐거움

엇그제 겨을 지나 새봄이 도라오니

도화행화(桃花杏花)ᄂᆞᆫ 석양리(夕陽裏)예 퓌여 잇고
복숭아꽃, 살구꽃   석양 속

녹양방초(綠楊芳草)ᄂᆞᆫ 세우 중(細雨中)에 프르도다
푸른 버드나무와 향기로운 풀   가랑비 속

칼로 몰아 낸가 붓으로 그려 낸가
봄날의 아름다운 풍경에 대한 감탄

조화신공(造化神功)이 물물(物物)마다 헌ᄉᆞ롭다
모든 사물마다 야단스럽다

수풀에 우ᄂᆞᆫ 새ᄂᆞᆫ 춘기(春氣)를 믓내 계워 소리마다 교태(嬌態)로다
봄기운을 이기지 못해 우는 새에 화자의 감정을 이입함.

물아일체(物我一體)어니 흥(興)이이 다룰소냐

시비(柴扉)예 거러 보고 정자(亭子)애 안자 보니
사립문

소요음영(逍遙吟詠)ᄒᆞ야 산일(山日)이 적적(寂寂)ᄒᆞᆫ듸 (하략)
슬슬 거닐며 나지막이 시를 읊조림.   ▶ 본사(일부): 봄 경치 감상과 산중 생활의 즐거움

▶ 이 작품은 정극인이 벼슬에서 물러나 고향인 태인에 머물면서 봄의 경치 속에서 느끼는 흥취를 노래한 작품으로, 조선 전기 사대부 가사의 대표작이다. '봄을 맞아 경치를 구경하며 즐기는 노래(상춘곡)'라는 제목 그대로 자연과 하나가 되는 물아일체의 경지와 강호가도를 표현하였다.

바로 확인

이 시를 감상하며 떠올릴 수 있는 화자의 모습으로 적절하지 않은 것은?

① 붉은 먼지를 뒤집어 쓴 채 농사일을 하는 모습

② 자연 속에서 천천히 거닐며 시를 읊조리는 모습

③ 푸른 시냇물이 보이는 초가집에서 자연을 즐기는 모습

답 | ①

11 고전 시가의 주제 ②_사랑과 이별

임에 대한 그리움, 임을 기다리는 마음, 임의 부재에서 느끼는 슬픔, 이별의 정한 등을 노래한 작품들이 고대 가요에서부터 민요에 이르기까지 폭넓게 분포한다.

> 화자는 슬픔과 그리움을 직접적으로 표출하기보다는 감추고 인내하는 수동적이고 전통적인 여성의 모습으로 드러나는 경우가 많아.

예

흥을 돋우기 위한 여음

가시리 가시리잇고 나는 / 바리고 가시리잇고 나는
가시렵니까 가시렵니까   바리고 가시렵니까 → 원망에 찬 애원

위 증즐가 大平盛代(대평셩대) //
후렴구(조흥구, 여음구)

날러는 엇디 살라 ᄒ고 / 바리고 가시리잇고 나는
날더러는 어찌 살라 하고   바리고 가시렵니까 → 원망의 고조

위 증즐가 大平盛代(대평셩대)   ▶ 이별의 정한

– 작자 미상, 〈가시리〉 천(박) , 천(이) , 비(박안) , 신 , 지 , 해

열 마리가 넘게

개를 여라믄이나 기르되 요 개ᄀᆞ치 얄믜오랴.
원망의 대상 → 오지 않는 임에 대한 원망을 개에게 전가함.

뮈온 님 오며는 ᄭᅩ리를 홰홰 치며 ᄲᅱ락 ᄂᆞ리ᄲᅱ락 반겨셔 내ᄃᆞᆺ고 고온 님 오며
미워하는   뛰어올랐다 내리뛰었다   실제 원망의 대상

ᄂᆞᆫ 뒷발을 버동버동 므르락 나으락 캉캉 즈져셔 도라가게 ᄒᆞᆫ다.
물러섰다가 나아갔다가

쉰밥이 그릇그릇 난들 너 머길 줄이 이시랴.   ▶ 임을 기다리는 안타까운 마음

– 작자 미상 미 , 신

바로 확인

다음 시에서 화자의 분신과 같은 대상을 찾아 3음절로 쓰시오.

> 묏버들 굴히 것거 보내노라 님의손디 / 자시는 창밧긔 심거 두고 보쇼셔 / 밤비예 새닙곳
> 나거든 나린가도 너기쇼셔
>
> – 홍랑 금

답 | 묏버들

동지ㅅ둘 기나긴 밤을 _황진이 미 . 비(박안) . 비(박영) . 신 . 지

동지(冬至)ㅅ둘 기나긴 밤을 한 허리를 버혀 내어
　　　임이 부재한 부정적 시간　　　　추상적 개념(밤)을 구체적 사물로 형상화함.
　▶ 동짓달 밤 한가운데를 베어 냄.

춘풍(春風) 니불 아레 서리서리 너헛다가
봄바람처럼 따뜻하고 포근한 이불　　　↕ 대조
　▶ 베어 낸 시간을 이불 아래 넣어 둠.

어론 님 오신 날 밤이여든 구뷔구뷔 펴리라
정분을 맺은 임　└ 임과 함께하는 긍정적 시간　☐: 우리말의 묘미를
　　　　　　　　　　　　　　　　살린 음성 상징어
　▶ 임이 오신 날, 베어 둔 시간을 펼치고 싶음.

▶ 이 작품은 임을 기다리는 여인의 간절한 마음을 참신한 비유로 형상화한 시조이다. 추상적 개념인 시간('밤')을 구체적 사물로 형상화하여 시간의 한가운데를 잘라서 이불 아래에 넣어 두었다가 임이 오면 펴내겠다는 발상이 작품 전체에 신선한 느낌을 불어넣고 있다. '서리서리'와 '구뷔구뷔' 같은 우리말 의태어를 절묘하게 구사한 점에서 섬세한 감각이 돋보인다.

바로 확인

이 시에 대한 감상으로 적절하지 않은 것은?

① 우리말의 아름다움을 시적 언어로 잘 형상화하였어.

② 초장의 '밤'과 종장의 '밤'의 이미지가 대비를 이루고 있어.

③ 추상적 개념을 구체적 사물로 형상화하여 오지 않는 임에 대한 원망을 표현하였어.

답|③

고전 시가의 주제 ③_유교적 가치

1. 충효(忠孝)

뜻 '충'은 신하가 임금에게 충성을 다하는 것이고, '효'는 자식이 부모에게 정성껏 공경하는 것을 의미함.

> 유교에서는 임금을 나라의 부모로 생각했기 때문에 충과 효를 같은 것으로 보았어.

보충 **충(忠)과 관련된 개념**

- **연군지정(戀君之情):** [❶]을 향한 변함없는 사랑
- **충신연주지사(忠臣戀主之詞):** 충성스러운 신하가 임금을 그리워하며 부른 노래. '임금–신하'의 사회적 관계를 '남성–[❷]'의 개인적 관계로 표현함.
- **회고가(懷古歌):** 고려가 망한 뒤, 고려의 충신들이 과거를 생각하며 지은 작품
- **절의가(節義歌):** 임금이나 나라에 대한 충성과 의리를 노래한 작품
- **사군자(四君子):** '매화, 난초, 국화, [❸]'로, 우리 문학에서 충의 관습적 상징으로 사용됨.

2. 애민(愛民) 정신

뜻 임금과 신하가 백성을 자식처럼 돌보고 사랑해야 한다는 뜻. 유교에서는 덕으로 나라를 다스리고, 지배층이 백성에게 모범을 보여야 한다고 강조하였음.

답 │ ❶ 임금 **❷** 여성 **❸** 대나무

바로 확인

다음 빈칸에 들어갈 알맞은 말을 차례로 쓰시오.

> 유교에서는 특히 신하가 임금을 사랑하고 정성껏 모시는 [   ]과, 자식이 부모를 사랑하고 정성껏 모시는 [   ]를 중요한 가치로 여겼다.

답 │ 충(忠), 효(孝)

휘어진 대나무 → 새 왕조의 압박을 견디는 고통

가 눈 마즈 휘여진 디를 뉘라셔 굽다턴고
　　시련　　　　　　　굽었다고 했던가 → 변절했다고 했던가

　구블 절(節)이면 눈 속의 프를소냐
　　굽힐 절개　　　　　　푸르겠는가(설의법) → 절개를 굽히지 않는 지조

　아마도 세한 고절(歲寒孤節)은 너쑌인가 ᄒ노라
　　　　　한겨울의 추위도 이겨 내는 절개　대나무(의인법)

▶ 고려 왕조에 대한 굳은 지조

　　　　　　　　　　　　　　　　　　　– 원천석　비(박영)

나 천년(千年) 노룡(老龍)이 구비구비 서려 이셔,
　　중의법 – ① 화룡소의 물 ② 화자 자신

　듀야(晝夜)의 흘녀 내여 창희(滄海)예 니어시니,
　　　　　　　　　　　넓고 큰 바다

　풍운(風雲)을 언제 어더 삼일우(三日雨)를 디련ᄂᆞᆫ다.
　　선정(좋은 정치)을 베풀 수 있는 기회　선정. 임금의 은총 비유

　음애(陰崖)예 이온 플을 다 살와 내여스라.
　　굴주린 백성들

▶ 선정을 베풀고 싶은 포부와 애민정신

[현대어 풀이]
(나) 마치 천 년 묵은 늙은 용이 굽이굽이 서려 있는 것 같은 화룡소의 물이 / 밤낮으로 흘러 내어 넓은 바다에 이었으니 / (바람과 구름을 타고 승천하여 비를 뿌리는 전설 속의 용처럼) 바람과 구름을 언제 얻어 흡족한 비를 내리려느냐? / 그늘진 낭떠러지에 시든 풀을 다 살려 내려무나.

　　　　　　　　　　　　　　　　　　– 정철, 〈관동별곡〉　천(이)，금，신

▶ (가)는 고려 말에 작가가 시류에 영합하는 무리들의 회유에 동요되지 않고 끝까지 지조를 지키고자 하는 의지를 표현한 평시조이다. 충신은 두 임금을 섬길 수 없다는 지조와 충절을 담은 절의가에 해당한다. (나)는 작가가 강원도 관찰사로 임명된 후 금강산과 관동 팔경을 유람하며 그 경치에 대한 감탄과 정감을 노래한 가사이다. 제시된 부분에서 화자는 '삼일우'를 내려 '플', 즉 백성을 살려 내고 싶다고 하며 애민 정신과 선정을 베풀고자 하는 의지를 밝히고 있다.

바로 확인

(가), (나)를 감상한 내용으로 적절하지 않은 것은?

① (가)는 '디(대나무)'에 빗대어 화자의 굳은 절개와 의지를 표현하고 있다.

② (나)의 '플(풀)'은 화자가 부정적으로 여기는 대상이다.

③ (가), (나)에는 모두 유교적 관념이 반영되어 있다.

답｜②

13 고전 시가의 주제 ④_부정적 현실과 백성들의 삶

1. 탐관오리들에 대한 비판

탐관오리는 백성의 ❶〔   〕을 탐내어 빼앗는, 행실이 깨끗하지 못한 관리를 뜻한다.

사회가 혼란했던 고려 말이나 조선 후기에 쓰인 시가에는 탐관오리에 대한 비판을 담은

시가가 많이 등장한다.

보충 탐관오리와 관련된 한자 성어

- 가렴주구(苛斂誅求): 가혹하게 세금을 거두거나 백성들의 재물을 억지로 빼앗음.
- 가정맹어호(苛政猛於虎): 가혹한 ❷〔   〕는 호랑이보다 무서움.

    예 <u>새로 짜낸 무명이 눈결같이 고왔는데</u>
       _{무명을 짠 농민의 기쁨}
    이방 줄 돈이라고 황두가 **뺏어** 가네.
       _{지방 관리   부패한 관리의 횡포}

    – 정약용, 〈탐진촌요〉

2. 삶의 고뇌와 시름

고전 시가에는 일상적 삶을 소재로 삶의 고뇌와 시름을 담아 낸 작품들이 있다. 사회적

약자였던 ❸〔   〕들은 시름과 고달픔을 시가에 담아 토로하였다.

> 남성 중심의 가부장제가 강화되면서 부녀자의 도리를 강요받으며 힘든 삶을 살아간 여성들이 많았는데, 규방 가사와 민요에서 이들의 고달픔을 다룬 작품들을 찾아볼 수 있어.

예 귀먹어서 삼 년이요 눈 어두워 삼 년이요,

말 못 해서 삼 년이요 <u>석삼년</u>을 살고 나니,
              _{9년}
「배꽃 같은 요내 얼굴 호박꽃이 다 되었네.」┌ ┐ 결혼 전과 후의 모습을 대조하여 시집
                                    살이의 고충을 토로함.

삼단 같은 요내 머리 비사리춤이 다 되었네.
_{삼을 묶은 것처럼 탐스럽던}
백옥 같던 요내 손길 오리발이 다 되었네」   ▶ 고된 시집살이의 괴로움
              _{'거친 손'을 비유함.}

    – 작자 미상, 〈시집살이 노래〉

답 ❶ 재물 ❷ 정치 ❸ 여성

가 `두터비` 파리를 물고 두험 우희 치다라 안자
　힘없는 백성, 피지배층

　검년산 바라보니 `백송골(白松骨)`이 떠 잇거늘 가슴이 `금즉하여` 풀덕 뛰여 내닷다가
　탐관오리, 부패한 양반, 권력자　　　　중앙 관리, 외세　　　　　　섬뜩하여

두험 아래 `잣바지거고`」「 」: 약자에게 강하고 강자에게는 약한 두꺼비의 모습을 희화화하여 표현함.
　　　　　자빠졌구나

　모쳐라 날낸 낼식만졍 에헐질 번 하괘라　　　　▶ 탐관오리의 횡포와 허장성세 풍자
　화자가 두꺼비로 전환됨. → 약점을 감추기 위해 허세를 부리는
　　　　　　　두꺼비의 자화자찬, 허장성세　　　　　　　　– 작자 미상　비(박영)

나 창(窓) 내고쟈 창(窓)을 내고쟈 이내 가슴에 창(窓) 내고쟈
　답답함을 해소해 주는 매개체　　　　　화자의 가슴을 꽉 막힌 방에 비유함.

　고모장지 셰살장지 들장지 열장지에 암돌져귀 수돌져귀 비목걸새 크나큰 쟝도리로
　　　　　　　장지문의 종류와 그 부속품들을 길게 나열함.(열거법)

둑닥 바가 이내 가슴에 창(窓) 내고쟈

　잇다감 하 답답홀 제면 여다져 볼가 ㅎ노라　　　　▶ 삶의 답답함에서 벗어나고 싶은 마음
　이따금　몹시

　　　　　　　　　　　　　　　　　　　　　　　– 작자 미상　천(이), 창

▶ (가)는 두꺼비를 의인화하여 지배 계층의 허위와 수탈을 우의적으로 드러낸 사설시조이다. 종장에서 화자를 두꺼
비로 바꾸어 허세를 부리는 태도를 드러냄으로써 풍자의 효과를 높이고 있다. (나)는 서민들의 생활 감정을 진솔
하게 표현한 사설시조이다. 화자는 가슴에 창을 낸다는 참신한 발상을 통해 현실의 답답함을 해소하고자 하는 소
망을 드러내고 있다.

바로 확인

(가), (나)를 감상한 내용으로 적절하지 않은 것은?

① (가)는 대상을 과장하고 왜곡함으로써 웃음을 유발하고 있다.

② (가)의 '두터비'는 서민을, '파리'는 탐관오리를, '백송골'은 외세 또는 중앙 관리
　를 비유한 소재로 볼 수 있다.

③ (나)는 삶의 고달픔에서 벗어나고 싶은 심정을 '가슴'에 '창'을 낸다는 발상을 통
　해 형상화하고 있다.

답 | ②

고대	천지 창조나 국가의 기원에 관한 [❶]들이 형성됨.

↓

삼국 시대~ 통일 신라 시대	신화뿐 아니라 전설, 민담과 같은 다양한 설화 문학이 구비 전승됨.

↓

고려 시대	• 구비 전승되던 설화가 문자로 정착되어 《삼국사기》, 《삼국유사》에 수록되어 전해짐. • 가전체 작품이 활발하게 창작되었으며 패관 문학이 발전함.

↓

조선 전기	• 설화, 패관 문학, 가전체 등을 계승한 고전 소설이 창작됨. • 김시습이 한문 소설〈❷ 〉를 창작하여 이후 소설 발달의 전기를 마련함.

↓

조선 후기	한글을 해독하는 독자층이 증가하고 출판업과 세책업이 발달함에 따라 다양한 주제의 [❸] 소설이 크게 번성함.

↓

개화기 이후	신소설의 등장, 근대적인 사상과 문물의 도입, 서구의 소설 기법 수용 등을 거쳐 발전한 현대 소설은 내용과 형식의 측면에서 이전의 소설과는 다른 면모를 보여 줌.

답| ❶ 신화 ❷ 금오신화 ❸ 한글

바로확인

다음 설명이 맞으면 O표, 틀리면 X표를 하시오.

(1) 구비 전승되던 설화는 삼국 시대에 이르러 문자로 기록돼 전한다. ·········(   )

(2) 조선 시대에는 여성과 평민층이 한글 소설을 활발히 향유하면서 민중의 삶과 정서가 담긴 작품이 다수 창작되었다. ································(   )

(3) 개화기 이후 소설은 근대적인 사상과 문물이 도입되고 서구의 소설 기법이 수용돼 이전의 소설과 다른 면모를 보이게 되었다. ················(   )

답| (1) X (2) O (3) O

가 도미에게는 아름답고 절개가 굳은 아내가 있었다. 왕이 이 말을 듣고 그 정절을 시험하려고 도미의 아내에게 찾아가 궁인으로 맞아들이겠다고 했다. 도미의 아내는 겉으로 순종하는 체하고 여종을 대신 보냈다. 그 뒤 왕은 속은 것을 알고 노하여 도미의 두 눈을 멀게 한 뒤 작은 배에 실어 강물에 띄워 보내고, 도미의 아내를 궁으로 잡아들였다. 남편의 상황을 알게 된 도미의 아내는 이번에도 역시 순종하는 척하다가 궁에서 도망쳤다. 그리고 남편을 찾아 조각배를 타고 멀리 떠나 천성도에 이르러 도미를 만났다.

― 《삼국사기》(김부식) 가운데 〈도미의 아내〉의 줄거리 천(박)

나 남원 부사의 아들 이몽룡은 퇴기 월매의 딸 춘향과 사랑에 빠지나 아버지의 일로 이몽룡이 한양을 떠나게 되어 두 사람은 이별한다. 그 후, 남원 부사로 부임한 변학도가 춘향을 불러내어 수청을 강요한다. 하지만 춘향은 수청 요구를 거부하고 결국 옥에 갇혀 고초를 겪는다. 한편 이몽룡은 전라도 어사가 되어 남원에 내려와 어사 출도를 하여 변학도와 탐관오리를 징벌한다. 춘향과 이몽룡은 재회하고, 춘향이 이몽룡의 정실부인이 되어 함께 한양으로 올라가 행복한 일생을 보낸다.

― 〈춘향전〉의 줄거리 천(박), 금, 동, 신, 지, 창, 해

▶ (가)는 남편 도미에 대해 정절을 지킨 열녀인 도미에 관한 설화의 줄거리이다. (나)는 남원 부사의 아들 이몽룡과 기생의 딸 춘향의 신분을 초월한 사랑 이야기를 담은 판소리계 소설 〈춘향전〉의 줄거리이다. (가)와 (나)는 공통적으로 여자가 시련 속에서 정절을 지키는 내용, 권력자가 평민의 여자를 빼앗으려 하는 내용을 담고 있다.

바로 확인

한국 문학의 흐름을 고려하여 (가), (나)를 감상한 내용으로 적절하지 않은 것은?

① (가), (나)에 등장하는 권력자는 모두 여성 주인공의 정절을 짓밟으려 한다.

② (가), (나)에 등장하는 여성 주인공은 모두 정절을 지켜 내지 못했다.

③ (가)는 (나)의 내용에 영향을 미쳤을 것이다.

답 ②

15 설화(신화, 전설, 민담)

뜻 한 민족 사이에서 구전되어 온 이야기로, 구전에 적합한 단순하고 간편한 형식을 가진 꾸며 낸 이야기

> 설화는 일정한 서사 구조를 가지고 있으며, 꾸며 낸 이야기라는 점에서 서사 문학의 근원이 돼.

종류 설화의 종류와 특징

	❶	❷	❸
전승 범위	국가	지역	세계
전승자의 태도	'신성하다'고 믿음.	'진실하다'고 믿음.	'흥미롭다'고 여김.
주인공	신적인 존재이며, 초능력을 발휘함.	비범한 인물	평범한 인간이지만, 운명을 개척해 나감.
배경	아득한 옛날, 신성한 장소	구체적인 시간과 장소	뚜렷한 시간과 장소가 없음.
증거물	광범위한 증거(우주, 국가)	구체적 증거(바위, 개울)	구체적 증거물이 없음.
결말	위대한 승리	비극적 결말	행복한 결말

답 ❶ 신화 ❷ 전설 ❸ 민담

바로 확인

설화에 대한 설명으로 적절하지 않은 것은?

① 그 성격에 따라 신화, 전설, 민담으로 나눌 수 있다.
② 위대한 인물의 일생을 증거와 함께 기록한 문학이다.
③ 설화를 공유하는 민족의 생활 감정과 풍습을 반영한다.

답 | ②

주몽 신화 _작자 미상 금 , 해

가 「금와가 괴이하게 여겨 유화를 방 안에 남몰래 가두었더니 햇빛이 비추었다. 그녀가
「 」: 난생을 통한 기이한 출생 하백의 딸 – 주몽의 모계는 물의 신임.(고귀한 혈통)
피하자 햇빛이 따라와 또 비추었다. 이로 말미암아 임신하여 알을 하나 낳았는데 크기
주몽이 햇빛의 정기를 받고 태어났음을 뜻함.
가 다섯 되쯤 되었다..왕이 알을 개와 돼지에게 던져 주었지만 모두 먹지 않았고, 길에
주몽의 첫 번째 위기
다 버렸으나 말과 소가 피해 갔으며, 들판에 버리니 새와 짐승이 덮어 주었다. 왕은 알
조력자(새와 짐승)의 도움으로 위기를 극복함.
을 깨뜨리려고 했지만 깨지지 않았으므로 유화에게 돌려주었다. 유화가 천으로 알을
부드럽게 감싸 따뜻한 곳에 두자 아이가 껍질을 깨고 나왔는데 골격과 겉모습이 영특
난생 모티프
하고 기이했다.

겨우 일곱 살에 용모와 재략이 비범했으며, 스스로 활과 화살을 만들어 백 번 쏘아 백
주몽의 비범함, 영웅적 면모
번 맞추었다. 나라의 풍속에 활 잘 쏘는 사람을 주몽이라 했으므로 이로써 이름을 삼았다.
당시 부여에서 활쏘기를 중요한 능력으로 여겼음을 알 수 있음.   ▶ 비범한 능력을 지닌 주몽이 탄생함.

나 "나는 천제의 아들이자 하백의 손자다. 오늘 도망치는데 뒤쫓는 자들이 가까이 오고
물을 건너기 위해 고귀한 혈통을 내세움.
있으니 어떻게 하면 좋겠는가?"

그러자 물고기와 자라가 다리를 만들어 주어 건너게 했다. 그러고는 다리를 풀었으
조력자
므로 뒤쫓던 기병은 건너지 못했다. 졸본주에 이르러 마침내 도읍을 정했으나, 미처 궁
궐을 짓지 못하고 비류수 가에 초가집을 지어 살면서 국호를 고구려라고 했다. 이에 고
고구려를 건국함.
(高)를 성씨로 삼았는데, 그때 주몽의 나이 열두 살이었다.
▶ 주몽이 위기를 극복하고 고구려를 세워 왕이 됨.

▶ 이 작품은 고구려의 건국 신화로, 난생·천손 하강형·천부 지모형 모티프가 나타난다. 영웅 서사 문학의 기본적인
틀을 잘 갖추고 있으며 후대의 영웅 일대기 구조의 소설에 영향을 준 작품이다.

바로확인

이 글에 대한 설명으로 가장 적절한 것은?

① 한자로 창작되어 전해지는 작품이다.

② 고구려 사람들에게 민족적 자긍심을 높여 주었을 것이다.

③ 인물이 알에서 태어났다는 것은 그가 허구적 인물임을 드러내기 위한 장치이다.

답 | ②

16 고전 소설 ①_개념과 특성

뜻 ❶ _____ (1894년) 이전까지 창작된 옛 소설

특징

권선징악적 주제	주제는 '권선징악'과 '인과응보'가 주류를 이루며 대체로 행복한 결말로 끝맺음.
일대기적 구성	주인공의 출생부터 죽음에 이르기까지 한평생의 이야기를 시간의 흐름에 따라 서술함.
평면적 인물, 전형적 인물	성격의 변화가 없는 평면적 인물, 특정 신분이나 집단을 대변하는 ❷ _____ 인물이 등장함.
우연성	사건의 전개에 개연성이 부족하고 우연히 사건이 벌어짐.
비현실성	현실에서는 일어나기 어려운 사건들이 일어남.

고전 소설의 특징으로 '전기적' 요소를 꼽기도 해. 도술을 부리는 것처럼 기이하고 비현실적인 요소가 나타나는 걸 말하는데 현대 소설에서는 보기 힘든 특징이야.

예 〈최척전〉에 드러난 우연성

- 최척이 우연히 명나라 장수 여유문을 만남.
- 헤어졌던 최척과 옥영이 안남(베트남)에서 우연히 재회함.

→ 고전 소설의 ❸ _____

답 ❶ 갑오개혁 ❷ 전형적 ❸ 우연성

바로 확인

고전 소설의 특징으로 적절하지 않은 것은?

① 시간의 흐름에 따라 사건이 전개된다.

② 현실에서는 일어나기 어려운 기이한 일들이 일어난다.

③ 입체적이고 개성적인 인물들이 등장하여 갈등을 진행시킨다.

답 | ③

심청전 _작자 미상 미

[앞부분 줄거리] 장님 심학규는 늦은 나이에 딸 심청을 얻었으나 산후 7일 만에 아내가 죽자 온갖 고생을 하며 딸을 기른다. 심청은 아버지를 정성껏 봉양한다. 어느 날 심 봉사는 물에 빠지는 사고를 당하고, 이때 자신을 구해 준 몽운사 화주승에게 공양미 삼백 석을 시주하면 눈을 뜰 수 있다는 말을 듣고 시주를 약속한다. 뒤늦게 이 일을 후회하며 근심하는 아버지를 위해 심청은 남경 뱃사람들에게 공양미 삼백 석을 받고 인당수 제물이 되기로 한다.

효녀의 전형적 인물상

민간 신앙-인신공희 사상

심청이 여쭙기를,

"제가 못난 딸자식으로 아버지를 속였어요. 공양미 삼백 석을 누가 저에게 주겠어요. 남경 뱃사람들에게 인당수 제물로 몸을 팔아 오늘이 떠나는 날이니 저를 마지막 보셔요."

심 봉사가 이 말을 듣고,

"참말이냐, 참말이냐? 애고 애고, 이게 웬 말인고? 못 가리라, 못 가리라. 네가 날더러 묻지도 않고 네 마음대로 한단 말이냐? 네가 살고 내가 눈을 뜨면 그는 마땅히 할 일이나, 자식 죽여 눈을 뜬들 그게 차마 할 일이냐?"

심청의 말을 믿고 싶지 않은 심 봉사의 심정

[뒷부분 줄거리] 인당수에 몸을 던진 심청은 용왕에게 구출되고 이후 연꽃 속에 들어가 세상에 환생한다. 뱃사람들이 그 연꽃을 신기하게 생각해 임금에게 바치고 임금은 그 속에서 나온 심청을 아내로 맞이한다. 황후가 된 심청이는 아버지를 그리워하다 심 봉사를 다시 만나기 위해 맹인 잔치를 벌이고, 부녀가 마침내 재회하며 심 봉사는 눈을 뜬다.

비현실적 사건 전개

행복한 결말: 인물의 성격이 작품 처음부터 끝까지 변하지 않음(평면적 인물)

▶ 제시된 부분은 심청이 아버지의 눈을 뜨게 하기 위해 남경 상인에게 팔려 가며 아버지와 이별하는 비극적인 장면이다. 이 작품은 심청이 공양미 삼백 석에 팔려 인당수 제물이 될 때까지의 전반부와 환생하여 황후가 되어 아버지를 만나고 아버지가 눈을 뜨는 후반부로 나눌 수 있다. 전반부에서는 부모에 대한 효라는 윤리적 가치가, 후반부에서는 인과응보라는 주제 의식이 잘 드러난다.

바로 확인

이 글의 특징으로 적절하지 않은 것은?

① 사건의 흐름을 뒤바꾸어 사건을 구성한다.

② 착한 주인공이 어려움을 극복하고 복을 받는다.

③ 현실에서는 일어나기 어려운 비현실적인 사건이나 상황이 전개된다.

답ㅣ①

17 고전 소설 ②_유형

1. 영웅·군담 소설: 전쟁에서 주인공이 활약하는 모습을 다룬 소설 유형으로, 주인공은 영웅의 **❶** 구조에 부합하는 삶을 사는 경우가 많음. 예 〈유충렬전〉

2. 애정 소설: 남녀 간의 사랑을 주제로 하는 소설로, 대개 주인공들이 시련을 극복하고 사랑의 결실을 맺는 구조로 이루어짐. 예 〈숙향전〉

3. 가정 소설: 가족 구성원의 다툼과 극복을 다룬 소설 유형으로, 새어머니가 전 부인의 자녀들을 학대하거나 처와 첩이 갈등하는 내용이 주로 등장함. 예 〈사씨남정기〉

4. 몽자류 소설: 주인공이 꿈속에서 새로운 삶을 체험한 뒤 꿈에서 깨어나 깨달음을 얻는 이야기로, 제목에 '몽(夢)' 자가 붙음. 예 〈구운몽〉

5. 판소리계 소설: 판소리 사설이 독서의 대상으로 전환되면서 형성된 소설 유형으로, **❷** 에서 비롯된 문체와 수사적 특징, 세계관을 보여 줌. 예 〈춘향전〉

> 판소리는 양반층과 평민층이 모두 즐겼기 때문에 판소리계 소설의 주제나 표현에는 이중적인 특성이 드러나.

답 ❶ 일대기 ❷ 판소리

바로 확인

1. 판소리 사설의 영향을 받아 소설로 정착된 고전 소설의 유형은?
2. 전쟁에서 주인공이 활약하는 모습을 다루고 있는 고전 소설의 유형은?

답 | 1. 판소리계 소설 2. 영웅·군담 소설

허생전 _박지원 천(박) , 비(박안) , 지

가 "내가 집이 가난해서 무얼 좀 해 보려고 하니, 만 냥(兩)을 꿰어 주시기 바랍니다."
　　　　　　　　　　　　　　　　　　　　　　　　　　허생의 당당한 태도와 대범함
　변 씨는 / "그러시오." / 하고 당장 만 냥을 내주었다. 허생은 감사하다는 인사도 없이
　　　　　변 씨의 대담한 성격　　　　　　　　　　　　　　　　　범상치 않은 허생의 태도
가 버렸다. 변 씨 집의 자제와 손들이 허생을 보니 거지였다.　　　▶ 변 씨에게 만 냥을 빌린 허생
　　　　　　초라한 행색 – 몰락한 양반의 모습

나 허생은 만 냥을 입수하자, 다시 자기 집에 들르지도 않고 바로 안성(安城)으로 내려
　　　허생의 장사 밑천
갔다. 안성은 경기도, 충청도 사람들이 마주치는 곳이요, 삼남(三南)의 길목이기 때문
　　　　　　　　　　　　　　　　　　　　　　　충청도, 경상도, 전라도
이다. 거기서 대추, 밤, 감, 배며 석류, 귤, 유자 등속의 과일을 모조리 두 배의 값으로 사
　　　　　　　　　　　　　　　　　　　　　　과일을 매점매석함.
들였다. 허생이 과일을 몽땅 쓸었기 때문에 온 나라가 잔치나 제사를 못 지낼 형편에 이
르렀다. 얼마 안 가서, 허생에게 두 배의 값으로 과일을 팔았던 상인들이 도리어 열 배
의 값을 주고 사 가게 되었다. 허생은 길게 한숨을 내쉬었다.

　"만 냥으로 온갖 과일의 값을 좌우했으니, 우리나라의 형편을 알 만하구나."
　　조선의 취약한 경제 기반과 양반들의 허례허식을 비판하려는 의도가 담겨 있음.　　▶ 매점매석으로 큰돈을 번 허생

▶ 이 작품은 허생이라는 영웅적 면모를 지닌 인물을 통해 당대 사회의 경제적·사회적 제도의 취약점과 모순, 지배
　계층인 사대부의 무능과 허례허식을 풍자한 한문 소설·풍자 소설이다. 뒷부분에서는 허생이 군도를 이끌고 빈
　섬에 들어가는 내용을 통해 열악한 사회 현실에 대한 비판과 이용후생의 실천을 강조하며, 허생이 이완 대장에게
　시사 삼책을 제시하나 이완이 이를 받아들이지 않는 내용을 통해 의미 없는 북벌론만을 내세우는 무능한 양반 계
　층을 비판하고 있다.

바로 확인

이 글에서 알 수 있는 당시 사회의 모습으로 적절하지 않은 것은?

① 조선의 경제 구조가 매우 취약하였다.

② 과일은 양반들의 제사에 중요한 품목이었다.

③ 물건을 독점하는 행위가 전국에서 성행하였다.

답 | ③

18 영웅의 일대기 구조

뜻 일대기란 어느 한 사람의 [❶]을 적은 기록으로, 영웅 일대기 구조는 영웅적 인물의 일생을 다룬 이야기에서 나타나는 공통된 서사 구조를 말함.

고귀한 [❷]을 지니고 탄생함.	→	기이한 출생 배경을 지님.	→	비범한 능력을 지님.	→	어려서 시련을 겪음.

→	'구출자, 양육자'(조력자)의 도움으로 고비를 넘김.	→	자라서 다시 위기를 맞음.	→	위기를 [❸]하고 위대한 업적을 달성함.

특징
- 한국 문학에서 영웅 서사 문학의 기본 구조가 됨.
- 신화, 영웅 서사시, 영웅 소설, 신소설 등에서 두루 나타남.

> 조선 후기 영웅 소설은 〈유충렬전〉, 〈조웅전〉 등으로 이어지면서 큰 인기를 누렸으며, 〈박씨전〉, 〈홍계월전〉 등 여성의 영웅적 활약을 다룬 작품들이 영웅 소설의 한 흐름을 형성했어.

예 <u>명나라 고관인 유심은 늦은 나이에 산천에 기도하여</u> <u>신이한 태몽을 꾸고 충렬</u>
영웅의 일대기 구조 – ① 고귀한 혈통   ② 비정상적 출생
을 낳는다. <u>충렬은 어려서부터 탁월한 골격과 뛰어난 능력을 지녔다.</u> 간신 정
③ 비범한 능력
한담은 누명을 씌워 유심을 귀양 보내고 충렬 모자(母子)마저 죽이려 하나「충
④ 유년기의 위기
렬은 간신히 위기를 넘기고 강희주의 사위가 된다. 강희주마저 정한담에 의해
「 」: ⑤ 조력자의 도움으로 고비를 넘김.   조력자
귀양을 가게 되고 충렬은 아내와 헤어져 광덕산의 도승을 만나 도술을 배운다.」
조력자
<u>정한담이 반란을 일으켜 나라가 위기에 처하자</u>「충렬이 천자를 구하고 반란군
⑥ 성장 후의 위기
을 진압하여 황후·태후·태자를 구출한다. 이어 유배지에서 고생하던 아버지
와 장인을 구한 뒤 아내와 함께 부귀영화를 누린다.」「 」: ⑦ 고난 극복과 승리

– 작자 미상, 〈유충렬전〉 [지] [해]

[답] ❶ 일생 ❷ 혈통 ❸ 극복

홍계월전 _작자 미상 비(박영), 미

[앞부분 줄거리] 명나라 때 이부 시랑(吏部侍郞) 홍무는 나이가 사십이 되도록 자식이 없었으나 <u>부인</u>
<u>양 씨의 꿈에 선녀가 나타난 후 딸 계월을 얻게 되었는데</u> 이 아이를 남장하여 공부를 시키니 대단히 총
_{영웅의 일대기 구조 – ① 고귀한 혈통}
명하였다. <u>계월이 다섯 살 때, 장사랑의 반란이 일어나 난리 속에 부모와 헤어져 죽을 위기에 처했으나</u>
_{② 비정상적 출생}   _{③ 비범한 능력}
<u>여공의 도움으로 목숨을 건진다.</u> 여공은 계월을 자신의 아들 보국과 함께 곽 도사에게 보내 가르침을
_{④ 유년기의 위기}
받게 한다. 또 다시 난이 일어나자 천자는 계월을 원수로, 보국을 부원수로 하여 전쟁터에 보낸다. 계
_{⑤ 조력자의 도움(구출과 양육, 가르침)으로 위기 극복}
월은 전쟁에서 승리를 거두고 그 과정에서 헤어졌던 부모와도 재회한다. 전쟁에 다녀온 후 병이 난 계

월은 <u>진맥을 받다 여자임이 밝혀지나 천자는 이를 용서하고,</u>

계월과 보국을 혼인시킨다. 보국의 애첩 영춘이 계월에게 예

를 갖추지 않아 계월이 그의 목을 베게 하는 사건이 벌어지

고, 이로 인해 보국과 계월은 갈등을 겪게 된다.
『 』: ⑥ 성장 후의 위기(남장한 사실 발각, 보국과의 갈등)

       "만일 계월이 영춘을 죽였다 하고 계월을 꺼린다면 부부 사이의 의리도 변할 것이다.

       또한 계월은 천자께서 중매하신 여자라 계월을 싫어한다면 네게 해로움이 있을 것이

       니 부디 조심하라." ➡ (계월의 처사를 비난하는) 보국을 만류하는 여공의 말

       <u>"장부가 되어 계집에게 괄시를 당할 수 있겠나이까?"</u>
       보국이 계월에게 불만을 갖는 근본적인 이유 – 가부장적 가치관, 남존여비 의식
보국이 이렇게 말하고 그 후부터는 계월의 방에 들지 않았다. 이에 계월이,

       '영춘이 때문에 나를 꺼려 오지 않는구나.' / 라고 생각했다.

       <u>"누가 보국을 남자라 하겠는가? 여자에게도 비할 수 없구나."</u>
                 보국의 속 좁음을 탓하는 계월
<u>이렇게 말하며 자신이 남자가 되지 못한 것이 분해 눈물을 흘리며 세월을 보냈다.</u>
                     여자임을 거부하고 남자로 살고 싶어 하는 계월

▶ 이 작품은 영웅적 면모를 지닌 여성 홍계월의 행적과 활약을 다룬 여성 영웅 소설로, 남성 중심 사회에 대한 비판
   을 담고 있다. 여성이 남성보다 우월한 능력을 가진 존재로 그려지며, 여성의 봉건적 역할을 거부하는 근대적 가
   치관이 드러난다.

바로 확인

이 글에 대한 설명으로 가장 적절한 것은?

① 여성 영웅을 주인공으로 내세우고 있다.

② 여성의 봉건적 역할을 중시하는 관점을 옹호하고 있다.

③ 정체가 밝혀진 여주인공이 가정 안에서 역할을 찾는 서사 구조를 지닌다.

                                                 답ㅣ①

19 판소리와 판소리계 소설

1. 판소리

뜻 소리꾼이 고수의 북장단에 맞추어 긴 이야기를 청중들 앞에서 구연하는 민속 예술 형태의 한 갈래. 음악과 문학, 무용과 연극적 요소가 결합된 종합 예술 양식임.

보충
- 소리꾼의 가변성과 즉흥적 윤색을 용인함.
- 서민 의식을 대변하며, 풍자적이고 ❶   적인 성격을 지님.
- 개인 창작이 아닌 민중의 공동작으로 적층 문학의 성격을 지님.
  = 구비 문학. 내용이 덧보태져 개별적인 작품이 존재한다는 점이 강조된 용어
- 관객이었던 양반과 평민 모두의 기호를 고려해 한문투의 관용적인 표현과 하층 계급의 비속어, 구어와 같은 일상적인 표현을 같이 사용함. → 언어의 ❷

2. 판소리계 소설

뜻 판소리 사설이 소설 형태로 ❸   되어 정착·유통되어 널리 읽히게 된 소설

보충 판소리계 소설, 판소리 사설의 표현상 특징

① **운문체(=율문투)**: 운율이 느껴지는 문장이 연속되어 낭송하기 좋은 문체.

> 예 "참말이냐, 참말이냐? 애고 애고, 이게 웬 말인고? 못 가리라, 못 가리라.
>   4   4   4   6   4   4
> 네가 날더러 묻지도 않고 네 마음대로 한단 말이냐? 「네가 살고 내가 눈을
>   「 」: 비슷한 문장 구조를 반복함.
> 뜨면 그는 마땅히 할 일이냐, 자식 죽여 눈을 뜬들 그게 차마 할 일이냐?」"
> ➡ 대체로 4·4조의 음수율, 동일한 말의 반복, 비슷한 문장 구조의 반복으로 운율이 느껴짐.
> – 작자 미상, 〈심청전〉 미

② **편집자적 논평**: 작품 밖의 서술자가 작품에 ❹   하여 인물과 사건에 대한 판단이나 생각, 느낌을 직접 서술함.

> 편집자적 논평은 문장의 형태가 주로 설의적 의문문
> (-랴, -쏘냐, -리오)으로 나타나.

답 ❶ 해학 ❷ 이중성 ❸ 기록 ❹ 개입

예 <u>춘향의 높은 절개 광채 있게 되었으니 어찌 아니 좋을쏜가,</u> 어사또 남

원의 공무 다한 후에 춘향 모녀와 향단이를 서울로 데려갈새, <u>위의(威</u>
　　　　　　　　　　　　　　　　　　　위엄이 있고 엄숙한 태도나 차림새
<u>儀)</u>가 찬란하니 <u>세상 사람들이 누가 아니 칭찬하랴.</u> ☐ : 편집자적 논평

- 작자 미상, 〈춘향전〉 천(박) , 금 , 동 , 신 , 지 , 창 , 해

③ **언어유희**: 말이나 글자를 소재로 하는 놀이. 판소리 사설과 판소리계 소설

은 이를 활용해 운율을 형성하고, 청자와 독자의 **⑤ [　　　]** 를 유발함.

예 운봉 영장의 갈비를 가리키며, "갈비 한 대 먹고지고." ➡ 동음이의어 활용
　　　　사람의 갈비뼈　　　　　　먹는 갈비
　　　　　　　　　　　　- 작자 미상, 〈춘향전〉 천(박) , 금 , 동 , 신 , 지 , 창 , 해

④ **장면의 극대화(=부분의 독자성)**: 독자들이 흥미 있어 할 장면을 길게 늘여

나열하고 과장하면서 이야기 전개에 필요한 정도보다 **⑥ [　　　]** 하게 서술함.

예 "수양산(首陽山)의 백이숙제(伯夷叔齊)가 고비 캐자 날 찾는가, 소부
　　　　　　　　군주에 대한 충성을 끝까지 지킨 형제　　고사리
(巢父) 허유(許有) 가 영천수(潁川水)에 귀 씻자고 날 찾는가, (중략)
중국 고대에 숨어 살던 선비
한 천자의 스승 장량(張良)이가 퉁소 불자 날 찾는가, 상산사호(商山
　　　　　　중국 한나라의 공신　　　　　　　　　진시황 때 상산에 숨어 살던 네 명
四皓) 벗님네가 바둑 두자 날 찾는가, 굴원(屈原) 이가 물에 빠져 건
　　　　　　　　　　　　　　　　　　중국 초나라의 시인
져 달라 날 찾는가, 시중천자(詩中天子) 이태백(李太白)이 글 짓자고
　　　　　　　　　　　　　　　　　중국 당나라의 시인
날 찾는가."
➡ 중국 고사를 활용하여, 토끼가 '자신을 찾는 이유'가 무엇인지
　묻는 부분을 자세하게 나타냄.(장면의 극대화)　　　- 작자 미상, 〈토끼전〉

> 장면의 극대화는 리듬감과 해학성을 얻는 효과가
> 있지만, 이야기 전개가 불균형해지기 때문에 작품
> 전체의 유기성을 떨어뜨리는 원인이 되기도 해.

답 ⑤흥미 ⑥자세

춘향전 _작자 미상 천(박), 금, 동, 신, 지, 창, 해

금동이의 아름다운 술은 일만 백성의 피요

옥소반의 아름다운 안주는 일만 백성의 기름이라.

촛불 눈물 떨어질 때 백성 눈물 떨어지고

노랫소리 높은 곳에 원망 소리 높았더라.

➡ 이몽룡이 백성을 수탈하는 탐관오리의 가렴주구를 비판하는 한시를 지음.

이렇듯이 지었으되 본관 사또는 몰라보는데 운봉 영장은 글을 보며 속으로,

'아뿔싸! 일이 났다'.

운봉이 이몽룡이 지은 한시를 보고 그가 암행어사임을 눈치챔.

이때 어사또가 하직하고 간 연후에 각 아전들에게 분부하되,

"야야, 일이 났다."

「공방 불러 돗자리 단속, 병방 불러 역마(驛馬) 단속, 관청색 불러 다담상 단속, 옥형방

「 」심상치 않은 일을 예감한 운봉이 관원들을 불러 단속하는 장면을 자세하게 서술함. → 장면의 극대화

불러 죄인 단속, 집사 불러 형구(刑具) 단속, 형방 불러 장부 단속, 사령 불러 숙직 단속.」한

참 이리 요란할 제 사정 모르는 저 본관 사또가,

"여보 운봉은 어디를 다니시오?" / "소피 보고 들어오오."

오줌을 점잖게 이르는 말

본관 사또가 술주정이 나서 분부하되,

"춘향을 급히 올리라."

이때에 어사또 부하들과 내통한다. 서리를 보고 눈길을 보내니 서리, 중방 거동 보소. 역

하급 관리   고을 수령의 시중을 드는 사람

졸을 불러 단속할 제 이리 가며 수군, 저리 가며 수군수군. 서리, 역졸 거동 보소. 외올망건

관리가 부리던 하인

공단 모자 새 패랭이 눌러쓰고, 석 자 감발 새 짚신에 한삼(汗衫)

갓의 한 종류   버선 대신 발에 감는 천   여름옷의 한 종류

고의 산뜻하게 차려입고, 육모 방망이 사슴 가죽끈을 손목에 걸

어 쥐고, 여기서 번쩍 저기서 번쩍, 남원읍이 우글우글. 청파

역졸 거동 보소. 달 같은 마패를 햇빛같이 번쩍 들어,

"암행어사 출도야." / 외치는 소리에 강산이 무너지고 천지가 뒤

온갖 생물

집히는 듯 초목금수(草木禽獸)인들 아니 떨랴. (중략)

편집자적 논평 – 암행어사 출도의 위세를 과장되게 표현함.

「　」: 관리에게 중요한 물건을 잃고 허둥대는 모습을 희화화함. (열거, 대구, 과장)

「좌수(座首), 별감(別監) 넋을 잃고 이방, 호방 혼을 잃고 나졸들이 분
　유향소의 우두머리　유향소에 속한 직책

주하네. 모든 수령 도망갈 제 거동 보소. 인궤 잃고 강정 들고, 병부(兵符) 잃고
　　죄인의 머리 위에 씌우는 통　　　　도장을 넣어 두던 상자　　　　군대를 동원하는 표지

송편 들고, 탕건 잃고 용수 쓰고, 갓 잃고 소반 쓰고. 칼집 쥐고 오줌 누기. 부서지는 것은
　　　　　갓 아래 쓰던 관

거문고요, 깨지는 것은 북과 장고라.」본관 사또가 똥을 싸고 멍석 구멍 새앙쥐 눈 뜨듯 하
　　　　　　　　　　　　　　공포에 질린 변 사또의 모습을 해학적으로 표현함.

고, 안으로 들어가서,

　　"어 추워라. 문 들어온다 바람 닫아라. 물 마르다 목 들여라."
　　　언어 도치를 통한 언어유희 → 당황한 변 사또의 심리를 해학적으로 드러냄.

관청색은 상을 잃고 문짝을 이고 내달으니, 서리, 역졸 달려들어 후다딱.

　　"애고 나 죽네." / 이때 어사또 분부하되,

　　　　　　　　　　　　　　　　나그네를 묵게 하는 집

　　"이 골은 대감이 좌정하시던 골이라. 잡소리를 금하고 객사(客舍)로 옮겨라."
　　이몽룡의 아버지　　　　　　　　　이전 사또였던 아버지를 예우하는 이몽룡

▶ 이 작품은 전승 과정에서 판소리로 불리다가 소설로 정착된 판소리계 소설로, 이본(異本)이 120여 종에 이를 정도로
많은 사랑을 받은 우리 민족의 대표적인 고전 소설이다. 서민들의 삶의 애환과 당대 사회에 대한 비판 의식이 풍자와
해학 속에 잘 드러나며, 확장적 문체, 편집자적 논평 등 판소리의 특징이 잘 나타나 있다.

바로 확인

이 글에 대한 설명으로 적절하지 않은 것은?

① 소리꾼의 판소리 공연을 목적으로 쓰인 글이다.

② 불의한 지배 계층에 대한 항거라는 주제 의식이 드러난다.

③ 서술자가 작품에 개입하여 상황에 대한 생각을 직접 서술한 부분이 나타난다.

답 | ①

20 **민속극**

뜻 광대(배우)가 대화와 몸짓으로 사건을 표현하는 우리 고유의 전통극

특징
- 수백 년 동안 광대들에 의해 집단적으로 창작되며 이어진 적층 문학임.
- 구비 전승되었기 때문에 배우나 상황에 따라 ① ___가 달라질 수 있음.
- 사회에 대한 평민들의 비판 의식과, 평민들의 언어와 삶의 모습이 생생하게 담겨 있음.
- 언어유희를 활용한 해학적인 대사가 많이 나타나며, 지배층이나 승려에 대한 ② ___적인 표현이 많음.
- 특별한 무대 장치가 없으며, 등장인물이 악공이나 관객과 대화를 나누기도 하는 등 무대와 객석이 구분되지 ③ ___.

보충 민속극과 서양식 근대 연극 비교

	민속극	서양식 근대 연극
대본	없음.(구비 전승)	있음.
구성	각 과장의 이야기가 서로 완전히 다르게 진행됨.(옴니버스식 구성)	막과 장의 구분이 있을 뿐 하나의 이야기가 인과적으로 얽혀 있음.
무대와 객석의 구분	무대와 객석이 구분되지 않은 열린 무대임.	실험극을 제외하고는 무대와 객석이 엄격하게 구분됨.
무대 장치	없음.	있음.

종류
- **가면극(=탈춤):** 가면(탈)을 쓰고 공연하는 민속극
- **인형극:** 인형으로 극이 진행되며, 조종자가 무대 뒤에서 인형의 동작을 조종하고 대사와 가창을 하는 민속극

〈봉산 탈춤〉, 〈양주 별산대 놀이〉는 대표적인 가면극이고, 〈꼭두각시놀음〉은 대표적인 인형극이야.

답 ① 대사 ② 풍자 ③ 않음

봉산 탈춤 _작자 미상 천(박), 천(이)

㉮ 말뚝이 (가운데쯤에 나와서) **쉬이.** (음악과 춤 멈춘다.) 양반 나오신다아! 양반이라고
_{재담의 시작. 관객의 관심 유도}
　하니까 노론(老論), 소론(少論), 호조(戶曹), 병조(兵曹), 옥당(玉堂)을 다 지내고 삼

　정승(三政丞), 육판서(六判書)를 다 지낸 퇴로 재상(退老宰相)으로 계신 양반인 줄
　　　　　　　　　　　　　　　　　　　　『 』: 동음이의어를 활용한 언어유희로 양반을 조롱하여 풍자함.
　아지 마시오. 『개잘량이라는 '양' 자에 개다리소반이라는 '반' 자 쓰는 양반이 나오신
　　　　　　　개의 가죽. 깔고 앉을 때 씀.　　　상다리가 개의 다리처럼 생긴 밥상
　단 말이오.』/ **양반들** 야아, 이놈, 뭐야아!

말뚝이 『아, 이 양반 어찌 듣는지 모르갔소. 노론, 소론, 호조, 병조, 옥당을 다 지내고
　　　　『 』: 양반들이 잘못 들었다고 탓하기 위해 양반의 권위를 일시적으로 인정하는 말을 함.
　삼정승, 육판서 다 지내고 퇴로 재상으로 계신 이 생원네 삼 형제분이 나오신다고 그

　리하였소.』/ **양반들** (합창) 『이 생원이라네.』 『 』: 말뚝이의 변명에 쉽게 넘어감. → 양반의 우매함 풍자
　　　　　재담의 끝. 갈등의 일시적 해소　　　　　　　　　　　　　　　▶ 양반 뜻풀이 재담

　　　　　　　　　　　　　구경꾼들(상민)을 '양반'이라고 높여 부름. → 양반 조롱
㉯ 말뚝이 쉬이. (반주 그친다.) 여보, 구경하시는 양반들, 말씀 좀 들어 보시오. 『짤따란
　　　　　　　　　　민속극의 특징 - 관객의 참여 유도 / 상민인 구경꾼들을 '양반'이라고 높여 부름.
　곰방대로 잡숫지 말고 저 연죽전(煙竹廛)으로 가서 돈이 없으면 내게 기별이래도 해
　　　　　　　　　　　　　　담뱃대를 파는 가게
　서 양칠간죽(洋漆竿竹), 자문죽(自紋竹)을 한 발가옷씩 되는 것을 사다가 육모깍지
　　화려한 외양의 담배 설대와 담뱃대
　희자죽(喜子竹), 오동수복(烏銅壽福) 연변죽을 사다가 이리저리 맞추어 가지고 저
　『 』: 구경꾼들(상민)에게 화려하게 구색을 갖춰 담배를 피라고 권함. → 양반의 권위 무시
　재령(載寧) 나무리 거이 낚시 걸듯 죽 걸어 놓고 잡수시오.』/ **양반들** 뭐야아!
　게 낚시를 걸어 놓듯 담배를 마음껏 피우라는 뜻
말뚝이 아, 이 양반들, 어찌 듣소. 양반 나오시는데 담배와 훤화(喧譁)를 금하라고 그
　　　　　　　　　　　　　　　　　　　　　　　　시끄럽게 지껄이며 떠듦.
　리하였소. / **양반들** (합창) 훤화를 금하였다네. (굿거리장단으로 모두 춤을 춘다.)
　　　　　　　　　　　　　　　　　　　　　　　　　　　　▶ 담배를 소재로 한 재담

▶ 제시된 부분은 〈봉산 탈춤〉의 전체 일곱 과장 중 여섯 번째 과장인 양반춤 과장의 일부이다. 이 과장에서 말뚝
　이는 재담과 언어유희를 자유롭게 구사하며 양반을 풍자하고 있다.

바로 확인

이 글에 대한 설명으로 적절하지 않은 것은?

① '말뚝이의 조롱 – 양반의 호통 – 말뚝이의 변명 – 양반의 안심' 구조가 반복된다.

② 말뚝이는 양반에 대한 서민들의 비판 의식을 대변하는 인물이다.

③ 서민 계층의 어리석음과 무능함을 폭로하고 있다.

답 | ③

21 풍자와 해학

1. 풍자

뜻 대상에 대한 [❶　　　]인식을 바탕으로 하여 대상을 공격하는 방식

특징 현실의 부적절한 상황이 부정적 인물이나 환경 때문에 벌어진 것임을 폭로하여 부정적 인물이나 환경을 공격함.

2. 해학

뜻 대상에 대한 연민과 애정을 바탕으로 하여 대상을 감싸 안으면서 [❷　　　]을 유발하는 방식

특징 현실의 잘못된 상황을 우스꽝스럽게 그려 냄으로써 이러한 왜곡된 환경에서 고통받는 인물을 동정하고 그 인물에 공감하게 함.

3. 풍자와 해학의 공통점

● 대상을 과장하거나 왜곡하여 웃음을 유발하며, 골계미(滑稽美)와 관계가 깊음.

● 조선 후기의 민요나 [❸　　　], 판소리나 사설시조 등에 잘 나타남.

> 골계미란 미적 범주의 하나로, 비극적이거나 부정적인 상황에서도 웃음을 잃지 않는 미학으로 이해할 수 있어.

답 ❶ 부정적 **❷** 동정심 **❸** 탈춤

바로확인

풍자와 해학에 대한 설명으로 적절하지 <u>않은</u> 것은?

① 풍자는 대상에 대한 부정적 인식에서 비롯한다.

② 해학에는 대상에 대한 연민과 애정이 담겨 있다.

③ 풍자와 해학은 대상을 있는 그대로 세밀하게 관찰하여 제시한다.

답 | ③

㉮ 「모든 수령 도망갈 제 거동 보소. 인궤 잃고 강정 들고, 병부(兵符) 잃고 송편 들고,
「 」: 열거, 대구, 과장 등의 수사법을 활용하여 당황한 수령들이 도망치는 모습을 표현함.

탕건 잃고 용수 쓰고, 갓 잃고 소반 쓰고. 칼집 쥐고 오줌 누기. 부서지는 것은 거문고

요, 깨지는 것은 북과 장고라. 본관 사또가 똥을 싸고 멍석 구멍 새앙쥐 눈 뜨듯 하고,

안으로 들어가서, 」/ "어 추워라. 문 들어온다 바람 닫아라. 물 마르다 목 들여라."
　　　　　　　　　　　　언어 도치에 의한 언어유희를 통해 웃음을 유발함.
　　　　　　　　　　　　　　　　　　　　　　－ 작자 미상, 〈춘향전〉 천(박), 금 , 동 , 신 , 지 , 창 , 해

㉯ 「그래도 안 일어나니까 이번에는 배를 지게 막대기로 우에서 쿡쿡 찌르고 발길로 옆

구리를 차고 했다. 장인님은 원체 심청이 궂어서 그렇지만, 나도 저만 못하지 않게 배를

채었다. 아픈 것을 눈을 꽉 감고 넌 해라 난 재미난 듯

이 있었으나, 볼기짝을 후려갈길 적에는 나도 모르는

결에 벌떡 일어나서 그 수염을 잡아챘다마는, 내 골

이 난 것이 아니라 정말은 아까부터 벽 뒤 울타리 구

멍으로 점순이가 우리들의 꼴을 몰래 엿보고 있었기

때문이다. 」 「 」: 장인의 지게 작대기에 마구 얻어맞다가 점순
　　　　　　　 이를 의식하여 장인의 수염을 잡아채며 반격
　　　　　　　 하는 '나'의 모습이 웃음을 자아냄.
　　　　　　　　　　　　　　－ 김유정, 〈봄·봄〉 천(박), 금 , 동 , 비(박영), 지 , 해

▶ (가)는 〈춘향전〉에서 어사 출도 후 수령들이 놀라 도망치는 장면이다. 〈춘향전〉 전체에서는 풍자와 해학을 모두 발
견할 수 있지만, 제시된 장면에서는 부정적 인물로 그려지는 '변 사또'에 주목할 때 풍자의 방식이 두드러진다고
할 수 있다. (나)는 머슴으로 일하는 데릴사위인 '나'와 장인 간의 희극적인 갈등을 해학적으로 그린 소설이다. 심
술 사나운 장인은 딸 점순과 혼례시켜 줄 것을 핑계로 우직하고 순박한 '나'에게 돈 한 푼 주지 않고 일을 시킨다.
제시된 장면은 점순의 말에 힘입은 '나'가 장인에게 대들며 대판 싸우는 부분이다.

바로확인

(가), (나)에 대한 설명으로 적절하지 않은 것은?

① (가)는 수령들과 변 사또를 희화화하여 웃음을 유발한다.

② (나)는 '나'의 미련스럽고 어리숙한 모습이 웃음을 유발한다.

③ (가), (나) 모두 부정적인 대상의 실체를 명료하게 드러내고 있다.

답 | ③

Memo ✎

내신전략 | 고등 국어 **문학**

시험에 잘 나오는
개념BOOK 2

내신전략

고등 국어 **문학**

BOOK 2

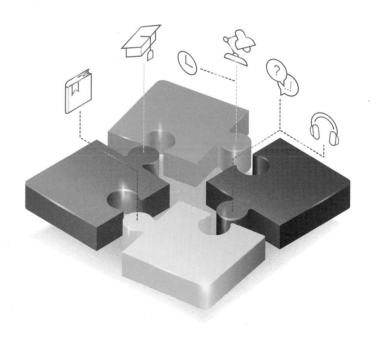

이 책의 차례

BOOK 1

1주 문학의 갈래와 구조
_서정, 교술

- 서정 갈래와 교술 갈래의 특성 이해하기
- 서정 갈래와 교술 갈래의 문학 작품들을 이루는 구성 요소가 작품 전체와 맺는 관계 이해하기

2주 문학의 갈래와 구조
_서사, 극

- 서사 갈래와 극 갈래의 특성 이해하기
- 서사 갈래와 극 갈래의 문학 작품들을 이루는 구성 요소가 작품 전체와 맺는 관계 이해하기

권 마무리 학습

한국 문학의 전통 _시가 문학

한국 시가 문학은 어떻게 흘러 왔을까?

옛 노래의 전통은 어떻게 이어져 왔을까?

노랫말뿐 아니라, 한국 문학에는 이별의 정한을 노래한 작품이 많아요.
한국 문학의 고유한 특성으로 계승되어 온 주제에는 또 무엇이 있을까요?

1주 1일 개념 돌파 전략 ①

개념 ① | 원시~통일 신라 시대

고대 가요	• 고대 부족 국가 시대부터 삼국 시대 초기까지 불린 노래 • 집단적·주술적 성격의 원시 종합 예술에서 개인적·서정적 시가 형식이 분리됨. • 대체로 **❶**　　　속에 삽입되어 전함. • 대표 작품: 〈구지가〉, 〈공무도하가〉, 〈황조가〉, 〈정읍사〉 등
향가	• 신라 시대부터 고려 시대 초기까지 창작된, **❷**　　　로 표기된 우리말 노래 • 형식: 4구체, 8구체, 10구체가 있음. • 내용: 주제가 다양하나 불교적 기원을 노래한 것이 많음. • 대표 작품: 〈서동요〉, 〈처용가〉, 〈제망매가〉, 〈찬기파랑가〉 등

답 ❶ 배경 설화 ❷ 향찰

개념＋

》**향찰**: 신라 때에, □□의 음과 뜻을 빌려 우리말을 적은 표기법

》**향가의 형식**

4구체	초기 형태. 민요의 형식을 띰.
8구체	4구체에서 10구체로 발전해 가는 과도기적 형태
10구체	가장 정제되고 세련된 형식. 낙구(9～10행)를 '아아', '아으'와 같은 □□□로 시작함.

답 한자, 감탄사

개념 ② | 고려 시대

■ 고려 가요

• 고려 시대에 민간에서 말로 전하여 내려오던 노래. 그중 지금까지 전해 오는 것은 한글 창제 이후 음악서에 실려 전해진 노래들임.
• 형식: 대체로 **❶**　　　음보의 율격, 두 개 이상의 연으로 구성된 작품이 많으며, 독특한 **❷**　　　(여음)를 지닌 경우가 많음.
• 내용: 남녀 간의 사랑, 이별의 정한, 삶의 고뇌 등 다양함.
• 대표 작품: 〈가시리〉, 〈서경별곡〉, 〈청산별곡〉, 〈동동〉, 〈정석가〉 등

답 ❶ 3 ❷ 후렴구

개념＋

》**남녀상열지사**

고려 가요는 조선 시대 유학자들이 문자로 남기는 과정에서 '남녀가 서로 □□하면서 즐거워하는 노랫말(남녀상열지사)'은 저속하다 하여 문헌에 싣지 않아 일부만 전함.

답 사랑

개념 ③ | 조선 시대 ①

■ 시조

• 우리나라 고유의 정형시로, 고려 말기부터 발달하여 왔으며 현대에도 창작되고 있음.
• 일반적으로 3장 6구 45자 내외가 기본형임. 3·4조 또는 4·4조의 4음보로 이루어지며, 종장의 첫 음보는 **❶**　　　로 고정됨.

조선 전기	**❷**　　　 중심으로 향유됨. 유교적 충의 사상, 강호한정을 노래한 작품이 많음.
조선 후기	평민 의식의 성장으로 사설시조가 등장함. 현실을 풍자하거나 서민들의 삶을 진솔하게 표현한 작품이 창작됨.

답 ❶ 3음절 ❷ 양반(사대부)

개념＋

》**사설시조**

• 평시조의 형식에서 주로 중장이 2음보 이상 길어진 시조
• □□들이 주로 창작하여 현실을 풍자하거나 일상생활의 모습을 진솔하게 표현함.
• 대표 작품: 작자 미상 〈창 내고쟈 창을 내고쟈〉, 작자 미상 〈님이 오마 ᄒ거놀〉 등

》**강호한정**: □□을 예찬하며 한가로이 즐김.

답 평민, 자연

01 다음 설명에 해당하는 시가 문학의 갈래를 〈보기〉에서 찾아 쓰시오.

━━ 보기 ━━
| 고대 가요 | 향가 | 고려 가요 | 시조 |

(1) 한자의 음과 훈을 빌린 향찰로 표기된 신라 때 노래
( )

(2) 고려 시대에 민간에서 말로 전하여 내려오던 노래
( )

(3) 우리나라 고유의 정형시로, 고려 말기부터 발달하여 왔으며 현대에도 창작되고 있음.
( )

02 다음 괄호 안에 들어갈 알맞은 말을 쓰시오.

(1) 향가는 형식상 4구체, 8구체, ( )로 나눌 수 있다.

(2) 고려 가요는 각 연의 마지막 부분에서 반복되는 ( )가 운율을 형성한다.

(3) 시조는 대체로 ( )음보의 율격을 지니며, 기본형은 ( )장 ( )구 45자 내외로 이루어진다.

03 시조에 대한 설명이 맞으면 O표, 틀리면 X표를 하시오.

(1) 시조는 주로 사대부 사이에서 향유되었으나 조선 후기에 작자층이 평민층으로 확대되었다. ( )

(2) 평시조는 형식상 정형성을 중시하는 경향을 보이나 사설시조는 정형성을 벗어나고자 하는 경향을 드러낸다. ( )

(3) 평시조가 현실적이고 일상적인 내용을 주로 다루는 데에 반해, 사설시조에는 관념적이고 추상적인 내용이 많다. ( )

04 다음 시에 대한 설명으로 적절하지 <u>않은</u> 것은?

> 살어리 살어리랏다 청산(靑山)애 살어리랏다.
> 멀위랑 ᄃ래랑 먹고 청산(靑山)애 살어리랏다.
> 얄리얄리 얄랑셩 얄라리 얄라
>
> 우러라 우러라 새여 자고 니러 우러라 새여.
> 널라와 시름 한 나도 자고 니러 우니로라.
> 얄리얄리 얄라셩 얄라리 얄라
>
> – 작자 미상, 《청산별곡》에서 금 , 비(박영)

① 대체로 4음보의 음보율을 지닌다.
② 작품의 향유층인 민중의 삶의 애환이 진솔하게 드러난다.
③ 특정 시구를 반복하여 운율을 형성하고 노래의 흥을 돋운다.
④ 몇 개의 연이 중첩되어 이루어지는 분연체의 형식을 취하였다.
⑤ 각 연을 분절하는 후렴구가 반복되는 형식 때문에 구비 전승되기 쉬웠다고 볼 수 있다.

05 다음 시에 대한 설명으로 적절하지 <u>않은</u> 것은?

> 이 몸이 죽고 죽어 일백 번 고쳐 죽어.
> 백골이 진토되어 넋이라도 있고 없고.
> 임 향한 일편단심이야 가실 줄이 있으랴.
>
> – 정몽주, 《단심가》 비(박안)

① 유교적 가치관이 담겨 있다.
② 4음보의 율격으로 운율을 형성하고 있다.
③ 종장의 첫 음보가 3음절로 고정되어 있다.
④ 초장, 중장, 종장의 3장으로 구성되어 있다.
⑤ 갈래의 기본 형태와 비교할 때 중장이 늘어나 있다.

개념 ④ | 조선 시대 ②

■ **가사**
- 시조와 함께 조선 시대를 대표하는 시가 문학 갈래
- 시조와 마찬가지로 ❶ _____ 음보 율격의 시가이지만, 여러 갈래의 특성을
  두루 지니고 있어 어느 하나의 갈래에 넣기 어려움.
  _{서정, 서사, 교술}
- 가사는 개인의 정서 표현은 물론 체험이나 교훈, 여행의 견문과 감상 등을
  ❷ _____ 늘여 씀.
  _{산문적 내용}

조선 전기	사대부 중심으로 향유됨. 유교적 가치, ❸ _____ 에 대한 감사와 변함없는 충성심을 노래한 작품이 많음.
조선 후기	향유층이 서민, 여성으로 확대됨. 일상적이고 현실적인 내용을 사실적으로 표현한 작품이 늘어남.

답 ❶ 4 ❷ 길게 ❸ 임금

개념+
≫정격 가사와 변격 가사
- 마지막 행이 시조 종장과 유사하게 끝나는 가
  사를 _____ 가사, 이러한 음수율의 제한을
  _{3·5·4·3의 음수율}
  받지 않는 가사를 _____ 가사라고 함.
- 조선 전기에는 정격 가사가, 조선 후기에 들어
  서는 변격 가사가 많이 나타남.

> 조선 후기에는
> 평민 의식의 성장, 신분제의 동요,
> 실학 사상의 대두 등으로 문학
> 담당층이 확대됨에 따라 문학 작품의
> 내용과 형식도 다양해졌어.

답 정격, 변격

개념 ⑤ | 한국 시가 문학의 형식적 연속성

■ **3단 구성**: 10구체 향가의 3단 구성 방식은 이후 ❶ _____ 에 영향을 줌.

향가	→	시조
'기-서-결'의 3단 구성		'초장-중장-종장'의 3장 형식

■ **3음보율과 4음보율**: 고려 가요나 민요 〈아리랑〉 등에 나타나는 ❷ _____ 의 율
  격은 이후 현대 시인 김소월의 〈진달래꽃〉에서도 계승되어 나타남. 또한 조선
  시대에 많이 창작된 시조나 가사 작품들은 대체로 4음보의 율격을 드러냄.

답 ❶ 시조 ❷ 3음보

개념+
≫음보율
- 시를 끊어 읽는 단위인 _____ 를 바탕으로 하
  는 운율로, 3음보율과 4음보율이 대표적임.
- 작품이 음보율을 지니고 있으면 노래하기에
  좋고, _____ 하기에 자연스러움.

답 음보, 낭독

개념 ⑥ | 한국 시가 문학의 내용적 특성

- 이별의 슬픔과 임에 대한 그리움
- 자연과의 ❶ _____ 를 추구하는 태도
- 삶의 애환을 ❷ _____ 으로 받아넘기는 태도

→ 한국 시가 문학의 주요 주제로서 계승되어 옴.

예 고대 가요 〈공무도하가〉, 고려 가요 〈가시리〉, 황진이의 시조 〈동짓달 기나긴
밤을〉, 민요 〈아리랑〉, 김소월의 〈진달래꽃〉 등이 드러내는 주제는 이별의 슬픔
과 임에 대한 그리움임.

답 ❶ 조화 ❷ 웃음

개념+
≫한국 문학에 나타난 자연 친화적 태도

서양	자연과 인간을 대립하는 존재로 봄.
동양	자연과 인간이 _____ 를 이루어야 한다고 봄.

↓

한국 문학
자연 속에서 사는 _____ 이나 자연과의 일체감을 노래한 작품이 많음.

답 조화, 즐거움

06 가사에 대한 설명이 맞으면 O표, 틀리면 X표를 하시오.

(1) 행에 제한을 두지 않는 연속체 율문 형식을 지닌다.
( )

(2) 사대부 계층만이 창작하고 향유하였던 귀족 문학으로 볼 수 있다. ( )

(3) 길이에 제한이 없어서 자연에서 누리는 삶, 유배지에서의 삶, 여행에서의 경험과 느낌 등 다양한 내용을 담을 수 있었다. ( )

07 다음 괄호 안에 들어갈 알맞은 말을 쓰시오.

(1) 마지막 행이 시조 종장과 유사하게 3·5·4·3의 음수율로 끝나는 가사를 (ㅈ ㄱ ㄱ ㅅ)라고 한다.

(2) 조선 후기에는 작품 마지막 행에서 음수율의 제한을 받지 않는 (ㅂ ㄱ ㄱ ㅅ)가 나타나기 시작했다.

08 〈보기〉에서 한국 시가 문학의 특징으로 적절한 것을 모두 골라 그 기호를 쓰시오.

• 보기 •
㉠ 이별의 슬픔과 임에 대한 그리움이라는 주제가 계승되어 왔다.
㉡ 한국 문학에서 '자연'은 주로 인간이 극복하고 개척해야 할 대상으로 다루어져 왔다.
㉢ 고려 가요나 민요에서 주로 나타나는 3음보 율격은 이후 현대 시에도 영향을 미쳤다.
㉣ 10구체 향가의 3단 구성 방식은 시조의 '초장-중장-종장'의 3장 구성에 영향을 미쳤다.

09 가사에 대한 설명으로 적절하지 않은 것은?

① 행의 수에 제한을 두지 않는다.
② 산문적 내용의 운율이 있는 노래이다.
③ 고려 시대의 대표적인 시가 문학 갈래이다.
④ 3(4)·4조를 기조로 한 4음보로 이루어진다.
⑤ 마지막 행의 음수율에 따라 정격 가사와 변격 가사로 나눌 수 있다.

10 다음은 한국 시가 문학의 연속성을 설명한 글이다. ㉠~㉤ 중 적절하지 않은 것은?

옛 노래의 전통이 과거에서 끝나지 않고 계승되어 새로운 문화의 발전과 창조에 기여하기도 한다. 예를 들어, 형식적 측면에서 ㉠ 향가의 3단 구성 방식은 시조에 영향을 주었으며, ㉡ 민요의 4음보 율격은 김소월의 〈진달래꽃〉에 계승되어 나타났다. 내용적 측면에서도 이러한 모습이 나타났는데, ㉢ 삶의 애환을 웃음으로 받아넘기는 태도가 조선 후기의 사설시조나 민요 등에서 나타나기도 하며, ㉣ 자연과의 조화를 추구하는 태도가 여러 작품에서 드러나기도 한다. ㉤ 또한 고려 가요 〈가시리〉나 민요 〈아리랑〉 등에서 나타나는 이별의 정한은 한국 문학의 특성으로서 오랫동안 계승되어 왔다.

① ㉠   ② ㉡   ③ ㉢
④ ㉣   ⑤ ㉤

[1~4] 다음을 읽고 물음에 답하시오.

둘하 노피곰 도드샤

어긔야 ㉠머리곰 ㉡비취오시라

어긔야 어강됴리

아으 다롱디리

㉢져재° 녀러 신고요

어긔야 ㉣즌 딕°롤 ㉤드딕욜셰라

어긔야 어강됴리

어느이다 노코시라

어긔야 내 가논 딕 졈그롤셰라

어긔야 어강됴리

아으 다롱디리

– 어느 행상인의 아내, 〈정읍사〉 창

● **져재**: '저자'의 옛말. '저자'는 '시장'을 예스럽게 이르는 말.
● **즌 딕**: 진 데. 진흙탕.

[현대어 풀이] 달님이시여, 높이높이 돋으시어 / 아! 멀리멀리 비치사라. / 시장에 가 계신가요? / 아! 진 곳을 디딜까 두려워라. / 어느 것이나 다 놓아 버리십시오. / 아! 내(임) 가는 그 길 저물까 두려워라.

바탕 문제

❶ 이 시에서 [   ]은 기원의 대상으로, 어둠과 위험을 없애 주는 존재이다.
❷ 이 시에서 [   ]는 화자의 남편에게 닥칠지 모를 위험을 비유한 말이다.

답 ❶ 돌(달) ❷ 즌 딕(진 데)

1 이 시에 대한 설명으로 적절하지 않은 것은?

① 상대에게 말을 건네는 어투가 나타난다.
② 화자의 소망을 대상에 의탁하여 표현하고 있다.
③ 대립적 이미지를 활용해 주제를 전달하고 있다.
④ 후렴구를 반복하여 화자의 괴로운 심정을 강조한다.
⑤ 이별과 기다림이라는 한국 문학의 보편적 정서가 나타난다.

2 ㉠~㉤에 대한 이해로 적절하지 않은 것은?

① ㉠: 접미사 '–곰'을 사용해 남편이 있는 곳까지 달빛이 비치기를 바라는 간절한 소망을 강조했다.
② ㉡: '–시라'라는 어미를 사용해 대상에게 기원적인 어조로 청원하고 있다.
③ ㉢: '시장'을 뜻하는 말로, 화자는 남편이 시장에 갔음을 알고 안심하고 있다.
④ ㉣: '남편을 유혹하는 다른 여성'으로 해석하면 화자는 남편의 외도를 걱정하고 있다고 볼 수 있다.
⑤ ㉤: '–ㄹ셰라'는 '~할까 두려워라'라는 뜻의 종결 어미로, 화자의 염려와 걱정이 담긴 표현이다.

3 이 시에서 다음 설명에 해당하는 시어를 찾아 쓰시오.

> 부정적인 것들로부터 소중한 것을 지켜 줄 수 있는 초월적 존재로, 우리 민족에게 전통적으로 소망과 기원의 대상으로 여겨져 왔다.

4 이 시와 〈보기〉의 공통점으로 가장 적절한 것은?

> • 보기 •
> 십 년(十年)을 경영(經營)ᄒ여 초려 삼간(草廬三間) 지여 내니
> 나 ᄒᆞᆫ 간 둘 ᄒᆞᆫ 간에 청풍(淸風) ᄒᆞᆫ 간 맛져 두고
> 강산(江山)은 들일 딕 업스니 둘러 두고 보리라
> – 송순 비(박안), 신, 창

① 반복되는 후렴구가 나타난다.
② 내용상 세 부분으로 나눌 수 있다.
③ 설의적 표현을 사용해 소망과 기원을 나타내었다.
④ 다양한 감각적 이미지를 활용해 시상을 전개하였다.
⑤ 자연과의 물아일체라는 사대부들의 지향점이 나타난다.

[5~7] 다음을 읽고 물음에 답하시오.

홍진(紅塵)에 뭇친 분네 ⊙이내 생애(生涯) 엇더훈고
ⓛ녯사룸 풍류(風流)룰 미출가 못 미출가
천지간(天地間) 남자(男子) 몸이 날만 훈 이 하건마는
산림(山林)에 뭇쳐 이셔 지락(至樂)을 무룰 것가
수간모옥(數間茅屋)을 벽계수(碧溪水) 앒픠 두고
송죽(松竹) 울울리(鬱鬱裏)에 ⓒ풍월주인(風月主人) 되어셔라
엇그제 겨을 지나 새봄이 도라오니
도화 행화(桃花杏花)는 석양리(夕陽裏)에 퓌여 잇고
녹양방초(綠楊芳草)는 세우 중(細雨中)에 프르도다
칼로 몰아 낸가 붓으로 그려 낸가
조화신공(造化神功)이 물물(物物)마다 헌스룹다 (중략)
공명(功名)도 날 씌우고, 부귀(富貴)도 날 씌우니
청풍명월(淸風明月) 외(外)예 엇던 벗이 잇스올고
ⓔ단표누항(簞瓢陋巷)에 ⓜ훗튼 혜음 아니 후니
아모타 백년행락(百年行樂)이 이만훈 둘 엇지후리

– 정극인, 〈상춘곡〉에서 천(박), 해

• 홍진: 번거롭고 속된 세상을 비유적으로 이르는 말.
• 풍월주인: 자연의 임자. 맑은 바람과 밝은 달 따위의 아름다운 자연을 즐기는 사람.
• 청풍명월: 맑은 바람과 밝은 달.
• 단표누항: 누항(좁고 지저분한 거리나 마을)에서 먹는 한 그릇의 밥과 한 바가지의 물이라는 뜻으로, 선비의 청빈한 생활을 이르는 말.

[현대어 풀이] 속세에 묻힌 분들, 이내 생애 어떠한가. / 옛사람 풍류에 미칠까 못 미칠까. / 이 세상 남자 몸이 나만 한 이 많건마는 / 자연에 묻혀 산다고 즐거움을 모르겠는가. / 초가집 몇 칸을 푸른 시내 앞에 두고 / 송죽 울창한 곳에 자연의 주인 되었구나. / 엊그제 겨울 지나 새봄이 돌아오니 / 복숭아꽃, 살구꽃은 석양에 피어 있고 / 푸른 버들, 향긋한 풀은 가랑비에 푸르도다. / 칼로 재단했는가, 붓으로 그려 냈는가. / 조물주의 솜씨가 사물마다 신비롭구나. (중략)
공명도 날 꺼리고 부귀도 날 꺼리니 / 청풍명월 외에 어떤 벗이 있으리오. / 단표누항에 헛된 생각 아니 하네. / 아무튼, 한평생 삶이 이만한들 어떠하리.

바탕 문제
❶ 이 시는 [   ]의 아름다운 풍경을 감상하며 느낀 즐거움과, 자연 속에서 소박한 생활을 하면서도 도(道)를 지키는 [   ]의 삶을 노래하고 있다.
❷ 이 시는 [   ]음보의 규칙적인 율격을 지니고 있으며, 마지막 행은 [   ]의 종장과 같은 형식으로 전개되고 있다.

답 ❶봄, 안빈낙도 ❷4, 시조

5 이 시에 대한 설명으로 적절하지 <u>않은</u> 것은?
① 계절의 변화와 그에 따른 경치의 변화가 드러난다.
② 화자는 인간과 자연 세상을 대조적으로 바라보고 있다.
③ 주체와 객체를 바꾸어 표현하여 화자의 가치관을 드러내고 있다.
④ 말을 건네는 방식을 활용하여 자신의 삶에 대한 자부심을 드러내고 있다.
⑤ 4음보 율격이 드러나며 작품의 마지막 행이 시조 종장의 첫 구와 유사한 형식을 보인다.

6 ⊙~ⓜ에 대한 이해로 적절하지 <u>않은</u> 것은?
① ⊙: 자연 속에 묻혀 사는 삶에 대한 자부심
② ⓛ: 자연을 벗 삼아 살던 옛 선인들
③ ⓒ: 아름다운 자연을 즐기는 사람
④ ⓔ: 소박하고 청빈한 생활
⑤ ⓜ: 자연과 더불어 사는 즐거움

7 이 시와 〈보기〉에서 공통적으로 드러내는 자연에 대한 태도를 서술하시오.

보기
보리밥 풋나물을 알맞게 먹은 후(後)에
바위 끝 물가에 마음껏 노니노라
그 남은 여남은 일이야 부럴 줄이 이시랴

– 윤선도, 〈만흥(漫興)〉 신, 해

전략 ❶ | 향가의 특징 알아보기

생사(生死) 길은
삶과 죽음의 갈림길
예 있으매 머뭇거리고,
여기   죽음에 대한 두려움
나는 간다는 말도 「 」: 누이가 갑작스럽게 죽었음을 암시함.
주제: 화자의 죽은 누이
못다 이르고 어찌 갑니까.」

▶ 1~4행: 누이의 죽음에 대한 안타까움

어느 가을 이른 바람에
누이가 젊은 나이에 죽었음을 암시함.
이에 저에 떨어질 잎처럼,
        죽은 누이(직유법)
한 가지에 나고
한 부모에서 태어나고
가는 곳 모르온저. ▶ 5~8행: 누이의 죽음에서 느끼는 인생 무상감
인생의 무상함
아아, 미타찰(彌陀刹)에서 만날 나
감탄사 불교의 극락세계로 누이와 재회할 공간 ↔ '예(이승)'
도(道) 닦아 기다리겠노라.
재회에 대한 믿음, 불교의 윤회 사상
▶ 9~10행: 죽은 누이와의 재회를 소망함.

• 미타찰: 아미타불(부처)이 있는 극락세계.

– 월명사, 〈제망매가〉 동 , 미 , 비(박안) , 비(박영) , 신

● 이 시의 특징
• 누이와 사별한 것을 한 나무에서 떨어져 흩어지는 ❶ ▢▢▢ 에 비유함.
• 사별의 슬픔을 종교적으로 승화함.

● 이 시에 나타난 향가의 특징
• 10구로 된 가장 정제된 향가의 모습을 보임.
• 3단 구성(4행+4행+2행)을 취함.
• 낙구(9~10행)의 첫머리에 ❷ ▢▢▢ 를 사용함. → 시상의 집약

● 시상 전개 과정

1~4행	누이의 죽음에 대한 안타까움
5~8행	누이의 죽음에서 느끼는 인생 무상감
	↓ 시상의 전환
9~10행	죽은 누이와의 재회를 소망함. → 이별의 슬픔을 ❸ ▢▢ 적으로 승화

📖 ❶ 잎 ❷ 감탄사 ❸ 종교

필수 예제

1. 이 시에 대한 설명으로 적절하지 <u>않은</u> 것은?

① 비유적 표현을 사용해 주제를 형상화하였다.
② 감탄사를 사용하여 시상을 집약하고 전환하였다.
③ 한자의 음과 뜻을 빌려 사용한 표기법인 향찰로 기록되어 있다.
④ 반어적인 표현을 활용하여 대상에 대한 상실감을 드러내고 있다.
⑤ 내용상 '누이의 죽음–생사에 대한 인식–극복 의지'의 3단 구성 형식을 취하고 있다.

정답 | 해설 ④ | 이 시에서 반어적인 표현을 활용한 부분은 찾을 수 없다.

오답 풀이 ① '이른 바람', '떨어질 잎', '한 가지' 등의 비유적 표현을 통해 사별의 슬픔을 형상화하였다. ② '아아'라는 감탄사를 사용해 시상을 집약하고 전환하였다. 향가의 감탄사는 후에 시조 종장 첫 음보에 '어즈버'와 같은 감탄사가 나타나는 것에 영향을 주었다. ⑤ 1~4행에서 누이의 죽음을 언급하고, 5~8행에서 누이의 죽음에서 느끼는 인생의 무상감을 표현하였으며, 9~10행에서는 이러한 슬픔에 대한 종교적 극복 의지를 나타내었다.

확인 문제

1. 이 시를 읽고 알 수 있는 내용이 <u>아닌</u> 것은?

① 화자의 누이는 젊은 나이에 세상을 떠났다.
② 화자의 누이는 갑작스럽게 죽음을 맞이하였다.
③ 화자는 누이의 죽음을 통해 인생의 무상감을 느끼고 있다.
④ 화자는 누이에게 잘 대해 주지 못했던 지난날을 후회하고 있다.
⑤ 화자는 죽은 누이와 언젠가 재회할 수 있으리라는 소망을 가지고 있다.

전략 ❷ | 고려 가요의 특징 알아보기

3·3·2조의 3음보 율격
가시리 가시리잇고 (나는)
'가시리잇고(가시렵니까)'의 축약형
ᄇᆞ리고 가시리잇고 (나는) ◯: 흥을 돋우기 위한 여음구
버리고 가시렵니까
위 증즐가 大平盛代(대평셩디) ▶ 이별에 대한 안타까움과 원망에 찬 애원
'대평셩디'는 '나라가 태평하고 융성한 시대'를 의미(내용과 관련 없는 후렴구)
→ 이 노래가 후대에 궁중의 악곡으로 수용되었음을 보여 줌.

날러는 엇디 살라 ᄒᆞ고
나더러는 어찌 살라 하고
ᄇᆞ리고 가시리잇고 (나는)
1연의 2행을 반복함. → 이별의 슬픔과 정한 강조
위 증즐가 大平盛代(대평셩디) ▶ 애원(원망)의 고조

잡ᄉᆞ와 두어리마ᄂᆞᄂᆞᆫ
잡아 두고 싶지만 순종적이고 체념적인 태도
선ᄒᆞ면 아니 올셰라
서운하면 아니 올까 두렵습니다 → 화자가 임을 보내는 이유
위 증즐가 大平盛代(대평셩디) ▶ 감정의 절제와 체념(이별의 수용)

셜온 님 보내옵노니 (나는)
① 서러운 마음으로 임을 보내 드리나니 ② 이별을 서러워하는 임을 보내드리오니
가시ᄂᆞᆫ 듯 도셔 오쇼셔 (나는)
가시자마자 돌아서서 오십시오
위 증즐가 大平盛代(대평셩디) ▶ 이별 후의 소망과 기원

– 작자 미상, 〈가시리〉 천(박) , 천(이) , 비(박안) , 신 , 지 , 해

● 이 시의 특징
• 반복법을 사용하여 이별의 슬픔을 강조함.
• 순우리말의 소박한 시어를 구사함.
• 우리 민족의 전통적인 정서인 ❶ [   ]의
  정한이 나타남.

● 이 시에 나타난 고려 가요의 특징
• 여러 절 또는 연으로 나누어진 ❷ [   ] 구
  성을 보임.
• 각 연마다 내용과 연관이 없는 ❸ [   ](여
  음)가 쓰임.
• 3·3·2조의 음수율과 3음보의 음보율이 두
  드러짐. → 민요적 성격
• 평민들의 진솔한 감정이 드러남.
• 구비 전승되다가 조선 시대에 한글로 기록됨.

● 시상 전개에 따른 시적 화자의 심리
기(1연)	이별에 대한 안타까움과 원망에 찬 애원
승(2연)	애원(원망)의 고조
전(3연)	감정의 절제와 체념
결(4연)	이별 후의 소망과 기원

답 ❶ 이별 ❷ 분연체 ❸ 후렴구

필수예제 **2.** 이 시가 속하는 시가 문학 갈래의 특성으로 적절한 것은?

① 대체로 '기-서-결'의 3단 구성을 보인다.
② 고려 시대에 주로 귀족들이 창작하고 향유하였다.
③ 3·4조의 음수율과 4음보의 정형화된 율격을 보인다.
④ 대체로 여러 연으로 나뉘어 구성되며 후렴구가 나타난다.
⑤ 지배층이 추구하는 유교적 가치관을 드러내는 작품이 많다.

정답|해설 ④ | 이 시는 고려 가요이다. 고려 가요는 형식상 분연체에 후렴구가 나타나는 것이 일반적이다.

오답 풀이 ① 3단 구성은 향가와 시조(향가의 3단 구성을 계승함.)에서 나타난다. ② 고려 가요는 고려 시대에 주로 평민들이 향유하였다. ③, ⑤ 모두 시조에 해당하는 설명이다. 고려 가요는 대체로 3음보의 율격을 나타내며, 평민들의 진솔한 감정을 노래한 작품이 많다.

확인문제 **2.** 이 시의 시상 전개 과정에 대한 이해로 적절하지 않은 것은?

① 기(1연): 임과 이별한 상황을 제시하여 시상을 이끌어 내고 있다.
② 승(2연): 임에게 버림받은 자신의 처지를 하소연하며 시상을 고조시키고 있다.
③ 전(3연): 임과의 이별을 거부하며 시상을 전환하고 있다.
④ 결(4연): 임이 돌아오기를 바라는 소망과 기원을 나타내고 있다.
⑤ 결(4연): 소극적이고 자기희생적인 태도를 보이며 시상을 마무리하고 있다.

전략 ③ | 시조의 특징 알아보기

이 몸이 죽어 가서 무엇이 될꼬 하니 – 죽은 후의 상황에 대한 자문(가정)

봉래산(蓬萊山)* 제일봉에 낙락장송((落落長松)* 되어 있어
지조와 절개를 상징하는 자연물(화자)
□ : 종장의 첫 음보 → 3음절로 고정
㉠백설이 만건곤(滿乾坤)*할 제 독야청청(獨也靑靑)하리라
불의한 세력(수양 대군) 때문에 어지러운 현실   지조를 지키겠다는 굳은 의지   ▶ 죽음을 두려워하지 않는 절개
– 성삼문 미 , 지

* 봉래산: 신선의 땅. 세속에 물들지 않은 순수한 공간.
* 낙락장송(落落長松): 가지가 길게 축축 늘어진 키가 큰 소나무.
* 만건곤(滿乾坤)하다: 하늘과 땅에 가득하다.

● **이 시의 특징**
• 충의를 상징하는 **❶**□□□의 이미지를 활용하여 지조와 절개를 지키려는 의지를 부각함.
• 죽은 후의 상황을 가정하여 자문자답하는 형식을 취함.

● **이 시에 나타난 시조의 특징**
• 3장 6구 45자 내외, 4음보라는 시조의 기본 형식을 보임.
• **❷**□□□의 첫 구절이 3음절로 고정됨.
• 유교적 충의 사상을 담고 있음.
고려 말, 조선 초 창작된 시조의 주된 주제임.

● **시적 화자의 태도**

백설이 뒤덮은 세상

시적 상황: 단종을 폐위시키고 부당하게 왕위를 찬탈한 수양 대군이 득세한 상황

↓

'낙락장송' 되어, '독야청청'하리라

시적 화자: 불의한 세상에서도 지조와 **❸**□□를 지키고자 함.

답 ❶ 소나무 ❷ 종장 ❸ 절개

필수 예제 3. 〈보기〉를 바탕으로 ㉠의 의미를 서술하시오.

— 보기 •
1453년, 훗날 세조로 등극하는 수양 대군은 계유정난을 일으켰고, 이후 어린 조카인 단종을 위협하여 왕위를 빼앗았다. 이때 성삼문은 박팽년, 유응부, 이개 등과 함께 단종 복위 운동을 계획하였지만 모의 사실이 발각되어 모진 고문을 받은 끝에 죽음을 맞았다.

— 조건 •
'수양 대군', '절개'라는 두 단어를 포함하여 완결된 한 문장으로 쓸 것.

정답 | 해설 수양 대군과 그 세력들이 왕위를 찬탈하려는 부정한 상황이지만 끝까지 절개를 지킬 것이다. | 〈보기〉를 바탕으로 이 시의 내용을 이해할 때 '백설'은 부정하게 왕위를 찬탈한 수양 대군과 그 세력을, '독야청청하리라'는 그러한 세력에 끝까지 저항하려는 태도를 의미한다고 볼 수 있다.

확인 문제 3. 이 시와 〈보기〉의 공통점으로 가장 적절한 것은?

— 보기 •
보리밥 풋나물을 알맞게 먹은 후(後)에
바위 끝 물가에 마음껏 노니노라
그 남은 여남은 일이야 부럴 줄이 이시랴
– 윤선도, 〈만흥(漫興)〉 신 , 해

① 시적 화자의 내적 갈등이 나타나 있다.
② 설의적 표현을 활용해 의미를 강조하고 있다.
③ 시적 화자가 지향하는 삶의 모습이 나타나 있다.
④ 시어의 대비를 통해 상황에 대한 만족감을 나타내고 있다.
⑤ 유교적 이념과 관계된 전통적인 상징을 활용하여 의미를 형상화하고 있다.

전략 ❹ | 시조와 향가의 형식적 특성 비교하기

가 내 버디 몃치나 ᄒ니 수석(水石)과 송죽(松竹)이라
　　벗이　　　　　　　　　□: 다섯 벗 – 물, 바위, 소나무, 대나무, 달
　동산(東山)의 둘 오르니 그 더옥 반갑고야
　『 』: 안분지족의 태도-다섯 벗만 있으면 만족함.
　두어라 이 다솟 밧긔 또 더ᄒ야 머엇ᄒ리 〈제1수〉
　종장 첫 음보-감탄형　　　　　　　　　▶ 물, 바위, 소나무, 대나무, 달의 다섯 벗 소개

　더우면 곳 퓌고 치우면 닙 디거ᄂᆞᆯ
　　　　　추워지면　잎
　솔아 너는 얻디 눈 서리ᄅᆞᆯ 모ᄅᆞᆫ다
　지조와 절개의 상징　고난, 시련
　구천(九泉)의 블희 고ᄃᆞᆫ 줄을 글로 ᄒᆞ야 아노라 〈제4수〉
　땅속 깊은 밑바닥　뿌리가
　　　　　　　　　　　▶ 소나무의 지조와 절개 예찬
　　　　　　　　　　　　– 윤선도, 〈오우가〉에서　천(이), 동

나 생사(生死) 길은 / 예 있으매 머뭇거리고,
　나는 간다는 말도 /못다 이르고 어찌 갑니까.　▶ 1~4행: 누이의 죽음에 대한 안타까움
　어느 가을 이른 바람에 / 이에 저에 떨어질 잎처럼,
　한 가지에 나고 / 가는 곳 모르온저.　▶ 5~8행: 누이의 죽음에서 느끼는 인생 무상감
　아아, 미타찰(彌陀刹)에서 만날 나 / 도(道) 닦아 기다리겠노라.
　낙구–감탄사
　　　　　　　　　　　▶ 9~10행: 죽은 누이와의 재회를 소망함.
　　　　　　　　– 월명사, 〈제망매가〉　동, 미, 비(박안), 비(박영), 신

● (가)의 특징
- 전체 6수로 구성된 **❶**　　　(평시조가 두 개 이상 모여 한 작품을 이룸.) 중 일부임.
- 자연물을 유교적 덕성을 지닌 존재로 표현하여 **❷**　　　함.

● (가), (나)를 통해 알 수 있는 시조와 향가의 형식적 유사성

(가)	• '초장-중장-종장'의 3단 구성임. • 종장 첫 음보에 감탄형이 나타남.
(나)	• 1~4행(기), 5~8행(서), 9~10행(결)의 3단 구성임. • 낙구를 감탄사로 시작함.

↓

유사성	3단 구성, 종결 부분에 감탄사 사용이라는 형식적 유사성을 보임.

↓

시조의 발생에 **❸**　　　가 큰 영향을 미쳤음을 짐작할 수 있음.

답 ❶ 연시조 **❷** 예찬 **❸** 향가

필수예제 **4.** (나)의 갈래가 (가)의 갈래 형성에 영향을 주었다는 주장에 대한 근거로 적절한 것을 〈보기〉에서 모두 고르시오.

보기
㉠ 한자를 빌려 표기되었다.
㉡ 내용상 3단 구성을 취한다.
㉢ 감탄사를 사용하여 시상을 정리한다.
㉣ 후렴구를 반복하여 운율을 형성한다.
㉤ 3·4조의 음수율과 4음보 율격을 지닌다.

① ㉠, ㉡　　② ㉡, ㉢　　③ ㉡, ㉣
④ ㉢, ㉣　　⑤ ㉣, ㉤

확인문제 **4.** 〈보기〉를 참고하여, (가)의 화자가 자연을 대하는 자세를 한 문장으로 서술하시오.

보기
〈오우가〉는 정치적으로 불우하여 여러 차례 귀양살이를 했던 작가 윤선도가 56세 때 유배지에서 돌아와 전라남도 해남 금쇄동에 은거할 무렵에 지은 작품이다. 당시 윤선도는 정계와 거리를 두고 자기 수양에 힘썼던 것으로 알려져 있다.

조건
'자기 수양'이라는 말을 포함하여 쓸 것

정답 | 해설 ② | 10구체 향가는 '4행(기)+4행(서)+2행(결)'의 3단 구성을 보이며, 시조는 '초장-중장-종장'의 3단 구성을 보인다. 또한 10구체 향가가 낙구에서 감탄사를 사용하여 고조된 정서를 표현하고 시상을 전환하였던 특성은 시조 종장의 표현 방식에 영향을 미쳤다.

[01~06] 다음을 읽고 물음에 답하시오.

가 생사(生死) 길은

예 있으매 머뭇거리고,

㉠나는 간다는 말도

못다 이르고 어찌 갑니까.

어느 가을 ㉡이른 바람에

이에 저에 ㉢떨어질 잎처럼,

㉣한 가지에 나고

가는 곳 모르온저.

아아, 미타찰(彌陀刹)에서 만날 나

도(道) 닦아 ㉤기다리겠노라.

　　　　　－ 월명사, 〈제망매가〉　동 , 미 , 비(박안) , 비(박영) , 신

나 십 년(十年)을 경영(經營)ᄒ여 초려 삼간(草廬三間) 지여 내니

　나 ᄒᆞᆫ 간 ᄃᆞᆯ ᄒᆞᆫ 간에 청풍(淸風) ᄒᆞᆫ 간 맛져 두고

　강산(江山)은 들일 듸 업스니 둘러 두고 보리라

　　　　　－ 송순　비(박안) , 신 , 창

01 **(가), (나)의 화자에 대한 설명으로 적절한 것은?**

① (가): 낙엽을 보며 자신의 삶을 성찰한다.

② (가): 떠난 이를 원망하며 재회를 소망한다.

③ (나): 안빈낙도하는 삶의 자세를 드러낸다.

④ (나): 귀양살이의 외로움과 힘겨움을 토로한다.

⑤ (나): 십 년에 걸쳐 웅장한 집을 짓고 만족해한다.

02 **다음을 바탕으로 하여 (가), (나)를 이해한 내용으로 적절하지 않은 것은?**

> 가장 정제된 향가 형식인 10구체 향가는 '도입부–심화부–낙구'의 세 부분으로 이루어지며, 낙구에는 '아으'와 같은 감탄사를 두어 앞부분에서 전개해 온 시상을 고양하고 마무리하는 형식을 지닌다. 이와 같은 형식적 특성은 향가계 고려 가요에 계승되었으며, 시조에 와서는 3장 구성과 종장의 첫 구를 3음절의 감탄사나 시구로 시작하는 형식으로 이어졌다.

① (가)는 내용상 3단 구성을 취하고 있다.

② (가)는 낙구에 '아아'를 두어 시상을 전환하고 있다.

③ (나)에는 10구체 향가의 형식적 특성을 계승한 부분이 있다.

④ (나)는 종장의 첫 구에 감탄사를 두어 시상을 마무리하였다.

⑤ (나)는 '초장–중장–종장'의 세 개의 의미 단락으로 나눌 수 있다.

문제 해결 전략

(가)가 10구체 **❶**　　, (나)가 **❷**　　임을 이해하고, 〈보기〉를 바탕으로 하여 (가)에 나타난 형식적 특성이 (나)에 어떻게 계승되어 나타나고 있는지를 파악한다.

답 ❶ 향가 ❷ 시조

03 **(가)의 미타찰의 의미를 〈보기〉에서 모두 골라 그 기호를 쓰시오.**

> **보기**
> ㄱ. 화자가 죽은 누이동생을 추모하는 공간이다.
> ㄴ. 불교의 극락세계로 이승과 대비되는 공간이다.
> ㄷ. 화자가 사별한 누이동생과 재회하기를 바라는 공간이다.
> ㄹ. 화자의 누이동생이 불의의 사고를 당해 죽음을 맞이하게 된 공간이다.

04 (나)에 대한 이해로 적절하지 <u>않은</u> 것은?

①
준수
> 종결 어미를 활용해 화자의 소망을 드러내고 있어.

②
현아
> 의인법을 사용해 주제를 효과적으로 드러내고 있어.

③
준영
> 자연물에게 방을 내어 준다는 독특한 발상이 드러나.

④
진서
> 자연을 화자보다 우월한 인격체로 표현하고 있어.

⑤
도현
> 근경에서 원경으로 시선이 이동하면서 시상이 전개되고 있어.

문제 해결 전략

직접 지은 초려 삼간 작은 집을 달, 바람과 함께 나누어 쓰며 ❶ 을 느끼는 화자의 태도를 이해하고, 이를 바탕으로 하여 선택지로 제시된 표현 방법들이 시에 사용되었는지 확인해 본다.

답 ❶ 만족감

05 ㉠~㉤에 대한 설명으로 적절하지 <u>않은</u> 것은?

① ㉠: 시적 화자를 가리킨다.
② ㉡: 누이동생이 젊은 나이에 죽었음을 암시한다.
③ ㉢: 화자의 누이동생의 죽음을 의미한다.
④ ㉣: 화자와 누이동생이 같은 부모에게서 태어났음을 의미한다.
⑤ ㉤: 누이동생과의 재회에 대한 시적 화자의 믿음을 보여 준다.

문제 해결 전략

(가)가 죽은 ❶ 를 ❷ 하며 지은 시임을 이해하고, 이를 바탕으로 하여 각 시어의 의미가 적절하게 해석되었는지 판단해 본다.

답 ❶ 누이 ❷ 추모

06 (가)와 〈보기〉를 비교하여 이해한 내용으로 적절하지 <u>않은</u> 것은?

> • 보기 •
> 너는
> 어디로 갔느냐.
> 그 어질고 안쓰럽고 다정한 눈짓을 하고,
> 형님!
> 부르는 목소리는 들리는데
> 내 목소리는 미치지 못하는.
> 다만 여기는
> 열매가 떨어지면
> 툭 하는 소리가 들리는 세상.
>
> – 박목월, 〈하관(下棺)〉에서 신

① (가)와 〈보기〉의 화자는 모두 시적 대상의 죽음이라는 시적 상황에 처해 있다.
② (가)와 〈보기〉는 모두 의문형 어미를 사용하여 대상에 대한 정서를 나타내고 있다.
③ (가)와 〈보기〉는 모두 대조적 의미를 지닌 공간을 설정하여 주제를 형상화하고 있다.
④ (가)와 〈보기〉의 화자는 모두 언젠가 대상과 재회할 수 있으리라는 희망적 태도를 보인다.
⑤ (가)의 '한 가지'와 〈보기〉의 '형님'을 통해 화자와 시적 대상의 관계를 짐작할 수 있다.

문제 해결 전략

〈보기〉에 제시된 시의 제목인 '❶ '과 특정 시어를 통해 〈보기〉의 화자 역시 혈육의 ❷ 이라는 시적 상황에 있음을 파악한 뒤, 선택지를 통해 (가)와 〈보기〉를 비교해 본다.

답 ❶ 하관 ❷ 죽음

[07~12] 다음을 읽고 물음에 답하시오.

살어리 살어리랏다 청산(靑山)애 ㉠살어리랏다.
㉡멀위랑 ᄃ래랑 먹고 청산(靑山)애 살어리랏다.
얄리얄리 얄랑셩 얄라리 얄라

우러라° 우러라 ㉢새여 자고 니러 우러라 새여.
널라와° 시름 한 나도 자고 니러 우니로라.
얄리얄리 얄라셩 얄라리 얄라

ⓐ가던 새° 가던 새 본다 ㉣믈 아래 가던 새 본다.
ⓑ잉 무든 장글란° 가지고 믈 아래 가던 새 본다.
얄리얄리 얄라셩 얄라리 얄라

이링공 뎌링공 ᄒ야 나즈란 디내와손뎌.
오리도 가리도 업슨 ㉤바므란 ᄯᅩ 엇디 호리라.
얄리얄리 얄라셩 얄라리 얄라

– 작자 미상, 〈청산별곡〉에서 금 , 비(박영)

- **살어리랏다**: ① 살고 싶구나, 살리라 ② 살 수밖에 없다
- **우러라**: ① 우는구나(감탄) ② 울어라(명령) ③ 노래하라(명령)　•**널라와**: 너보다
- **가던 새**: ① 날아가던 새 ② 갈던 밭이랑(흙을 높이 쌓아 농작물을 심는 곳)
- **잉 무든 장글란**: ① 이끼 묻은 쟁기일랑 ② 날이 무딘 병기일랑 ③ 이끼 묻은 은장도일랑

07 이 시에 대한 설명으로 적절하지 <u>않은</u> 것은?
① 자연물에 화자의 감정을 이입하여 드러내고 있다.
② 대조적 시간을 제시해 화자의 정서를 강조하였다.
③ 구전되다가 한글 창제 이후 문자로 정착되어 전승되었다.
④ 과거와 현재를 대조하여 삶의 비애에서 벗어나고 싶은 소망을 형상화하였다.
⑤ 3·3·2조, 3음보의 율격과 분연체 구성이 고려 가요의 형식적 특성을 드러낸다.

08 이 시의 후렴구에 대한 설명으로 적절하지 <u>않은</u> 것은?
① 운율감을 형성하고 흥을 돋운다.
② 고려 가요의 형식적 특성을 보여 준다.
③ 'ㄹ, ㅇ'을 사용하여 밝고 경쾌한 느낌을 준다.
④ 각 연마다 반복되어 작품 전체에 통일성을 준다.
⑤ 고달픈 현실에서 느끼는 괴로움과 슬픔의 정서를 심화시킨다.

문제 해결 전략
이 시의 화자가 호소하는 주된 ❶ [　　　]가 무엇인지 파악해 본다. 그리고 울림소리인 'ㄹ, ㅇ'이 반복되는 이 시의 ❷ [　　　]가 주는 느낌을 파악해 본다.

답 ❶ 정서 ❷ 후렴구

09 ㉠~㉤에 대한 해석이 적절하지 <u>않은</u> 것은?

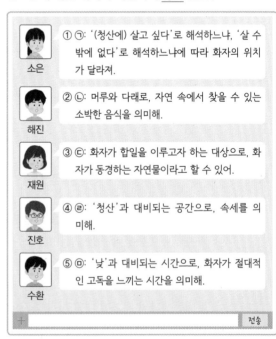

소은 ① ㉠: '(청산에) 살고 싶다'로 해석하느냐, '살 수밖에 없다'로 해석하느냐에 따라 화자의 위치가 달라져.

해진 ② ㉡: 머루와 다래로, 자연 속에서 찾을 수 있는 소박한 음식을 의미해.

재원 ③ ㉢: 화자가 합일을 이루고자 하는 대상으로, 화자가 동경하는 자연물이라고 할 수 있어.

진호 ④ ㉣: '청산'과 대비되는 공간으로, 속세를 의미해.

수환 ⑤ ㉤: '낮'과 대비되는 시간으로, 화자가 절대적인 고독을 느끼는 시간을 의미해.

[　　　] 전송

문제 해결 전략
먼저 각 연에서 드러나는 화자의 ❶ [　　　]를 중심으로 하여 각 연의 상황을 파악한 후, 이를 바탕으로 하여 ㉠~㉤의 구체적 ❷ [　　　]를 파악해 본다.

답 ❶ 정서 ❷ 의미

10 다음 빈칸에 들어갈 알맞은 시어를 찾아 쓰시오.

> 한국 문학에서 자연은 현실 세계와 대비되는 순수하고 이상적인 공간, 안식의 공간이라는 의미를 지니는 경우가 많다. 예를 들어, 〈청산별곡〉에서 '▢▢▢' 역시 화자의 이상향이자 도피처를 뜻한다고 해석할 수 있다.

11 〈보기1〉은 ⓐ에 대한 여러 해석 중 하나이다. 〈보기2〉를 바탕으로 하여 〈보기1〉의 관점에서 볼 때 이 시의 화자를 누구로 볼 수 있는지 밝히고, 이때 ⓑ의 의미를 쓰시오.

> **보기1**
> '가던 새'의 '새'를 '새(鳥)'로 보지 않고 '갈던 사래(밭이랑)'에서 'ㄹ'이 탈락한 것으로 볼 수도 있다. 즉 '가던 새'를 '갈던 밭'으로 해석하는 것이다.

> **보기2**
> 〈청산별곡〉의 작중 화자를 누구로 볼 것인가에 대해서는 다양한 견해가 있다. 몽골의 침입이 잦았던 시대적 배경을 고려하여 농토를 잃고 쫓겨난 유랑민으로 보기도 하고, 무신들의 횡포로 제 뜻을 펴지 못하는 지식인으로 보기도 한다. 또는 화자를 실연한 사람으로 보고, 〈청산별곡〉을 사랑하는 임을 잃은 슬픔을 노래하는 작품이라고 해석할 수도 있다.

문제 해결 전략
〈보기1〉이 '가던 새'를 '갈던 ❶▢▢'으로 해석하는 관점임을 이해하고, 이러한 관점에서 볼 때 시적 화자를 〈보기 2〉에 제시된 세 화자(유랑민, 좌절한 ❷▢▢▢, 실연한 사람) 중에서 누구로 보는 것이 적절한지 생각해 본다.

🔑 ❶밭 ❷지식인

12 〈보기〉는 강원도 지역의 민요이다. 이 시와 〈보기〉를 비교한 내용으로 적절하지 **않은** 것은?

> **보기**
> 정선의 구명°은 무릉도원이 아니냐
> 무릉도원은 어데 가고서 산만 충충하네
> 아리랑 아리랑 아라리요
> 아리랑 고개고개로 나를 넘겨 주게
>
> 명사십리°가 아니라면은 해당화가 왜 피며
> 모춘° 삼월이 아니라면은 두견새는 왜 우나
> 아리랑 아리랑 아라리요
> 아리랑 고개고개로 나를 넘겨 주게
>
> – 작자 미상, 〈정선 아리랑〉에서 비(박영)

> • **구명(舊名):** 예전에 부르던 이름. 고려 충렬왕 때 정선은 '도원'으로 불린 적이 있음.
> • **명사십리(明沙十里):** 함경남도 원산시의 동남쪽 약 4km 지점에 있는 모래사장. 모래가 곱고 부드러운 해수욕장과 해당화로 유명함.
> • **모춘(暮春):** 늦봄. 음력 3월의 다른 말.

① 이 시와 〈보기〉 모두 삶의 애환을 노래하고 있다.
② 이 시와 〈보기〉 모두 특별한 뜻이 없는 후렴구가 반복된다.
③ 이 시와 〈보기〉 모두 구전되다가 후에 문자로 기록되었다.
④ 이 시와 〈보기〉 모두 여러 연으로 이루어진 분연체 구성을 드러낸다.
⑤ 이 시와 〈보기〉 모두 각 연의 내용이 하나의 주제로 긴밀하게 연결되어 구성이 유기적이다.

문제 해결 전략
〈보기〉는 ❶▢▢, 즉 대개 특정한 작사자나 작곡자가 없이 민중 사이에서 ❷▢▢되어 내려온 노래라는 점에 대한 이해를 바탕으로 하여 이 시와 〈보기〉의 공통점을 생각해 본다.

🔑 ❶민요 ❷구전

전략 ❶ | 사설시조의 특징 알아보기

님이 오마 ᄒ거ᄂ '져녁밥을 일 지어 먹고 중문(中門) 나서 대문(大門) 나가 지
_{화자가 기다리는 대상} _{「」: 임이 오기도 전에 대문 밖에서 임을 기다림. → 화자의 들뜬 심리를 드러내는 행동}
방(地方) 우희 치ᄃ라 안자 이수(以手)로 가액(加額)ᄒ고 오ᄂᆞᆫ가 가ᄂᆞᆫ가 건넌 산
(山) 브라보니,거머흿들 셔 잇거ᄂᆞᆯ 져야 님이로다
_{화자가 임을 본 것으로 착각함.} ▶ 임이 온다고 하여 저녁을 먹고 임을 기다림.
보션 버서 품에 품고 신 버서 손에 쥐고 곰븨님븨 님븨곰븨 쳔방지방 지방쳔방,
_{엎치락뒤치락 급히 구는 모양} _{허둥지둥하는 모양 「」: 의태어}
즌 듸 모른 듸 골희지 말고 워렁충창 건너가셔 졍(情)엣말 ᄒ려 ᄒ고 겻눈을 흘긧
_{급히 달리는 발소리, 우당탕퉁탕 → 의성어} _{화자가 임으로 착각한 대상}
보니 상년(上年) 칠월(七月) 사흔날 글가 벅긴 주추리 삼대 슬드리도 날 소겨라
▶ 임을 만나러 달려갔으나 자신의 착각임을 깨달음.
모쳐라 밤일식만졍 ᄒᆡ혀 낫이런들 ᄂᆞᆷ 우일 번 ᄒ괘라
_{실망하기보다는 멋쩍어 함. → 해학적, 낙천적 태도} ▶ 자신의 행동을 겸연쩍어 함.
_{┗ 종장 첫 음보는 3음절 → 평시조의 형식적 특성 유지} – 작자 미상 동 , 비(박안)

● 이 시의 특징
• 의성어와 의태어를 사용하여 임을 애타게 기다리는 화자의 행동을 과장하여 묘사함.
• 웃음을 유발하는 **❶** 적 표현과 희극적 요소가 나타남.

● 이 시에 나타난 사설시조의 특징
• 시조의 정형적 형식에서 벗어남. → 어느 한 장이 두 구 이상, 특히 **❷** 이 길어짐.
• 작자 미상인 경우가 많고, 삶의 애환을 해학적으로 노래한 작품이 많음.

● 이 시의 구성

초장	임이 온다고 하여 저녁을 먹고 임을 기다림.
중장	임을 만나러 허겁지겁 달려갔으나 자신이 **❸** 했음을 깨달음.
종장	자신의 행동을 겸연쩍어 함.

답 ❶ 해학 ❷ 중장 ❸ 착각

[현대어 풀이] 임이 온다고 하여 저녁밥을 일찍 지어 먹고 중문을 나와 대문으로 나가 문지방 위에 올라가 앉아 손으로 이마를 가리고 오는가 가는가 건너편 산을 바라보니 검은 듯 흰 듯한 것이 서 있기에 저것이 임이로구나. / 버선 벗어 품에 품고 신 벗어 손에 쥐고 엎치락뒤치락 허둥지둥 진 데 마른 데 가리지 않고 우당탕퉁탕 건너가서 정이 있는 말 하려고 곁눈으로 흘깃 보니 작년 7월 3일에 갉아 벗긴 주추리 삼대가 알뜰히도 나를 속였구나 / 아서라 밤이기에 망정이지 행여 낮이었다면 남을 웃길 뻔했구나.

필수예제
1. 이와 같은 갈래에 대한 설명으로 적절하지 <u>않은</u> 것은?
① 해학성과 풍자성을 띠는 작품들이 많다.
② 주로 평민 계층이 창작하여 작자 미상인 경우가 많다.
③ 조선 전기에 산문 정신과 서민 의식이 성장하면서 등장하였다.
④ 평시조의 3장 형식을 유지하면서, 평시조와 달리 중장이 길어진 형태를 띤다.
⑤ 일상적 소재를 동원하여 평민 계층의 구체적인 생활상을 노래한 작품이 많다.

정답 해설 ③ | 이 시는 사설시조이다. 사설시조는 조선 후기에 산문 의식과 서민 의식이 성장하면서 등장하였다.

확인문제
1. 이 시에 나타난 화자의 태도로 가장 적절한 것은?
① 오지 않는 임을 원망하고 있다.
② 기다리던 임을 만나 웃으며 기뻐하고 있다.
③ 임과의 만남을 상상하며 슬픔을 달래고 있다.
④ 사물을 임으로 착각한 자신의 실수를 멋쩍어하고 있다.
⑤ 자신의 행동을 목격한 사람들에게 거짓말로 변명을 하고 있다.

전략 ❷ | 평시조와 사설시조 비교하기

㉮ 이 몸이 죽고 죽어 일백 번(一百番) 고쳐 죽어.

　　백골(白骨)이 진토(塵土)되어 넋이라도 있고 없고.

　　임 향한 일편단심(一片丹心)이야 가실 줄이 있으랴.

　　　　　　　　　　　　　　　▶ 고려에 대한 변치 않는 충절
　　　　　　　　　　　　　　　　－ 정몽주, 〈단심가〉 비(박안)

• **일편단심**: 한 조각의 붉은 마음이라는 뜻으로, 진심에서 우러나오는 변치 않는 마음을 이르는 말.

　　　　　　　　힘없는 백성
㉯ 두터비 파리를 물고 두험 우희 치다라 안자
　　탐관오리, 부패한 양반
　　　것넌산 바라보니 백송골(白松骨)이 떠 잇거늘 가슴이 금즉하여 풀덕 뛰여 내
　　　　　　상부의 중앙 관리, 외세
닷다가 두험 아래 잣바지거고 『 』: 약자(파리)에게 강하고 강자(백송골)에게 약한
　　　　　　　　양반(두꺼비)을 풍자, 희화화
　　모쳐라 날낸 낼싀만졍 에혈질 번 하괘라.　▶ 탐관오리의 횡포와 허장성세 풍자
　　화자가 두꺼비로 전환됨. → 자신의 약점을 감추기 위해 허세를 부리는 모습

　　　　　　　　　　　　　　　　　　　　－ 작자 미상 비(박영)

• **백송골**: 흰 송골매.

[현대어 풀이] (나) 두터비가 파리를 물고 두엄 위에 뛰어 올라가 앉아 / 건너편 산을 바라보니 흰 송골매가 떠 있거늘 가슴이 섬뜩하여 펄쩍 뛰어 내닫다가 두엄 아래 자빠졌구나. / 마침 날랜 나이기에 망정이지 (하마터면) 피멍이 들 뻔했구나.

● (나)의 표현상 특징

두터비	탐관오리, 부패한 양반
❶	힘없는 백성
백송골	상부의 중앙 관리, 외세

↓

대상을 의인화하여 지배 계층의 횡포와 약육강식의 세태를 ❷ 함.

● (가), (나)를 통한 평시조와 사설시조 비교

	종장	종장
창작 시기	고려 말	조선 후기
작자층	사대부	서민, 부녀자 등
내용	고려에 대한 충절	부조리한 세태 풍자
형식과 율격	3장 6구 45자 내외의 평시조	평시조에서 ❸ 이 길게 늘어진 사설시조
율격	4음보의 율격이 드러남.	중장에서는 음보의 배열이 불규칙적임.
언어	품격이 있는 말	재미있고 생동감이 느껴지는 말

답 ❶ 파리 ❷ 풍자 ❸ 중장

필수 예제 **2.** (가), (나)의 갈래적 특성을 비교한 것으로 적절하지 않은 것은?

① (가)는 평시조, (나)는 사설시조이다.

② (가), (나) 모두 3장으로 구성되어 있다.

③ (나)와 같은 갈래는 조선 후기에 등장했다.

④ (나)와 달리 (가)는 종장의 첫 음보가 3음절로 고정된다.

⑤ (가)와 달리 (나)는 형식과 내용이 더 자유롭고 파격적이었다.

정답|해설 ④ | (가), (나) 모두 종장의 첫 음보가 3음절로 고정된다.

오답 풀이 (가)는 평시조이며 (나)는 사설시조이다. 조선 후기부터 평시조의 정형적인 틀에서 벗어난 사설시조가 등장하였고, 작자층도 중인과 평민으로 확대되었으며 주제의 폭도 넓어졌다.

확인 문제 **2.** (나)의 종장에 나타난 '두터비'의 태도를 표현하는 사자성어로 적절한 것은?

① 호가호위(狐假虎威)

② 부화뇌동(附和雷同)

③ 조변석개(朝變夕改)

④ 고식지계(姑息之計)

⑤ 허장성세(虛張聲勢)

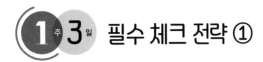

전략 ❸ | 가사의 특징 알아보기

뎨 가는 뎌 각시 본 듯도 ᄒᆞ뎌이고
　옥황상제가 산다는 곳. 여기에서는 임금이 있는 한양의 궁궐을 의미함.
㉠텬상(天上) 빅옥경(白玉京)을 엇디ᄒᆞ야 니별(離別)ᄒᆞ고

ᄒᆡ 다 뎌 져믄 날의 눌을 보라 가시ᄂᆞᆫ고
시간적 배경 – 쓸쓸한 상황 강조　▶ '여인 1'의 질문 – '여인 2'가 백옥경을 떠난 이유를 물음.
어와 네여이고 이내 스셜 드러 보오
　　　　대화 형식을 취하고 있음이 드러남.
내 얼굴 이 거동이 님 괴얌즉 ᄒᆞᆫ가마ᄂᆞᆫ
　　　　　　　　사랑받음직
엇딘디 날 보시고 네로다 녀기실ᄉᆡ

나도 님을 미더 군ᄠᅳ디 젼혀 업서
　　　임에 대한 '여인 2'의 순수한 사랑
이리야 교ᄐᆡ야 어ᄌᆞ러이 ᄒᆞ돗쩐디
　　　'여인 2'가 생각하는 이별의 이유
반기시ᄂᆞᆫ ᄂᆞᆺ비치 녜와 엇디 다ᄅᆞ신고
　　　낯(얼굴)빛이
누어 싱각ᄒᆞ고 니러 안자 혜여ᄒᆞ니

내 몸의 지은 죄 뫼ᄀᆞ티 싸혀시니
임과 헤어진 이유가 자신의 잘못 때문이라고 여김.(자책)
하ᄂᆞᆯ히라 원망ᄒᆞ며 사ᄅᆞᆷ이라 허믈ᄒᆞ랴

셜워 플텨혜니 조믈(造物)의 타시로다
　　　운명론적 태도 → 임금을 원망하지 않는 신하의 자세

▶ '여인 2'의 대답 – 자책과 한탄

– 정철, 〈속미인곡〉에서　동, 비(박안), 지

[현대어 풀이] 저기 가는 저 각시 본 듯도 하구나 / 천상 백옥경을 어찌하여 이별하고 / 해 다 져 저문 날에 누굴 보러 가시는가 / 어와 너로구나 이내 사설 들어 보오 / 내 모습 이 거동이 임이 사랑함 직 한가마는 / 어찌나 날 보시고 너로다 여기심에 / 나도 임을 믿어 딴생각 전혀 없어 / 아양이며 교태며 어지럽게 하였던지 / 반기시는 낯빛이 예와 어찌 다르신가 / 누워 생각하고 일어나 앉아 헤아리니 / 내 몸의 지은 죄 산같이 쌓였으니 / 하늘을 원망하며 사람을 탓하겠는가 / 서러워 생각하니 조물주의 탓이로다

● **이 시의 특징**

· 두 여인('여인 1': 보조적 인물, '여인 2': 중심 화자)이 ❶ □□□ 를 나누는 형식으로 전개됨.
· 중국 고사나 한시 구절을 인용하지 않고 순우리말의 묘미를 살림.
· 운명론적 태도가 나타남.

● **이 시에 나타난 가사의 특징**

① 3(4)·4조를 기조로 한 ❷ □□□ 의 율격을 보임.
② 행의 수에 제한을 두지 않음.

● **여성 화자와 충신연주지사**

중심 화자: '여인 2'
임과 이별하고 자책하며 임을 그리워함.

↓

충신연주지사(忠臣戀主之詞)
· 충성스러운 신하가 임금을 향한 일편단심을 노래한다는 의미.(≒연군지정(戀君之情)) · 남성인 작가가 여성 화자의 목소리를 빌려 ❸ □□ 을 그리워하는 마음을 표현함. → 주제 전달에 효과적임.

🔑 ❶ 대화 ❷ 4음보 ❸ 임금

필수 예제

3. 〈보기〉를 바탕으로 이 작품을 이해할 때, ㉠의 의미를 서술하시오.

▶ 보기

　정철은 정치적 견해가 다른 세력들에게 당파를 만들어 나라를 그르치려는 무리의 우두머리로 지목받는다. 선조는 그를 두둔하였지만 결국 선조 18년인 1585년, 정철은 벼슬에서 물러나 전라도로 낙향하게 된다. 이곳에서 그는 임금을 그리워하는 마음을 담아 〈사미인곡〉과 〈속미인곡〉을 지었다.

정답|해설 벼슬에서 물러났다는 의미이다. | 이 시가의 작자가 정철임을 고려할 때, '빅옥경'은 임금이 있는 한양의 궁궐을 가리킨다. 따라서 빅옥경과 이별하였다는 것은 정철이 벼슬에서 물러났음을 의미한다.

확인 문제

3. 이 시에 대한 설명으로 적절하지 <u>않은</u> 것은?

① 두 여인이 대화를 나누는 형식으로 내용이 구성되어 있다.
② 색채 대비를 통해 시적 대상을 효과적으로 묘사하고 있다.
③ 1행이 4음보를 이루고 있어 대체로 규칙적인 운율을 드러낸다.
④ 시간적 배경을 제시하여 외롭고 쓸쓸한 분위기를 조성하고 있다.
⑤ 중국 고사나 한시를 인용하지 않고 우리말 표현의 아름다움을 잘 살리고 있다.

전략 ④ | 현대 시에 나타난 한국 문학의 전통 알아보기

나 보기가 역겨워

가실 때에는
이별의 상황을 가정함.
말없이 고이 보내 드리우리다.
체념의 자세

▶ 1연: 이별의 상황에 대한 체념

영변(寧邊)에 약산(藥山)
평안북도 영변의 산. 향토적 분위기를 형성함.
진달래꽃
시적 화자의 분신, 임을 향한 화자의 사랑
아름 따다 가실 길에 뿌리우리다
꽃을 뿌려 공덕을 기리는 산화공덕의 모습. 임의 앞길에 대한 축원

▶ 2연: 떠나는 임에 대한 축복

수미상관

가시는 걸음걸음

놓인 그 꽃을
진달래꽃, 화자의 희생적 사랑
사뿐히 즈려밟고° 가시옵소서
① 자기희생의 태도, 숭고한 사랑
② 역설적 표현, 임이 떠나지 않기를 바람.

▶ 3연: 원망을 뛰어넘는 사랑

나 보기가 역겨워

가실 때에는

죽어도 아니 눈물 흘리우리다.
① 슬픔을 드러내지 않겠다는 '애이불비'의 자세
② 매우 슬플 것이라는 반어적 표현

▶ 4연: 슬픔의 극복과 승화

– 김소월, 〈진달래꽃〉 천(박), 금, 동, 비(박안), 해

• **즈려밟고**: 위에서 내리눌러 밟고, '지르밟다'의 방언

● 이 시의 특징
• 이별의 상황을 가정함.
• 1연과 4연이 **❶**을 이룸.
• 전통적 정서를 민요조의 3음보 율격으로 표현함.

● 이 시에 나타난 한국 문학의 특성
• 이별의 정한: 한국 문학의 고유한 특성으로 오랫동안 계승되어 온 주제임.
  예 고대 가요 〈공무도하가〉, 고려 가요 〈가시리〉, 민요 〈신아리랑〉 등
• 여성 화자: 남성인 작가가 **❷** 화자의 목소리로 노래하여 이별의 안타까움을 더욱 절실하게 전달함.
  예 가사 〈속미인곡〉 등
• 3음보율: 우리 시가 문학의 전통적인 운율 가운데 하나인 3음보율을 계승함. → 노래하기 좋고, 낭독하기에 자연스러움.

● '진달래꽃'의 의미
시적 화자의 **❸**, 임에 대한 사랑, 떠나는 임에 대한 원망과 슬픔, 헌신과 희생

답 ❶ 수미상관 ❷ 여성 ❸ 분신

필수
예제

4. 이 시에 대한 설명으로 적절하지 **않은** 것은?

① 이별의 상황에 대한 체념의 자세가 나타나 있다.
② 지명을 활용하여 향토적 분위기를 형성하고 있다.
③ 수미상관의 구조를 활용하여 구성의 안정감을 주고 있다.
④ 슬픈 마음을 드러내지 않겠다는 화자의 자세가 나타나 있다.
⑤ 청각적 심상을 활용하여 자기희생의 자세를 효과적으로 드러내고 있다.

정답 해설 ⑤ | 이 시에서 청각적 심상을 활용한 부분은 찾을 수 없다.

오답 풀이 ① '말없이 고이 보내 드리우리다.'는 임의 뜻을 따르겠다는 순종과 체념의 자세로 해석할 수 있다. ② 2연의 '영변에 약산'에 해당하는 설명이다. ③ 1연과 4연이 수미상관의 구조를 보인다. ④ '죽어도 아니 눈물 흘리우리다.'는 슬픈 마음을 드러내지 않겠다는 애이불비(哀而不悲)의 자세를 나타낸 표현이자 실제로는 엄청난 슬픔과 원망을 나타낸 반어적 표현이다.

확인
문제

4. 이 시와 〈보기〉를 비교한 내용으로 적절하지 **않은** 것은?

• 보기 •
아리랑 아리랑 아라리요
아리랑 고개로 넘어간다
나를 버리고 가시는 님은
십 리도 못 가서 발병 난다

– 작자 미상, 〈신아리랑〉 천(박), 해

① 이 시와 〈보기〉는 모두 3음보의 율격을 지닌다.
② 이 시와 〈보기〉 모두 이별의 슬픔을 노래하였다.
③ 이 시와 〈보기〉는 모두 떠나는 임에 대한 원망을 반어적으로 표현하고 있다.
④ 이 시에는 〈보기〉와 달리 떠나는 임을 향한 자기희생의 태도가 나타나 있다.
⑤ 이 시와 달리 〈보기〉는 떠나는 임을 저주하며 원망의 감정을 노골적으로 표현하고 있다.

1주 3일 필수 체크 전략 ②

[01~06] 다음을 읽고 물음에 답하시오.

가 눈 마즈 휘여진 ⓐ디를 뉘라셔 굽다턴고
　구블 절(節)이면 눈 속의 프를소냐
　아마도 세한 고절(歲寒孤節)°은 너쑌인가 ᄒ노라

　　　　　　　　　　　　　　　　　　－ 원천석　비(박영)

● 세한 고절: 한겨울의 추위도 이겨 내는 높은 절개.

나 동지(冬至)ㅅ돌 ㉠기나긴 밤을 ㉡한 허리를 버혀 내어
　춘풍(春風) 니불 아레 ㉢서리서리 너헛다가
　어론 님 오신 날 ㉣밤이여든 ㉤구뷔구뷔 펴리라

　　　　　　　　　　　　　　－ 황진이　미, 신, 비(박안), 비(박영), 지

다 두터비 파리를 물고 두험 우희 치다라 안자
　것년산 바라보니 백송골(白松鶻)°이 떠 잇거늘 가슴이 금즉
하여 풀덕 뛰여 내닷다가 두험 아래 잣바지거고
　모쳐라 날낸 낼식만졍 에헐질 번 하괘라°

　　　　　　　　　　　　　　　　　　－ 작자 미상　비(박영)

● 백송골: 흰 송골매.　● 에헐질 번 하괘라: 멍이 들 뻔하였구나.

---

01 (가)~(다)에 대한 설명으로 적절하지 <u>않은</u> 것은?

① 창작 시기 순으로 볼 때 (가), (나)가 (다)보다 먼저
　창작되었다.

② (가)의 작자는 사대부로, 지조와 절개라는 유교적
　가치를 강조하고 있다.

③ (가), (나)는 모두 3장 6구 45자 내외의 형식을 취하
　며 각 장이 4음보율을 보이고 있다.

④ (다)는 (가), (나)와 달리 4음보의 정형성이 파괴되
　었으며 중장이 길게 늘어진 형식을 취한다.

⑤ (나), (다)의 작자는 모두 평민, 천민 계층으로 작품
　을 통해 당대의 부조리한 세태를 비판하고 있다.

> **문제 해결 전략**
>
> (가), (나)는 평시조, (다)는 **❶**□□□로, 창작 계층으로 볼 때
> (가)는 사대부, (나)는 기녀, (다)는 **❷**□□ 계층이 창작하여
> 그 내용에서도 차이를 보인다. 이를 바탕으로 하여 선택지의 내
> 용이 적절한지 판단해 본다.

답 ❶ 사설시조 **❷** 평민

02 (나), (다)의 표현상 특징으로 적절하지 <u>않은</u> 것은?

① (나): 계절적 배경을 통해 시적 분위기를 조성하였다.

② (나): 대상에 감정을 이입하여 화자의 정서를 부각
　하였다.

③ (다): 종장에서 화자를 전환하여 풍자의 효과를 높
　였다.

④ (다): 인간 세태를 동물에 빗대어 우의적으로 풍자
　하였다.

⑤ (다): 시적 대상의 행동을 희화화하여 대상에 대한
　비판 의식을 드러내었다.

03 〈보기〉는 〈다〉를 해설한 내용이다. 이를 근거로 〈다〉를 감상한 내용으로 적절하지 <u>않은</u> 것은?

> • 보기 •
>
> 　이 작품은 인간 세계의 계층 관계를 동물들의 약육강식에 빗대어 표현함으로써 당시 지배 계층의 수탈과 횡포, 허위 등을 풍자하고 있다.

① '파리'는 힘없는 백성으로 해석할 수 있겠군.

② '파리'를 문 '두터비'는 백성을 괴롭히는 탐관오리를 빗대고 있는 것 같아.

③ '두터비'가 '백송골'을 두려워하는 것은 인간 세계의 계층 관계를 보여 주는군.

④ '백송골' 역시 '두터비'처럼 '파리'를 노린다는 데에서 당시 백성들의 고단한 삶을 엿볼 수 있어.

⑤ '두터비'가 도망가다 실수하고서도 자기 합리화를 하는 모습은 권력자의 허장성세를 보여 주는군.

04 ㉠~㉤에 대한 설명으로 적절하지 <u>않은</u> 것은?

① ㉠: 임의 부재로 화자가 외롭게 지내는 시간을 의미한다.

② ㉡: 임을 기다리는 시간을 구체적 사물로 형상화한 것이다.

③ ㉢: 대상을 둥그렇게 포개어 감아 놓은 모양을 나타내는 순우리말 의태어이다.

④ ㉣: 초장의 '밤'과는 대조적으로 긍정적 의미를 지닌다.

⑤ ㉤: 겨울밤의 추위와 시련을 극복하고자 하는 화자의 의지가 담긴 표현이다.

05 〈보기〉를 참고할 때, (가)에 대한 해석으로 적절하지 <u>않</u>은 것은?

> • 보기 •
>
> 　원천석(元天錫, 1330~?): 고려 말의 학자이자 고려의 유신(儒臣). 고려가 멸망하고 이성계가 새로운 왕조를 세우려 하자, 이에 반대하여 벼슬을 버리고 원주 치악산에 숨어 살았다. 태종 이방원의 어릴 적 스승으로, 태종이 즉위한 다음 여러 차례 벼슬을 내리고 불렀으나 끝내 응하지 않았다.

① 준수: 초장의 '눈'은 조선 왕조에 협력할 것을 강요하는 무리로 해석할 수 있겠군.

② 현아: 초장의 '휘어진'은 새 왕조의 압박 속에서 절개를 지키며 견디는 고충으로 해석할 수 있겠군.

③ 준영: 초장의 '디'는 대나무로, 고려의 썩은 정치를 변혁하고자 하는 조선의 신흥 세력을 의미하겠군.

④ 진서: 중장의 '푸를소냐'에서는 설의적 표현을 통해 고려에 대한 지조를 끝까지 지킬 것이라는 의지를 드러내고 있군.

⑤ 도현: 종장에서는 한겨울 추위를 견디는 대나무를 자신과 동일시하며 절개를 지키겠다는 의지를 강하게 드러내고 있군.

06 (가)의 ⓐ와 의미가 가장 유사한 시어를 〈보기〉에서 찾아 쓰시오.

> • 보기 •
>
> 　이 몸이 죽어 가서 무엇이 될꼬 하니
> 　봉래산(蓬萊山) 제일봉에 낙락장송(落落長松) 되어 있어
> 　백설이 만건곤(滿乾坤)할 제 독야청청(獨也靑靑)하리라
>
> 　　　　　　　　　　　　　　　　　－ 성삼문 □.□

[07~11] 다음을 읽고 물음에 답하시오.

가 님 다히 쇼식(消息)을 아므려나 아쟈 흐니
　오늘도 거의로다 니일이나 사룸 올가
　내 모음 둘 딕 업다 어드러로 가쟛 말고
　잡거니 밀거니 놉픈 뫼히 올라가니
　구룸은 코니와 안개는 므스 일고
　산쳔(山川)이 어둡거니 일월(日月)을 엇디 보며
　지쳑(咫尺)을 모루거든 쳔 리(千里)를 브라보랴
　출하리 믈구의 가 비길히나 보랴 흐니
　브람이야 믈결이야 어둥졍 되뎌이고
　샤공은 어딕 가고 븬 비만 걸렷눈고
　강쳔(江天)의 혼자 셔셔 디는 히를 구버보니
　님 다히 쇼식(消息)이 더욱 아득호뎌이고

나 모쳠(茅簷) 춘 자리의 밤듕만 도라오니
　반벽쳥등(半壁靑燈)은 눌 위후야 불갓눈고
　오루며 ᄂ리며 헤쓰며 바자니니
　져근덧 녁진(力盡)후야 풋줌을 잠간 드니
　졍셩(精誠)이 지극후야 쭘의 님을 보니
　옥(玉) 구튼 얼구리 반(半)이 나마 늘거셰라
　모음의 머근 말솜 슬코장 솗쟈 흐니
　눈믈이 바라나니 말솜인들 어이 흐며
　졍(情)을 못다 흐야 목이조차 몌여 흐니
　오뎐된 계셩(鷄聲)의 좀은 엇디 씨돗던고

다 어와 허ᄉ(虛事)로다 이 님이 어딕 간고
　결의 니러 안자 창(窓)을 열고 브라보니
　어엿븐 그림재 날 조출 쭌이로다
　출하리 싀여디여 낙월(落月)이나 되야이셔
　님 겨신 창(窓) 안히 번드시 비최리라

라 각시님 돌이야 코니와 구즌비나 되쇼셔

　　　　　　　　　　　　　　– 정철, 〈속미인곡〉 동 , 비(박안) , 지

[현대어 풀이]

(가) 임 계신 곳 소식을 어떻게든 알자 하니 / 오늘도 저물었네 내일이나 사람 올까 / 내 마음 둘 데 없다 어디로 가잔 말인가 / 잡거니 밀거니 높은 산에 올라가니 / 구름은 물론이고 안개는 무슨 일인가 / 산천이 어두운데 해와 달을 어찌 보며 / 지척을 모르는데 천 리를 바라볼까 / 차라리 물가에 가 뱃길이나 보려 하니 / 바람이야 물결이야 어수선히 되었구나 / 사공은 어디 가고 빈 배만 매여 있는가 / 강가에 혼자 서서 지는 해를 굽어보니 / 임 계신 곳 소식이 더욱 아득하구나

(나) 초가집 찬 자리에 밤중쯤 돌아오니 / 벽 가운데 청등은 누굴 위해 밝았는가 / 오르며 내리며 헤매며 서성대니 / 잠깐 동안 힘이 다해 풋잠을 잠깐 드니 / 정성이 지극하여 꿈에 임을 보니 / 옥 같은 모습이 반 넘어 늙었구나 / 마음에 먹은 말씀 실컷 사뢰려니 / 눈물이 쏟아지니 말씀인들 어찌 하며 / 정회를 못다 풀어 목조차 메여 오니 / 새벽닭 소리에 잠은 어찌 깨었던가

(다) 어와 허사로다 이 임이 어디 갔나 / 잠결에 일어나 앉아 창을 열고 바라보니 / 가엾은 그림자가 날 좇을 뿐이로다 / 차라리 죽어서 지는 달이나 되어서 / 임 계신 창 안에 환하게 비추리라 / 각시님 달도 좋지만 궂은 비나 되소서

---

07 다음을 참고하여 이 글을 감상한 내용으로 적절하지 않은 것은?

> 〈속미인곡〉은 정철이 1585년(선조 18년)에 당쟁으로 인해 관직에서 밀려나 고향에 내려가 지은 작품으로, 임금에 대한 그리움과 변함없는 충절을 임과 이별한 여인의 목소리를 빌려 노래하고 있다.

① '님'은 임금, 즉 선조를 의미하는 것이겠군.

② '구룸'과 '안개', '부람', '믈결'은 정철과 임금의 사이를 가로막고 있던 다른 신하들로 볼 수 있겠군.

③ '산쳔이 어둡거니'는 당시의 부정적인 시대 상황을 의미한다고 볼 수 있겠군.

④ '일월'은 정철이 바라보고자 하는 대상으로, 임금을 상징하는 것이겠군.

⑤ '옥 구튼 얼구리 반이 나마 늘거셰라'는 임금을 향한 걱정에 늙어 버린 정철 자신을 의미하는 것이겠군.

08 (가)~(다)에 나타난 화자의 태도로 알맞지 <u>않은</u> 것은?

① (가): 임의 소식을 전해 줄 사람을 기다리고 있다.

② (가): 임의 소식을 알기 위해 산에 오르고 강가에 찾아가고 있다.

③ (나): 그리던 임과 꿈속에서나마 간신히 만나고 있다.

④ (나): 임과의 만남을 방해하는 장애물 때문에 꿈에서 깨고 말았다.

⑤ (다): 임에 대한 원망과 한탄의 마음을 간접적으로 드러내고 있다.

10 이 글과 〈보기〉의 공통점으로 적절한 것은?

> • 보기 •
>
> 나 보기가 역겨워 / 가실 때에는
> 말없이 고이 보내 드리우리다.
>
> 영변(寧邊)에 약산(藥山) / 진달래꽃
> 아름 따다 가실 길에 뿌리우리다.
>
> – 김소월, 〈진달래꽃〉에서   천(박), 금, 비(박안), 해, 동

① 자신의 감정을 직설적으로 표현한다.

② 여성 화자를 통해 이별의 정한을 애절하게 표현한다.

③ 떠나려는 임을 붙잡는 적극적인 여성상을 보여 준다.

④ 떠나는 임에 대한 원망을 숨기지 않는 가식 없는 태도를 보여 준다.

⑤ 임과 이별하는 슬픈 상황조차 웃음으로 극복하는 해학적인 태도를 보여 준다.

> **문제 해결 전략**
>
> 고대 가요 〈공무도하가〉, 고려 가요 〈❶　　　　〉, 황진이의 시조 〈어져 내일이야〉, 민요 〈신아리랑〉, 현대 시 〈진달래꽃〉 등으로 이어져 내려오는 주제인 ❷　　　　의 정한(情恨)을 이해하고, 이 글과 〈보기〉의 화자가 지닌 공통점을 파악해 본다.

답 ❶ 가시리 ❷ 이별

09 각시님을 대하는 태도가 (라)의 화자와 가장 유사한 것은?

 자영 ① 변치 않는 사랑을 보이는 모습이 아름다워요.

 예준 ② 오지 않는 임은 마음에서 떠나보내고 이별을 받아들이세요.

 해영 ③ 임에 대한 간절한 사랑을 좀 더 적극적으로 표현해 보세요.

 가영 ④ 임에게 너무 매달리기보다는 자신을 더 돌보고 사랑해 주세요.

 하율 ⑤ 일방적인 애정은 상대에게 부담이 될 수 있으니 집착을 버리세요.

> **문제 해결 전략**
>
> ㉠이 중심 화자('여인 2')의 하소연에 대한 보조적 화자('여인 1')의 ❶　　　　임을 이해하고, '낙월(落月)'이 되어 임 계신 창을 비추고 싶다는 '여인 2'에게 '❷　　　　'나 되라고 하는 '여인 1'의 말의 의미를 적절하게 해석해 본다.

답 ❶ 조언 ❷ 궂은비(구진비)

11 〈보기〉를 바탕으로 하여 〈보기〉의 밑줄 친 부분에 해당하는 가사의 특징을 구체적으로 서술하시오.

> • 보기 •
>
> 〈속미인곡〉은 가사 중에서도 문학성이 가장 뛰어난 작품으로 꼽히는데, 가사는 그 향유층도 폭넓을 뿐만 아니라 강호한정, 교훈, 기행(紀行), 개인적 정서 표현, 현실 비판 등 주제도 매우 다양하다. 이렇게 가사가 계층을 초월해 향유될 수 있었던 것은 <u>율격 장치 외에는 제한이 없는 특성</u> 때문이라고 할 수 있다.

> • 조건 •
>
> 가사의 운율적 특징을 구체적으로 쓸 것

교과서 대표 전략 ①

대표 예제 01~03

[01~03] 다음을 읽고 물음에 답하시오.

ⓐ가시리 가시리잇고 나는
브리고 가시리잇고 나는
　　위 증즐가 大平盛代(대평셩디)

ⓑ날러는 엇디 살라 ᄒ고
브리고 가시리잇고 나는
　　위 증즐가 大平盛代(대평셩디)

ⓒ잡스와 두어리마ᄂᆞᆫ
ⓓ선ᄒᆞ면 아니 올셰라
　　위 증즐가 大平盛代(대평셩디)

셜온 님 보내읍노니 나는
ⓔ가시ᄂᆞᆫ 듯 도셔 오쇼셔 나는
　　위 증즐가 大平盛代(대평셩디)

– 작자 미상, 〈가시리〉 천(박) , 천(이) , 비(박안) , 신 , 지 , 해

01

이 시에 대한 설명으로 가장 적절한 것은?

① 4음보의 율격을 통해 운율감을 형성하고 있다.
② 색채어를 사용하여 시적 상황을 강조하고 있다.
③ 공감각적 심상을 활용하여 주변 환경을 묘사하고 있다.
④ 반어적 표현을 활용하여 화자의 정서를 강조하고 있다.
⑤ 대상에게 말을 건네는 방식으로 시상을 전개하고 있다.

유형 해결 전략

제시된 작품의 표현상 특징을 이해하고 있는지 묻는 문제이다. 시상 전개 방식, **❶**　　을 형성하는 요소, 시적 상황 및 정서 등을 드러내기 위해 사용된 **❷**　　 등을 확인하여 적절한 선택지를 찾아본다.

답 ❶ 운율 ❷ 표현 방법

02

㉠~㉤에 대한 설명으로 적절하지 않은 것은?

① ㉠: 이별의 상황을 거듭 확인하는 화자의 모습이 나타나 있다.
② ㉡: 떠나는 임에 대한 화자의 원망과 슬픔을 짐작할 수 있다.
③ ㉢: 화자가 자신의 슬픔을 숨긴 채 떠나는 임을 축복하고 있다.
④ ㉣: 화자가 임을 붙잡지 못하는 이유가 제시되어 있다.
⑤ ㉤: 임이 돌아오기를 바라는 화자의 간절한 소망이 드러나 있다.

유형 해결 전략

제시된 작품에 나타난 화자의 **❶**　　와 태도를 이해하고 있는지 묻는 문제이다. 시적 **❷**　　에 대한 화자의 정서와 태도를 이해한 뒤, 이것이 각 시구에서 어떻게 나타나고 있는지 파악해 적절하지 않은 선택지를 선택해 본다.

답 ❶ 정서 ❷ 상황

03

〈보기〉의 설명에 해당하는 구절을 이 시에서 찾아 쓰시오.

보기

고려 가요는 고려 시대에 민간에서 불리던 노래이지만, 그중 일부는 궁중의 음악으로 편입되어 전해졌다. 그 과정에서 새로운 구절이 추가되기도 하였는데, 이 때문에 전체 내용과 동떨어진 부분이 작품 속에 나타나기도 한다.

유형 해결 전략

고려 가요에 나타나는 **❶**　　의 기능과 의미를 파악하는 문제이다. 후렴구는 각 연마다 반복되어 **❷**　　을 형성하는데, 그중에서 일부는 궁중음악으로 편입되었을 때 삽입된 흔적을 보이기도 한다. 〈보기〉의 내용을 잘 분석한 후 이에 맞는 후렴구를 찾아본다.

답 ❶ 후렴구 ❷ 운율

대표 예제 04~06

[04~06] 다음을 읽고 물음에 답하시오.

가 동지(冬至)ㅅ둘 ㉠기나긴 밤을 한 허리를 버혀 내어
춘풍(春風) 니불 아레 서리서리 너헛다가
㉡어론 님 오신 날 밤이여든 구뷔구뷔 펴리라
– 황진이 ‖미‖,‖비(박안)‖,‖비(박영)‖,‖신‖,‖지‖

나 님이 오마 호거놀 ㉢저녁밥을 일 지어 먹고 중문(中門)
나서 대문(大門) 나가 지방(地方) 우희 치도라안자 이수
(以手)로 가액(加額)호고 오는가 가는가 건넌 산(山) 브라
보니 거머횟들 셔 잇거눌 져야 님이로다
　보션 버서 품에 품고 신 버서 손에 쥐고 곰븨님븨 님븨
곰븨 쳔방지방 지방쳔방 즌 듸 무른 듸 골희지 말고 워렁
충창 건너가셔 졍(情)엣말 호려 호고 겻눈을 흘긧 보니 상
년(上年) 칠월(七月) 사흔날 골가 벅긴 ㉣주추리 삼대 술
드리도 날 소겨라
　㉤모쳐라 밤일식만졍 힝혀 낮이런들 눔 우일 번 호괘라
– 작자 미상 ‖동‖,‖비(박안)‖

04

(가), (나)의 공통점으로 적절하지 않은 것은?

① 시간적 배경이 '밤'으로 제시되고 있다.
② 임이 없는 상황에서 임이 오기를 기다리고 있다.
③ 임을 향한 화자의 그리움의 정서가 나타나 있다.
④ 음성 상징어를 활용하여 화자의 정서를 드러내고 있다.
⑤ 화자의 행동을 과장해 묘사함으로써 웃음을 유발하고 있다.

유형 해결 전략
제시된 두 작품이 모두 지니고 있는 표현 및 내용상의 요소를 이해하여 둘의 **❶** 을 파악할 수 있는지 묻는 문제이다. 화자의 상황과 정서, 태도가 무엇인지를 먼저 파악하여 비교해 보고, 이후 어떠한 **❷** 의 특징이 활용되어 나타나 있는지를 파악해 (가)와 (나)를 비교해 본다.

🔘 ❶ 공통점 ❷ 표현상

05

㉠~㉤에 대한 설명으로 적절하지 않은 것은?

① ㉠: 추상적 개념을 구체화하여 표현한 부분으로 시적 화자의 소망과 관련된다.
② ㉡: 사랑하는 임과 함께하는 긍정적인 시간을 의미한다.
③ ㉢: 시적 화자의 들뜬 마음이 구체적인 행동으로 묘사되고 있다.
④ ㉣: 시적 화자가 임으로 착각한 대상이 제시되고 있다.
⑤ ㉤: 임이 오지 않은 데 대한 화자의 실망감과 임을 향한 원망이 드러나 있다.

유형 해결 전략
각 시구에 담겨 있는 **❶** 를 이해하고 있는지 묻는 문제이다. 시의 상황과 그에 따른 화자의 정서, **❷** , 표현상의 특징 등을 파악한 후 해당 시구의 의미를 추론해 본다.

🔘 ❶ 의미 ❷ 태도

06

〈보기〉를 참고하여 (가)와 (나)를 비교한 내용으로 가장 적절한 것은?

─● 보기 ●─
　시조의 기본 형태는 평시조로, 일반적으로 3장 6구 45자 내외에 4음보의 율격을 지닌다. 하지만 조선 후기에 등장한 사설시조는 이러한 정형적인 형식에서 벗어나 시의 길이가 길어지는 모습이 나타났다.

① (가)와 (나)는 모두 3장 6구로 구성되어 있다.
② (가)와 (나)는 모두 4음보의 율격에서 벗어나 있다.
③ (가)는 (나)와 달리 종장의 첫 음보가 2음절로 되어 있다.
④ (가)와 달리 (나)는 시의 내용과 관계없는 여음구가 반복되고 있다.
⑤ (가)와 비교할 때 (나)는 기본 형태에서 길이가 변화된 모습으로 나타났다.

유형 해결 전략
시대에 따른 시조의 **❶** 양상을 이해하고 이를 개별 작품에 적용할 수 있는지 묻는 문제이다. 〈보기〉에 제시된 **❷** 와 사설시조의 차이점을 이해한 후 이를 토대로 (가)와 (나) 시조의 형식적 특성을 비교해 본다.

🔘 ❶ 변화 ❷ 평시조

대표 예제 07~09

[07~09] 다음을 읽고 물음에 답하시오.

가 ㉠강호(江湖)애 병(病)이 깁퍼 듁님(竹林)의 누엇더니,
관동(關東) 팔빅(八百) 니(里)에 방면(方面)을 맛디시니,
어와 셩은(聖恩)이야 가디록 망극(罔極)ᄒ다.
㉡연츄문(延秋門) 드리ᄃ라 경회(慶會) 남문(南門) ᄇ
라보며, / 하직(下直)고 믈너나니 옥졀(玉節)이 알픠 셧다.

나 쇼양강(昭陽江) ᄂ린 믈이 어드러로 든단 말고.
고신거국(孤臣去國)에 빅발(白髮)도 하도 할샤.
외로운 신하가 나래(서울)를 떠남.
동쥬(東州)ㅣ 밤 계오 새와 북관뎡(北寬亭)의 올나ᄒ니,
삼각산(三角山) 뎨일봉(第一峰)이 ᄒ마면 뵈리로다.
궁왕(弓王) 대궐(大闕) 터희 오쟉(烏鵲)이 지지괴니,
까마귀와 까치
㉢쳔고(千古) 흥망(興亡)을 아ᄂ다 몰ᄋ᷂ᄂ다.
회양(淮陽) 녜 일홈이 마초아 ᄀ톨시고.
급댱유(汲長孺) 풍치(風采)를 고텨 아니 볼 게이고.
좋은 정치를 베풀었다는 중국의 관리

다 원통(圓通)골 ᄀ는 길로 사자봉(獅子峰)을 ᄎ자가니,
그 알픠 너러바회 화룡(火龍)쇠 되여셰라.
㉣쳔년(千年) 노룡(老龍)이 구비구비 서려 이셔,
듀야(晝夜)의 흘녀 내여 창히(滄海)예 니어시니,
㉤풍운(風雲)을 언제 어더 삼일우(三日雨)를 디련ᄂ다.
ⓐ음애(陰崖)예 이온 플을 다 살와 내여ᄉ라.

– 정철, 〈관동별곡〉에서 천(이), 금, 신

[현대어 풀이]

(가) 강호에 병이 깊어 죽림에 누웠더니, / 관동 팔백 리에 방면(관찰사의 소임)을 맡기시니, / 아아, 성은이여! 갈수록 망극하다. / 연추문(경복궁의 서쪽 문) 달려들어 경회 남문(광화문) 바라보며, / 하직하고 물러나니 옥절(임금이 신표로 주는 패)이 앞에 섰다.

(나) 소양강 내린 물이 어디로 흘러가나? / 고신거국에 백발이 많고 많다. / 동주(철원) 밤 겨우 새워 북관정에 올라 보니, / 삼각산(북한산) 제일봉이 어쩌면 뵈리로다. / 궁왕(궁예) 대궐 터에 오작이 지지귀니 / 천고 흥망을 아는가 모르는가? / 회양 네 이름이 마침 (중국의 회양과) 같구나. / 급장유 풍채를 다시 아니 볼 것인가?

(다) 원통골 좁은 길로 사자봉을 찾아가니, / 그 앞에 넓은 바위 화룡소(연못)가 되었구나. / 천년 노룡이 굽이굽이 서려 있어 / 주야에 흘러 내려 창해(넓고 큰 바다)에 이었으니, / 풍운을 언제 얻어 삼일우를 내리려나? / 음애(해가 들지 않는 낭떠러지나 언덕)에 시든 풀을 다 살려 내려무나.

07

(가), (나)의 내용으로 적절하지 않은 것은?

① (가): 벼슬에서 물러난 중에 관찰사로 임명됨.
② (가): 임금의 은혜에 감격함.
③ (나): 소양강을 보며 나라를 걱정함.
④ (나): 좋은 정치를 펼칠 것을 다짐함.
⑤ (나): 삼각산에 올라 임금을 그리워함.

유형 해결 전략

고전 시가의 표기와 표현을 이해하여 **❶** 을 파악할 수 있는지 묻는 문제이다. 선택지의 내용이 언급된 부분을 찾아 **❷** 의 뜻과 구절의 의미를 파악해 본다.

답 ❶ 내용 ❷ 어휘

08

㉠~㉤에 대한 이해로 적절하지 않은 것은?

① ㉠: 자연을 사랑하여 속세를 등지고 살았다는 뜻이다.
② ㉡: 관찰사 부임 과정을 상세하게 표현하였다.
③ ㉢: 맥수지탄, 인생무상과 의미가 통한다.
④ ㉣: '천년 노룡'은 화자 자신을 의미한다고 볼 수 있다.
⑤ ㉤: 선정을 베풀 기회를 얻고 싶다는 의미이다.

유형 해결 전략

시구의 **❶** 를 이해하고 있는지를 묻는 문제이다. 시적 상황, 화자의 정서와 **❷** , 표현상의 특징 등을 파악한 후 해당 시구의 의미를 추론해 본다.

답 ❶ 의미 ❷ 태도

09

(나)에서 (다)의 ⓐ와 유사한 태도를 보이는 시행을 찾아 쓰시오.

유형 해결 전략

'음애예 이온 플'이 헐벗고 굶주린 **❶** 을 의미함을 이해하고 ⓐ와 유사한 태도를 보이는 부분을 (나)에서 찾아본다.

답 ❶ 백성

대표 예제 10~12

[10~12] 다음을 읽고 물음에 답하시오.

매운 계절(季節)의 채찍에 갈겨
마침내 북방(北方)으로 휩쓸려오다.

하늘도 그만 지쳐 끝난 고원(高原)
서릿발 칼날진 그 위에 서다

어데다 무릎을 꿇어야 하나?
한 발 재겨디딜 곳조차 없다.

이러매 눈 감아 생각해 볼밖에
㉠겨울은 강철로 된 무지갠가 보다.

– 이육사, 〈절정〉 금, 신, 지

10

이 시에 대한 설명으로 적절하지 <u>않은</u> 것은?

① 현재형 시제를 활용하여 시적 긴장감을 조성하고 있다.

② 계절적 이미지를 활용해 시적 상황을 상징적으로 드러
내고 있다.

③ 의문형 진술을 사용하여 시적 화자의 절박한 상황을 보
여 주고 있다.

④ 한시의 시상 전개 방식인 '기–서–결'의 3단 구성 방식
을 계승하였다.

⑤ 점층적인 구조를 사용함으로써 시적 화자가 처한 극한
상황을 강조하고 있다.

유형 해결 전략

이 시의 표현상 특징을 파악할 수 있는지 묻는 문제이다. 먼저 시의 **❶** 를 파악한 후, 이를 바탕으로 하여 선택지에 제시된 **❷** 전개 방식, 표현 기법 등에 대한 설명이 적절한지 파악한다.

답 ❶ 주제 ❷ 시상

11

화자의 태도에 대한 설명으로 가장 적절한 것은?

① 힘겨운 현실을 부정하고 낙천적인 태도를 보인다.

② 과거와 현재를 비교하며 긍정적 인식을 보이고 있다.

③ 상황의 원인을 찾기 위해 과거의 삶을 성찰하고 있다.

④ 극한의 상황에서도 관조적 태도를 통해 상황을 극복하
고자 하는 의지를 드러내고 있다.

⑤ 부정적 상황 속에서 자신의 연약함을 느끼며 초월적 존
재에게 의지하려는 모습을 보이고 있다.

유형 해결 전략

이 시에 나타난 **❶** 의 태도를 묻는 문제이다. '한발 재겨디딜 곳 조차 없'는 극한의 상황에서, 절망적 현실을 의미하는 '겨울'을 '**❷** '라고 표현하는 화자의 태도를 파악해 본다.

답 ❶ 화자 ❷ 무지개

12

㉠과 같은 표현법이 사용되지 않은 것은?

① 두 볼에 흐르는 빛이 / 정작으로 고와서 서러워라.

② 천추에 죽지 않는 논개여, / 하루도 살 수 없는 논개여

③ 오늘도 어제도 아니 잊고 / 먼 훗날 그때에 "잊었노라."

④ 우리들의 사랑을 위하여서는 / 이별이, 이별이 있어야
하네.

⑤ 이것은 소리 없는 아우성. / 저 푸른 해원을 향하여 흔
드는 / 영원한 노스탤지어의 손수건.

유형 해결 전략

㉠에 나타난 **❶** 방법을 이해하고 있는지 묻는 문제이다. ㉠은 '강철'과 '무지개'라는 **❷** 된 이미지를 결합하여 이 시의 주제를 전달하는 부분임을 이해하고, 선택지의 시구를 파악해 본다.

답 ❶ 표현 ❷ 모순

1주 4일 교과서 대표 전략 ②

[01~06] 다음을 읽고 물음에 답하시오.

가 진쥬관(眞珠館) 듁셔루(竹西樓) 오십쳔(五十川) ᄂᆞ린 믈이, / 태백산(太白山) 그림재ᄅᆞᆯ 동ᄒᆡ(東海)로 다마 가니,
㉠ᄎᆞᆯ하리 한강(漢江)의 목멱(木覓)의 다히고져
㉡왕뎡(王程)이 유ᄒᆞᆫ(有限)ᄒᆞ고 풍경(風景)이 못 슬믜니,
유회(幽懷)도 하도 할샤 ᄀᆡᆨ수(客愁)도 둘 ᄃᆡ 업다.
션사(仙槎)ᄅᆞᆯ ᄯᅴ워 내여 두우(斗牛)로 향(向)ᄒᆞ살가,
션인(仙人)을 ᄎᆞᄌᆞ려 단혈(丹穴)의 머므살가.
텬근(天根)을 못내 보와 망양뎡(望洋亭)의 올은말이,
바다 밧근 하ᄂᆞᆯ이니 하ᄂᆞᆯ 밧근 므서신고.
ᄀᆞᆺ득 노ᄒᆞᆫ 고래 뉘라셔 놀내관ᄃᆡ,
블거니 ᄲᅮᆷ거니 어즈러이 구ᄂᆞᆫ디고.
은산(銀山)을 것거 내여 뉵합(六合)의 ᄂᆞ리ᄂᆞᆫ ᄃᆞᆺ,
오월(五月) 댱텬(長天)의 ᄇᆡᆨ셜(白雪)은 므ᄉᆞ 일고.

나 숑근(松根)을 베여 누어 **풋ᄌᆞᆷ**을 얼픗 드니,
꿈애 ᄒᆞᆫ 사ᄅᆞᆷ이 날ᄃᆞ려 닐온 말이,
그ᄃᆡᄅᆞᆯ 내 모ᄅᆞ랴 **샹계**(上界)예 **진션**(眞仙)이라.
황뎡경(黃庭經) 일ᄌᆞ(一字)ᄅᆞᆯ 엇디 그ᄅᆞᆺ 닐거 두고,
인간(人間)의 내려와셔 우리ᄅᆞᆯ ᄯᆞᆯ오ᄂᆞᆫ다.
져근덧 가디 마오 이 술 ᄒᆞᆫ 잔 머거 보오.
븍듀셩(北斗星) 기우려 **챵ᄒᆡ슈**(滄海水) 부어 내여,
저 먹고 날 머겨ᄂᆞᆯ 서너 잔 거후로니,
화풍(和風)이 습습(習習)ᄒᆞ야 냥ᄋᆡᆨ(兩腋)을 추혀드니,
구만(九萬) 리(里) 댱공(長空)애 져기면 ᄂᆞᆯ리로다.
이 술 가져다가 ᄉᆞᄒᆡ(四海)예 고로 ᄂᆞᆫ화,
억만창ᄉᆡᆼ(億萬蒼生)을 다 취(醉)케 ᄆᆡᆼ근 후(後)의,
그제야 고텨 맛나 ᄯᅩ ᄒᆞᆫ 잔 ᄒᆞ쟛고야.
말 디쟈 학(鶴)을 ᄐᆞ고 구공(九空)의 올나가니,
공듕(空中) 옥쇼(玉簫) 소ᄅᆡ 어제런가 그제런가.

다 나도 ᄌᆞᆷ을 ᄭᆡ여 바다ᄒᆞᆯ 구버보니,
기픠ᄅᆞᆯ 모ᄅᆞ거니 ᄀᆞ인ᄃᆞᆯ 엇디 알리.
명월(明月)이 **쳔산만낙**(千山萬落)의 아니 비쵠 ᄃᆡ 업다.

– 정철, 〈관동별곡〉에서 천(이), 금, 신

[현대어 풀이]

(가) 진주관 죽서루 오십천 내린 물이 / 태백산 그림자를 동해로 담아 가니, / 차라리 한강의 목멱에 닿고 싶다. / 왕정이 유한하고 풍경이 싫지 않으니, / 유회(깊이 품은 생각)도 많고 많다. 객수(객지에서 느끼는 시름)도 둘 곳 없다. / 선사(신선이 탄다는 배)를 띄워 내어 두우(북두성과 견우성)로 향할까? / 선인(신선)을 찾으러 단혈(신선이 놀았다는 굴)에 머무를까? / 하늘의 끝을 끝내 못 보고 망양정에 오르니, / 바다 밖은 하늘인데 하늘 밖은 무엇인가? / 가뜩이나 성난 고래(파도)를 누가 놀라게 하기에, / (물을) 불거니 뿜거니 어지럽게 구는 것인가? / (판도가) 은산을 꺾어 내어 온 세상에 흩뿌려 내리는 듯, / 오월 드높은 하늘에 백설(물보라)은 무슨 일인가?

(나) 송근(소나무 뿌리)을 베고 누워 선잠에 얼핏 드니, / 꿈에 한 사람이 날더러 이른 말이 / 그대를 내 모르랴? 상계(하늘나라)의 진선이라. / 황정경(도교의 경전) 한 글자를 어찌 잘못 읽어서 / 인간에 내려와서 우리를 따르는가? / 잠깐만 가지 마오 이 술 한 잔 먹어 보오. / 북두성 기울여 창해수 부어 내어 / 저 먹고 날 먹이거늘 서너 잔 기울이니, / 화풍(부드러운 바람)이 습습하여(산들산들 불어) 양액(양쪽 겨드랑이)을 추켜 드니, / 구만 리 장공에 잠깐이면 날 것 같다. / 이 술 가져다가 사해에 고루 나눠 / 억만 창생(수많은 백성)을 다 취하게 만든 후에 / 그제야 다시 만나 또 한 잔 하자꾸나. / 말 마치자 학을 타고 구공(넓고 큰 하늘)에 올라가니 / 공중 옥피리 소리 어제던가 그제던가?

(다) 나도 잠을 깨어 바다를 굽어보니, / 깊이를 모르거니 끝인들 어찌 알리? / 명월이 온 세상에 아니 비친 곳 없다.

01 (가)~(다)의 구조를 다음과 같이 나타낼 때, 이를 이해한 내용으로 적절하지 않은 것은?

(가)		(나)		(다)
현실	→	꿈	→	현실

① (가)에서 화자는 '두우'로 향할까 고민하며 속세를 떠나고 싶어 하는군.
② (나)에서 화자는 '숑근'을 베고 '풋ᄌᆞᆷ'에 들며 '꿈'을 꾸는 상태에 들어가게 되는군.
③ (나)에서 화자는 신선을 만나 자신이 본래 '샹계'에 살던 '진션'이었음을 알게 되는군.
④ (나)에서 '븍듀셩'을 기울여 '챵ᄒᆡ슈'를 부어 마시는 모습에서 화자의 호방한 기운을 느낄 수 있군.
⑤ (다)에서 '명월'이 '쳔산만낙'에 비치지 않은 곳이 없다는 것에서 신선의 길을 가겠다는 화자의 결심을 읽을 수 있군.

02 다음 밑줄 친 사상이 반영된 시어로 보기에 적절하지 않은 것은?

 문학 작품에는 그 당시 성행하던 사상이나 작가의 사상이 반영되는 경우가 많아요. 〈관동별곡〉에는 위정자로서의 포부와 연군지정 등 유교 사상이 반영된 부분이 많이 나오지요. 또 도교 사상이 드러나는 부분도 많이 나옵니다.

① 듁셔루(竹西樓)　　② 선사(仙槎)

③ 션인(仙人)　　④ 진션(眞仙)

⑤ 황뎡경(黃庭經)

03 ㉠에서 드러나는 화자의 정서를 나타내는 한자 성어로 가장 적절한 것은?

① 연군지정(戀君之情)　　② 맥수지탄(麥秀之嘆)

③ 안분지족(安分知足)　　④ 입신양명(立身揚名)

⑤ 천석고황(泉石膏肓)

04 다음은 ㉡에 나타난 시적 화자의 내적 갈등을 정리한 것이다. ⓐ, ⓑ에 들어갈 말로 적절하지 않은 것은?

왕뎡이 유훈하고	↔	풍경이 못 슬믜니
ⓐ		ⓑ

	ⓐ	ⓑ
①	이성적	감성적
②	사회적 가치	개인적 가치
③	공적인 책임	사적인 욕망
④	도교적 탈속	유교적 현실주의
⑤	위정자의 의무	즐기고 싶은 욕구

도움말

㉡에서 화자는 ❶　　로서의 일정이 정해져 있는데 ❷　　은 볼수록 싫지 않아 나그네의 시름을 달랠 길이 없다고 토로하고 있다.

답 ❶ 관리(관찰사) ❷ 풍경

05 이 시와 〈보기〉를 비교한 내용으로 적절하지 않은 것은?

보기

강호(江湖)에 ᄀ올이 드니 고기마다 슬져 잇다

소정(小艇)에 그믈 시러 흘니 씌여 더져 두고

이 몸이 소일(消日)히옴도 역군은(亦君恩)이샷다.

－ 맹사성, 〈강호사시가〉 제3수　금

① 두 시 모두 4음보의 율격을 지닌다.

② 두 시 모두 화자의 내적 갈등이 드러난다.

③ 두 시 모두 화자의 임금에 대한 사랑이 드러난다.

④ 두 시 모두 자연에서 흥취를 즐기는 모습이 나타난다.

⑤ 이 시는 길이의 제한이 없는 연속체 형식을 지니나 〈보기〉는 3장 형식을 지닌다.

도움말

〈보기〉의 화자는 ❶　　을 벗 삼아 살아가는 흥취를 노래하면서, 이렇게 소일하며 지낼 수 있게 해 준 ❷　　의 은혜에 감사하고 있다.

답 ❶ 자연 ❷ 임금

06 다음을 참고하여 (나)의 '꿈'의 역할을 서술하시오.

문학 작품에서는 현실에서 결코 이룰 수 없는 인물의 이상을 꿈을 통해 이루는 경우가 많다. 꿈이 현실적 갈등을 해소하는 기능을 하는 것이다.

조건

화자가 느끼는 갈등을 구체적으로 드러낼 것

[1~3] 다음을 읽고 물음에 답하시오.

생사(生死) 길은
예 있으매 머뭇거리고,
나는 간다는 말도
못다 이르고 어찌 갑니까.
어느 가을 이른 바람에
이에 저에 떨어질 잎처럼,
한 가지에 나고
가는 곳 모르온저.
㉠아아, 미타찰(彌陀刹)에서 만날 나
도(道) 닦아 기다리겠노라.

– 월명사, 〈제망매가〉(김완진 해독) 동, 미, 비(박안), 비(박영), 신

1 이 시의 갈래에 대한 설명으로 적절하지 않은 것은?

① 10구체 향가이다.
② 3단 구성으로 시상을 전개하고 있다.
③ 신라 시대부터 고려 전기까지 창작되었다.
④ 중국의 문자 체계에 따라 한자로 기록된 정형 시가이다.
⑤ 불교 중심 사회였던 신라의 사회상이 반영된 작품으로 볼 수 있다.

2 ㉠에 나타난 화자의 태도로 적절하지 않은 것은?

① 이별의 슬픔을 종교적으로 승화하고 있다.
② 누이와의 사별을 종교를 통해 극복하고 있다.
③ 누이와 극락에서 다시 만나기를 기대하고 있다.
④ 불교적 득도를 통해 누이와 재회하기를 소망한다.
⑤ 갑작스럽게 죽음을 맞이한 누이를 떠올리며 절망하고 있다.

3 다음 설명에 해당하는 시어를 이 시에서 찾아 쓰시오.

> 영탄적 표현을 통해 시상을 집약시킴으로써 도를 닦으며 슬픔을 극복하려는 화자의 의지를 부각시킨다.

[4~6] 다음을 읽고 물음에 답하시오.

내 버디 몃치나 ᄒᆞ니 수석(水石)과 송죽(松竹)이라
동산(東山)의 ᄃᆞᆯ 오르니 긔 더옥 반갑고야
두어라 이 다ᄉᆺ 밧긔 또 더ᄒᆞ야 머엇ᄒᆞ리

구룸빗치 조타 ᄒᆞ나 검기ᄅᆞᆯ ᄌᆞ로° ᄒᆞᆫ다
ᄇᆞ람소ᄅᆡ ᄆᆞᆰ다 ᄒᆞ나 그칠 적이 하노매라°
조코도 그츨 뉘° 업기ᄂᆞᆫ ㉠믈뿐인가 ᄒᆞ노라

고즌° 므스 일로 퓌며셔 쉬이 디고
플은 어이ᄒᆞ야 프르ᄂᆞᆫ ᄃᆺ 누르ᄂᆞ니
아마도 변티 아닐ᄉᆞᆫ ㉡바회뿐인가 ᄒᆞ노라

더우면 곳 퓌고 치우면 닙 디거ᄂᆞᆯ
㉢솔아 너ᄂᆞᆫ 얻디 눈 서리ᄅᆞᆯ 모ᄅᆞᄂᆞᆫ다
구천(九泉)°의 블희° 고ᄃᆞᆫ 줄을 글로 ᄒᆞ야 아노라

나모도 아닌 거시 플도 아닌 거시
곳기ᄂᆞᆫ 뉘° 시기며° 속은 어이 뷔연ᄂᆞᆫ다
뎌러코 ᄉᆞ시(四時)예 프르니 ㉣그를 됴하 ᄒᆞ노라

쟈근 거시 노피 떠셔 만믈(萬物)을 다 비취니
밤듕의 광명(光明)이 ㉤너만ᄒᆞ니 또 잇ᄂᆞ냐
보고도 말 아니 ᄒᆞ니 내 벋인가 ᄒᆞ노라

- ᄌᆞ로: 자주.
- 하노매라: 많구나.
- 뉘: 세상이나 때.
- 고즌: 꽃은.
- 구천: 땅속 깊은 밑바닥.
- 블희: 뿌리가.
- 뉘: '누가'를 예스럽게 이르는 말.
- 시기다: '시키다'의 옛말.

– 윤선도, 〈오우가〉 천(이), 동

4 이 시의 제2수~제6수에 나타난 '벗'과 그 특성에 대한 설명으로 적절하지 않은 것은?

① 제2수: 물 – 깨끗하고 그치지 않는다.
② 제3수: 바위 – 변치 않는다.
③ 제4수: 소나무 – 더우면 꽃이 피고 추우면 잎이 진다.
④ 제5수: 대나무 – 사시에 푸르다.
⑤ 제6수: 달 – 작으나 밝은 빛을 비추며 과묵하다.

5 〈보기〉를 바탕으로 하여 ㉠~㉤의 덕성을 파악한 내용으로 적절하지 <u>않은</u> 것은?

> • 보기 •
> 이 시의 화자가 자연물의 다섯 대상을 벗으로 삼은 데에는 이들이 가지고 있는 속성이 선비가 지녀야 할 덕성에 대응되어 유교적 이념을 드러낼 수 있다고 보았기 때문이다.

① ㉠: 부드러운 융통성
② ㉡: 시류에 영합하지 않는 자세
③ ㉢: 신념을 굽히지 않는 절개
④ ㉣: 원칙을 지켜 나가는 지조
⑤ ㉤: 침묵의 미덕

6 다음은 이 시와 〈보기〉를 비교한 표이다. 적절하지 <u>않은</u> 것은?

> • 보기 •
> 창(窓) 내고자 창을 내고자 이내 가슴에 창 내고자
> 고모장지 셰살장지 들장지 열장지 암톨쩌귀 수톨쩌귀 배목걸쇠 크나큰 장도리로 뚝딱 박아 이내 가슴에 창 내고자
> 이따금 하 답답할 때면 여닫아 볼까 하노라
> ― 작자 미상 　천(이)　창

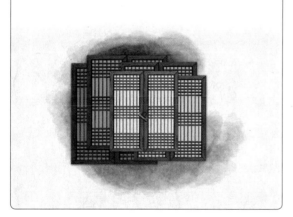

	〈오우가〉	〈보기〉
형식	3장 6구의 형식을 갖춤. ⋯⋯⋯ ⓐ	3장 형식을 취하지 않음. ⋯⋯⋯ ⓑ
율격	4음보의 율격이 나타남. ⋯⋯⋯ ⓒ	중장에서는 4음보율이 나타나지 않음. ⋯⋯ ⓓ
언어	품격 있고 아름다운 느낌을 줌.	재미있고 생동감이 느껴짐. ⋯⋯⋯ ⓔ

① ⓐ　　② ⓑ　　③ ⓒ　　④ ⓓ　　⑤ ⓔ

[7~8] 다음을 읽고 물음에 답하시오.

> 머리가 마늘쪽같이 생긴 고향의 소녀와
> 한여름을 알몸으로 사는 고향의 소년과
> 같이 낯이 설어도 사랑스러운 들길이 있다
>
> 그 길에 아지랑이가 피듯 태양이 타듯
> 제비가 날듯 길을 따라 물이 흐르듯 그렇게 / 그렇게
>
> ㉠천연(天然)히°
>
> ㉡울타리 밖에도 화초를 심는 마을이 있다
> 오래오래 잔광이 부신 마을이 있다
> 밤이면 더 많이 별이 뜨는 마을이 있다
>
> ° **천연히**: 생긴 그대로 조금도 꾸밈이 없이.
> ― 박용래, 〈울타리 밖〉　천(박)

7 ㉠, ㉡에 대한 설명으로 적절하지 <u>않은</u> 것은?

① ㉠: 자연과 인간의 공통된 속성을 드러낸다.
② ㉠: 시상을 집약하며 주제를 함축하고 있다.
③ ㉠: 앞의 연과 뒤의 연을 비교하게 하여 비판적 시선에서 '마을'을 바라보게 한다.
④ ㉡: '마을'과 자연을 구분하지 않는 천연한 행동이다.
⑤ ㉡: 인간과 자연이 조화를 이루며 살기를 바라는 화자의 소망이 담긴 표현이다.

8 이 시와 〈보기〉의 화자가 공통적으로 지향하는 삶이 무엇인지 쓰시오.

> • 보기 •
> 공명(功名)도 날 씌우고, 부귀(富貴)도 날 씌우니
> 청풍명월(淸風明月) 외예 엇던 벗이 잇스올고
> 단표누항(簞瓢陋巷)에 훗튼 혜음 아니 ㅎ니
> 아모타 백년행락(百年行樂)이 이만흔들 엇지ㅎ리
> ― 정극인, 〈상춘곡〉에서　천(박), 해

창의·융합·코딩 전략 ①

[1~3] 다음을 읽고 물음에 답하시오.

> **가** 동지(冬至)ㅅ달 기나긴 밤을 한 허리를 버혀 내어
> 춘풍(春風) 니불 아레 서리서리 너헛다가
> 어론 님 오신 날 밤이여든 구뷔구뷔 펴리라.
> – 황진이 미 , 비(박안) , 비(박영) , 신 , 지

> **나** 개를 여나믄이나 기르되 요 개같이 얄미우랴
> 미운 님 오며는 꼬리를 홰홰 치며 치뛰락 나리 뛰락 반겨서
> 내닫고 고운 님 오며는 뒷발을 바둥바둥 무르락 나오락 캉캉
> 짖는 요 도리암캐
> 쉰 밥이 그릇그릇 날진들 너 먹일 줄이 있으랴
> – 작자 미상 미 , 신

1 (가), (나)의 화자가 대화를 나눈다고 할 때, 그 내용으로 적절하지 <u>않은</u> 것은?

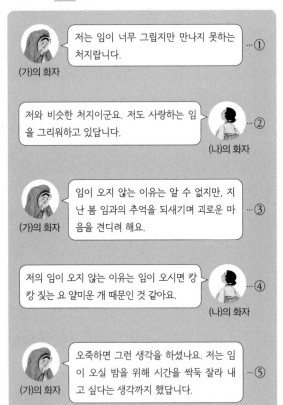

> (가)의 화자: 저는 임이 너무 그립지만 만나지 못하는 처지랍니다. … ①

> (나)의 화자: 저와 비슷한 처지이군요. 저도 사랑하는 임을 그리워하고 있답니다. … ②

> (가)의 화자: 임이 오지 않는 이유는 알 수 없지만, 지난 봄 임과의 추억을 되새기며 괴로운 마음을 견디려 해요. … ③

> (나)의 화자: 저의 임이 오지 않는 이유는 임이 오시면 캉캉 짖는 요 얄미운 개 때문인 것 같아요. … ④

> (가)의 화자: 오죽하면 그런 생각을 하셨나요. 저는 임이 오실 밤을 위해 시간을 싹둑 잘라 내고 싶다는 생각까지 했답니다. … ⑤

도움말

(가)의 화자는 **❶**   이 부재한 상황을 시적 상상력으로 견디고 있다. (나)의 화자는 오지 않는 임에 대한 원망의 감정을 **❷**   에게 전가하는 기발한 발상으로 임에 대한 그리움을 표현하고 있다.

답 **❶** 임 **❷** 개

2 (가)와 (나)에서 보기의 ㉠ , ㉡에 해당하는 말을 모두 찾아 쓰시오.

• 보기 •

(가)는 음성 상징어를 사용하여 임과 오랫동안 함께 있고 싶은 소망을 효과적으로 나타내고 있다. (나)는 음성 상징어를 사용하여 대상을 생동감 있고 실감 나게 묘사하고 있다. 음성 상징어에는 ㉠ 사람이나 사물의 소리를 흉내 낸 말과, ㉡ 사람이나 사물의 모양이나 움직임을 흉내 낸 말이 있다.

㉠	㉡

도움말

사람이나 사물의 소리를 흉내 낸 말은 **❶**   이고, 사람이나 사물의 모양이나 움직임을 흉내 낸 말은 **❷**   이다.

답 **❶** 의성어 **❷** 의태어

3 〈보기〉의 예를 참고하여 다음 선생님이 제시하는 과제를 수행하시오.

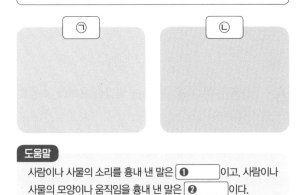

오늘은 학교생활을 제재로 하여 시조를 지어 보겠습니다. 주제는 자유롭지만 시조의 형식적 특징만은 꼭 고려해서 지어 주세요.

• 보기 •

예 윤아도 고개 젓고 규리조차 고개 젓는 문제
새롬이 하영이 옆 반의 전교 일등조차 모두 다 고개 젓는 우리 반 쌤의 문제
대학만 붙여 주면 일 초도 고민 않고 풀어낼까 하노라

도움말

시조는 '**❶**   장 **❷**   구의 구성, **❸**   음보의 반복, 종장의 첫 음보는 **❹**   음절로 고정' 등의 형식적 특징을 보인다.

답 **❶** 3 **❷** 6 **❸** 4 **❹** 3

[4~5] 다음을 읽고 물음에 답하시오.

> 가 산듕(山中)을 미양 보랴 동히(東海)로 가쟈ᄉ라
> 남여완보(籃輿緩步)ᄒ야 산영누(山映樓)의 올나ᄒ니
> ㉠녕농(玲瓏) 벽계(壁溪)와 수셩(數聲) 뎨됴(啼鳥)는 니별
> (離別)을 원(怨)ᄒᄂᆫ 듯,
> 졍긔(旌旗)를 썰티니 오쇠(五色)이 넘노ᄂᆫ 듯,
> 고각(鼓角)을 섯부니 히운(海雲)이 다 것ᄂᆫ 듯.
> ㉡명사(鳴砂)길 니근 ᄆᆞᆯ이 취션(醉仙)을 빗기 시러,
> 바다홀 겻틱 두고 히당화(海棠花)로 드러가니,
> ㉢빅구(白鷗)야ᄂᆞ디 마라 네 버딘 줄 엇디 아ᄂᆞᆫ.
>
> 나 금난굴(金闌窟) 도라드러 총셕뎡(叢石亭) 올라ᄒ니,
> 빅옥누(白玉樓) 남은 기동 다만 네히 셔 잇고야.
> 공슈(工倕)의 셩녕인가 귀부(鬼斧)로 다ᄃᆞᆷ던가.
> 구ᄐᆞ야 뉵면(六面)은 므어슬 샹(象)톳던고.
>
> 다 니화(梨花)ᄂᆞᆫ 불셔 디고 졉동새 슬피 울 제,
> 낙산(洛山) 동반(東畔)으로 의샹디(義湘臺)예 올라 안자,
> 일츌(日出)을 보리라 밤듕만 니러ᄒ니,
> 샹운(祥雲)이 집픠ᄂᆞᆫ 동 뉵뇽(六龍)이 바퇴ᄂᆞᆫ 동,
> 바다히 써날 제ᄂᆞᆫ 만국(萬國)이 일위더니,
> ㉣텬듕(天中)의 티ᄯᆞ니 호발(毫髮)을 혜리로다.
> ㉤아마도 녈구름 근쳐의 머믈셰라.
>
> – 정철, 〈관동별곡〉에서 [천(이), 금, 신]

[현대어 풀이]

(가) 산중의 경치만 늘 보랴? 동해로 가자꾸나. / 남여(가마) 타고 천천히 걸어서 산영루에 오르니 / 눈부시게 반짝이는 시냇물과 여러 소리로 우짖는 산새는 나와의 이별을 원망하는 듯하고 / 관찰사의 행렬을 상징하는 깃발을 휘날리니 오색이 넘나드는 듯하며 / 북과 나팔을 섞어 부니 바다의 구름이 다 걷히는 듯하다. / 모랫길에 익숙한 말이 취한 신선을 비스듬히 태우고 / 해변의 해당화 핀 꽃밭으로 들어가니, / 백구야 날지 마라, 내가 네 벗인 줄 어찌 아느냐?

(나) 금란굴 돌아들어 총석정에 오르니 / 옥황상제가 거처하던 백옥루의 기둥이 네 개만 서 있는 듯하구나. / 옛날 중국의 명장인 공수가 만든 작품인가? 조화를 부리는 귀신의 도끼로 다듬었는가? / 구태여 육면으로 된 돌 기둥은 무엇을 본떴는가?

(다) 배꽃은 벌써 지고 소쩍새 슬피 울 때 / 낙산사 동쪽 언덕으로 의상대에 올라 앉아 / 해돋이를 보려고 한밤중 쯤에 일어나니 / 상서로운 구름이 뭉게뭉게 피어나는 듯, 여섯 마리 용이 해를 떠받치는 듯 / 바다에서 솟아오를 때에는 온 세상이 흔들리는 듯하더니 / 하늘에 치솟아 뜨니 가는 털까지 헤아릴 만큼 밝도다. / 혹시나 지나가는 구름이 해 근처에 머무를까 두렵구나.

---

4 다음은 고전 시가 작품의 갈래를 '향가, 한시, 고려 가요, 시조, 가사'로 분류하기 위해 학생이 만든 순서도이다. 해당 순서도를 따를 때, 이 글이 해당하는 것은?

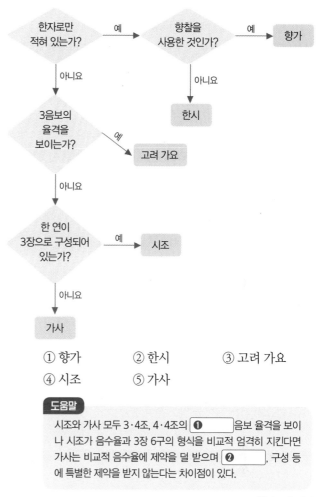

① 향가 ② 한시 ③ 고려 가요
④ 시조 ⑤ 가사

도움말

시조와 가사 모두 3·4조, 4·4조의 **❶** [ ]음보 율격을 보이나 시조가 음수율과 3장 6구의 형식을 비교적 엄격히 지킨다면 가사는 비교적 음수율에 제약을 덜 받으며 **❷** [ ], 구성 등에 특별한 제약을 받지 않는다는 차이점이 있다.

🔒 ❶ 4 ❷ 길이

5 ㉠~㉤의 내용을 잘못 이해한 것은?

① ㉠에서 화자는 금강산을 떠나는 아쉬운 마음을 대상에 이입하고 있어.

② ㉡에서 '취션', 즉 취한 신선은 자연에 도취한 화자 자신을 뜻하는 듯해.

③ ㉢은 물아일체(物我一體)라는 사자성어와 뜻이 통하는군.

④ ㉣에서는 임금의 총명과 예지를 온 세상을 밝히는 해에 비유하고 있어.

⑤ ㉤에서는 구름이 되어 자유롭게 자연을 유람하고 싶은 화자의 심리가 나타나.

[6~7] 다음을 읽고 물음에 답하시오.

가 이바 니웃드라 산수(山水) 구경 가쟈스라
　답청(踏靑)이란 오늘 ᄒ고, 욕기(浴沂)란 내일(來日)ᄒ새
　아춤에 채산(採山)ᄒ고, 나조히 조수(釣水)ᄒ새
　ᄀᆺ 괴여 닉은 술을 갈건(葛巾)으로 밧타 노코
　곳나모 가지 것거 수 노코 먹으리라
　화풍(和風)이 건듯 부러 녹수(綠水)를 건너오니
　청향(淸香)은 잔에 지고 낙홍(落紅)은 옷새 진다
　준중(樽中)이 뷔엿거든 날ᄃᆞ려 알외여라
　소동(小童) 아ᄒᆡᄃᆞ려 주가(酒家)에 술을 믈어
　얼운은 막대 잡고 아ᄒᆡ는 술을 메고
　미음완보(微吟緩步)ᄒ야 시냇ᄀᆞ에 호자 안자
　명사(明沙) 조ᄒᆫ 믈에 잔 시어 부어 들고
　청류(淸流)를 굽어보니 ᄯᅥ오ᄂᆞ니 도화(桃花) | 로다
　무릉(武陵)이 갓갑도다 져 미이 긘거이고
　송간세로(松間細路)에 두견화(杜鵑花)를 부치 들고
　봉두(峰頭)에 급피 올나 구름 소긔 안자 보니
　천촌만락(千村萬落)이 곳곳이 버러 잇ᄂᆞ
　연하일휘(煙霞日輝)는 금수(錦繡)를 재폇ᄂᆞ 듯
　엊그제 검은 들이 봄빗도 유여(有餘)홀샤
　공명(功名)도 날 ᄭᅴ우고 부귀(富貴)도 날 ᄭᅴ우니
　청풍명월(淸風明月) 외(外)예 엇던 벗이 잇ᄉᆞ올고
　단표누항(簞瓢陋巷)에 훗튼 혜음 아니 ᄒᆞᄂᆞ
　아모타 백년행락(百年行樂)이 이만ᄒᆞᆫ 둘 엇지ᄒᆞ리
　　　　　　　　　　　　　　– 작자 미상, 〈상춘곡〉에서 천(박), 해

나 십 년(十年)을 경영(經營)ᄒ여 초려삼간(草廬三間) 지여 내니
　나 ᄒᆫ 간 ᄃᆞᆯ ᄒᆫ 간에 청풍(淸風) ᄒᆫ 간 맛져 두고
　강산(江山)은 들일 ᄃᆡ 업스니 둘러 두고 보리라
　　　　　　　　　　　　　　– 송순 비(박안), 신, 창

6 (가), (나)를 쓴 시인이 다음과 같이 대화를 했다고 할 때, 적절하지 **않은** 것은?

 (가)의 화자
> 우리 두 사람은 자연을 바라보는 관점이 비슷하네요.

 (나)의 화자
> 맞아요. ① 저는 이를 4음보와 3장 6구 45자 내외를 기본형으로 하는 간결한 형식을 빌어 표현했고, ② 당신은 4음보의 연속체 형식으로 표현했다는 차이가 있죠.

 (가)의 화자
> ③ 저에게 자연이란 머무르고 싶은 이상적인 공간이에요. 당신도 그런가요?

 (나)의 화자
> 네. ④ 제가 생각하는 자연은 유교적 가치를 지닌 상징적 공간이기도 해요. 표현 방법은 조금 다르네요. ⑤ 당신은 저와 달리 비유와 설의적 표현을 활용했군요.

7 〈보기〉를 바탕으로 하여 (가), (나)의 공통점을 서술하시오.

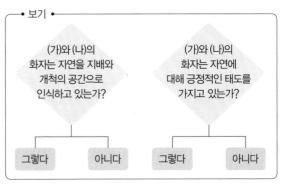

– 보기 –

(가)와 (나)의 화자는 자연을 지배와 개척의 공간으로 인식하고 있는가?
　그렇다　　아니다

(가)와 (나)의 화자는 자연에 대해 긍정적인 태도를 가지고 있는가?
　그렇다　　아니다

– 조건 –

'(가), (나)의 화자는 모두 자연을 ~ (으)로 인식하고 이에 대해 ~ 태도를 보인다.'의 형식으로 쓸 것

도움말

우리 선인들은 ❶□□□을 함께 어울려 지내야 할 대상으로 여겼다. 이러한 태도는 자연 속에서 사는 ❷□□□이나 자연과의 일체감을 노래한 시가 문학에 잘 나타난다.

답 ❶ 자연 ❷ 즐거움

[8~9] 다음을 읽고 물음에 답하시오.

> **가** 가시리 가시리잇고 나는 / 브리고 가시리잇고 나는
>   위 증즐가 太平聖代(대평셩디)
> 날러는 엇디 살라 호고 / 브리고 가시리잇고 나는
>   위 증즐가 太平聖代(대평셩디)
> 잡스와 두어리마ᄂᆞᆫ / 선ᄒᆞ면 아니 올셰라
>   위 증즐가 太平聖代(대평셩디)
> 셜온 님 보내읍노니 나는 / 가시는 듯 도셔 오쇼셔 나는
>   위 증즐가 太平聖代(대평셩디)
>   – 작자 미상, 〈가시리〉 천(박) , 천(이) , 비(박안) , 신 , 지 , 해

> **나** 나 보기가 역겨워 / 가실 때에는
> 말없이 고이 보내 드리우리다
>
> 영변(寧邊)에 약산(藥山) / 진달래꽃
> 아름 따다 가실 길에 뿌리우리다.
>
> 가시는 걸음걸음 / 놓인 그 꽃을
> 사뿐히 즈려밟고 가시옵소서
>
> 나 보기가 역겨워 / 가실 때에는
> 죽어도 아니 눈물 흘리우리다.
>   – 김소월, 〈진달래꽃〉 천(박) , 금 , 동 , 비(박안) , 해

8 (가), (나)를 애니메이션으로 제작한다고 할 때, 적절하지 <u>않은</u> 것은?

① (가): 남성이 여성을 등지고 걸어가는 모습을 그려 주세요.

② (가): 여성이 울면서 남성을 붙잡는 모습을 그려 주세요.

③ (가): 여성이 두 손을 모으고 임이 돌아오기를 기도하는 모습을 그려 주세요.

④ (나): 슬픈 표정의 여성이 이별 상황을 상상하는 모습을 그려 주세요.

⑤ (나): 여성이 임이 가는 길 앞에 진달래꽃을 따다 뿌려놓은 모습을 그려 주세요.

> **도움말**
> (가)의 화자는 '잡스와 두어리마ᄂᆞᆫ / 선ᄒᆞ면 아니 올셰라'라고 하며 **❶** 을 **❷** 하는 태도를 보이고 있다.
> 답 **❶** 이별 **❷** 수용

9 〈보기〉를 바탕으로 하여 (나)가 (가)의 어떤 요소를 계승하고 있는지 서술하시오.

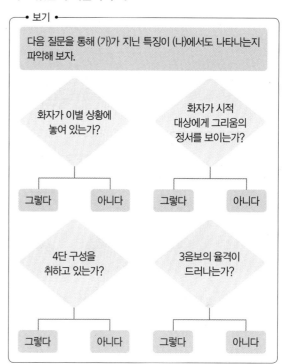

> • 보기 •
> 다음 질문을 통해 (가)가 지닌 특징이 (나)에서도 나타나는지 파악해 보자.
>
> 화자가 이별 상황에 놓여 있는가?
>   그렇다 / 아니다
> 화자가 시적 대상에게 그리움의 정서를 보이는가?
>   그렇다 / 아니다
> 4단 구성을 취하고 있는가?
>   그렇다 / 아니다
> 3음보의 율격이 드러나는가?
>   그렇다 / 아니다

> • 조건 •
> '(나)는 주제적인 측면에서 ~와/과 같은 (가)의 특징을, 운율의 측면에서 ~와/과 같은 (가)의 특징을 계승하고 있다.'의 문장 형식으로 쓸 것

> **도움말**
> 한국 문학에는 **❶** 의 정한을 노래한 작품이 많다. 고려 가요 〈가시리〉, 황진이의 시조 〈어져 내일이야〉, 민요 〈신아리랑〉 그리고 김소월의 현대 시 〈 **❷** 〉 등이 이에 해당한다.
> 답 **❶** 이별 **❷** 진달래꽃

한국 문학의 전통 _서사 문학

한국의 서사 문학은 어떻게 흘러왔을까?

공부할 내용

┃문학┃ 성취기준(3) 문학사의 흐름을 고려하여 대표적인 한국 문학 작품을 감상한다.
┃문학┃ 성취기준(4) 문학의 수용과 생산 활동을 통해 다양한 사회·문화적 가치를 이해하고 평가한다.
1. 한국 서사 문학의 흐름   2. 한국 서사 문학의 특성   3. 문학 작품에 담긴 사회·문화적 가치

문학 작품에는 어떠한 **가치**들이 담겨 있을까?

문학 작품에는 당대 사람들이 중시하였던
다양한 사회·문화적 가치가 반영되어 있답니다.
요즘 작품에는 또 어떤 가치들이 담겨 있을까요?

개념 ❶ | 원시~통일 신라 시대

- **건국 신화의 발생:** 고대 국가를 형성하는 과정에서 국가를 세운 영웅적 인물을 중심으로 건국 ❶   가 발생함. **예** 〈단군 신화〉, 〈주몽 신화〉 등
- **영웅의 일대기 구조:** 고귀한 혈통의 주인공이 조력자의 도움을 받아 위기를 극복하고 과업을 성취하는 구성으로, 신화에서부터 〈유충렬전〉, 〈홍길동전〉과 같은 ❷   소설로 이어져 온 우리 서사 문학의 한 특징임.

영웅의 일대기 구조
고귀한 혈통 → 비정상적인 출생 → 비범한 능력 → 유년기의 위기 → ❸   의 구출 → 성장 후 위기 → 위기의 극복과 과업 성취

답 ❶ 신화 ❷ 영웅 ❸ 조력자

개념+

》설화
- 한 민족 사이에서 구전되어 온 이야기로, 구전에 적합한 단순하고 간편한 형식을 지닌 꾸며 낸 이야기
- 신과 영웅이 등장하는 신화, 비범한 능력을 지닌 주인공이 등장하지만 비극적 결말로 끝나는   , 평범한 인물이 재미와 교훈을 주는   등이 있음.
→ 이중 신화는 민족적 자긍심을 느끼게 해 주고, 전설은 구체적 증거물이 존재한다는 특징이 있음.

답 전설, 민담

개념 ❷ | 고려 시대

- **설화의 기록:** 삼국 시대까지 구비 전승되던 신화, ❶   , 민담 등의 설화가 문자로 정착하여 《삼국사기》나 《삼국유사》에 수록되어 전해짐.
- **가전(假傳)의 발생:** 사물을 ❷   해 그 일대기를 전기(傳記) 형식으로 서술한 문학 양식. 허구적인 이야기라는 측면에서 고전 소설의 원형이라는 평가를 받음.

답 ❶ 전설 ❷ 의인화

개념+

》패관 문학
- 고려 시대에 한문학이 발달하면서 문인들이 항간에   되던 이야기를 한문으로 기록한 것
- 기록한 사람의 견해가 가미되어 수필의 성격을 지니며,   발생에 영향을 줌.

답 구전, 소설

개념 ❸ | 조선 시대

- **소설의 발생:** 설화, 가전체, 패관 문학 등 우리나라 고유의 서사적 전통을 계승하면서 중국 전기(傳奇) 문학의 영향을 받아 ❶   이 탄생하였고, 이후 많은 소설이 창작됨.
  예 한문 소설인 김시습의 《금오신화》, 한글 소설인 허균의 〈홍길동전〉 등
- **고전 소설의 특징**

권선징악적 주제	선한 주인공이 ❷ 결말에 이르는 내용을 통해 권선징악의 주제를 전달함.
일대기적 구성	주인공이 태어나서 죽을 때까지의 과정이 ❸ 순서에 따라 전개됨.
평면적 인물, 전형적 인물	성격의 변화가 없는 평면적 인물, 특정 신분이나 집단을 대변하는 전형적 인물이 등장함.
우연성, 비현실성	사건이 우연하게 발생하는 경우가 많으며, 현실적으로 일어나기 어려운 사건을 다루는 경우가 많음.

답 ❶ 고전 소설 ❷ 행복한 ❸ 시간

개념+

》고전 소설의 다양한 유형
- 영웅·군담 소설: 영웅이 등장하여 시대를 어지럽히는 문제를 해결하는 활약상을 다룸. **예** 〈홍길동전〉, 〈홍계월전〉
- 염정 소설: 남녀의 애정과 그에 따른 시련, 극복 과정을 그림. **예** 〈춘향전〉
- 가정 소설: 계모와 전처의 자녀 또는 처첩 간의 갈등 등을 소재로 함. **예** 〈사씨남정기〉, 〈장화홍련전〉 등
- 풍자 소설: 인물을 내세워 그들을 풍자하고 당대 사회의 부조리를 드러냄. **예** 〈호질〉, 〈양반전〉, 〈허생전〉 등
- 판소리계 소설: 사설이 소설로 정착됨. **예** 〈춘향전〉, 〈심청전〉 등

답 부정적, 판소리

01 괄호 안에 들어갈 알맞은 말을 쓰시오.

(1) 삼국시대 이전에는 신화, 전설, 민담과 같은 (ᄀ ᄇ) 문학이 향유되었다.

(2) (ᄉ ᄒ)는 이를 믿는 민족에게 신성하게 받아들여지고 민족적 자부심을 준다.

(3) 고귀한 혈통의 주인공이 조력자의 도움을 받아 위기를 극복하고 과업을 성취하는 구성 방식을 영웅의 (ᄋ ᄃ ᄀ) 구조라고 한다.

02 〈보기〉에서 다음 (1)~(6)에 알맞은 내용의 기호를 찾아 〈주몽 신화〉의 서사 구조를 정리하시오.

• 보기 •
㉠ 새와 짐승들이 알을 덮어 줌.
㉡ 금와가 유화가 낳은 알을 버리게 함.
㉢ 주몽은 뛰어난 활쏘기 능력과 지혜를 지님.
㉣ 금와의 아들과 신하가 주몽을 죽이려고 함.
㉤ 천신과 수신의 결합으로 주몽이 알에서 태어남.
㉥ 주몽이 물고기와 자라의 도움을 받아 금와의 나라에서 탈출하여 고구려를 건국함.

(1) 고귀한 혈통, 비정상적인 출생 (　　)
(2) 비범한 능력 (　　)
(3) 유년기의 위기 (　　)
(4) 조력자의 구출 (　　)
(5) 성장 후의 위기 (　　)
(6) 위기의 극복과 과업 성취 (　　)

03 고전 소설의 유형에 대한 설명으로 맞으면 O표, 틀리면 X표를 하시오.

(1) 염정 소설은 본처와 첩의 갈등, 계모와 전처의 자녀 사이의 갈등을 주로 다룬다. (　　)
(2) 영웅·군담 소설은 영웅의 비범함을 드러내기 위해 전기성을 띠는 장면이 자주 나온다. (　　)
(3) 판소리계 소설은 판소리 사설을 바탕으로 하거나 판소리의 성격을 띤 소설을 말한다. (　　)

04 다음 글에 대한 이해로 적절한 것은?

한국 서사 문학의 근원은 신화, 전설, 민담 등의 구전 설화에서 찾을 수 있다. 이렇게 구비 전승되던 이야기들은 고려 시대에 문자로 정착하여 《삼국사기》나 《삼국유사》에 수록되어 전해진다. 고려 시대에는 사물을 의인화하여 전기 형식으로 서술한 가전체가 나타나기도 하였다. 조선 시대에는 한문 소설집인 김시습의 《금오신화》와 한글 소설인 허균의 〈홍길동전〉을 비롯하여 많은 소설이 창작되면서 본격적으로 소설 문학이 발달하였다. 이러한 소설의 전통은 근대의 신소설과 현대 소설로 계승되었으며, 현대 소설은 그 주제의 폭이 매우 넓어져 다양한 작품이 창작되고 있다.

① 가전체는 삼국 시대에 발생한 양식이군.
② 한글 소설은 조선 시대부터 향유되기 시작했군.
③ 고전 소설은 신소설의 전통을 계승하고 변용하였군.
④ 구비 문학은 조선 시대에 이르러 문자로 정착되었군.
⑤ 고전 소설은 현대 소설보다 주제의 폭이 매우 넓었군.

05 고전 소설의 특징으로 적절하지 않은 것은?

① 행복한 결말로 끝맺는 작품이 대부분이다.
② 권선징악과 인과응보가 주제인 작품이 많다.
③ 대체로 주인공의 일생을 일대기 형식으로 서술한다.
④ 일반적으로 개성적 인물이 등장하고 사건이 입체적으로 진행된다.
⑤ 현대 소설과 달리 사건이 필연적인 상황이나 원인 없이 우연하게 발생하는 경우가 많다.

개념 ❹ | 판소리계 소설의 개념과 특징

■ **개념**: 판소리 사설이 소설로 정착된 것

■ **특징**

• 판소리의 공연성과 현장성을 이어받아 일상의 말인 ❶[　　　]가 사용되었고, 현재 시제를 사용한 현장감 있는 표현이 나타남.

• 판소리 사설의 영향이 강하게 남아 있어 산문이지만 ❷[　　　]이 있는 율문체가 나타남.

• 서민들의 삶의 애환과 당대 사회에 대한 비판 의식이 풍자와 해학 속에 잘 드러남.

• 작품의 내용과 주제 측면에서 서민적인 것과 양반적인 것이 공존하여 ❸[　　　]이 나타남.

답 ❶ 구어체 ❷ 운율 ❸ 양면성

개념⁺

≫**편집자적 논평**: 서술자가 진행 중인 사건이나 인물의 언행 등에 대해 [　　　]을 밝히거나 평가하는 것. 판소리계 소설과 고전 소설에 빈번하게 나타남.

≫**확장적 문체**: 독자가 관심 있어 할 만한 흥미 있는 장면에서 특정 대상이나 상황과 관련하여 여러 가지를 나열하거나, 덧붙여 반복하고 부연하는 식의 문체. [　　　]에서 나타나는 특징임.
→ 장면의 극대화, 부분의 독자성과 같은 효과를 가져옴.

답 의견, 판소리

개념 ❺ | 풍자와 해학

■ **특징**

• 대상을 과장하거나 왜곡하여 웃음을 유발하는 방식으로, 골계미와 관계가 깊음.
　미적 범주의 하나. 자연의 질서나 이치를 의미 있는 것으로 존중하지 않고 추락시킴으로써 미의식이 나타남.

• 조선 후기의 민요나 탈춤, 판소리나 사설시조 등에 주로 나타남.

■ **풍자와 해학의 차이점**

풍자	대상에 대한 ❶[　　　] 인식을 바탕으로 하여 대상을 공격함.
해학	연민과 애정을 가지고 대상을 감싸 안음으로써 대상에 대한 ❷[　　　]을 유발함.

답 ❶ 부정적 ❷ 동정심

개념⁺

≫**언어유희**

• 말이나 글자를 소재로 하는 놀이로, [　　　]을 유발하는 요소 중 하나임.

• 〈춘향전〉에 나타난 언어유희의 예
 – 발음의 유사성을 이용: '올라간 이(李) 도령인지 삼(三) 도령인지'
 – [　　　]를 활용: '운봉 영장의 갈비를 가리키며, "갈비 한 대 먹고 지고."'
 – 언어 도치를 이용: '문 들어온다, 바람 닫아라. 물 마른다, 목 들여라.'

답 웃음, 동음이의어

개념 ❻ | 문학 작품에 담긴 사회·문화적 가치

■ **사회·문화적 가치의 주체적 평가**
　하나의 사회 집단이 공통적으로 관심을 가지고 있는 가치

```
                문학 작품
    ┌──────────────┐   ┌──────────────┐
    │     작가     │   │     독자     │
    ├──────────────┤   ├──────────────┤
    │• 무엇을 가치  │   │ 가치관에 따른 │
    │ 있게 여기는가?│   │ 작품의 이해와 │
    │• 대상 또는    │   │ 해석          │
    │ 상황을 어떻게 │   │              │
    │ 바라보는가?   │   │              │
    └──────────────┘   └──────────────┘
```

→ 문학 작품을 감상할 때에는 ❶[　　　]의 가치관을 그대로 수용하지 말고, 독자 자신의 가치관을 기준으로 삼아 수용하되 다양한 사회·문화적 가치를 ❷[　　　]하고 수용하는 태도가 필요함.

답 ❶ 작가 ❷ 이해

개념⁺

≫**문학 작품에 담긴 사회·문화적 가치의 예**

• 작자 미상, 〈심청전〉: 부모에 대한 [　　　], 인과응보와 권선징악

• 허균, 〈홍길동전〉: 신분 차별 철폐

• 윤흥길, 〈종탑 아래에서〉: 반전(反戰)과 평화

• 김수영, 〈눈〉: 민주주의와 자유

→ 사회·문화적 가치는 고정된 것이 아니라 시대와 사회의 변화에 따라 [　　　]함.

답 효, 변화

06 괄호 안에 들어갈 알맞은 말을 쓰시오.

(1) 서술자가 진행 중인 사건이나 인물의 언행 등에 대해 의견을 밝히거나 평가하는 것을 '(ㅍㅈㅈㅈ) 논평'이라고 한다.

(2) 판소리에서 특정 대상이나 상황과 관련하여 여러 가지를 나열하거나, 덧붙여 반복하고 부연하는 식의 표현을 '(ㅎㅈㅈ) 문체'라고 한다.

(3) 풍자·해학과 관련 깊은 미적 범주로, 자연의 질서나 이치를 의의 있는 것으로 존중하지 않고 추락시킴으로써 나타나는 미의식을 (ㄱㄱㅁ)이라고 한다.

07 〈보기〉에서 판소리계 소설의 특징으로 알맞은 것의 기호를 모두 골라 쓰시오.

> • 보기 •
> ㄱ. 대체로 초인적인 능력을 지닌 영웅이 등장한다.
> ㄴ. 책이 아니라 노래의 형태로 구전되고 유통되었다.
> ㄷ. 대부분 '근원 설화 → 판소리 → 판소리계 소설'의 과정을 거쳐 이루어졌다.
> ㄹ. 세련된 한문 투의 언어와 평민층의 속어 및 재담이 어우러져 사용되었다.

08 다음 설명이 맞으면 O표, 틀리면 X표를 하시오.

(1) 사회·문화적 가치는 고정되어 있으며 불변하는 것이다. ( )

(2) 문학 작품을 감상할 때에는 되도록 작가의 가치관을 있는 그대로 수용해야 한다. ( )

(3) 문학 작품을 감상할 때에는 당대의 사회·문화적 배경을 이해해야 작품에 담긴 사회·문화적 가치를 제대로 이해할 수 있다. ( )

09 다음 (가), (나)에 대한 감상으로 적절하지 <u>않은</u> 것은?

> (가) 양반 나오신다아! 양반이라고 하니까 노론(老論), 소론(少論), 호조(戶曹), 병조(兵曹), 옥당(玉堂)을 다 지내고 삼정승(三政丞), 육관서(六判書)를 다 지낸 퇴로 재상(退老宰相)으로 계신 양반인 줄 아지 마시오. 개잘량이라는 '양' 자에 개다리소반이라는 '반' 자 쓰는 양반이 나오신단 말이오.
> – 작자 미상, 〈봉산 탈춤〉 [천재(박)]
>
> (나) 장인님이 일어나라고 해도 내가 안 일어나니까 눈에 독이 올라서 저편으로 힝하게 가더니 지게막대기를 들고 왔다. (중략) 아픈 것을 눈을 꽉 감고 넌 해라 난 재미난 듯이 있었으나, 볼기짝을 후려갈길 적에는 나도 모르는 결에 벌떡 일어나서 그 수염을 잡아챘다마는, 내 골이 난 것이 아니라 정말은 아까부터 부엌 뒤 울타리 구멍으로 점순이가 우리들의 꼴을 몰래 엿보고 있었기 때문이다. 가뜩이나 말 한마디 똑똑히 못 한다고 바보라는데 매까지 잠자코 맞는 걸 보면 짜장 바보로 알 게 아닌가.
> – 김유정, 〈봄·봄〉 [천재(박)] [금] [동] [비(박영)] [지] [해]

① (가)는 양반들에 대한 우스꽝스러운 표현이 웃음을 자아내네.

② (가)를 통해 평소 양반들에게 불만이 있던 평민이 체증이나 울분을 가라앉힐 수 있었을 것 같아.

③ (나)에 나타난 인물의 미련스러운 모습이 재미있어.

④ (나)에서 장인에게 당하고 점순이를 의식하는 '나'의 모습이 딱하게 느껴져.

⑤ (가), (나)는 모두 대상을 부정적이고 비판적인 태도로 바라본다는 공통점이 있구나.

[1~3] 다음을 읽고 물음에 답하시오.

가 고구려는 곧 졸본 부여다. 어떤 사람은 지금의 화주라고도 하고 성주라고도 하나 모두 잘못된 것이다. 졸본주는 요동의 경계에 있는데, 《국사(國史)》〈고려 본기〉에는 다음과 같이 쓰여 있다.

나 시조 동명 성제는 성은 고씨(高氏)고, 이름은 주몽(朱蒙)이다. 이에 앞서, 북부여의 왕 해부루가 동부여로 피해 가 살았는데, 부루가 죽자 금와가 자리를 이어받았다. 금와는 그때 한 여자를 태백산 남쪽 우발수에서 만났는데, 그녀가 이렇게 말했다.

"㉠저는 하백의 딸 유화입니다. 동생들과 놀러 나왔을 때 한 남자가 나타나 ㉡자신이 천제의 아들 해모수라고 하면서 웅신산 아래 압록강 가에 있는 집으로 유혹하여 사통(私通)하고는 저를 버리고 떠나가서 돌아오지 않습니다. 부모는 제가 중매도 없이 다른 사람을 따라간 것을 꾸짖어 이곳으로 귀양을 보내 살도록 했습니다."
<small>물을 다스린다는 신</small>

다 ㉢금와가 괴이하게 여겨 유화를 방 안에 남몰래 가두었더니 햇빛이 비추었다. 그녀가 피하자 햇빛이 따라와 또 비추었다. 이로 말미암아 임신하여 알을 하나 낳았는데 크기가 다섯 되쯤 되었다. 왕이 알을 개와 돼지에게 던져 주었지만 모두 먹지 않았고, 길에다 버렸으나 말과 소가 피해 갔으며, 들판에 버리니 새와 짐승이 덮어 주었다. 왕은 알을 깨뜨리려고 했지만 깨지지 않았으므로 유화에게 돌려주었다. 유화가 천으로 알을 부드럽게 감싸 따뜻한 곳에 두자 ㉣아이가 껍질을 깨고 나왔는데 골격과 겉모습이 영특하고 기이했다.

라 겨우 일곱 살에 용모와 재략이 비범했으며, ㉤스스로 활과 화살을 만들어 백 번 쏘아 백 번 맞추었다. 나라의 풍속에 활 잘 쏘는 사람을 주몽이라 했으므로 이로써 이름을 삼았다.

– 작자 미상, 〈주몽 신화〉 금, 해

바탕 문제

❶ 이 작품은 영웅의 일대기 구조를 통해 ▢▢▢의 건국 과정을 그린 신화이다.

❷ 주몽이 새 세상을 건설하는 특별한 인물임을 제시하기 위해 ▢에서 태어난다는 난생 모티프를 활용하고 있다.

답 ❶ 고구려 ❷ 알

1 이 글의 갈래에 대한 설명으로 가장 적절한 것은?
① 우리의 글자인 한글로 창작된 문학이다.
② 사람들의 입에서 입으로 전승되어 온 문학이다.
③ 귀족이나 지식인 계층이 한문으로 창작한 문학이다.
④ 우리의 글자가 없던 시절에 한자를 빌려 향찰로 표기한 문학이다.
⑤ 특정 작가가 통일성 있게 구성하여 창작한 허구적 이야기를 담은 문학이다.

2 (나)~(라)에 해당하는 설명으로 적절하지 않은 것은?
① (나): 고귀한 혈통을 지닌 주인공이 등장한다.
② (나): 주인공은 고구려의 시조인 고주몽임을 알 수 있다.
③ (다): 주인공의 기이한 출생 과정이 나타난다.
④ (다): 주인공이 인생의 첫 번째 위기를 스스로 해결하는 과정이 나타난다.
⑤ (라): 주인공이 탁월한 능력과 영웅적 면모를 지녔음이 나타난다.

3 ㉠~㉤에 대한 이해가 적절하지 않은 것은?

① 준수: ㉠에서 주몽의 어머니의 혈통이 물의 신임을 알 수 있어.

② 현아: ㉡에서 주몽의 부계 혈통이 천신임을 알 수 있어.

③ 준영: ㉢에서 주몽의 탄생이 태양과 관련이 있음을 짐작할 수 있어.

④ 진서: ㉣에서 주몽이 알을 깨고 나온다는 설정은 그가 상상 속에서 만들어 낸 허구적 인물임을 의미해.

⑤ 도현: ㉤을 통해 수렵, 유목 사회에서 활쏘기 능력이 생존에 필수적이고 중요한 능력이었음을 짐작할 수 있어.

[4~6] 다음을 읽고 물음에 답하시오.

가 금와에게는 아들이 일곱 있었는데, 항상 주몽과 함께 놀았다. 그러나 그들의 기예가 주몽에게 미치지 못하자 맏아들 대소가 말했다.

"주몽은 사람에게서 태어난 것이 아니니 일찍이 도모하지 않으면 ㉠후환이 있을 것입니다."

왕은 듣지 않고 주몽에게 말을 기르도록 했다. ㉡주몽은 준마를 알아보고 먹이를 조금씩 주어 마르게 하고, 늙고 병든 말은 잘 먹여 살찌게 했다. 왕은 살찐 말을 타고 주몽에게 마른 말을 주었다. ㉢왕의 아들들과 여러 신하들이 함께 주몽을 해치려 하자, 그 사실을 알게 된 주몽의 어머니가 아들에게 말했다.

"나라 사람들이 곧 너를 해치려고 하는데, 너의 재략이라면 어디 간들 살지 못하겠느냐? 빨리 떠나거라."

나 그래서 주몽은 오이 등 세 사람과 벗을 삼아 떠나 엄수에 이르러 물에게 말했다.

"㉣나는 천제의 아들이자 하백의 손자다. 오늘 도망치는데 뒤쫓는 자들이 가까이 오고 있으니 어떻게 하면 좋겠는가?"

그러자 ㉤물고기와 자라가 다리를 만들어 주어 건너게 했다. 그러고는 다리를 풀었으므로 뒤쫓던 기병은 건너지 못했다. 졸본주에 이르러 마침내 도읍을 정했으나, 미처 궁궐을 짓지 못하고 비류수 가에 초가집을 지어 살면서 국호를 고구려라고 했다. 이에 고(高)를 성씨로 삼았는데, 그때 주몽의 나이 열두 살이었다.

– 작자 미상, 〈주몽 신화〉 금 , 해

바탕 문제

❶ 이 이야기는 '천제 – 해모수 – [ ]'으로 이어지는 삼대기(三代記) 구조를 지니고 있다.

❷ 위기에 닥친 주몽은 자신이 고귀한 [ ]을 지닌 인물임을 내세워 조력자들의 도움을 얻고 있다.

답 ❶ 주몽 ❷ 혈통

---

4 ㉠~㉤에 대한 설명으로 적절하지 않은 것은?

① ㉠: 주몽이 하늘로 돌아갈 것을 우려하는 말이다.

② ㉡: 주몽의 남다른 총명함이 드러난다.

③ ㉢: 주몽에게 닥친 두 번째 위기에 해당한다.

④ ㉣: 자신이 고귀한 혈통임을 내세우고 있다.

⑤ ㉤: 주몽의 위기 극복을 돕는 조력자에 해당한다.

5 이 작품과 〈보기〉의 공통점으로 적절하지 않은 것은?

• 보기 •

환인은 아들 환웅이 인간 세상에 관심이 있음을 알고 천부인(天符印) 세 개를 주어 태백산 주변에 내려가서 나라를 세워 다스리라고 하였다. 환웅은 무리 삼천을 거느리고 내려가 인간 세상을 주관하여 다스렸다. 그때 곰 한 마리와 호랑이 한 마리가 환웅에게 사람이 되게 해 달라고 빌었다. 환웅은 쑥과 마늘을 주며 이것을 먹고 햇빛을 100일간 보지 않으면 사람의 형상을 얻을 수 있다고 하였다.

곰은 금기를 지킨 지 21일 만에 여인 웅녀가 되었으나 호랑이는 그러지 못하였다. 웅녀는 매양 신단수 아래에서 잉태하기를 빌었지만 결혼할 사람이 없기에 환웅이 사람으로 변하여 웅녀와 혼인하고 아들을 낳아 이름을 단군왕검이라 하였다. 단군은 평양성에 도읍을 정하고 나라 이름을 조선(朝鮮)이라고 하였다.

– 〈단군 신화〉의 줄거리

① 주인공이 새로운 국가를 수립한다.

② 주인공이 신이한 탄생 과정을 거친다.

③ 한 나라의 건국에 대한 이야기를 다룬다.

④ 주인공과 그와 대립되는 인물의 갈등이 드러난다.

⑤ 할아버지부터 손자로 이어지는 삼대기 형식을 취한다.

6 다음은 고구려가 당나라의 침입을 받았을 때의 이야기이다. 이에 대한 이해로 적절하지 않은 것은?

성안에는 주몽의 사당이 있었고 이 사당에는 쇠사슬로 만든 갑옷과 날카로운 창이 있었는데, 옛날에 하늘이 내려 준 것이라고들 하였다. 바야흐로 포위가 긴박해지자 아름다운 여자를 분장해 여신으로 삼고 무당이 말하기를 "주몽께서 기뻐하시니 성은 반드시 온전할 것이다."라고 하였다.

– 김부식, 《삼국사기》 권 제21 〈보장왕상〉

① 고구려인들은 주몽을 신처럼 모셨던 것 같아.

② 고구려인들은 주몽 신화를 신성하게 받아들였어.

③ 당나라 군사들도 주몽을 신적인 존재로 여겼나 봐.

④ 고구려인들은 주몽 신화를 통해 단합할 수 있었을 것 같아.

⑤ 고구려인에게 주몽은 자신들 위기에서 구원해 줄 수 있는 존재였나 봐.

전략 ① | 영웅의 일대기 구조 이해하기

| 앞부분 줄거리 | 명나라 때 이부 시랑(吏部侍郎) ㉠홍무는 나이가 사십이 되도록 자식이 없었으나
<u>시대적 배경</u> <u>영웅의 일대기 구성 – ① 고귀한 혈통</u>
부인 양 씨의 꿈에 ㉡선녀가 나타난 후 딸 계월을 얻게 되었는데 이 아이를 남장하여 공부를 시키
<u>② 비정상적 출생</u>
니 대단히 총명하였다. 계월이 다섯 살 때, ㉢장사랑의 반란이 일어나 난리 속에 부모와 헤어져 죽
<u>③ 비범한 능력</u>   <u>④ 어릴 적 위기</u>
을 위기에 처했으나 ㉣여공의 도움으로 목숨을 건진다. 여공은 계월을 남장시켜 자신의 아들 ㉤보
「 」: ⑤ 조력자의 도움
국과 함께 ㉥곽 도사에게 보내 가르침을 받게 한다. 또 다시 난이 일어나자 천자는 계월을 원수로,
<u>남성보다 우월한 여성의 모습이 드러남.</u>
보국을 부원수로 하여 전쟁터에 보낸다. 계월은 전쟁에서 승리를 거두고 그 과정에서 헤어졌던 부
모와도 재회한다. 「전쟁에 다녀온 후 병이 난 계월은 진맥을 받다 여자임이 밝혀지나 천자는 이를
「 」: ⑥ 성장하여 다시 위기를 겪음. (남장 사실 발각, 보국과의 갈등)
용서하고, 계월과 보국을 혼인시킨다. 보국의 애첩 영춘이 계월에게 예를 갖추지 않아 계월이 그의
목을 베게 하는 사건이 벌어지고, 이로 인해 보국과 계월은 갈등을 겪게 된다.」

이때 보국은 계월이 영춘을 죽였다는 말을 듣고 분함을 이기지 못해 부모에게
<u>영춘이 보국의 총애를 믿고 교만하게 행동하자 계월이 군법을 적용하여 목을 베게 함.</u>
아뢰었다.

"계월이 전날은 대원수 되어 소자를 중군장으로 부렸으니 군대에 있을 때에는
<u>남성보다 뛰어난 능력을 지닌 여성의 모습이 드러남.</u>
소자가 계월을 업신여기지 못하였습니다. 하지만 지금은 계월이 소자의 아내

이오니 어찌 소자의 사랑하는 영춘을 죽여 제 마음을 편안하지 않게 할 수가
<u>남편의 권위를 내세워 계월의 행동을 비난함.</u>
있단 말이옵니까?"

여공이 이 말을 듣고 만류했다.

"계월이 비록 네 아내는 되었으나 벼슬을 놓지 않았
<u>남장이 탄로난 후에도 천자가 계월의 벼슬을 거두지 않음.</u>
고 기개가 당당하니 족히 너를 부릴 만한 사람이다.
<u>여공은 계월의 능력이 보국보다 우월하다는 것을 인정함.</u>
그러나 예로써 너를 섬기고 있으니 어찌 마음씀을

그르다고 하겠느냐? 영춘은 네 첩이다. 자기가 거만
<u>여공은 영춘의 행동이 잘못됐다고 생각함.</u>
하다가 죽임을 당했으니 누구를 한하겠느냐?"

– 작자 미상, 〈홍계월전〉 미 , 비(박영)

● 이 작품의 특징

- 남성보다 **❶**□□□한 능력을 가진 여성 주인공이 등장함.
- 여성 주인공의 신분을 감추기 위한 '남장 모티프'가 사용됨.
- 봉건적인 여성의 역할을 거부하는 근대적 가치관이 드러남.
- 영웅의 일대기적 구성 방식을 취함. → 고대의 건국 신화에서부터 이어져 내려온 우리 서사 문학의 연속성이 드러남.

● 이 글에 드러난 영웅의 일대기 구조

고귀한 혈통	이부 시랑 홍무의 무남독녀
비정상적 출생	자식이 없던 양 씨가 꿈에서 선녀를 본 후 계월을 얻게 됨.
비범한 능력	어려서부터 **❷**□□함.
어릴 적 위기와 구출	반란으로 부모와 헤어지나 여공에 의해 구출되어 양육됨.
성장 후 위기	남장 사실 발각, 남편 보국과의 갈등

답 ❶ 우월 ❷ 총명

필수 예제 **1.** 이 글에서 〈보기〉의 ⓐ~ⓖ 중 아직 드러나지 않은 구성 요소의 기호를 쓰시오.

> • 보기 •
> 〈영웅의 일대기 구조〉
> ⓐ 고귀한 혈통 → ⓑ 비정상적 출생 → ⓒ 비범한 능력 → ⓓ 어릴 적 위기 → ⓔ 조력자의 도움 → ⓕ 성장 후 위기 → ⓖ 위기 극복과 행복한 결말

정답|해설 ⓖ | 계월의 남장이 발각되고, 남편이 된 보국과 갈등을 겪는 '성장 후 위기'까지 제시되었으므로 뒷부분에는 '위기 극복과 행복한 결말'이 이어질 것임을 예측할 수 있다.

확인 문제 **1.** 이 글의 ㉠~㉥ 중 〈보기〉에서 설명하는 '조력자'에 해당하는 인물들로 바르게 묶은 것은?

> • 보기 •
> 조력자란 서사에 등장하는 인물 중 주인공을 도와주는 인물 유형을 뜻한다. 주로 영웅 설화에 많이 등장하며, 어려서 버려진 영웅을 구출하여 양육하는 인물이나 주인공에게 학문이나 무술을 가르치는 스승으로 등장한다.

① ㉠, ㉣   ② ㉡, ㉢   ③ ㉣, ㉥
④ ㉠, ㉣, ㉤   ⑤ ㉡, ㉣, ㉥

전략 ❷ | 풍자와 해학 이해하기

| 앞부분 줄거리 | 춘향과 몽룡은 첫눈에 사랑에 빠지나 몽룡의 아버지가 한양으로 가게 되어 어쩔 수 없이 이별하게 된다. 그 후 새로 부임한 남원 부사 변 사또가 춘향에게 수청을 강요하고 춘향은 이를 거부하다 옥에 갇힌다. 한편 장원 급제하여 전라도 어사가 된 몽룡은 변 사또가 가혹한 정치를 일삼고 춘향을 옥에 가두었다는 소식을 듣는다. 걸인 행색으로 변 사또의 화려한 생일잔치에 참석한 몽룡은 변 사또와 탐관오리를 징벌하러 어사 출도를 한다.

청파 역졸 거동 보소. 달 같은 마패를 햇빛같이 번쩍 들어,
_{판소리 사설의 문체: 관객에게 이야기하는 듯한 표현 방식}

"암행어사 출도야."
_{극적 반전: 몽룡의 정체가 공개됨.}　　　　　　　　　　　　_{풀과 나무와 날짐승과 길짐승. 온갖 생물을 이름.}

외치는 소리에 강산이 무너지고 천지가 뒤집히는 듯 초목금수(草木禽獸)인들
_{편집자적 논평으로 암행어사 출도의 위세를 과장되게 표현함.(과장법, 직유법)}

아니 떨랴. 남문에서, / "출도야.

북문에서, / "출도야." / 동서문 출도 소리 청천(靑天)에 진동하고,

"모든 아전들 들라." / 외치는 소리에 육방(六房)이 넋을 잃어,
_{각 고을의 호장, 이방, 수령리를 이름.　　　이방, 호방, 예방, 병방, 형방, 공방.}

「"공형이오." / 등채로 휘닥딱.」_{『 』: 벌 받는 장면을 속도감 있게 표현함, 희화화}
_{채찍}

"애고 죽겠다." / "공방, 공방." / 공방이 자리 들고 들어오며,

"안 하겠다던 공방을 하라더니 저 불속에 어찌 들랴."

등채로 휘닥딱. / "애고 박 터졌네."
_{어사 출도의 상황(은유법)}

「좌수(座首), 별감(別監) 넋을 잃고 이방, 호방 혼을 잃고 나졸들이 분주하네.」
_{자문 기관 유향소의 우두머리　└유향소에 속한 직책}

모든 수령 도망갈 제 거동 보소. 인궤 잃고 강정 들고, 병부(兵符) 잃고 송편 들
_{각종 도장을 넣어 두던 상자　군대를 동원하는 표지로 쓰던 나무패}

고, 탕건 잃고 용수 쓰고, 갓 잃고 소반 쓰고. 칼집 쥐고 오줌 누기. 부서지는 것은
_{갓 아래 쓰던 관(冠)　　죄인의 머리에 씌우는 통}

거문고요, 깨지는 것은 북과 장고라. 본관 사또가 똥을 싸고 명석 구멍 새앙쥐 눈
_{공포에 질린 변 사또의 모습을 해학적으로 표현함.}

뜨듯 하고, 안으로 들어가서,

㉠"어 추워라. 문 들어온다 바람 닫아라. 물 마르다 목 들여라."
_{언어 도치를 통한 언어유희 → 당황한 변 사또의 심리를 해학적으로 드러냄.}
　　　　　　　　　　　　　　　　　　　　　　　　　– 작자 미상, 〈춘향전〉　천(박), 금, 동, 신, 지, 창, 해

● 웃음을 유발하는 부분

> '좌수, 별감 넋을 잃고~북과 장고라.'

당황한 수령들이 중요한 물건을 잃고 엉뚱한 것을 들고 허둥대는 모습

> "어 추워라. 문 들어온다~목 들여라."

춘향에게 큰소리치던 변 사또가 말이 헛나올 정도로 겁먹은 모습

↓

- 체통을 중시하던 지배층 인물들의 혼비백산하는 모습이 통쾌함을 느끼게 함.
- 대상에 대한 부정적 인식을 바탕으로 하여 대상을 공격하는 '❶　　　'가 두드러짐.

● 편집자적 논평

> 예 '외치는 소리에 강산이 무너지고~초목금수(草木禽獸)인들 아니 떨랴.'

↓

- 서술자가 진행 중인 사건이나 인물의 언행 등에 대해 ❷　　　을 밝히는 것
- 서술자가 이야기를 재미있게 이끌거나 독자의 동의를 구할 때, 독자의 관심을 끌려 할 때 사용됨.

답 ❶ 풍자 ❷ 의견

필수예제 **2.** 이 글에 대한 설명으로 적절하지 않은 것은?

① 구어체를 사용하여 내용을 전개한다.

② 풍자의 방법으로 무능한 조정을 비판하고 있다.

③ 서술자가 사건에 대해 평가한 부분이 나타난다.

④ 비슷한 문장 구조를 반복하여 운율을 형성한다.

⑤ 호흡이 짧은 어구와 문장을 사용하여 긴장감을 조성한다.

정답 | 해설 ② | 이 글은 풍자의 방법으로 가혹한 정치를 일삼는 변 사또와 탐관오리를 비판하고 있으므로, 무능한 조정을 비판한다는 설명은 적절하지 않다.

오답 풀이 ④ '인궤 잃고~소반 쓰고', '부서지는 것은~북과 장고라.' 등에서 비슷한 문장 구조가 반복된다. ⑤ '남문에서,~"애고 박 터졌네."'에서 호흡이 짧은 어구와 문장을 사용하여 부패한 아전들이 넋을 잃고 벌을 받는 모습을 긴장감 있게 묘사하고 있다.

확인문제 **2.** ㉠에 대한 설명으로 적절하지 않은 것은?

① 언어 도치를 활용한 언어유희가 나타난다.

② 어사 출도에 당황한 변 사또의 모습을 희화화하고 있다.

③ 변 사또가 '문'과 '바람', '물'과 '목'을 뒤바꾸어 말하고 있다.

④ 한국 문학의 특징 중 하나인 골계미가 잘 드러나는 부분이다.

⑤ 예상하지 못한 추위를 겪게 된 인물의 혼란스러운 심리가 드러난다.

[01~02] 다음을 읽고 물음에 답하시오.

| 앞부분 줄거리 | 남장을 하여 장원 급제하고 전쟁에 나가 공을 세운 계월은 천자에게 여자임이 밝혀지지만, 천자는 계월을 용서하고 보국과 혼인시킨다. 이후 보국의 애첩을 죽인 일로 보국과 불화를 겪고 규중에서 홀로 지내던 계월은 천자로부터 오왕과 초왕의 반란을 진압하기 위해 대원수로 출정하라는 명령을 받는다. 대원수가 된 계월은 보국에게 부하로 소환하는 전령을 내린다.

가 보국이 전령을 보고 분함을 이기지 못해 부모에게 말했다.

"계월이 또 소자를 중군장으로 부리려 하오니 이런 일이 어디에 있사옵니까?" / 여공이 말했다.

"전날 내가 너에게 무엇이라 일렀더냐? 계월이를 괄시하다가 이런 일을 당했으니 어찌 계월이가 그르다고 하겠느냐? 나랏일이 더할 수 없이 중요하니 어찌할 수 없구나."

이렇게 말하고 어서 가기를 재촉했다.

나 난데없는 적병이 또 사방에서 달려드니 보국이 겁이 나고 두려워 피하려고 했으나 순식간에 적들이 함성을 지르고 보국을 천여 겹으로 에워쌌다. 형세가 위급하므로 보국이 하늘을 우러러 탄식했다.

이때 원수가 장대에서 북을 치다가 보국의 위급함을 보고 급히 말을 몰아 긴 칼을  높이 들고 좌충우돌해 적진을 헤치고 구덕지의 머리를 베어 들고 보국을 구했다. 몸을 날려 적진에서 충돌하니 동에 번쩍 서쪽의 장수를 베고, 남으로 가는 듯하다가 북쪽의 장수를 베었다. 이처럼 좌충우돌하여 적장 오십여 명과 군사 천여 명을 한칼로 소멸하고 본진으로 돌아왔다.

보국이 원수 보기를 부끄러워하니 원수가 보국을 꾸짖어 말했다.

"저러고서도 평소에 남자라고 칭하리오? 나를 업신여기더니 이제도 그렇게 할까?"

| 중간 부분 줄거리 | 한편 계월의 영웅적 활약에 당황한 오왕과 초왕은 맹길을 보내 천자가 있는 황성을 급습하고, 천자는 위험에 처한다.

다 이때 원수는 진중에 있으며 적을 무찌를 묘책을 생각하고 있었다. 그런데 자연히 마음이 어지러워 장막 밖에 나가 천기를 살펴보았다. 자미성이 자리를 떠나고 모든 별이 살기등등
_{천자의 운명과 관련된다고 생각되는 별}

하여 은하수에 비치고 있었다. 원수가 크게 놀라 중군장을 불러 말했다.

"내가 천기를 보니 천자의 위태함이 경각(頃刻)에 있도다.
_{눈 깜짝할 사이, 또는 아주 짧은 시간}
내가 홀로 가려 하니 장군은 장수와 군졸을 거느려 진문을 굳게 닫고 내가 돌아오기를 기다리라."

이렇게 말하고 칼 한 자루를 쥐고 말에 올라 황성으로 향했다.

| 뒷부분 줄거리 | 천자를 구하고 나라를 지킨 계월은 비로소 보국에게 능력을 인정받고 둘의 갈등은 해소된다. 대사마 대장군의 작위를 받은 계월은 보국과 함께 나라에 충성하며 오랫동안 낙을 누린다.

– 작자 미상, 〈홍계월전〉 [미], [비(박영)]

---

01 이 글에 대한 설명으로 적절하지 <u>않은</u> 것은?

① 고전 소설의 비현실성이 드러나는 장면이 있다.

② 여성의 남장이 사건 전개에 중요한 구실을 한다.

③ 주인공의 활약이 우리 민족의 자존심을 회복시켜 준다.

④ 여성의 사회 진출을 부정적으로 인식한 당대의 가부장적 질서 체계에 대한 비판을 담고 있다.

⑤ 주인공이 가정과 사회에서 모두 인정받는 결말을 통해 조선 후기에 성장한 여성 의식을 표출하였다.

> **문제 해결 전략**
>
> 이 작품이 **❶**〔   〕을 배경으로 하여 홍계월의 고행과 무용담을 그린 군담 소설이자 여성 **❷**〔   〕소설이라는 것을 고려하며 선택지의 적절성을 판단해 본다.

> 답 ❶ 중국 ❷ 영웅

02 (가)~(다)의 내용으로 적절하지 <u>않은</u> 것은?

① (가): 보국은 남성의 권위를 내세우며 가부장적인 태도를 보이고 있다.

② (가): 여공은 아내가 남편보다 우위에 있을 수도 있다는 생각을 지니고 있다.

③ (나): 계월은 여자라는 이유로 자신의 능력을 인정하지 않던 보국을 조롱하고 비판하고 있다.

④ (나): 보국은 계월의 도움으로 살아 돌아온 뒤 자신을 조롱하는 계월에게 분노를 드러내고 있다.

⑤ (다): 계월은 하늘의 별을 보고 천자의 위험을 직감할 줄 아는 능력을 지니고 있다.

[03~06] 다음을 읽고 물음에 답하시오.

| 앞부분 줄거리 | 퇴기 월매의 딸 춘향은 남원 부사의 아들 몽룡과 첫눈에 사랑에 빠지나 몽룡의 아버지가 한양으로 가게 되어 어쩔 수 없이 이별하게 된다. 그 후 새로 부임한 남원 부사 변 사또가 춘향에게 수청을 강요하고 춘향은 이를 거부하다 옥에 갇힌다. 몽룡은 장원 급제 후 암행어사가 되어 신분을 숨기고 거지꼴로 나타나고, 이에 실망한 월매와 함께 옥에 갇힌 춘향을 찾아온다.

가 춘향이 저의 모친 음성을 듣고 깜짝 놀라서,

"어머니 어찌 오셨소. 몹쓸 딸자식을 생각하와 천방지축으로 다니다가 낙상하기 쉽소. 다음부터는 오실라 마옵소서."

"날랑은 염려 말고 정신을 차리어라. 왔다."

"오다니 누가 와요?" / "그저 왔다."

"갑갑하여 나 죽겠소. 일러 주오. 꿈 가운데 님을 만나 온갖 회포 나누었더니 혹시 서방님께서 기별 왔소? 언제 오신단 소식 왔소? 벼슬 띠고 내려온단 공문 왔소? 답답하여라."

"㉠너의 서방인지 남방인지 걸인 하나가 내려왔다."

"허허, 이게 웬 말인가. 서방님이 오시다니 꿈결에 보던 님을 생시에 본단 말인가."

문뜸으로 손을 잡고 말 못하고 기겁하며,

[A] "애고 이게 누구시오. 아마도 꿈이로다. 그토록 그린 님을 이리 쉽게 만날쏜가. 이제 죽어도 한이 없네. 어찌 그리 무정한가. 박명하다 나의 모녀. 서방님 이별 후에 자나 누우나 님 그리워 오래도록 한이더니, 내 신세 이리되어 매에 감겨 죽게 되는 날 살리러 와 계시오."

㉡한참 이리 반기다가 님의 형상 자세히 보니 어찌 아니 한심하랴.

| 중간 부분 줄거리 | 춘향은 몽룡에게 자신이 죽으면 시신을 잘 거두어 달라고 말한다. 몽룡은 변 사또의 생일잔치에 어사 신분을 숨기고 참여한 후, 암행어사의 신분을 밝히고 어사 출도를 한다.

나 [B][좌수(座首), 별감(別監) 넋을 잃고 이방, 호방 혼을 잃고 나졸들이 분주하네. 모든 수령 도망갈 제 거동 보소. 인궤 잃고 강정 들고, 병부(兵符) 잃고 송편 들고, 탕건 잃고 용수 쓰고, 갓 잃고 소반 쓰고, 칼집 쥐고 오줌 누기, 부서지는 것은 거문고요, 깨지는 것은 북과 장고라.] 본관 사또가 똥을 싸고 멍석 구멍 생쥐 눈 뜨듯 하고, 안으로 들어가서,

"어 추워라. 문 들어온다 바람 닫아라. 물 마르다 목 들여라."

관청색은 상을 잃고 문짝을 이고 내달으니, 서리, 역졸 달려들어 후닥딱. / "애고 나 죽네."

이때 어사또 분부하되,

"㉢이 골은 대감이 좌정하시던 골이라. 잡소리를 금하고 객사(客舍)로 옮겨라."

자리에 앉은 후에, / "본관 사또는 봉고파직*하라."

다 어사또 분부하되, / "너 같은 년이 수절한다고 관장(官長)에게 포악하였으니 살기를 바랄쏘냐. 죽어 마땅하되 내 수청도 거역할까?" / 춘향이 기가 막혀,

관가의 장(長)이라는 뜻으로, 시골 백성이 고을 원을 높여 이르던 말

"㉣내려오는 관장마다 모두 명관(名官)이로구나. 어사또 들으시오. ⓐ충암절벽 높은 바위가 바람 분들 무너지며, ⓑ청송녹죽 푸른 나무가 눈이 온들 변하리까. 그런

푸른 소나무와 푸른 대나무

분부 마옵시고 어서 바삐 죽여 주오."/ 하며,

"향단아, 서방님 어디 계신가 보아라. 어젯밤에 옥 문간에 와 계실 제 천만당부 하였더니 어디를 가셨는지 나 죽는 줄 모르는가."

어사또 분부하되, / "얼굴 들어 나를 보라." / 하시니 춘향이 고개 들어 위를 살펴보니, 걸인으로 왔던 낭군이 분명히 어사또가 되어 앉았구나. 반웃음 반 울음에,

"얼씨구나 좋을시고. 어사 낭군 좋을시고. ㉤남원 읍내 가을이 들어 떨어지게 되었더니, 객사에 봄이 들어 이화춘풍(李花春風) 날 살린다. 꿈이냐 생시냐? 꿈을 깰까 염려로다."

• 봉고파직: 어사나 감사가 못된 짓을 많이 한 고을의 원을 파면하고 관가의 창고를 봉하여 잠금을 뜻함.

– 작자 미상, 〈춘향전〉 천(박), 금, 동, 신, 지, 창, 해

03 이 글에 대한 설명으로 적절하지 않은 것은?

① 인물의 행동을 해학적으로 표현하고 있다.

② 운문체와 산문체가 혼합된 문체가 드러난다.

③ 한문 투 표현과 평민의 언어가 동시에 나타난다.

④ 전기적 요소를 통해 인물의 능력을 부각하고 있다.

⑤ 서술자가 직접 자신의 평가를 표출하는 부분이 나타난다.

2주 **2**일 필수 체크 전략 ②

04 〈보기〉로 보아 [A]와 [B]에 어울리는 장단으로 가장 적절한 것은?

> • 보기 •
> • 진양조: 판소리 장단 가운데 가장 느린 장단으로 슬픈 대목이나 풍경을 묘사하는 대목에서 쓰인다.
> • 중모리: 진양조보다 약간 빠른 장단으로 사연을 담담하게 서술하거나 서정적인 대목에 쓰인다.
> • 중중모리: 중모리보다 약간 빠른 장단으로 흥취를 돋우며 우아하여 춤을 추거나 통곡하는 대목에 쓰인다.

	[A]	[B]
①	중모리	중중모리
②	중모리	진양조
③	중중모리	중모리
④	중중모리	진양조
⑤	진양조	중모리

문제 해결 전략

[A]에 나타난 인물의 [❶]와 [B]가 나타내고 있는 상황이 무엇인지를 파악한 후, 〈보기〉에서 이러한 심리와 상황에 어울리는 [❷]을 찾는다.

🖪 ❶ 심리 ❷ 장단

05 ㉠~㉢에 대한 설명으로 적절하지 않은 것은?

① ㉠: 동음이의어를 활용함으로써 웃음을 유발하고 있다.

② ㉡: 편집자적 논평으로 춘향의 마음을 대변하고 있다.

③ ㉢: 전관(前官)이었던 아버지에 대한 예우이자 존경심을 보이는 태도가 나타난다.

④ ㉣: 탐관오리를 봉고파직한 어사또의 높은 덕을 칭송하는 표현이다.

⑤ ㉤: 변 사또의 학정으로 죽을 처지에 놓였던 상황을 비유적으로 표현하고 있다.

06 춘향이 ⓐ, ⓑ를 통해 강조하고자 한 것이 무엇인지 쓰시오.

[07~10] 다음을 읽고 물음에 답하시오.

| 앞부분 줄거리 | 사랑하는 춘향과 이별하고 한양에 올라가 장원 급제하여 전라도 어사가 된 이몽룡이 변 사또의 생일잔치에 걸인 행색으로 참여한다.

"여봐라 사령들아, 너의 사또에게 여쭈어라. 먼 데 있는 걸인이 좋은 잔치에 왔으니 술과 안주나 좀 얻어먹자고 여쭈어라."
저 사령의 거동 보소.

"우리 사또님이 걸인을 금하였으니, 어느 양반인지는 모르오만 그런 말은 내지도 마오."
ⓐ등을 밀쳐 내니 어찌 아니 명관(名官)인가. 운봉 영장이 그 거동을 보고 본관 사또에게 청하는 말이,
"저 걸인의 의관은 남루하나 양반의 후예인 듯하니 말석에 앉히고 술잔이나 먹여 보냄이 어떠하뇨?"
본관 사또 하는 말이, / "운봉의 소견대로 하오마는."
ⓑ'마는' 하는 끝말을 내뱉고는 입맛이 사납겠다. 어사또 속으로, / '오냐. 도적질은 내가 하마. 오라는 네가 받아라.'
운봉 영장이 분부하여,
"저 양반 듭시라고 하여라."
어사또 들어가 단정히 앉아 좌우를 살펴보니, 당 위의 모든 수령 다담상을 앞에 놓고 진양조가 높아 가는데, ⓒ어사또의 상을 보니 어찌 아니 통분하랴. 모서리 떨어진 개상판에 닥나무 젓가락, 콩나물, 깍두기, 막걸리 한 사발 놓았구나. 상을 발길로 탁 차 던지며 운봉 영장의 갈비를 가리키며,
"갈비 한 대 먹고지고."
"다리도 잡수시오." / 하고는 운봉이 하는 말이,
"이러한 잔치에 풍류로만 놀아서는 맛이 적사오니 차운(次韻) 한 수씩 하여 보면 어떠하오?"
〔남이 지은 시의 운자를 따서 시를 지음. 또는 그런 방법〕
"그 말이 옳다." / 하니 운봉이 운을 낼 제 '높을 고(高)' 자, '기름 고(膏)' 자 ⓓ두 자를 내어놓고 차례로 운을 달아 시를 짓는다. 이때 어사또 하는 말이,
"걸인이 어려서 한시(漢詩)깨나 읽었더니 좋은 잔치 당하여서 술과 안주를 포식하고 그냥 가기 민망하니 차운 한 수 하사이다."
운봉 영장이 반겨 듣고 필연(筆硯)을 내어 주니, 좌중 사람들이 다 짓지도 않았는데 순식간에 글 두 귀를 지었으되,
〔붓과 벼루〕
ⓔ백성들의 형편을 생각하고 본관 사또의 정체를 감안하여 지었것다.

금준미주(金樽美酒) 천인혈(千人血)이요

옥반가효(玉盤佳肴) 만성고(萬姓膏)라

촉루락시(燭淚落時) 민루락(民淚落)이요

가성고처(歌聲高處) 원성고(怨聲高)라.

이 글 뜻은,

[A]
금동이의 아름다운 술은 일만 백성의 피요

옥소반의 아름다운 안주는 일만 백성의 기름이라.

촛불 눈물 떨어질 때 백성 눈물 떨어지고

노랫소리 높은 곳에 원망 소리 높았더라.

이렇듯이 지었으되 본관 사또는 몰라보는데 운봉 영장은 글을 보며 속으로. / '아뿔싸! 일이 났다.'

이때 어사또가 하직하고 간 연후에 각 아전들에게 분부하되, / "야야, 일이 났다."

㉠공방 불러 돗자리 단속, 병방 불러 역마(驛馬) 단속, 관청색 불러 다담상 단속, 옥형방 불러 죄인 단속, 집사 불러 형구(刑具) 단속, 형방 불러 장부 단속, 사령 불러 숙직 단속 한참 이리 요란할 제 사정 모르는 저 본관 사또가,

"여보 운봉은 어디를 다니시오?"

"소피 보고 들어오오."
'오줌'을 완곡하게 이르는 말

본관 사또가 술주정이 나서 분부하되,

"춘향을 급히 올리라."

– 작자 미상, 〈춘향전〉 천재(박) , 금 , 동 , 지 , 신 , 창 , 해

07 이 글의 인물에 대한 설명으로 적절하지 <u>않은</u> 것은?

① 사령에게 자신을 걸인이라 소개한 어사또는 술과 안주를 얻어먹자고 말한다.

② 사령은 어사또의 행색을 보고 술과 안주를 내어 주기를 거부한다.

③ 본관 사또는 운봉에게 어사또를 잔치에 참여시키자고 제안한다.

④ 운봉은 운자를 맞추어 시를 짓는 놀이를 하자고 제안한다.

⑤ 어사또가 지은 한시를 들은 운봉은 그의 정체를 눈치챈다.

문제 해결 전략

인물의 ❶[　　　]과 ❷[　　　]을 통해 선택지의 옳고 그름을 판단해 본다.

📘 ❶ 말 ❷ 행동

08 [A]에 대한 설명으로 적절한 것끼리 묶은 것은?

• 보기 •

ㄱ. 비유적인 표현으로 탐관오리들의 부정을 비판하고 있다.

ㄴ. 대구적 표현을 활용해 백성들의 참담한 삶을 드러내고 있다.

ㄷ. 해학적인 표현으로 당시 양반들의 허례허식을 풍자하고 있다.

ㄹ. 잔치의 화려함과 백성들의 고달픈 삶을 대비하여 표현하고 있다.

① ㄱ, ㄴ   ② ㄱ, ㄷ   ③ ㄱ, ㄴ, ㄷ

④ ㄱ, ㄴ, ㄹ   ⑤ ㄴ, ㄷ, ㄹ

09 ㉠에 대한 설명으로 적절하지 <u>않은</u> 것은??

① 서술어의 뒷부분을 생략하여 긴장감을 고조한다.

② 비슷한 문장 구조를 반복하여 운율감을 형성한다.

③ 열거와 대구를 통해 생동감 있게 상황을 전달한다.

④ 판소리의 특징 중 하나인 확장적 문체가 나타나는 부분이다.

⑤ 본관 사또가 어사 출도를 대비해 아전들을 단속하는 장면이다.

10 ⓐ~ⓔ 중 〈보기〉의 예로 적절하지 <u>않은</u> 것은?

• 보기 •

서술자가 단순히 작품 내용을 전달하는 역할을 넘어서서 작품에 직접 개입하여 인물, 상황을 판단하거나 자신의 의견을 제시하는 것으로, 주로 고전 소설에서 자주 나타난다.

① ⓐ   ② ⓑ   ③ ⓒ

④ ⓓ   ⑤ ⓔ

2주 3일 필수 체크 전략 ①

전략 ❶ | 고전 소설에 반영된 당대의 사회적 상황 파악하기

| 앞부분 줄거리 | 글 읽기에만 몰두하던 가난한 선비 허생은 경제적으로 무능력하다는 아내의 질책에 글 읽기를 중단하고 집을 나와 성중에서 제일 부자라는 변 씨를 찾아간다.

"내가 집이 가난해서 무얼 좀 해 보려고 하니, 만 냥(兩)을 꾸어 주시기 바랍니다." / 변 씨는 / "그러시오."
_{허생의 당당한 태도와 대범함}

하고 당장 만 냥을 내주었다. 허생은 감사하다는 인사도 없이 가 버렸다. 변 씨
_{변 씨의 대범한 면모}   _{범상치 않은 허생의 태도}
집의 자제와 손들이 허생을 보니 거지였다. 실띠의 술이 빠져 너덜너덜하고, 갖
_{초라한 행색의 허생 – 몰락한 양반의 모습}
신의 뒷굽이 자빠졌으며, 쭈그러진 갓에 허름한 도포를 걸치고, 코에서 맑은 콧

물이 흘렀다. (중략)   ▶ 변 씨에게 만 냥을 빌린 허생

허생은 만 냥을 입수하자, 다시 자기 집에 들르지도 않고 바로 안성(安城)으로
_{허생의 장사 밑천}
내려갔다. 안성은 경기도, 충청도 사람들이 마주치는 곳이요, 삼남(三南)의 길목
_{충청도, 경상도, 전라도}
이기 때문이다. 거기서 대추, 밤, 감, 배며 석류, 귤, 유자 등속의 과일을 모조리

두 배의 값으로 사들였다. 허생이 과일을 몽땅 쓸었기 때문에 온
_{과일을 매점매석함.}
나라가 잔치나 제사를 못 지낼 형편에 이르렀다. 얼마 안
_{조선의 취약한 경제 기반과 양반들의 허례허식을 비판하려는 의도가 담겨 있음.}
가서, 허생에게 두 배의 값으로 과일을 팔았던 상인들이

도리어 열 배의 값을 주고 사 가게 되었다. 허생은 길게

한숨을 내쉬었다.

"만 냥으로 온갖 과일의 값을 좌우했으니, 우리나라의 형편을 알 만하구나."
_{당시 조선의 경제 구조가 매우 취약했음을 알 수 있음.}
▶ 매점매석으로 큰돈을 번 허생
–박지원, 〈허생전〉 천(박) , 비(박안) , 지

● 이 글의 등장인물의 특징

허생	• 경제적으로 무능한 양반 계층 • 당당하고 대범함.
허생의 처	양반의 경제적 무능을 비판하는 작가 의식을 대변하는 인물
변 씨	• 조선 후기의 신흥 상인 계층 • 단번에 ❶ 의 비범함을 알아보고 만 냥을 빌려줄 정도로 대범하고 도량이 넓음.

● '과일'과 '말총'의 의미

과일	잔치나 제사에 필요한 물건
말총	양반들이 의복을 갖춰 입는 데 필요한 물건

→ 과일과 말총을 ❷ 하여 허례허식에 얽매인 사대부 계층을 비판함.

● 이 글에 드러난 당대의 현실

만 냥으로 과일과 말총을 모두 사들이자 그 가격이 폭등함.
→ 경제 구조가 매우 ❸ 함.

답 ❶ 허생 ❷ 매점매석 ❸ 취약

필수 예제

1. 이 글에서 짐작할 수 있는 당대 조선의 현실 상황으로 적절하지 <u>않은</u> 것은?

① 조선은 경제 기반이 매우 취약했군.

② 양반들이 허례허식을 중시하는 경향이 있었군.

③ 누구나 마음만 먹으면 쉽게 큰돈을 벌 수 있었군.

④ 실생활을 등한시하며 경제적으로 무능력한 양반들이 있었군.

⑤ 양반들이 의관을 제대로 갖춰 입는 것을 매우 중요시하였군.

> **정답|해설** ③ | 허생이 매점매석으로 큰돈을 번 것은 취약한 조선의 경제 구조에 대한 작가의 비판 의식이 반영된 장면이다.

> **오답 풀이** ②, ⑤ 과일이나 망건이 아무리 비싸도 살 정도로 양반들이 예법에 얽혀 있었음을 짐작할 수 있다. ④ 책만 읽으며 경제 활동을 하지 않아 아내에게 비판을 받은 허생을 모습을 통해 짐작할 수 있다.

확인 문제

1. 이 글에서 〈보기〉의 기능을 하는 소재를 찾아 쓰시오.

> • 보기 •
> • 조선 경제의 취약함을 보여 줌.
> • 변 씨의 대범한 인물됨을 드러냄.
> • 허생이 이인(異人)임을 드러내 줌.
> • 허생의 장사 밑천으로, 사건 전개의 매개체임.

전략 ❷ | 문학 작품에 담긴 사회·문화적 가치 파악해 보기

| 앞부분 줄거리 | 어느 날 '나'의 집에 아들 병국을 찾는 장교와 사병이 찾아온다. '나'는 이와 비슷했던 지난여름의 일, 즉 병국이 낸 진정서 때문에 비료 공장 사람들과 군인들이 찾아왔던 일을 회상한다.

"아, 아들놈이 낸 진정서 틀림없습니까?" / 노무과장에게 내가 물었다.
　병국　　　　　공장이 배출한 폐기물 때문에 어민들이 실신하였다는 내용임.

"분명합니다. 알고 보니 자제분은 이 방면에 상습
범이더군요. 지난 유월에는 풍천 화학을 상대로
진정서를 낸 바 있습니다. 풍천 화학 역시 야음을
　　　　　　　　　　　　　　밤의 어둠
틈타 카드뮴·수은 등 중금속 물질을 다량 배출하

여 동진강 하류 삼각주 지대 각종 새 삼백여 마리와 물고기들이 떼죽음을 했다

나요. 사람이 아닌 한갓 새나 물고기가 죽은 걸 두고 말입니다."
노무과장의 가치관: 환경 문제에는 관심 없고 오직 사업상의 이익만을 생각함. → 인간 중심적인 가치관
노무과장 목소리가 열을 띠더니 '새나 물고기'란 말을 힘주어 강조했다.

"기가 막혀서. 뭐 제 놈이 실신했다거나 가족이 떼죽음당했다면 또 몰라."

한 젊은이가 가소롭다는 듯 시큰둥 말했다.
　　　　　　　　　　　　　조국의 근대화를 내세워 자신들의 잘못을 정당화함.
"국민 소득 일천 달러 달성에, 오늘날 조국 근대화가 다 무엇으로 이루어진 성
시대적 배경이 드러남. → 작품의 창작 시기는 1979년으로, 산업화 추진으로 국민 소득을 높이는
과인 줄 선생도 알지요?"　　　것이 주된 관심사였으며 환경 문제를 등한시하였다.

다른 젊은이가 내 눈을 찌를 듯 손가락질했다.
　　　　　　　　　　　　　환경 문제보다 경제 성장을 우선시하는 사고방식이 드러남.
"빈대 잡겠다고 초가삼간 태우겠다는 미친놈 짓거리를 이번으로 뿌릴 뽑아야
　'새나 물고기를 살리겠다고 조국 근대화에 차질을 주겠다'라는 뜻. 관용 표현(속담)
해!"　　　　　　　　　▶ 지난여름 비료 공장 사람들이 찾아왔던 일을 떠올리는 '나'

– 김원일, 〈도요새를 위한 명상〉 **동** . **지**

● 환경 문제를 바라보는 시각 차이

병국
• 비료 공장이 배출한 폐기물 때문에 어민들이 실신한 일에 대해 진정서를 제출함. • 풍천 화학이 중금속 물질을 대량 배출하여 새와 물고기가 떼죽음을 당했다는 내용의 진정서를 냄. → **❶** 을 파괴해서는 안 된다.

↕

비료 공장 사람들
• "사람이 아닌~말입니다." • "국민 소득~선생도 알지요?" • "빈대 잡겠다고~뽑아야 해!" → **❷** 성장과 근대화를 위해서라면 환경 파괴는 불가피하다.

● 문학 작품에 담긴 가치를 받아들이는 방법

작가의 가치관을 그대로 수용하지 말고, 자신의 가치관을 기준으로 삼아 수용하되 다양한 사회·문화적 가치를 이해하고 **❸** 하는 태도가 필요함.

답 ❶ 환경(자연) ❷ 경제 ❸ 존중

필수예제 **2.** 이 글에 대한 반응으로 적절하지 <u>않은</u> 것은?

① '나'는 자연보다 경제 성장을 우선시하는 가치관에 공감하고 있어.

② 노무과장은 자연보다 인간을 더 중시하는 인간 중심 가치관을 지녔어.

③ 환경 파괴 행위에 반대하는 병국의 모습을 보면서 환경에 무관심했던 점을 반성했어.

④ 노무과장과 함께 온 젊은이는 근대화를 위해서라면 환경 오염을 정당화할 수 있다고 생각해.

⑤ 병국과 비료 공장 사람들의 갈등을 보면서 사람마다 지향하는 가치가 다르다는 것을 알게 되었어.

정답|해설　① | 이 글에서 '나'가 환경 보호보다 경제 성장을 우선시함을 추측할 수 있는 내용은 찾을 수 없다.

오답 풀이　② 노무과장이 "사람이 아닌~말입니라."라고 한 말에서 추측할 수 있다. ④ 젊은이가 "국민 소득 일천 달러~선생도 알지요?"라고 한 것에서 추측할 수 있다.

확인문제 **2.** 〈보기〉를 고려할 때 이 글에서 전달하려는 사회·문화적 가치가 무엇인지 서술하시오.

> **보기**
>
> 　이 작품이 발표된 1970년대 말은 본격적인 산업화가 진행되면서 급격한 성장을 이루던 시기인 한편, 성장 이데올로기에 빠져 중요한 가치를 소홀히 하는 역기능이 대두된 시기이기도 했다. 이 작품은 이러한 현실을 보여 줌으로써 우리 사회가 진정으로 추구해야 할 가치가 무엇인지를 모색하고 있다.

[01~03] 다음을 읽고 물음에 답하시오.

┃앞부분 줄거리┃ 변 씨에게 빌린 만 냥으로 큰돈을 번 허생은 그 돈으로 이상 사회를 건설하기 위해 빈 섬을 찾고, 함께 살 사람을 모으려 한다.

가 이때, 변산(邊山)에 수천의 군도(群盜)들이 우글거리고 있었다. 각 지방에서 군사를 징발하여 수색을 벌였으나 좀처럼 잡히지 않았고, 군도들도 감히 나가 활동을 못 해서 배고프고 곤란한 판이었다. ㉠허생이 군도의 산채를 찾아가서 우두머리를 달래었다. (중략)
떼를 지어 도둑질을 하는 무리

"모두 아내가 있소?" / "없소."

"논밭은 있소?" / 군도들이 어이없어 웃었다.

"땅이 있고 처자식이 있는 놈이 무엇 때문에 괴롭게 도둑이 된단 말이오?"

"정말 그렇다면, 왜 아내를 얻고, 집을 짓고, 소를 사서 논밭을 갈고 지내려 하지 않는가?" (중략)

"아니, 왜 바라지 않겠소? 다만 돈이 없어 못 할 뿐이지요."

허생은 웃으며 말했다. / "도둑질을 하면서 어찌 돈을 걱정할까? 내가 능히 당신들을 위해서 마련할 수 있소. 내일 바다에 나와 보오. 붉은 깃발을 단 것이 모두 돈을 실은 배이니, 마음대로 가져가구려."

나 이에, 군도들이 다투어 돈을 짊어졌으나, 한 사람이 백 냥 이상을 지지 못했다.

"너희들, 힘이 한껏 백 냥도 못 지면서 무슨 도둑질을 하겠느냐? 인제 너희들이 양민(良民)이 되려고 해도, 이름이 도둑의 장부에 올랐으니, 갈 곳이 없다. 내가 여기서 너희들을 기다릴 것이니, 한 사람이 백 냥씩 가지고 가서 ㉡여자 하나, 소 한 필을 거느리고 오너라." (중략)

드디어 다들 배에 싣고 그 빈 섬으로 들어갔다. ㉢허생이 도둑을 몽땅 쓸어 가서 나라 안에 시끄러운 일이 없었다.

다 그들은 나무를 베어 집을 짓고, 대[竹]를 엮어 울을 만들었다. 땅기운이 온전하기 때문에 백곡이 잘 자라서, 한 해나 세 해만큼 걸러 짓지 않아도 한 줄기에 아홉 이삭이 달렸다. 삼 년 동안의 양식을 비축해 두고, ㉣나머지를 모두 배에 싣고 장기도(長崎島)로 가져가서 팔았다. 장기라는 곳은 삼십만여 호나 되는 일본(日本)의 속주(屬州)이다. 그 지방이 한참 흉년이 들어서 구휼하고 은 백만 냥을 얻게 되었다.

┃중간 부분 줄거리┃ 빈 섬에 이상 사회를 건설한 허생은 자신의 조그만 시험이 끝났다면서 섬을 떠나려 한다.

라 돈 오십만 냥을 바다 가운데 던지며,

"바다가 마르면 주워 갈 사람이 있겠지. ㉤백만 냥은 우리나라에도 용납할 곳이 없거늘, 하물며 이런 작은 섬에서랴!" / 했다. 그리고 글을 아는 자들을 골라 모조리 함께 배에 태우면서, / "이 섬에 화근을 없애야 되지." / 했다.

― 박지원, 〈허생전〉 천(박), 비(박안), 지

01 이 글에서 짐작할 수 있는 당시 조선의 사회상과 거리가 **먼** 것은?

① 무능한 집권층 때문에 사회가 혼란스러웠다.
② 돈이 중요한 경제적 가치로 자리 잡고 있었다.
③ 어려운 현실 때문에 도둑이 된 백성들이 있었다.
④ 지배 계층이 정파 싸움만 하며 민생을 돌보지 않았다.
⑤ 기본적인 삶의 조건을 갖추지 못한 백성들이 많았다.

문제 해결 전략

작품 속에 설정된 상황과 배경, 인물의 **❶** 과 행동 등을 통해 당시 사회의 모습이 어떠했을지 짐작해 본다.

답 ❶ 말

02 ㉠~㉤에 대한 이해로 적절하지 **않은** 것은?

① ㉠: 허생의 대범한 성격이 드러난다.
② ㉡: 가정을 이루고 농사를 짓기 위한 조건이다.
③ ㉢: 치안 문제를 해결한 허생의 비범함이 엿보인다.
④ ㉣: 허생이 해외 무역을 시도하였음을 알 수 있다.
⑤ ㉤: 재물을 천시하는 작가의 의식을 엿볼 수 있다.

03 다음 빈칸에 들어갈 알맞은 말을 이 글에서 찾아 쓰시오.

> 지식인과 당대의 위정자들이 현실과 동떨어진 채 관념적으로 세상을 논하여 백성들에게 해를 끼친다고 생각하는 허생은, 그들을 '(　　　　)'(이)라고 표현하며 비판적 태도를 드러내고 있다.

[04~06] 다음을 읽고 물음에 답하시오.

| 앞부분 줄거리 | 빈 섬에 이상 사회를 건설한 후 섬을 떠난 허생은 변 씨에게 빌린 돈을 열 배로 갚는다. 한편 쓸만한 인재를 찾고 있던 어영대장 이완이 변 씨로부터 허생의 이야기를 듣고 허생을 찾아간다. 허생은 이완에게 인재를 추천하겠으니 적극적으로 노력하라고 제안하지만 권위와 체면을 중시하는 이완은 이를 거절하고 차선책을 달라 한다.

가 허생은 외면하다가, 이 대장의 간청에 못 이겨 말을 이었다.

"명(明)나라 장졸들이 조선은 옛 은혜가 있다고 하여, 그 자손들이 많이 우리나라로 망명해 와서 정처 없이 떠돌고 있으니, 너는 조정에 청하여 종실(宗室)의 딸들을 내어 모두 그들에게 시집보내고, 훈척(勳戚) 권귀(權貴)의 집을 빼앗아서 그들에게 나누어 주게 할 수 있겠느냐?"
<small>나라를 위하여 드러나게 세운 공로가 있는 임금의 친척　지위가 높고 권세가 있음. 또는 그런 사람</small>

이 대장은 또 머리를 숙이고 한참을 생각하더니,

"어렵습니다." / 했다.

나 "이것도 어렵다, 저것도 어렵다 하면 도대체 무슨 일을 하겠느냐? 가장 쉬운 일이 있는데, 네가 능히 할 수 있겠느냐?"

"말씀을 듣고자 하옵니다."

"무릇, 천하에 대의(大義)를 외치려면 먼저 천하의 호걸들과 접촉하여 결탁하지 않고는 안 되고, 남의 나라를 치려면
<small>지혜와 용기가 뛰어나고 기개와 풍모가 있는 사람</small>
먼저 첩자를 보내지 않고는 성공할 수 없는 법이다. (중략) 진실로 당(唐)나라, 원(元)나라 때처럼 우리 자제들이 유학 가서 벼슬까지 하도록 허용해 줄 것과, 상인의 출입을 금하지 말도록 할 것을 간청하면, 저들도 반드시 자기네에게 친근해지려 함을 보고 기뻐 승낙할 것이다. 국중의 자제들을 가려 뽑아 머리를 깎고 되놈의 옷을 입혀서, 그중 선비는 가서 빈공과(賓貢科)에 응시하고, 또 서민은 멀리 강남(江南)
<small>중국 당나라 때에, 외국인에게 보게 하던 과거</small>
에 건너가서 장사를 하면서, 저 나라의 실정을 정탐하는 한편, 저 땅의 호걸들과 결탁한다면 한번 천하를 뒤집고 국치(國恥)를 씻을 수 있을 것이다." (중략)

이 대장은 힘없이 말했다.

"사대부들이 모두 조심스럽게 예법(禮法)을 지키는데, 누가 변발(辮髮)을 하고 호복(胡服)을 입으려 하겠습니까?"

다 허생은 크게 꾸짖어 말했다.

"소위 사대부란 것들이 무엇이란 말이냐? ㉠오랑캐 땅에서 태어나 자칭 사대부라 뽐내다니 이런 어리석을 데가 있느냐? 의복은 흰옷을 입으니 그것이야말로 상인(喪人)이나
<small>상을 당한 사람</small>

입는 것이고, 머리털을 한데 묶어 송곳같이 만드는 것은 남쪽 오랑캐의 습속에 지나지 못한데, ㉡대체 무엇을 가지고 예법이라 한단 말인가? 번오기(樊於期)는 원수를 갚기 위해서 자신의 머리를 아끼지 않았고, ㉢무령왕(武靈王)은 나라를 강성하게 만들기 위해서 되놈의 옷을 부끄럽게 여기지 않았다. 이제 대명(大明)을 위해 원수를 갚겠다 하면서, 그까짓 머리털 하나를 아끼고, 또 장차 말을 달리고 칼을 쓰고 ㉣창을 던지며 활을 당기고 돌을 던져야 할 판국에 넓은 소매의 옷을 고쳐 입지 않고 딴에 예법이라고 한단 말이냐? 내가 세 가지를 들어 말하였는데, 너는 한 가지도 행하지 못한다면서 그래도 신임받는 신하라 하겠는가? 신임받는 신하라는 게 참으로 이렇단 말이냐? ㉤너 같은 자는 칼로 목을 잘라야 할 것이다."

하고 좌우를 돌아보며 칼을 찾아서 찌르려 했다. 이 대장은 놀라서 일어나 급히 뒷문으로 뛰쳐나가 도망쳐서 돌아갔다.

라 이튿날, 다시 찾아가 보았더니, 집이 텅 비어 있고, 허생은 간 곳이 없었다.

— 박지원, 〈허생전〉　천(박)、비(박안)、지

---

04 **이 글의 내용으로 적절하지 않은 것은?**

① 허생은 청나라와 문물을 교류할 것을 제안하였다.

② 허생은 종실과 훈척 권귀의 기득권을 폐지할 것을 제안하였다.

③ 이완은 허생이 제안한 세 가지 계책을 모두 다 받아들이지 않았다.

④ 이완은 현실의 문제는 인식하고 있으나 이를 개혁하기 위해 적극적으로 행동하지 않고 있다.

⑤ 허생은 이완이 자신의 제안을 받아들이지 않자 직접 나라의 문제를 해결하기 위해 행동에 나서고 있다.

05 〈보기〉를 참고할 때, (가), (나)에 나타난 허생의 제안을 적절하게 이해한 사람을 <u>모두</u> 고른 것은?

> • 보기 •
> 병자호란으로 굴욕적인 강화를 맺은 이후 충격에 빠진 조선에서는 청을 정벌하여 명나라에 은혜를 갚고 치욕을 씻자는 북벌 운동이 일어났다. 그러나 강성해진 청을 정벌하는 것은 현실적으로 매우 어려운 일이었다.

소은 · 허생은 명나라 사람들이 조선에 살면서 치안을 위협하는 것을 비판하고 있어.

해진 · 허생은 말로만 친명 정책을 주장하며 기득권을 유지하려는 위정자들을 비판하고 있어.

재원 · 허생은 명분도 없이 실리만 챙기기 위해 청나라를 멀리하고 배척하는 정치인들을 비판하고 있어.

진호 · 허생은 실질적인 북벌의 방법으로 청나라와 전략적으로 교류할 것을 제안하고 있어.

수지 · 허생은 현실적이지 못한 북벌론을 주장하는 사대부들을 비판하고 있어.

전송

① 소은, 해진, 재원
② 소은, 해진, 진호
③ 해진, 재원, 진호
④ 해진, 진호, 수지
⑤ 재원, 진호, 수지

06 ㉠~㉤에 대한 설명으로 적절하지 <u>않은</u> 것은?

① ㉠: 청나라를 오랑캐라고 멸시하며 우월감을 가지고 있는 사대부들을 비판하고 있다.
② ㉡: 전통적인 예법을 중시하는 작가의 가치관을 읽을 수 있다.
③ ㉢: 명분보다 실리를 중요시했던 인물의 사례를 들어 사대부의 허위의식을 비판하고 있다.
④ ㉣: 전쟁하기에도 불편한 넓은 소매의 옷을 입고서 북벌 정책을 외치는 사대부들을 비판하고 있다.
⑤ ㉤: 무능력하고 개혁 의지가 없는 집권 계층에 대한 허생의 불만이 최고조에 달했음을 보여 준다.

[07~09] 다음을 읽고 물음에 답하시오.

| 앞부분 줄거리 | 낡은 경운기를 몰고 '농민 궐기 대회'에 참석한 이후로 황만근이 돌아오지 않는다. 마을 사람들에게 바보 취급을 당하는 황만근이었지만, 그가 없어진 후 그의 부재가 마을 곳곳에서 확연하게 드러난다.

㉠ 마을에서 젊은 축에 드는 마흔다섯 살의 황영석은 황만근이 벽돌을 찍고 구덩이를 파서 지은 마을 회관 변소에서 분뇨를 퍼내면서 황만근의 부재를 알게 되었다.

"만그이 자석이 있었으마 내가 돈을 백만 원 준다 캐도 이런 일을 안 할 낀데. 아이구, 이 망할 놈의 똥 냄새, 여리가 싸 놔 그런지 독하기도 하네. 이기 곡석한테 독이 될지 약이 될지도 모르겠구마."

황만근이 있었으면 군말 없이 했을 일이었다. 늘 그렇듯이 벙글벙글 웃으면서.

"만그이가 있었으모 저 거름이 우리 밭으로 올 낀데, 만그이가 도대체 어데 갔노."

마을 회관 곁 조그만 밭에 채소를 심어 먹는 여씨 노인도 황만근의 부재를 알게 되었다. 황만근은 마을 공통의 분뇨를, 역시 자신이 판 마을 공통의 분뇨장으로 가져가서 충분히 익힌 뒤에, 공평하게 나누어 주었다. 황영석처럼 제가 펐다고 바로 제 밭에 가져다가 뿌리지는 않았다. 특히 여씨 노인처럼 일찍 남편을 잃고 혼잣몸이 된 노인들에게는, 알고 그러는지 모르고 그러는지 더 자주 거름을 가져다주었다.

| 줌간 부분 줄거리 | 황만근이 없어지기 전날 저녁, 이장은 다음 날 열릴 '농가 부채 해결을 위한 전국 농민 총궐기 대회'에 동네 사람들의 참여를 독려하면서 경운기를 끌고 먼 길을 가야 하는 위험한 일에 황만근이 앞장서도록 강권한다. 그날 밤, 두어 해 전에 귀농해 온 외부인인 민 씨는 처음으로 황만근과 단둘이 대화를 하게 된다. 민 씨는 그날 황만근이 했던 인상 깊은 말들을 전한다.

㉡ 민 씨는 황만근의 말을 이렇게 들었다.

"농사꾼은 빚을 지마 안 된다 카이."

(한번 빚을 지면 그 빚을 갚으려고 무리하게 일을 벌인다. 동네 곳곳에 텅 빈 우사(牛舍), 마른 똥만 뒹구는 축사, 잡초만 무성한 비닐하우스를 보라. 농어민 복지, 소득 향상, 생활 개선? 다 좋다. 그걸 제 돈으로 해야 한다. 제 돈으로 하지 않으면 그건 노름이나 다를 바 없다. 빚은 만근산의 눈덩이, 처마의 고드름처럼 자꾸 커진다.)

"기계화 영농 카더이마 집집마다 바퀴 달린 기계가 밀어나
<u>기계를 사용하여 외국처럼 농업 생산성을 높이려는 의도로 시행한 정부의 농업 정책</u>
되나. 깅운기, 트랙터, 콤바인, 이앙기, 거다 탈곡기, 건조기
에 …… 다 빚으로 산 기라. 농사지 봐야 그 빚 갚느라고 정
신없다."

(한 집에서 일 년에 한 번 쓰는 이앙기를 들여놓으면 그게 일 년 내
내 돌아가던가. 놀 때는 다른 집에 빌려주면 된다. 옛날에는 소를 그
렇게 썼다. 그런데 지금은 그렇게 하지 않는다. 서로 도와 가면서 농
사짓던 건 옛날 말이다. 한 집에서 기계를 놀리면서도 안 빌려주면
옆집에서는 화가 나서라도 산다. 어차피 빚으로 사는데 사기가 어려
울까.) (중략)

"그런 기 다 쌀값에 언차진다(엎어진다). 언차져야 하는데
사실로는 수매하마 먹고살기 간당간당한 돈을 준다. 그 대
신에 빚을 준다. 자금을 대 준다 카는데 둘 다 안 했으마 좋
겠다. 둘 다 농사꾼을 바보 멍텅구리로 만든다."

(따라서 제대로 된 농사꾼이 점점 없어진다.)

"지 입에 들어갈 양석(양식), 곡석을 짓는 사람이 그 고마운 곡
석, 양석한테 장난치겠나. 저도 남도 해로운 농약 뿌리고 비싸
고 나쁜 비료 쳐서 보기만 좋은 열매를 뺏으마 그마이가?"

(모두 빚을 갚기 위해 그러는 것이다. 그러므로 빚을 제 주머니에
서 아들 용돈 주듯이 내주는 사람, 기관은 다 농사꾼을 나쁘게 만든
다. 정책 자금, 선심 자금, 농어촌 구조 개선 자금, 주택 개량 자금,
무슨 무슨 자금 해서 빌려줄 때는 인심 좋게 빌려주는 척하더니 이제
와서 그 자금이 상환 능력도 없는 사람들을 파산 지경으로 몰아넣고
있다. 이제 와서 그 빚을 못 갚겠다고 하는데 거기에는 충분한 이유
가 있다.)

"내가 왜 안 졌니냐고. 아무도 나한테 빚 준다고 안 캐. 바보
라고 아무도 보증 서라는 이야기도 안 했다. 나는 내 짓고
싶은 대로 농사지으면서 안 망하고 백 년을 살 끼라."

| 뒷부분 줄거리 | 전국 농민 총궐기 대회가 열리던 날, 마을 사람들은 모두
자동차를 타고 갔지만 황만근만은 이장의 지시대로 경운기를 끌고 백 리 길
을 갔다. 사고 위험과 악천후로 고생하던 그는 경운기가 논바닥에 처박히면
서 결국 길에서 동사(凍死)하고 만다. 없어진 지 일주일 만에, 황만근은 유
골이 되어 마을로 돌아온다.

– 성석제, 〈황만근은 이렇게 말했다〉 천재(박)

07 이 글에서 알 수 있는 당시 농촌의 현실로 적절하지 <u>않은</u>
것은?

① 농촌에 젊은 사람들이 거의 없다.

② 농약과 비료를 지나치게 사용하고 있다.

③ 도시로 이주하는 사람들이 점점 증가하여 농촌 인
구가 감소하고 있다.

④ 정부가 농촌에 융자를 쉽게 제공하여 농민을 빚에
의존하게 만들고 있다.

⑤ 기계를 사용해 농업 생산성을 높이려는 정책 때문
에 농민들이 빚을 내 기계를 사고 있다.

> **문제 해결 전략**
>
> (나)에서 큰따옴표 안의 말은 **❶** 이 직접 한 말, 괄호 안
> 의 말들은 **❷** 가 황만근의 말을 요약하거나 해석한 것임
> 을 이해하고, (나)에서 드러나는 황만근의 농촌에 대한 인식을 파
> 악해 본다.
>
> 답 ❶ 황만근 ❷ 민 씨

08 (나)에서 민 씨가 수행하는 역할로 적절한 것은?

① 황만근의 언행을 희화화하여 웃음을 유발한다.

② 황만근의 말이 지닌 모순과 허점을 바로잡는다.

③ 황만근과 마을 사람들 사이에서 중재자 역할을 한다.

④ 황만근을 대신하여 이해타산적인 마을 사람들을 비
판한다.

⑤ 농사에 대한 소신과 농촌의 현실에 대한 비판이 담
긴 황만근의 말을 해석한다.

09 이 글에서 황만근을 통해 전달하고 있는 사회·문화적
가치를 모두 고른 것은?

> • 보기 •
>
> ㄱ. 공동체에 대한 봉사
> ㄴ. 이타적인 삶의 자세
> ㄷ. 세대 간의 갈등 해결
> ㄹ. 부채 없이 노동으로 자립하는 삶의 가치

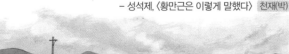

① ㄱ, ㄴ   ② ㄱ, ㄹ   ③ ㄴ, ㄹ

④ ㄱ, ㄴ, ㄷ   ⑤ ㄱ, ㄴ, ㄹ

대표 예제 01~02

[01~02] 다음을 읽고 물음에 답하시오.

| 앞부분 줄거리 | 장님 심학규는 늦은 나이에 딸 심청이를 얻었으나 산후 7일 만에 아내가 죽자 온갖 고생을 하며 딸을 기른다. 어느 날 심 봉사는 물에 빠지는 사고를 당한 후 공양미 삼백 석을 시주하겠다고 약속한다. 근심하는 아버지를 위해 ㉠심청이는 제물로 바칠 처녀를 사러 다니는 남경 뱃사람들에게 공양미 삼백 석을 받고 인당수 제물이 되기로 한다.

심청이 들어와 눈물로 밥을 지어 아버지께 올리고, 상머리에 마주 앉아 아무쪼록 진지 많이 잡수시게 하느라고 자반도 떼어 입에 넣어 드리고 김쌈도 싸서 수저에 놓으며,

"진지를 많이 잡수셔요."

심 봉사는 철도 모르고, / ㉡"야, 오늘은 반찬이 유난히 좋구나. 뉘 집 제사 지냈느냐?"

그날 밤에 꿈을 꾸었는데, ㉢부자간은 천륜지간(天倫之間)이라 꿈에 미리 보여 주는 바가 있었다.
_{부모와 자식 간에 하늘의 인연으로 정하여져 있는 사이}

"아가 아가, 이상한 일도 있더구나. ㉣간밤에 꿈을 꾸니, 네가 큰 수레를 타고 한없이 가 보이더구나. 수레라 하는 것이 귀한 사람이 타는 것인데 우리 집에 무슨 좋은 일이 있을란가 보다. 그렇지 않으면 장 승상 댁에서 가마 태워 갈란가 보다."

심청이는 저 죽을 꿈인 줄 짐작하고 둘러대기를,

㉤"그 꿈 참 좋습니다."

하고 진짓상을 물려 내고 담배 태워 드린 뒤에 밥상을 앞에 놓고 먹으려 하니 간장이 썩는 눈물은 눈에서 솟아나고, 아버지 신세 생각하며 저 죽을 일 생각하니 정신이 아득하고 몸이 떨려 밥을 먹지 못하고 물렸다. 그런 뒤에 심청이 사당˚에 하직하려고 들어갈 제, 다시 세수하고 사당 문을 가만히 열고 하직 인사를 올렸다.

"못난 여손(女孫)˚ 심청이는 아비 눈 뜨기를 위하여 인당수 제물로 몸을 팔려 가오매, 조상 제사를 끊게 되오니 사모하는 마음을 이기지 못하겠습니다."
_{우러러 받들고 마음속 깊이 따르는}

| 뒷부분 줄거리 | 인당수에 몸을 던진 심청이는 용왕에게 구출되고 이후 연꽃 속에 들어가 세상에 환생한다. 뱃사람들이 그 연꽃을 신기하게 생각해 임금에게 바치고 임금은 그 속에서 나온 심청이를 아내로 맞이한다. 황후가 된 심청이는 심 봉사를 다시 만나기 위해 맹인 잔치를 벌이고, 부녀가 마침내 재회하며 심 봉사는 눈을 뜬다.

• **사당**: 조상의 신주(神主)를 모셔 놓은 집.   • **여손**: 여자 후손.

– 작자 미상, 〈심청전〉 **미**

01

이 글에 나타난 고전 소설의 특징이 아닌 것은?

① 일대기적 구성: 심청의 일생을 다룬다.

② 전형적 인물: 심청은 효녀의 전형적 인물상이다.

③ 비현실적 요소: 심청이 연꽃 속에 들어가 환생하는 내용이 담겨 있다.

④ 행복한 결말: 심청은 황후가 되고 아버지는 눈을 뜬다.

⑤ 선악의 대립 구도: 심청의 희생을 외면하는 심 봉사와 딸 심청 사이에서 선악의 대립이 나타난다.

> **유형 해결 전략**
> 고전 소설의 특징에 대한 이해를 묻는 문제이다. **❶**□□□의 주제,
> **❷**□□, 구성, 사건이 지니는 특징을 이해하고, 이러한 특징이 이 글에 어떻게 나타나 있는지를 파악해 본다.

답 ❶ 고전 소설 **❷** 인물

02

㉠~㉤에 대한 이해로 적절하지 않은 것은?

① ㉠: 인신 공양이 있던 당시의 사회상을 짐작할 수 있다.

② ㉡: 상황을 모르는 심 봉사 때문에 비극성이 부각된다.

③ ㉢: 서술자가 사건에 대한 생각을 드러내고 있다.

④ ㉣: '꿈'은 심청을 구원할 초월적 존재의 출현을 암시한다.

⑤ ㉤: 아버지를 안심시키려는 심청의 효심이 드러난다.

> **유형 해결 전략**
> 글의 세부 내용에 대한 이해를 묻는 문제이다. 먼저 전체 지문 내용을 꼼꼼히 **❶**□□한 후, 이를 바탕으로 하여 ㉠~㉤에 대한 해석의 **❷**□□□을 파악하는 것이 필요하다.

답 ❶ 이해 **❷** 적절성

[03~04] 다음을 읽고 물음에 답하시오.

가 한 친구가 있었다. (중략)

그의 이름은 유재필(兪哉弼)이다. 1941년 홍성군 광천에서 태어나 보령군 대천에 와서 자라고 배웠다. 그리고 그 나머지는 서울에서 살았다. 그는 어려서부터 타고난 총기와 숫기로 또래에서 별쭝맞고 무리에서 두드러진 바가
<small>활발하여 부끄러워하지 않는 기운</small>
<small>말이나 하는 짓이 아주 별스럽고</small>
있어, 비색한 가운과 불우한 환경 속에서도 여러모로 일찍
<small>운수가 꽉 막힌</small> <small>집안의 운수</small>
터득하고 앞서 나아감에 따라 소년 시절은 장히 숙성하고,
<small>나이에 비하여 지각이나 발육이 빠르고</small>
청년 시절은 자못 노련하고, 장년에 들어서서는 속절없이 노성(老成)하였으니, 무릇 이것이 그가 보통 사람 가운데
<small>많은 경험을 쌓아 세상일에 익숙하였으니</small>
서도 항상 깨어 있는 삶을 살게 된 바탕이었다.

나 이른바 "세상 사람들의 걱정거리를 그들보다 앞서 걱정하고, 세상 사람들이 즐거워함을 본 연후에야 즐거움을 누린다[先天下之憂而憂 後天下之樂而樂]."라고 말한 선비적인 덕량(德量)의 본보기라 하지 않을 수 없는 친구였
<small>어질고 너그러운 마음씨나 생각</small>
다. / "이간감? 나 유가여."

그가 내게 전화를 할 때마다 매번 거르지 않던 첫마디였다. / 그렇지만 유가는 이미 다른 사람을 이르는 말이었다. 그는 유자(兪子)였다.

| 중간 부분 줄거리 | 유자는 군 제대 후 택시 운전을 하다 재벌 그룹 총수의 운전사가 되었다. 유자는 무명작가로 지내던 '나'를 10여 년 만에 불쑥 찾아왔고, 이후 직장에서 답답한 일을 '나'에게 하소연하고는 하였다. 어느 날 유자는 '나'에게 총수가 키우는 비단잉어에 대해 불편한 심기를 드러낸다.

다 "웬 늠으 잉어가 사람버덤 비싸다나?"

내가 기가 막혀 두런거렸더니,

"보통 것은 아닐러먼그려. ㉠뱉어낸메네또(베토벤)나 뭬라나를 틀어 주면 그 가락대루 따라서 허구, 차에코풀구싶어(차이콥스키)라나 뭬라나를 틀어 주면 또 그 가락대루 따라서 허구, 좌우간 곡을 틀어 주는 대루 못 추는 춤이 없는 순전 딴따라 고기닝께. 물고기두 꼬랑지
<small>'연예인'을 낮잡아 이르는 말</small> <small>'꽁지'를 낮잡아 이르는 말</small>
흔들어서 먹구 사는 물고기가 있다는 건 이번에 그 집에서 츰 봤구먼."

– 이문구, 〈유자소전〉 <small>신</small>

03

이 글에 대한 설명으로 적절하지 않은 것은?

① 사투리를 사용하여 향토적 정서를 나타내고 있다.

② 서술자가 대상에 대해 예찬적 태도를 보이고 있다.

③ 판소리계 소설에서 볼 수 있는 해학과 풍자가 나타난다.

④ 제목을 통해 전통적인 전(傳)의 형식을 차용하였음을 알 수 있다.

⑤ 다양한 인물의 생애와 그에 대한 평가를 병렬적으로 나열하고 있다.

> **유형 해결 전략**
> 작품의 서술상 특징과 구성상 특징을 묻는 문제이다. 먼저 이 글이 '❶____'라는 인물의 생애와 그에 대한 평가, 그의 일화를 전하고 있음을 이해한 후, 이러한 내용을 효과적으로 전달하기 위해 어떤 방법이 사용되었는지 선택지를 통해 정리해 본다.

<small>답 ❶ 유자</small>

04

㉠과 같이 언어유희가 사용된 것은?

① 춘향이 기가 막혀, / "내려오는 관장마다 모두 명관(名官)이로구나." – 〈춘향전〉

② 올라간 이 도령인지 삼 도령인지, 그놈의 자식은 일거후(一擧後) 무소식하니 – 〈춘향전〉

③ 층암절벽 높은 바위가 바람 분들 무너지며, 청송녹죽 푸른 나무가 눈이 온들 변하리까. – 〈춘향전〉

④ 날 찾는 이 그 뉘신고. 수양산의 백이숙제가 고비 캐자 날 찾는가, 소부 허유가 영천수에 귀 씻자고 날 찾는가 – 〈토끼전〉

⑤ 초상난 데 춤추기, 불붙는 데 부채질하기, 해산한 데 개 닭잡기, 정에 가면 억매 흥정하기, 집에서 몹쓸 노릇하기, 우는 아해 볼기치기 – 〈흥보전〉

> **유형 해결 전략**
> 글에 사용된 표현 방식을 묻는 문제이다. ㉠이 ❶____의 유사성을 이용한 ❷____가 사용된 부분임을 파악한 후, 이와 유사한 표현 방식이 쓰인 선택지를 찾는다.

<small>답 ❶ 발음 ❷ 언어유희</small>

[01~03] 다음을 읽고 물음에 답하시오.

| 앞부분 줄거리 | 심청은 아버지 심 봉사의 눈을 뜨게 하기 위해 남경 뱃사람들에게 공양미 삼백 석을 받고 인당수 제물이 되기로 한다. 심청이 심 봉사와 석별 인사를 마치고 뱃사람들을 따라 가려는데, 평소 심청을 수양딸로 여기며 보살펴 주었던 장 승상 댁 부인이 심청을 부른다.

승상 부인이 문밖에 내달아 소저의 손을 잡고 울며 말했다.

"네 이 무상한 사람아. 나는 너를 자식으로 알았는데 너는 나를 어미같이 알지를 않는구나. 쌀 삼백 석에 몸이 팔려 죽으러 간다 하니 효성이 지극하다마는, 네가 살아 세상에 있어 하는 것만 같겠느냐? 나와 의논했더라면 진작 주선해 주었지. 쌀 삼백 석을 이제라도 다시 내어 줄 것이니 뱃사람들 도로 주고 당치 않은 말 다시 말라."
〔주선: 일이 잘되도록 여러 가지 방법으로 힘씀.〕

하시니 심 소저가 여쭈었다.

"당초에 말씀 못 드린 것을 이제야 후회한들 무엇하겠습니까? 또한 부모를 위해 공을 드릴 양이면 어찌 남의 명분 없는 재물을 바라며, 쌀 삼백 석을 도로 내어 주면 뱃사람들 일이 낭패이니 그도 또한 어렵고, 남에게 몸을 허락하여 약속을 정한 뒤에 다시 약속을 어기면 못난 사람들 하는 짓이니, 그 말씀을 따르지 못하겠습니다. 하물며 값을 받고 몇 달이 지난 뒤에 차마 어찌 낯을 들어 무슨 말을 하겠습니까? 부인의 하늘 같은 은혜와 착하신 말씀은 저승으로 돌아가서 결초보은(結草報恩)하겠습니다."
〔결초보은: 죽은 뒤에라도 은혜를 잊지 않고 갚음을 이르는 말〕

하고 눈물이 옷깃을 적시니, 부인이 다시 보니 엄숙한지라, 하릴없이 다시 말리지 못하고 놓지도 못했다. 심 소저가 울며 여쭙기를,

"부인은 전생에 나의 부모라. 어느 날에 다시 모시겠어요? 글 한 수를 지어 정을 표하오니 보시면 아실 것입니다." (중략)

[A]
┌ 사람의 죽고 사는 게 한 꿈속이니
│ 정에 끌려 어찌 군이 눈물을 흘리랴마는
│ 세간에 가장 애끓는 곳이 있으니
└ 풀 돋는 강남에 사람이 돌아오지 못하는 일이라.

부인이 여러 번 붙들다가 글 짓는 것을 보시고,

"너는 과연 세상 사람 아니로다. 글은 진실로 선녀로다. 분명 인간의 인연이 다하여 상제께서 부르시니 네 어이 피할소냐."

– 작자 미상, 〈심청전〉 囲

---

01 심청에 대한 이해로 적절하지 <u>않은</u> 것은?

① 상대방의 상황을 이해하고 배려한다.

② 자신에게 은혜를 베푼 사람에게 감사할 줄 안다.

③ 당대의 유교적 이념에 이의를 제기하는 현실주의적인 인물이다.

④ 주체적으로 자신의 문제를 해결하려고 하는 적극적인 성격을 지녔다.

⑤ 부모를 위해 하는 일은 남의 힘이 아니라 스스로의 힘으로 해야 한다고 생각한다.

도움말

이 글에서 심청은 승상 부인에게 명분 없는 재산은 받을 수 없다는 점, ❶◻◻◻들의 일이 낭패가 된다는 점, ❷◻◻을 어기는 것은 잘못된 행동이라는 점을 들어 승상 부인의 제안을 거절하고 있다.

답 ❶ 뱃사람 ❷ 약속

02 이 글에서 [A]를 삽입한 효과로 적절하지 <u>않은</u> 것은?

① 인물의 심리를 인상적으로 전달한다.

② 이야기의 구성상 단조로움을 해소해 준다.

③ 인물 간의 갈등을 유발하는 계기를 제공한다.

④ 사건의 흐름을 잠시 중단시켜 긴장을 이완시킨다.

⑤ 이별을 앞둔 인물의 심리를 효과적으로 표현한다.

03 다음은 이 작품에 대한 두 학생의 대화이다. 대화의 흐름을 고려할 때 빈칸에 들어갈 알맞은 말을 쓰시오.

 해영
나는 자식이 부모보다 먼저 세상을 떠나는 것은 오히려 불효이며 비합리적인 선택이라고 생각해.

 지원
오늘날의 관점으로 보면 그럴 수 있어. 하지만 난 문학 작품 속 인물의 행동은 당시의 사회·문화적 상황과 가치관을 고려하여 이해해야 한다고 생각해. (   )하던 당시 사회에서 심청의 행동은 바람직한 것으로 여겨졌을 거야.

[04~07] 다음을 읽고 물음에 답하시오.

| 앞부분 줄거리 | 재벌 총수의 집에서 운전기사로 일하는 유자는 친구인 '나'에게 총수가 비상식적으로 비싼 비단잉어를 구입한 것에 불만을 표한다. 그런데 어느 날 비단잉어들이 떼죽음을 당하는 사건이 일어난다.

가 "어떻게 된 거야?"

한동안 넋 나간 듯이 서 있던 총수가 하고많은 사람 중에 하필이면 유자를 겨냥하며 물은 말이었다.

"글쎄유, ㉠아마 밤새에 고뿔이 들었던 개비네유."
'감기'를 일상적으로 이르는 말
유자는 부러 딴청을 하였다.

"뭐야? 물고기가 물에서 감기 들어 죽는 물고기두 봤어?"

총수는 그가 마치 혐의자나 되는 것처럼 화풀이를 하려 드는 것이었다. / 그는 비위가 상해서
마음에 거슬리어 아니꼽고 속이 상해서
"㉡그야 팔자가 사나서 이런 후진국에 시집와 살라니께 여라 가지루다 객고(客苦)가 쌓여서 조시두 안 좋았을 테
일본어에서 유래된 말로, '몸 상태가 좋지 않음.'을 의미함.
구…… 그런디다가 부룻쓰구 지루박이구 가락을 트는 대루 디립다 춰 댔으니께 과로해서 몸살끼두 다소 있었을 테구…… 본래 받들어서 키우는 새끼덜일수록이 다다 탈이 많은 법이니께……."

그는 시멘트의 독성을 충분히 우려내지 않고 고기를 넣은 것이 탈이었으려니 하면서도 부러 배참으로 의뭉을 떨었다.

나 "유 기사, 어제 그 고기들은 다 어떡했나?"

또 그를 지명하며 묻는 것이었다.

그는 아무렇지 않게 대답했다.

"한 마리가 황소 너댓 마리 값이나 나간다는디, ㉢아까워서 그냥 내뻗지기두 거시기허구, 비싼 고기는 맛두 괜찮겠다 싶기두 허구…… 게 비눌을 대강 긁어서 된장끼 좀 허구, 꼬치장두 좀 풀구, 마늘두 서너 통 다져 늫구, 멀국두 좀 있게 지져서 한 고뿌덜씩 했지유." / "뭣이 어쩌구 어째?" / "왜유?"
'컵'의 일본식 발음
"왜애유? 이런 잔인무도한 것들 같으니……."

총수는 분기탱천(憤氣撐天)하여 부쩌지를 못하였다. 보아
'부접을 못하다'의 방언형. 한곳에 붙어 배기거나 견디어 내지 못하다.
하니 아는 문자는 다 동원하여 호통을 쳤으면 하나 혈압을 생각하여 참는 눈치였다.

㉣"달리 처리헐 방법두 읎잖은감유." (중략)

㉤"그 불쌍한 것들을 저쪽 잔디밭에다 고이 묻어 주지 않고, 그래 그걸 술안주해서 처먹어 버려? 에이…… 에이…… 피두 눈물두 없는 독종들……."

다 "그리, 지져 먹어 보니 맛이 워떻타?" / 내가 물은 말이었

다. / "워떻기는 뭐가 워뗘…… 살이라구 허벅허벅헌 것이, 별맛도 읎더구만그려." / 하고 그는 다시 말을 이었다.
물기가 적고 퍼석퍼석한

"내가 독종이면 저는 말종인디…… 좌우지간 맛대가리 읎는 서양 물고기 한 사발에 국산 욕을 두 사발이나 먹구 났더니, 지금지금허구 해감내가 나더래두 이런 붕어 지지미 생
음식에 섞인 잔모래나 흙 따위가 가볍게 자꾸 씹히고
각이 절루 나길래 예까장 나오라구 했던겨."
여기까지
총수는 그 뒤로 그를 비롯하여 비단잉어를 나눠 먹었음 직한 대문 경비원이며, 보일러실 화부며, 자녀들 등·하교용 승용차 운전수며, 자택에서 근무하는 종업원들에게는 조석으로 눈을 흘기면서도, 비단잉어 회식 사건을 빌미로 인사이동을
직원, 사원, 군인의 지위나 근무 부서를 바꾸는 일
단행할 의향까지는 없는 것 같았다.

그는 하루바삐 총수의 승용차 운전석을 떠나고 싶었다. (중략) 그런 위선자에게 이렇듯 매인 몸으로 살 수밖에 없는 구차스러운 삶이 칙살맞고 가련하지 않을 수가 없었다.
하는 짓이나 말 따위가 얄밉게 잘고 더럽고

– 이문구, 〈유자소전〉 신

04 A~C에 대한 설명으로 적절하지 않은 것은?

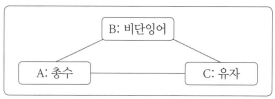

```
        B: 비단잉어
       /          \
A: 총수  ——————  C: 유자
```

① A와 C는 B에 대한 생각 차이로 갈등을 겪고 있다.

② A는 B에는 지극정성을 보이나 C에게는 고압적인 태도로 일관한다.

③ A는 B에게 일어난 일에 대한 책임을 물어 C를 쫓아내려 하고 있다.

④ B는 A와 C의 갈등의 원인이자 A의 허영심과 사치를 드러내는 소재이다.

⑤ C는 A와 갈등을 겪은 이후로 자신의 직업에 수치심을 느끼게 되었다.

05 이 글의 서술상 특징으로 적절하지 <u>않은</u> 것은?

① 대화를 통해 인물의 성격과 심리를 드러낸다.
② 충청도 사투리를 통해 토속적 정서를 불러일으킨다.
③ 비속어의 사용으로 인물에게 친근감을 느끼게 한다.
④ 비꼬는 어투를 사용해 해학과 풍자의 효과를 거둔다.
⑤ 부정적 인물의 외양을 우스꽝스럽게 묘사하여 풍자의 효과를 거둔다.

06 〈보기〉를 참고할 때, 이 글의 마지막에 덧붙일 만한 말로 가장 적절한 것은?

> ● 보기 ●
>
> 전(傳)은 한 인물의 생애와 업적을 기록하고 평가를 덧붙인 것으로 전통 서사 양식의 하나이다. 인물의 평생을 그리고, 서술자의 평가를 덧붙인다.

① 유자, 겉모습만 그럴듯한 보잘것없는 위선자!
② 유자, 우정을 소중히 여기는 의리 있는 사나이!
③ 유자, 뛰어난 임기응변과 처세술을 지닌 지략가!
④ 유자, 어려움을 딛고 사회적 성취를 이룬 승리자!
⑤ 유자, 허영과 위선을 경계하고 인간을 중시한 사람!

07 ㉠~㉢에 대한 이해로 적절하지 <u>않은</u> 것은?

① ㉠: 엉뚱한 말을 함으로써 값비싼 비단잉어들을 사들인 총수의 행동에 대한 비판을 드러낸다.
② ㉡: 웃음을 유발하는 엉뚱한 표현으로 비단잉어를 죽게 만든 자신의 잘못을 숨기고 있다.
③ ㉢: 값비싼 비단잉어를 물고기 이상으로 여기지 않는 유자의 생각이 드러난다.
④ ㉣: 총수의 눈치를 보지 않고 제 할 말을 다 하는 능청스럽고 태연한 성격이 드러난다.
⑤ ㉤: 비단잉어는 불쌍해하면서 직원들에게는 인색하게 구는 총수의 위선적인 면모가 드러난다.

도움말

유자는 **①** 가 죽은 원인이 **②** 의 독성 때문이라고 짐작하지만 일부러 총수에게 말을 하지 않으면서 총수의 허영심을 비꼬고 약 올리고 있다.

目 ❶ 비단잉어 ❷ 시멘트

[08~09] 다음을 읽고 물음에 답하시오.

| 앞부분 줄거리 | 원미동의 땅값이 많이 올랐지만, 강 노인은 자신의 땅을 끝까지 팔지 않고 계속하여 농사를 짓는다. 강 노인의 땅을 개발하여 동네 땅값이 오르기를 간절히 원하는 부동산 박 씨와 그의 부인 고흥댁은 유 사장에게 땅을 팔라고 강 노인을 회유한다.

가 "여름마다 똥 냄새 풍겨 주는 밭으로 두고 있으니 평당 백만 원 이상으로 팔아넘기기가 그리 쉬운 일입니까. 이제는 참말이지 더 이상 **땅값이** 오를 수가 **없게** 돼 있다 이 말씀입니다. 아, 모르십니까. 팔팔 올림픽 전에 북에서 쳐들어올 확률이 높다고 신문 방송에서 떠들어 쌓으니 이삼천짜리 집들도 매기가 뚝 끊겼다 이 말입니다."

상품을 사려는 분위기

"영감님도 욕심 그만 부리고 이만한 가격으로 임자 나섰을 때 후딱 팔아 치우시요. 영감님이 아무리 기다리셔도 인자 더 이상 오르기는 어렵다는디 왜 못 알아들으실까잉. 경국이 할머니도 팔아 치우자고 저 야단인디……."

고흥댁은 이제 강 노인 마누라까지 쳐들고 나선다. 강 노인은 아무런 대꾸도 없이 일하던 자리로 돌아가 버린다. 그 등에 대고 박 씨가 마지막으로 또 한마디 던졌다.

어떤 사실을 입에 올려서 말하고

"아직도 유 사장 마음은 이 땅에 있는 모양이니께 금액이야 영감님 마음에 맞게 잘 조정해 보기로 하고, 일단 결정해 뿌리시요!"

땅값 따위에는 관계없이 땅을 팔지 않겠다는 의사 표현을 누차 했건만 박 씨의 말본새는 언제나 저 모양이다. 서울 것들이란. 박 씨 내외가 복덕방 안으로 들어가 버린 뒤에야 그는 한마디 내뱉는다.

말하는 태도나 모양새

| 중간 부분 줄거리 | 강 노인은 땅 문제로 동네 사람들과 갈등을 겪고 있었다. 강 노인이 밭에 인분을 뿌리는 것이 불만인 마을 사람들은 겨울마다 밭에 연탄재를 내다 버리는 것으로 불만을 표시한다. 인분 냄새와 더불어 집값 상승에 방해가 되는 강 노인의 밭에 불만이 극에 달한 동네 사람들이 대책을 마련하기 위하여 반상회를 개최하지만 강 노인은 참석하지 않고, 마을 사람들은 강 노인을 압박해 온다.

나 세상에 이런 법은 없었다. 이제 손가락만 한 고추 모종이 깔려 있는 밭에 여기저기 연탄재들이 나뒹굴고 있지 않은가. 겨울 빈 밭에 내다 버리는 것이야 그럴 수 있다 치더라도 목숨이 붙어

자라고 있는 밭에 연탄재를 내던진 것은 명백히 짐승의 처사였다. 반상회 끝의 독기 어린 동네 사람들이 저지른 것임은 대번에 알 수 있었지만 아무리 그렇다 하여도 이런 짓거리까지 해 댈 줄이야 짐작도 못 했던 강 노인이었다. 수십 덩어리의 **연탄재 폭격**을 당해 짓뭉개진 모종이 한 고랑만 해도 숱했다. 세상에 막된 인종들……. 강 노인은 주먹코를 씰룩이며 밭으로 달려들어 가서 닥치는 대로 연탄재를 길가에 내던졌다.

다 밭이 그 지경이라는데도 마누라는 천하태평이다. 강 노인은 어이가 없어 그만 입을 다물어 버린다. 마누라는 이때다 싶은지 또 한차례 오금을 박는다. 어제 다녀간 복덕방 박 씨의
<small>다른 사람에게 함부로 말이나 행동을 하지 못하게 단단히 이르거나 으르다.</small>
의미심장한 충고가 생각나서였다.

　"팔육인가 팔팔인가 땜에 도로 주변 미화 사업이 한창이라는데 밭농사를 그냥 두고 보겠수? 팔팔 전에는 어차피 이곳에다가 뭐 은행도 짓고 병원도 짓게끔 계획되어 있다고 그럽디다. 시에다 팔면 금이나 제대로 쳐줍디까? 그 전에 제 가격 받고……." / "시끄러!"

　마누라 입을 봉해 놓고서 강 노인은 이내 밭으로 되돌아왔다. 한 포기라도 살릴 수 있는 만큼은 건져 내야 할 고추 모종들 때문에 한시가 급한 강 노인이었다.

| 중간 부분 줄거리 | 반상회에 참석한 강 노인 큰며느리의 실언으로 동네에는 강 노인이 땅을 팔 것이라는 소문이 퍼진다. 그러자 아들과 며느리에게 돈을 빌려줬던 동네 사람들이 땅 판 돈으로 그 빚을 대신 갚아 달라며 강 노인에게 몰려들고, 강 노인은 결국 땅을 팔기로 마음먹는다.

라 땅에서 뽑혀 나와 잠깐 만에 이파리들이 축 늘어져 버린 잡초를 새삼스레 들여다보다가 강 노인은 시름없이 밭을 둘러보았다.
<small>근심과 걱정으로 맥이 없이</small>

　그러고 보니 어제오늘 고추 모종에 물을 주지 못한 게 생각났다. 아욱이야 그런대로 잘 자랐지만 마누라가 덤덤해하니 억센 겉잎이 밀고 올라오기 시작했다. 꽂아 놓은 개나리 가지에 움터 오던 노란 잎도 가뭄에 시달려 밥티처럼 오그라 붙었다. 햇살은 푸지게 내리쬐고, 아이들은 지물포 옆에 옹기종기 모여서 땅따먹기 놀이를 하고 있었다. 강 노인은 큼큼 헛기침을 해 가며 **강남 부동산**으로 걸어갔다. 그러다 이내 되돌아서서 집을 향해 바쁜 걸음을 옮긴다. 암만해도 물 한 통쯤은 져 날라서 우선 이것들 목이나 축여 줘야겠다는 생각이었다.

– 양귀자, 〈마지막 땅〉 <small>비(박영)</small>

08 이 글의 서술상 특징으로 적절한 것은?

① 서술자가 자신의 과거를 회상하며 내면세계를 직접 드러내고 있다.

② 서술자가 작중 인물로 등장하여 특정 인물을 관찰하며 사건을 전달하고 있다.

③ 서술자가 인물의 내면세계를 묘사하며 인물이 처한 갈등 상황을 제시하고 있다.

④ 서술자가 해설이나 평가 없이 등장인물의 대화와 행동을 관찰하여 전달하고 있다.

⑤ 서술자가 작품 속 부수적 인물로 등장하여 특정 인물의 내면을 주관적으로 추측해 전달하고 있다.

09 다음을 바탕으로 하여 이 글을 감상한 내용으로 적절하지 **않은** 것은?

> 1980년대는 도시화가 급격히 이루어지던 시기였다. 이로 인해 서울에 인구가 집중되자 주택 수요가 급상승하였고, 부동산 투기까지 심해지자 주택난이 가열되었다. 이를 해결하기 위해 정부는 택지 개발 사업을 추진하였다. 서울 근교의 농경지들은 대규모 아파트 단지로 개발되기 시작하였고, 이러한 흐름 속에서 땅에 대한 인식 또한 변화하게 되었다.

① '더 이상 땅값이 오를 수가 없'기 때문에 땅을 팔아야 한다는 박 씨는 땅을 부를 축적하기 위한 수단으로 보고 있군.

② 강 노인의 밭에 '연탄재 폭격'을 한 동네 사람들은 개인적 이익이 땅이 지닌 전통적 가치에 우선한다고 생각하는군.

③ '팔육인가 팔팔인가 땜에 도로 주변 미화 사업이 한창'이라는 부분에서 1980년대 도시화가 진행되던 시기임을 알 수 있군.

④ 땅을 팔기로 결심하고 '강남 부동산'으로 향하는 강 노인은 땅이 이익 창출의 수단일 뿐이라고 생각을 바꾸게 되었군.

⑤ 나라에 강제로 땅을 팔게 되기 전에 '제 가격 받고' 땅을 팔자는 강 노인의 아내는 땅이 지닌 현실적 가치를 중요하게 생각하는군.

[1] 다음을 읽고 물음에 답하시오.

시조 동명 성제는 성은 고씨(高氏)고, 이름은 주몽(朱蒙)이다. 이에 앞서, 북부여의 왕 해부루가 동부여로 피해 가 살았는데, 부루가 죽자 금와가 자리를 이어받았다. 금와는 그때 한 여자를 태백산 남쪽 우발수에서 만났는데, 그녀가 이렇게 말했다.

"저는 하백의 딸 유화입니다. 동생들과 놀러 나왔을 때 한 남자가 나타나 자신이 천제의 아들 해모수라고 하면서 웅신산 아래 압록강 가에 있는 집으로 유혹하여 사통(私通)하고는 저를 버리고 떠나가서 돌아오지 않습니다. 부모는 제가 중매도 없이 다른 사람을 따라간 것을 꾸짖어 이곳으로 귀양을 보내 살도록 했습니다."

금와가 괴이하게 여겨 유화를 방 안에 남몰래 가두었더니 햇빛이 비추었다. 그녀가 피하자 햇빛이 따라와 또 비추었다. 이로 말미암아 임신하여 알을 하나 낳았는데 크기가 다섯 되쯤 되었다. 왕이 알을 개와 돼지에게 던져 주었지만 모두 먹지 않았고, 길에다 버렸으나 말과 소가 피해 갔으며, 들판에 버리니 ⍟새와 짐승이 덮어 주었다. 왕은 알을 깨뜨리려고 했지만 깨지지 않았으므로 유화에게 돌려주었다. 유화가 천으로 알을 부드럽게 감싸 따뜻한 곳에 두자 아이가 껍질을 깨고 나왔는데 골격과 겉모습이 영특하고 기이했다.

겨우 일곱 살에 용모와 재략이 비범했으며, 스스로 활과 화살을 만들어 백 번 쏘아 백 번 맞추었다. 나라의 풍속에 활 잘 쏘는 사람을 주몽이라 했으므로 이로써 이름을 삼았다.

– 작자 미상, 〈주몽 신화〉 금, 해

1 〈보기〉에서 ⍟의 역할을 하는 인물로 알맞은 것은?

> • 보기 •
> 명나라 때 이부 시랑 홍무는 나이가 사십이 되도록 자식이 없었으나 부인 양 씨의 꿈에 선녀가 나타난 후 딸 계월을 얻게 되었는데 이 아이가 대단히 총명하였다. 계월이 다섯 살 때, 장사랑의 반란이 일어나 난리 속에 부모와 헤어져 죽을 위기에 처했으나 여공의 도움으로 목숨을 건진다. 여공은 계월을 남장시키고 이름을 평국으로 고친다. 평국과 여공의 아들 보국은 과거에 급제한다.
> – 작자 미상, 〈홍계월전〉 비(박영)

① 홍무　　② 부인 양 씨　　③ 여공

④ 평국　　⑤ 보국

[2] 다음을 읽고 물음에 답하시오.

| 앞부분 줄거리 | 심청은 아버지의 눈을 뜨게 할 공양미 삼백 석을 마련하려고 인당수에 바칠 제물이 되기로 하고, 사정을 알게 된 심 봉사는 슬퍼한다.

"참말이냐, 참말이냐? 애고 애고, 이게 웬 말인고? 못 가리라, 못 가리라. 네가 날더러 묻지도 않고 네 마음대로 한단 말이냐? 네가 살고 내가 눈을 뜨면 그는 마땅히 할 일이나, 자식 죽여 눈을 뜬들 그게 차마 할 일이냐? 너의 어머니 늦게야 너를 낳고 초이레 안에 죽은 뒤에, 눈 어두운 늙은 것이 품 안에 너를 안고 이집 저집 다니면서 구차한 말 해 가면서 동냥젖 얻어 먹여 이만치 자랐는데, 내 아무리 눈 어두우나 너를 눈으로 알고, 너의 어머니 죽은 뒤에 걱정 없이 살았더니 이 말이 무슨 말이냐? 마라 마라, 못 하리라. 아내나 죽고 자식 잃고 내 살아서 무엇하리? 너하고 나하고 함께 죽자. 눈을 팔아 너를 살 터에 너를 팔아 눈을 뜬들 무엇을 보려고 눈을 뜨리?

어떤 놈의 팔자길래 사궁지수(四窮之首) 된단 말이냐? 네 이놈 상놈들아! 장사도 좋지마는 사람 사다 제사하는 데 어디서 보았느냐? 하느님의 어지심과 귀신의 밝은 마음 앙화가 없겠느냐? 눈먼 놈의 무남독녀 철모르는 어린아이 나 모르게 유인하여 값을 주고 산단 말이냐? 돈도 싫고 쌀도 싫다, 네 이놈 상놈들아. / 옛글을 모르느냐? 칠년대한(七年大旱) 가물 적에 사람으로 빌라 하니 탕 임금 어지신 말씀, '내가 지금 비는 바는 사람을 위함인데 사람 죽여 빌 양이면 내 몸으로 대신하리라.' 몸소 희생되어 몸을 정히 하여 상림 뜰에 빌었더니 수천 리 너른 땅에 큰비가 내렸느니라. 이런 일도 있었으니 내 몸으로 대신 감이 어떠하냐? 여보시오 동네 사람, 저런 놈들을 그저 두고 보오?"

– 작자 미상, 〈심청전〉 미

2 이 글의 특징으로 적절하지 않은 것은?

① 평민들의 일상적인 구어가 사용되었다.

② 내용과 언어 면에서 양면성이 나타난다.

③ 반복과 대구를 사용하여 리듬감을 주고 있다.

④ 동음이의어를 활용한 언어유희로 웃음을 유발한다.

⑤ 한문투, 고사의 활용 등 상층 계급의 취향을 고려한 부분이 나타난다.

[3~5] 다음을 읽고 물음에 답하시오.

국철을 타고 앉아 가다가
㉠문득 알아들을 수 없는 말이 들려 살피니
아시안 젊은 남녀가 건너편에 앉아 있었다
늦은 봄날 더운 공휴일 오후
나는 잔무하러 사무실에 나가는 길이었다
저이들이 무엇하려고
국철을 탔는지 궁금해서 쳐다보면
서로 마주 보며 떠들다가 웃다가 귓속말할 뿐
㉡나를 쳐다보지 않았다
모자 장사가 모자를 팔러 오자
천 원 주고 사서 번갈아 머리에 써 보고
㉢만년필 장사가 만년필을 팔러 오자
천 원 주고 사서 번갈아 손바닥에 써 보는 저이들
문득 나는 ㉣천박한 호기심이 발동했다는 생각이 들어서
황급하게 차창 밖으로 고개 돌렸다
국철은 강가를 달리고 너울거리는 수면 위에는
깃털 색깔이 다른 새 여러 마리가 물결을 타고 있었다
나는 아시안 젊은 남녀와 천연하게
동승하지 못하고 있어 낯짝 부끄러웠다
국철은 회사와 공장이 많은 노선을 남겨 두고 있었다
㉤저이들도 일자리로 돌아가는 중이지 않을까

– 하종오, 〈동승〉 금 , 비(박영)

4 ㉠~㉤에 대한 반응으로 적절하지 <u>않은</u> 것은?

지연
① ㉠: 화자가 아시안 젊은 남녀에게 불쾌감을 느끼게 된 계기이군.

재현
② ㉡: 화자와는 달리 다른 이들에 대해 호기심을 느끼지 않는 모습이야.

은재
③ ㉢: 아시안 젊은 남녀가 우리와 다를 바 없는 평범한 일상을 보내는 한 장면이네.

지율
④ ㉣: 화자는 단순히 외국인이라는 이유로 자신이 호기심을 가졌음을 인식하고 부끄러워하고 있어.

성우
⑤ ㉤: 화자는 아시안 젊은 남녀 역시 직장에 가는 노동자라고 생각하며 동질감을 확인하고 있어.

3 다음 설명에 해당하는 시행을 찾아 쓰시오.

> 화자와는 대조적인 모습을 통해 화자의 부끄러움을 심화하는 자연물로, 서로 다름에도 불구하고 차이를 의식하지 않는 태도를 상징한다.

_____

_____

5 다음은 이 시와 〈보기〉에서 드러나는 화자의 태도의 공통점을 정리한 것이다. ⓐ, ⓑ에 들어갈 알맞은 말을 각각 쓰시오.

> • 보기 •
>
> 동남아인 두 여인이 소곤거렸다
> 고향 가는 열차에서
> 나는 말소리에 귀 기울였다 (중략)
> 내가 슬쩍 곁눈질하니
> 머리 기대고 졸다가 언뜻 잠꼬대하는데
> 여전히 알아들을 수 없는 외국 말이었다
> 두 여인이 동남아 어느 나라 시골에서
> 우리나라 시골로 시집왔든 간에
> 내가 왜 공연히 호기심 가지는가
> 한참 자고 난 아기 둘이 칭얼거리자
> 두 여인이 깨어나 등 토닥거리며 달랬었다
> 한국말로, / 울지 말거레이 / 집에 다 와 간데이
>
> – 하종호, 〈원어〉 천(이)

> 이 시와 〈보기〉의 화자는 모두 외국인에게 공연한
> (ⓐ)을/를 가진 자신의 태도를 (ⓑ)하고 있다.

창의·융합·코딩 전략 ①

[1~2] 다음을 읽고 물음에 답하시오.

가 고전 소설을 읽다 보면 조선 시대의 사회 체제 아래 이와 같은 생각과 행동을 할 수 있을까 싶을 정도의 인물들이 등장한다. 생각했던 것보다 훨씬 강하게 중세 체제를 비판하고 그것에 저항하는 인물을 만날 수 있다. 이를 개인 간의 관계로 보면, 지체가 낮거나 나이 어린 사람이 권위 있고 지체가 높은 상대에게 지나친 행동을 하는 모습이 심심찮게 나타난다. 가령 ㉠ 의 행동은 상당히 당돌한 것이라 하겠다. (중략)

당돌하다는 말의 긍정적 의미를 주목한다면, 소설이라는 미적 형상화의 산물과 결부되어 그 말에는 아름다움의 요인이 들어 있는 듯하다. 소설 속에서 당돌한 인물을 만나면 우리는 그로부터 무엇인가 시대를 앞서 나가는 의식과 자세를 보게 된다. 기존의 것에 안주하지 않고 무엇인가 새롭고 좀 더 나은 것을 추구하려는 마음과 태도가 당돌한 모습으로 드러난 것이겠다. 이러한 진취적인 태도는 자신에게 당당하거나 세상과 당차게 맞서는 모습으로 나타난다.

– 신재홍, 〈당돌함의 미학〉 천(이)

나 │앞부분 줄거리│ 보국의 애첩 영춘이 계월에게 예를 갖추지 않아 계월이 그의 목을 베게 하는 사건이 벌어지고, 이로 인해 보국과 계월은 갈등을 겪게 된다.

이때 보국은 계월이 영춘을 죽였다는 말을 듣고 분함을 이기지 못해 부모에게 아뢰었다.

"계월이 전날은 대원수 되어 소자를 중군장으로 부렸으니 군대에 있을 때에는 소자가 계월을 업신여기지 못했사옵니다. 하지만 지금은 계월이 소자의 아내이오니 어찌 소자의 사랑하는 영춘을 죽여 제 마음을 편안하지 않게 할 수가 있단 말이옵니까?"

여공이 이 말을 듣고 만류했다.

"계월이 비록 네 아내는 되었으나 벼슬을 놓지 않았고 기개가 당당하니 족히 너를 부릴 만한 사람이다. 그러나 예로써 너를 섬기고 있으니 어찌 마음씀을 그르다고 하겠느냐? 영춘은 네 첩이다. 자기가 거만하다가 죽임을 당했으니 누구를 한하겠느냐? 또한 계월이 잘못해 궁노(宮奴)나 궁비(宮婢)를 죽인다 해도 누가 계월을 그르다고 책망할 수 있겠느냐? 너는 조금도 염려하지 말고 마음을 변치 마라."

– 작자 미상, 〈홍계월전〉 미, 비(박영)

1 다음은 (가)의 글쓴이와 (나)에 대해 진행한 가상 인터뷰이다. 적절하지 않은 것은?

학생
> 홍계월을 당돌한 인물로 볼 수 있을까요?

글쓴이
> 네, 그렇습니다. ① 홍계월은 여성임에도 대원수로 전쟁에 참여하여 공을 세웁니다. 또한 ② 남편을 부하로 부리면서 남성보다 우월한 능력을 보이죠. ③ 중세가 철저한 남성 중심 사회였다는 점을 고려하면 홍계월은 시대를 앞서 가는 의식을 지녔다고 볼 수 있습니다.

학생
> 홍계월이 남편 보국의 애첩을 죽인 사건도 그녀의 당돌함과 관련이 있다고 봐야 할까요?

글쓴이
> ④ 예의를 갖추지 않았다는 이유로 남편의 첩을 죽여 버릴 정도로 홍계월은 자신의 생각을 행동으로 옮기는 당찬 기질을 지닌 인물입니다. ⑤ 그러므로 기존의 가치관을 상징하는 여공이나 보국 등과 같은 인물과의 갈등은 필연적으로 일어나게 되겠죠.

도움말

(나)에서 **❶** 은 남편의 권위를 내세워 계월의 처사를 비난하고 있으나 **❷** 은 계월의 능력이 보국보다 우월함을 인정하고 있다.

답 **❶** 보국 **❷** 여공

2 ㉠에 제시하기에 적절한 예가 아닌 것은?

① 〈만복사저포기〉에서 불상 앞에서 부처에게 내기를 거는 '양생'

② 〈심청전〉에서 심 봉사의 눈을 뜨게 하기 위해 인당수에 몸을 던진 '심청'

③ 〈춘향전〉에서 신분이 높은 변 사또 앞에서 자기 뜻을 굽히지 않은 '춘향'

④ 〈최척전〉에서 최척에게 반해 직접 편지를 써 사랑을 표현하여 혼인을 주도했던 '옥영'

⑤ 〈홍길동전〉에서 스스로 잡혀 와 조선의 왕 앞에서 쇠줄을 끊고 공중으로 사라진 '홍길동'

[3~4] 다음을 읽고 물음에 답하시오.

이때에 어사또 부하들과 내통한다. ㉠서리를 보고 눈길을 보내니 서리, 중방 거동 보소. 역졸을 불러 단속할 제 이리 가며 수군, 저리 가며 수군수군. 서리, 역졸 거동 보소. 외올망건 공단 모자 새 패랭이 눌러쓰고, 석 자 감발 새 짚신에 한삼 고의 산뜻하게 차려입고, 육모 방망이 사슴 가죽끈을 손목에 걸어 쥐고, 여기서 번쩍 저기서 번쩍, 남원읍이 우글우글. 청과 역졸 거동 보소. 달 같은 마패를 햇빛같이 번쩍 들어,

"암행어사 출도야."

외치는 소리에 강산이 무너지고 ㉡천지가 뒤집히는 듯 초목금수(草木禽獸)인들 아니 떨랴. 남문에서, / "출도야."

북문에서, / "출도야."

㉢동서문 출도 소리 청천(靑天)에 진동하고,

"모든 아전들 들라."

외치는 소리에 육방(六房)이 넋을 잃어,

"공형이오."

등채로 휘닥딱.

"애고 죽겠다."

"공방. 공방."

공방이 자리 들고 들어오며,

"안 하겠다던 공방을 하라더니 저 불속에 어찌 들랴."

등채로 휘닥딱. / "애고 박 터졌네."

좌수(座首), 별감(別監) 넋을 잃고 이방, 호방 혼을 잃고 나졸들이 분주하네. 모든 수령 도망갈 제 거동 보소. 인궤 잃고 강정 들고, 병부(兵符) 잃고 송편 들고, 탕건 잃고 용수 쓰고, 갓 잃고 소반 쓰고, 칼집 쥐고 오줌 누기, 부서지는 것은 거문고요 깨지는 것은 북과 장고라. 본관 사또가 똥을 싸고 멍석 구멍 생쥐 눈 뜨듯 하고, 안으로 들어가서,

"㉣어 추워라. 문 들어온다 바람 닫아라. 물 마르다 목 들여라." (중략)

어사또 분부하되,

"너 같은 년이 수절한다고 관장(官長)에게 포악하였으니 살기를 바랄쏘냐. 죽어 마땅하되 내 수청도 거역할까?"

춘향이 기가 막혀,

"㉤내려오는 관장마다 모두 명관(名官)이로구나. 어사또 들으시오. 층암절벽 높은 바위가 바람 분들 무너지며, 청송 녹죽 푸른 나무가 눈이 온들 변하리까. 그런 분부 마옵시고 어서 바삐 죽여 주오."

― 작자 미상, 〈춘향전〉 천(박) · 금 · 동 · 신 · 지 · 창 · 해

3 다음은 ㉠~㉤에 대한 영우의 해석을 보고 정은이 적절성 여부를 판단한 표이다. 정은의 판단이 적절하지 **않은** 것은?

	영우의 해석	정은의 판단
①	㉠은 특정 장면을 요약적으로 제시하고 있어.	X
②	㉡은 서술자가 상황에 대한 주관적 평가를 드러내고 있어.	O
③	㉢은 판소리계 소설의 특징인 3음보의 운율이 느껴져.	X
④	㉣은 언어유희를 통해 해당 인물에 대한 긍정적인 시선을 드러내고 있어.	O
⑤	㉤은 반어적 표현을 활용해 인물의 심리를 효과적으로 드러내고 있어.	O

도움말

〈춘향전〉은 ❶ □□□ 로 창작되어 불리던 〈춘향가〉를 소설로 기록한 작품으로, ❶ □□□ 의 특징을 많이 보이고 있다.

답 ❶ 판소리

4 〈보기〉를 참고하여 이 글의 주제를 서술하시오.

보기

〈춘향전〉의 주제는 여러 가지로 해석해 볼 수 있어요. 예를 들면 ⓐ 춘향과 몽룡의 관계를 중심으로 볼 때의 주제와, 춘향에게 수청을 들라고 강요하는 ⓑ 변 사또에 대한 민중들의 시선을 중심으로 볼 때의 주제가 있죠.

조건

· 〈보기〉의 ⓐ, ⓑ 측면에서 볼 때의 주제를 각각 쓸 것
· '〈춘향전〉은 첫째, ~와/과, 둘째, ~(이)라는 주제를 담고 있다.'의 문장 형식으로 쓸 것

도움말

〈춘향전〉의 서사 구조는 크게 춘향과 몽룡의 ❶ □□ 이야기와 불의한 지배 계층인 ❷ □□□ 에 춘향이 대립하는 이야기로 이루어진다. 두 이야기의 결말을 떠올리며 이 글의 주제를 파악해 본다.

답 ❶ 사랑 ❷ 변 사또

[5~6] 다음을 읽고 물음에 답하시오.

가 마을에서 젊은 축에 드는 마흔다섯 살의 황영석은 황만근이 벽돌을 찍고 구덩이를 파서 지은 마을 회관 변소에서 분뇨를 퍼내면서 황만근의 부재를 알게 되었다.

"만그이 자석이 있었으마 내가 돈을 백만 원 준다 캐도 이런 일을 안 할 낀데. 아이구, 이 망할 놈의 똥 냄새, 여리가 싸 놔 그런지 독하기도 하네. 이기 곡석한테 독이 될지 약이 될지도 모르겠구마." / 황만근이 있었으면 군말 없이 했을 일이었다. 늘 그렇듯이 벙글벙글 웃으면서.

"만그이가 있었으모 저 거름이 우리 밭으로 올 낀데, 만그이가 도대체 어데 갔노."

마을 회관 곁 조그만 밭에 채소를 심어 먹는 여씨 노인도 황만근의 부재를 알게 되었다. 황만근은 마을 공통의 분뇨를, 역시 자신이 판 마을 공통의 분뇨장으로 가져가서 충분히 익힌 뒤에, 공평하게 나누어 주었다. 황영석처럼 제가 펐다고 바로 제 밭에 가져다가 뿌리지는 않았다. 특히 여씨 노인처럼 일찍 남편을 잃고 혼잣몸이 된 노인들에게는, 알고 그러는지 모르고 그러는지 더 자주 거름을 가져다주었다.

나 전날 밤, 분명 꿈은 아니었다. 민 씨는 황만근의 말을 이렇게 들었다. / "농사꾼은 빚을 지마 안 된다 카이."

(한번 빚을 지면 그 빚을 갚으려고 무리하게 일을 벌인다. 동네 곳곳에 텅 빈 우사(牛舍), 마른 똥만 뒹구는 축사, 잡초만 무성한 비닐하우스를 보라. 농어민 복지, 소득 향상, 생활 개선? 다 좋다. 그걸 제 돈으로 해야 한다. 제 돈으로 하지 않으면 그건 노름이나 다를 바 없다. 빚은 만근산의 눈덩이, 처마의 고드름처럼 자꾸 커진다.) (중략)

"지 입에 들어갈 양석(양식), 곡석을 짓는 사람이 그 고마운 곡석, 양석한테 장난치겠나. 저도 남도 해로운 농약 뿌리고 비싸고 나쁜 비료 쳐서 보기만 좋은 열매를 뺐으마 그마이가?"

(모두 빚을 갚기 위해 그러는 것이다. 그러므로 빚을 제 주머니에서 아들 용돈 주듯이 내주는 사람, 기관은 다 농사꾼을 나쁘게 만든다. 정책 자금, 선심 자금, 농어촌 구조 개선 자금, 주택 개량 자금, 무슨 무슨 자금 해서 빌려줄 때는 인심 좋게 빌려주는 척하더니 이제 와서 그 자금이 상환 능력도 없는 사람들을 파산 지경으로 몰아넣고 있다. 이제 와서 그 빚을 못 갚겠다고 하는데 거기에는 충분한 이유가 있다.)

"내가 왜 안 졌니야고. 아무도 나한테 빚 준다고 안 캐. 바보라고 아무도 보증 서라는 이야기도 안 했다. 나는 내 짓고 싶은 대로 농사지민서 안 망하고 백 년을 살 끼라."

– 성석제, 〈황만근은 이렇게 말했다〉 천(박)

5 이 글에 등장하는 황만근에 대한 설명으로 알맞은 것을 〈보기〉에서 모두 고르시오.

• 보기 •
㉠ 자신의 입장만 생각하는 이기적인 인물이다.
㉡ 약자를 배려할 줄 아는 배려심 있는 인물이다.
㉢ 마음은 착하지만 농사나 동네 일에 서툰 인물이다.
㉣ 마을의 궂은일을 도맡아 하는 봉사심이 강한 인물이다.
㉤ 마을 회관 변소에서 나온 거름을 골고루 동네에 나누어 주는 공평무사한 인물이다.

도움말
황만근은 혼잣몸이 된 **❶**□□ 들에게 더 자주 **❷**□□ 을 가져다주는 인물이다.

답 ❶ 노인 **❷** 거름

6 (나)와 〈보기〉를 바탕으로 하여 (나)에 담긴 사회·문화적 가치를 서술하시오.

• 보기 •
(나)에서 알 수 있는 농사일에 대한 황만근의 생각을 정리해 보자.

그는 전통적인 농업, 소자본, 노동 집약적 농업을 지지하는가?
그렇다 / 아니다

그는 농업 효율화를 위한 정부의 자금 대출 정책을 긍정적으로 보는가?
그렇다 / 아니다

• 조건 •
완결된 한 문장으로 쓸 것

도움말
(나)에서 서술자는 **❶**□□ 가 들은 황만근의 말 중 인상적인 것은 직접 인용하고, 나머지는 요약하거나 해석하여 괄호 안에 서술하였다. 이를 통해 **❷**□□ 에 대한 황만근의 생각을 파악할 수 있다.

답 ❶ 민 씨 **❷** 농사

[7~8] 다음을 읽고 물음에 답하시오.

이런 돼지가 살았다지요 반들거리는 검은 털에 날렵한 주둥이를 가진, 유난히 흙의 온기를 좋아하여 흙이랑 노는 일을 제일로 즐거워했다는군요 기른다는 것이 실은 서로 길드는 것이어서 이 지방 사람들은 통시*라는 거처를 마련했다지요 인간의 배변 장소와 돼지우리가 함께 있는 아주 재미난 방인 셈인데요 지붕을 덮지 않은 널찍한 호를 파고 지푸라기 조금 깔아 준 방 안에서 이 짐승은 눈비 맞고 흙과 똥과 뒹굴면서 비바람 햇볕을 고스란히 살 속에 아로새기게 되었다는데요 음식물 찌꺼기며 설거지물까지 버릴 것 없이 모아 둔 큰 독 속에서 한때 빛나던 것들이 제힘으로 다시 빛날 때 발효한 이 먹이를 돼지가 먹고 돼지의 배설물은 보리밭 거름으로 이쁜 보리들을 길렀다는데요 그래도 이 짐승의 주식이 사람의 똥이었던 것은 생명은 생명에게 공양*되는 법이라 행여 남아 있을 산 것들의 온기가 더럽고 하찮은 것으로 취급될까 두려운 때문이 아니었는지 몰라

나라의 높은 분이 보기에 미개하여 시멘트 네 포대씩 무상 지급한 때가 있었다는데요 문명국의 지표인 변소를 개량하라 다그쳤다는데요 흔적이나마 통시가 아직 남아 내 몸속의 방을 향해 손 내밀어 주는 것은, 똥 누고 먹는 일이 한가지로 행해지는 그곳을 신이 거주하는 장소라 여긴 하늘 가까운 섬 사람들이 있었기 때문입니다

– 김선우, 〈신의 방〉 천(박)

- **통시**: 제주 지역에서 변소와 돼지우리가 하나로 되어 있는 공간.
- **공양**: ① 부처 등에게 음식, 꽃 따위를 바치는 일. ② 절에서 음식을 먹는 일.

7 다음은 이 시에 나타난 생명의 순환 과정을 도식화한 것이다. ㉠, ㉡에 들어갈 알맞은 시어를 이 시에서 찾아 쓰시오.

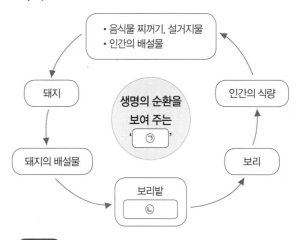

도움말
이 시의 내용에 따르면 인간이 버린 음식물 찌꺼기, 설거지물, 인간의 배설물을 **❶** 가 먹고, 그 돼지의 배설물은 거름이 되어 **❷** 를 기를 때 쓰이며, 그 거름으로 자란 보리가 다시 인간의 식량이 됨으로써 생명이 순환한다.

답 **❶** 돼지 **❷** 보리

8 〈보기〉와 이 시의 화자가 공통적으로 강조하는 사회 · 문화적 가치로 가장 적절한 것은?

> **보기**
>
> 늦가을 배추 포기 묶어 주며 보니
> 그래도 튼실하게 자라 속이 꽤 찼다
> — 혹시 배추벌레 한 마리
> 이 속에 갇혀 나오지 못하면 어떡하지?
> 배추벌레에게 반 넘어 먹히고도
> 속은 점점 순결한 잎으로 차오르는
> 배추의 마음이 뭐가 다를까
> 배추 풀물이 사람 소매에도 들었나 보다
>
> – 나희덕, 〈배추의 마음〉에서

① 모든 살아 있는 생명은 더불어 지내야 한다.
② 외부의 시련에도 자존감을 잃지 않아야 한다.
③ 인간도 자연처럼 시련을 극복해야 성장할 수 있다.
④ 자연을 개발하여 여유롭고 풍족한 삶을 살아야 한다.
⑤ 자연 속에서 여유를 즐기며 살아가는 자세가 필요하다.

도움말
이 시의 '통시'는 생명이 생명에게 공양되는 공간으로 **❶** 과 **❷** 이 공생하는 곳이다.

답 **❶** 인간 **❷** 자연

한국 문학의 흐름과 특징 한눈에 보기

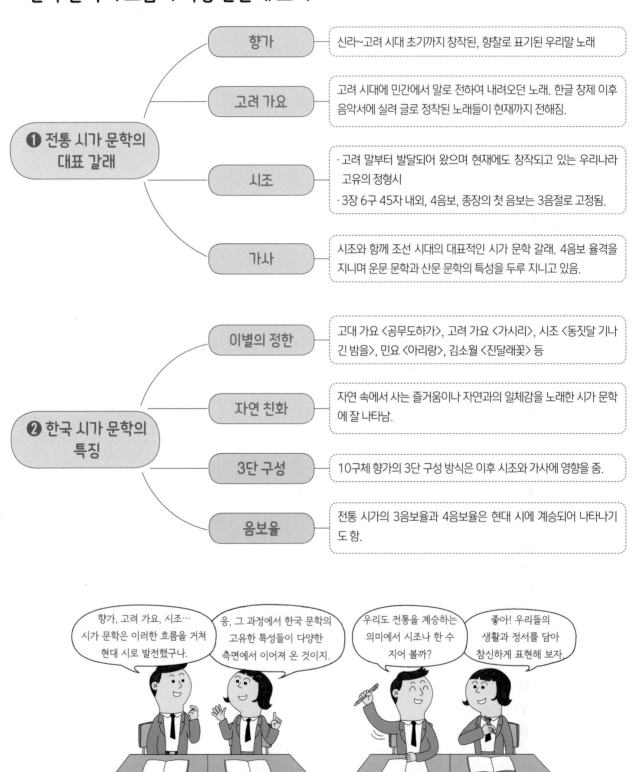

❶ 전통 시가 문학의 대표 갈래

향가 — 신라~고려 시대 초기까지 창작된, 향찰로 표기된 우리말 노래

고려 가요 — 고려 시대에 민간에서 말로 전하여 내려오던 노래. 한글 창제 이후 음악서에 실려 글로 정착된 노래들이 현재까지 전해짐.

시조 — · 고려 말부터 발달되어 왔으며 현재에도 창작되고 있는 우리나라 고유의 정형시
· 3장 6구 45자 내외, 4음보, 종장의 첫 음보는 3음절로 고정됨.

가사 — 시조와 함께 조선 시대의 대표적인 시가 문학 갈래. 4음보 율격을 지니며 운문 문학과 산문 문학의 특성을 두루 지니고 있음.

❷ 한국 시가 문학의 특징

이별의 정한 — 고대 가요 〈공무도하가〉, 고려 가요 〈가시리〉, 시조 〈동짓달 기나긴 밤을〉, 민요 〈아리랑〉, 김소월 〈진달래꽃〉 등

자연 친화 — 자연 속에서 사는 즐거움이나 자연과의 일체감을 노래한 시가 문학에 잘 나타남.

3단 구성 — 10구체 향가의 3단 구성 방식은 이후 시조와 가사에 영향을 줌.

음보율 — 전통 시가의 3음보율과 4음보율은 현대 시에 계승되어 나타나기도 함.

> 향가, 고려 가요, 시조… 시가 문학은 이러한 흐름을 거쳐 현대 시로 발전했구나.

> 응, 그 과정에서 한국 문학의 고유한 특성들이 다양한 측면에서 이어져 온 것이지.

> 우리도 전통을 계승하는 의미에서 시조나 한 수 지어 볼까?

> 좋아! 우리들의 생활과 정서를 담아 참신하게 표현해 보자.

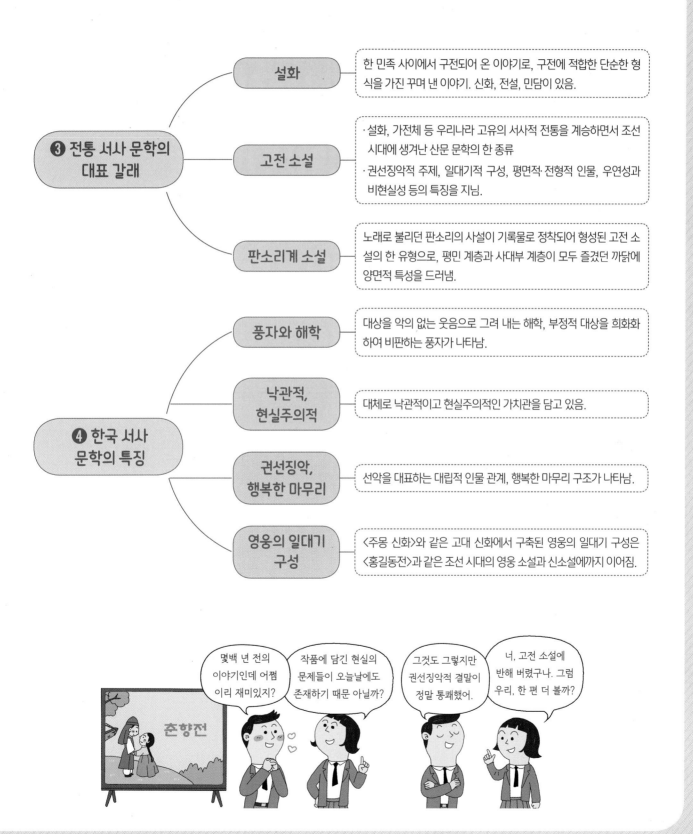

❸ 전통 서사 문학의 대표 갈래

설화
한 민족 사이에서 구전되어 온 이야기로, 구전에 적합한 단순한 형식을 가진 꾸며 낸 이야기. 신화, 전설, 민담이 있음.

고전 소설
· 설화, 가전체 등 우리나라 고유의 서사적 전통을 계승하면서 조선 시대에 생겨난 산문 문학의 한 종류
· 권선징악적 주제, 일대기적 구성, 평면적·전형적 인물, 우연성과 비현실성 등의 특징을 지님.

판소리계 소설
노래로 불리던 판소리의 사설이 기록물로 정착되어 형성된 고전 소설의 한 유형으로, 평민 계층과 사대부 계층이 모두 즐겼던 까닭에 양면적 특성을 드러냄.

❹ 한국 서사 문학의 특징

풍자와 해학
대상을 악의 없는 웃음으로 그려 내는 해학, 부정적 대상을 희화화하여 비판하는 풍자가 나타남.

낙관적, 현실주의적
대체로 낙관적이고 현실주의적인 가치관을 담고 있음.

권선징악, 행복한 마무리
선악을 대표하는 대립적 인물 관계, 행복한 마무리 구조가 나타남.

영웅의 일대기 구성
〈주몽 신화〉와 같은 고대 신화에서 구축된 영웅의 일대기 구성은 〈홍길동전〉과 같은 조선 시대의 영웅 소설과 신소설에까지 이어짐.

몇백 년 전의 이야기인데 어쩜 이리 재미있지?

작품에 담긴 현실의 문제들이 오늘날에도 존재하기 때문 아닐까?

그것도 그렇지만 권선징악적 결말이 정말 통쾌했어.

너, 고전 소설에 반해 버렸구나. 그럼 우리, 한 편 더 볼까?

춘향전

신유형·신경향·서술형 전략

[01~04] 다음을 읽고 물음에 답하시오.

가 생사(生死) 길은
　　예 있으매 머뭇거리고,
　　나는 간다는 말도
　　못다 이르고 어찌 갑니까.
　　어느 가을 ㉠이른 바람에
　　이에 저에 ㉡떨어질 잎처럼,
　　㉢한 가지에 나고
　　가는 곳 모르온저.
　　아아, 미타찰(彌陀刹)에서 만날 나
　　도(道) 닦아 기다리겠노라.

　　　　　　　　　– 월명사, 〈제망매가〉 동 , 미 , 비(박안) , 비(박영) , 신

나 ㉣돌하 노피곰 도도샤
　　어긔야 머리곰 비취오시라
　　어긔야 어강됴리
　　아으 다롱디리
　　져재 녀러신고요
　　어긔야 ㉤즌 ᄃᆡ를 드ᄃᆡ욜셰라
　　어긔야 어강됴리
　　어느이다 노코시라
　　어긔야 내 가논 ᄃᆡ 졈그롤셰라
　　어긔야 어강됴리
　　아으 다롱디리

　　　　　　　　　– 어느 행상인의 아내, 〈정읍사〉 창

01

(가), (나)에 대한 설명으로 적절하지 않은 것은?

① (가)와 (나)는 모두 노랫말과 함께 배경 설화가 전한다.
② (가)와 (나)는 모두 내용상 3단 구성으로 시상을 전개하였다.
③ (가)는 (나)와 달리 직유법을 활용해 시적 대상을 비유하였다.
④ (가)는 (나)와 달리 의문형 문장으로 화자의 정서를 드러내었다.
⑤ (나)는 (가)와 달리 여음구를 활용해 운율을 형성하였다.

02

다음을 바탕으로 (가), (나)를 감상한 내용이 적절하지 않은 것은?

> 고전 시가는 이별의 상황을 노래한 작품이 많다. 이별의 이유는 죽음일 수도 있고, 임의 변심일 수도 있고, 단순히 임이 오지 않는 상황이기 때문일 수도 있다. 이별의 상황에서 화자는 자신의 정서를 직접적으로 드러내기도 하며, 간접적으로 에둘러 표현하기도 한다. 어떤 화자는 적극적으로 재회에의 의지를 보이기도 하고, 또 어떤 화자는 수동적으로 임이 돌아오기를 바라고만 있기도 한다.

① (가)의 화자가 시적 대상과 이별하게 된 이유는 시적 대상의 죽음 때문이라고 추측할 수 있겠어.
② (가)의 화자는 이별의 상황에 대한 안타까움의 정서를 비유를 통해 간접적으로 표현하고 있어.
③ (가)의 화자는 시적 대상과의 재회에 대해 굳은 믿음을 드러내고 있어.
④ (나)의 화자는 시장에 간 임이 조만간 돌아올 것이라는 확신적 태도를 보이고 있어.
⑤ (나)의 화자는 임이 위험에 빠졌을 상황에 대한 두려움을 직접적으로 표현하고 있어.

03

(가)와 〈보기〉의 화자가 이별의 상황에서 공통적으로 보이는 태도를 서술하시오.

> **• 보기 •**
> 　우리는 만날 때에 떠날 것을 염려하는 것과 같이 떠날 때에 다시 만날 것을 믿습니다.
> 　아아, 님은 갔지마는 나는 님을 보내지 아니하였습니다.
> 　제 곡조를 못 이기는 사랑의 노래는 님의 침묵을 휩싸고 돕니다.
>
> 　　　　　　　　　　– 한용운, 〈님의 침묵〉에서

도움말
〈보기〉와 관련하여 불교의 '회자정리 거자필반 (會者定離 去者必返)'을 떠올릴 수 있는데, 이는 ❶[　　　]이 있으면 ❷[　　　]이 있지만 또 다시 만나게 된다는 의미로 받아들일 수 있다.

답 ❶ 만남 ❷ 이별

04

㉠~㉤에 대한 이해로 적절하지 <u>않은</u> 것은?

① ㉠: 시적 대상이 요절하였음을 암시한다.

② ㉡: 인간의 유한한 삶을 상징한다.

③ ㉢: 화자와 시적 대상이 혈육임을 의미한다.

④ ㉣: 화자의 감정을 객관화하기 위해 동원된 자연물로, 감정 면에서 화자와 대비를 이룬다.

⑤ ㉤: '위험한 곳'의 의미로 해석할 수도 있고, '남편을 유혹하는 다른 여성이 있는 곳'으로 해석할 수도 있다.

[05~07] 다음을 읽고 물음에 답하시오.

가 매운 계절(季節)의 채찍에 갈겨
　마침내 북방(北方)으로 휩쓸려 오다.

하늘도 그만 지쳐 끝난 고원(高原)
서릿발 칼날진 그 위에 서다

어데다 무릎을 꿇어야 하나?
한발 재겨디딜 곳조차 없다.

이러매 눈 감아 생각해 볼밖에
겨울은 강철로 된 무지갠가 보다.

　　　　　　　　　　　　– 이육사, 〈절정〉 금, 신, 지

나 까마득한 날에
　하늘이 처음 열리고
　어데 닭 우는 소리 들렸으랴

모든 산맥들이
바다를 연모해 휘달릴 때도
차마 이곳을 범하던 못하였으리라

끊임없는 광음을
부지런한 계절이 피어선 지고
큰 강물이 비로소 길을 열었다

지금 눈 나리고
매화 향기 홀로 아득하니
㉠내 여기 가난한 노래의 씨를 뿌려라

다시 천고의 뒤에
백마 타고 오는 초인이 있어
㉡이 광야에서 목 놓아 부르게 하리라

　　　　　　　　　　　　– 이육사, 〈광야〉 천(박)

05

(가), (나)의 표현상 특징에 대한 설명으로 적절하지 <u>않은</u> 것은?

① (가)는 (나)와 달리 현재형 시제나 단어의 기본형을 활용하여 시행을 종결하고 있다.

② (나)는 (가)와 달리 표면에 드러난 시적 화자가 자신의 의지를 분명히 드러내고 있다.

③ (나)는 (가)와 달리 '과거 → 현재 → 미래'의 시간의 흐름에 따라 시상을 전개하고 있다.

④ (나)는 (가)와 달리 한 연을 구성하는 시행의 길이가 점점 길어지는 배열을 보이고 있다.

⑤ (가)와 (나)는 모두 역설적 표현을 활용하여 시적 상황에 대한 화자의 태도를 효과적으로 드러내고 있다.

도움말

(가)의 화자는 [❶　　　]과도 같은 차갑고 비정한 금속성의 이미지와 [❷　　　]의 황홀한 이미지를 결합하여 비극적이면서도 황홀한 느낌을 표현하고 있다.

답 ❶ 강철 ❷ 무지개

06

서술형

다음을 참고할 때, ㉠, ㉡에서 알 수 있는 시적 화자의 삶의 태도를 서술하시오.

이육사는 국운이 기울던 1904년에 태어나, 해방 한 해 전(1944년)에 감옥에서 사망하였다. 그는 어려서 유학자인 조부 아래에서 공부하였으며 커서는 항일 운동가로서 활동하였다. 만 23세에는 조선은행 대구 지점 폭발물 사건에 관련되어 옥살이를 하였는데, 당시 수인 번호가 264번이었다. 호 '육사'는 여기에서 비롯되었다고 한다.

07

기출 변형 2018학년도 3월 고2 학력평가

다음은 (가), (나)에 대한 선생님의 설명이다. ⓐ, ⓑ에 들어갈 말이 적절하게 짝 지어진 것은?

> (가)와 (나)는 모두 시상 전개에서 '공간'이 중요한 역할을 하고 있습니다. 시적 공간은 시인이 주제를 형상화하기 위해 설정한 곳으로, 우리가 생활하는 일상적 공간과는 성격이 다릅니다. 시적 공간은 그 의미를 파악하여 시를 읽을 경우 감상의 실마리가 되어 주기도 하죠. (가)에서는 '북방'의 '고원', (나)에서는 '광야'가 그러한 시적 공간입니다.
>
> 이육사는 (가), (나)의 시적 공간에 특정한 의미를 부여했습니다. (가)의 '북방'의 '고원'은 (ⓐ)을, (나)의 '광야'는 (ⓑ)을 의미합니다.

	ⓐ	ⓑ
①	높고 좁은 공간으로, 극한의 상황을 상징하는 공간	광대한 공간으로, 무한한 가능성을 지닌 공간
②	높고 좁은 공간으로, 극한의 상황을 상징하는 공간	민족사가 시작된 신성한 공간으로, 암담하지만 희망을 가지고 의지를 다지는 공간
③	하늘을 넘어서는 무한대의 공간으로, 인간은 범접할 수 없는 공간	민족사가 시작된 신성한 공간으로, 암담하지만 희망을 가지고 의지를 다지는 공간
④	하늘을 넘어서는 무한대의 공간으로, 인간은 범접할 수 없는 공간	광대한 공간으로, 무한한 가능성을 지닌 공간
⑤	상상의 공간으로, 화자에게 성찰의 기회를 주는 긍정적인 공간	다른 이들과 함께 시련을 극복하고자 하는 의지를 다지는 공간

도움말

(가), (나)가 쓰인 시대 상황을 고려할 때, 두 시에서 묘사되는 시적 상황은 고난 및 시련과 관련됨을 알 수 있다. (가)는 그러한 ❶ 의 고난 상황에서의 초극 의지를, (나)는 그러한 부정적 현실을 극복하는 의지와 희망찬 ❷ 에 대한 확신을 노래하고 있다.

답 ❶ 극한 ❷ 미래

[08~10] 다음을 읽고 물음에 답하시오.

[앞부분 줄거리] 숙종 즉위 초, 전라도 남원에 사는 퇴기 월매는 성 참판과의 사이에서 춘향을 낳아 정성껏 기른다. 춘향은 남원 부사의 아들 이몽룡과 사랑에 빠져 백년가약을 맺지만 이몽룡은 아버지를 따라 춘향을 두고 한양으로 떠난다. 그 후, 남원 부사로 부임한 변학도가 춘향에게 수청을 강요하지만 춘향은 이를 거부하다 옥에 갇힌다. 한양으로 올라갔던 이몽룡은 전라도 어사가 되어 남원으로 향하던 중, 변 사또의 가혹한 정치와 춘향의 하옥 소식을 듣게 된다. 걸인으로 위장해 변 사또의 생일잔치에 참석했던 이몽룡은 암행어사가 되어 나타난다.

"암행어사 출도야."

외치는 소리에 강산이 무너지고 천지가 뒤집히는 듯 초목금수(草木禽獸)인들 아니 떨랴. (중략)

좌수(座首), 별감(別監) 넋을 잃고 이방, 호방 혼을 잃고 나졸들이 분주하네. 모든 수령 도망갈 제 거동 보소. 인궤 잃고 강정 들고, 병부(兵符) 잃고 송편 들고, 탕건 잃고 용수 쓰고, 갓 잃고 소반 쓰고, 칼집 쥐고 오줌 누기. 부서지는 것은 거문고요, 깨지는 것은 북과 장고라. ㉠본관 사또가 똥을 싸고 멍석 구멍 새앙쥐 눈 뜨듯 하고, 안으로 들어가서,

㉡"어 추워라. 문 들어온다 바람 닫아라. 물 마르다 목 들여라." (중략)

이때 어사또 분부하되,

"이 골은 대감이 좌정하시던 골이라. 잡소리를 금하고 객사(客舍)로 옮겨라."

자리에 앉은 후에,

"본관 사또는 봉고파직하라." / 분부하니,

"본관 사또는 봉고파직이오."

사대문(四大門)에 방을 붙이고 옥형리 불러 분부하되,

"네 골 옥에 갇힌 죄수를 다 올리라."

호령하니 죄인을 올린다. 다 각각 죄를 물은 후에 죄가 없는 자는 풀어 줄새,

"저 계집은 무엇인고?" / 형리 여쭈오되,

"기생 월매의 딸이온데 관청에서 포악한 죄로 옥중에 있삽내다." / "무슨 죄인고?"

형리 아뢰되,

"본관 사또 수청 들라고 불렀더니 수절이 정절이라. 수청 아니 들려 하고 사또에게 악을 쓰며 달려든 춘향이로소이다." / 어사또 분부하되,

"너 같은 년이 수절한다고 관장(官長)에게 포악하였으니 살기를 바랄쏘냐. 죽어 마땅하되 내 수청도 거역할까?"

춘향이 기가 막혀,

"내려오는 관장마다 모두 명관(名官)이로구나. 어사또 들으시오. 충암절벽 높은 바위가 바람 분들 무너지며, 청송녹죽 푸른 나무가 눈이 온들 변하리까. 그런 분부 마옵시고 어서 바삐 죽여 주오." / 하며,

"향단아, 서방님 어디 계신가 보아라. 어젯밤에 옥 문간에 와 계실 제 천만당부 하였더니 어디를 가셨는지 나 죽는 줄 모르는가."

어사또 분부하되 / "얼굴 들어 나를 보라."

하시니 춘향이 고개 들어 위를 살펴보니, 걸인으로 왔던 낭군이 분명히 어사또가 되어 앉았구나. 반 웃음 반 울음에,

"얼씨구나 좋을시고. 어사낭군 좋을시고. 남원 읍내 가을이 들어 떨어지게 되었더니, 객사에 봄이 들어 이화춘풍(李花春風) 날 살린다. 꿈이냐 생시냐? 꿈을 깰까 염려로다."

한참 이리 즐길 적에 춘향 어미 들어와서 가없이 즐겨 하는 말을 어찌 다 설화(說話)하랴.

춘향의 높은 절개 광채 있게 되었으니 어찌 아니 좋을쏜가. 어사또 남원의 공무 다한 후에 춘향 모녀와 향단이를 서울로 데려갈새, 위의(威儀)가 찬란하니 세상 사람들이 누가 아니 칭찬하랴. 이때 춘향이 남원을 하직할새, 영귀(榮貴)하게 되었건만 고향을 이별하니 일희일비(一喜一悲)가 아니 되랴.

– 작자 미상, 〈춘향전〉 천(박) , 금 , 동 , 신 , 지 , 창 , 해

08

이 글에 대한 이해로 적절하지 않은 것은?

① 판소리계 소설로, 산문과 함께 운문의 성격도 띠고 있다.

② 서술자가 개입하여 사건이나 인물에 대해 주관적으로 평가하고 있다.

③ 가상의 시간과 공간을 배경으로 하여 당시 평민의 욕구를 대리 충족해 주고 있다.

④ 상징적 어휘와 비유를 활용하여 인물의 생각과 가치관을 효과적으로 드러내고 있다.

⑤ 특정 장면에서 비슷한 내용을 여러 가지 나열함으로써 한 장면을 자세하게 표현하고 있다.

09

기출 변형 2021학년도 3월 고1 학력평가

〈보기〉를 바탕으로 하여 이 글을 감상한 내용으로 적절하지 않은 것은?

● 보기 ●

이 글은 판소리로 불리던 〈춘향가〉를 바탕으로 하여 기록된 고전 소설로, 바람직한 사랑의 모습에 대한 시대적 가치관이 반영되어 있다. 사랑하던 두 연인이 외부 요인으로 헤어지게 되었을 때, 고난 속에서도 사랑을 지켜 나가고 또 다시 재회하여 사랑을 완성하는 과정을 통해 주제 의식을 구현하고 있는 것이다.

① '춘향'에게 변 사또가 수청을 들라고 강요한 것은 '춘향'의 사랑이 고난에 처했음을 의미하겠어.

② '춘향'이 변 사또의 요구를 거절한 것은 정절을 지키는 것을 칭송하던 사회 분위기가 반영된 것이겠어.

③ '몽룡'이 '춘향'의 정절을 시험하는 것은 '춘향'의 지조와 절개를 강조하는 장치라고 할 수 있어.

④ '몽룡'이 어사또가 되어 나타나 '변 사또'를 봉고파직하는 것은 '춘향'의 고난이 끝나는 계기가 되겠어.

⑤ '몽룡'이 춘향에게 수청을 요구한 행위는 '춘향'이 '몽룡'에 대한 진정한 사랑을 깨닫게 하기 위한 필수적인 과정이겠어.

10

서술형

㉠, ㉡이 웃음을 유발하는 방식과 이를 통해 드러나는 인물의 심리를 서술하시오.

● 조건 ●

• ㉠, ㉡이 웃음을 유발하는 방식을 각각 따로 쓸 것

• ㉠, ㉡을 통해 공통적으로 드러나는 인물의 심리를 쓸 것

도움말

〈춘향전〉은 평민이 주로 창작하고 향유했던 판소리계 소설로, 웃음을 유발하는 ❶ 과 풍자가 두드러지는 문학 갈래이다. 주로 과장된 표현이나 소리의 유사성 또는 언어 도치 등을 활용한 ❷ 를 활용해 이를 드러내었다.

답 ❶ 해학 ❷ 언어유희

[11~14] 다음을 읽고 물음에 답하시오.

한 친구가 있었다.

그냥 보면 그저 그렇고 그런 보통 사람에 불과한 친구였다.

그러나 여느 사람처럼 이 땅에 그런 사람이 있는지 마는지 하게 그럭저럭 살다가 제물에 흐지부지하고 몸을 마친 예사 허릅숭이는 아니었다.

그의 이름은 유재필(俞哉弼)이다. 1941년 홍성군 광천에서 태어나 보령군 대천에 와서 자라고 배웠다. 그리고 그 나머지는 서울에서 살았다. 그는 어려서부터 타고난 총기와 숫기로 또래에서 별쭝맞고 무리에서 두드러진 바가 있어, 비색(否塞)한 가운과 불우한 환경 속에서도 여러모로 일찍 터득하고 앞서 나아감에 따라 소년 시절은 장히 숙성하고, 청년 시절은 자못 노련하고, 장년에 들어서는 속절없이 노성(老成)하였으니, 무릇 이것이 그가 보통 사람 가운데서도 항상 깨어 있는 삶을 살게 된 바탕이었다. (중략)

그는 유자(俞子)였다.

[중간 부분 줄거리] '유자'가 민물고기를 파는 식당으로 나를 불러내고, '유자'가 운전기사로 일하는 기업의 총수와 있었던 이야기를 해 준다.

"어떻게 된 거야?" / 한동안 넋 나간 듯이 서 있던 총수가 하고많은 사람 중에 하필이면 유자를 겨냥하며 물은 말이었다.

"글쎄유, 아마 밤새에 고뿔이 들었던 개비네유."

유자는 부러 딴청을 하였다.

"뭐야? 물고기가 물에서 감기 들어 죽는 물고기두 봤어?"

총수는 그가 마치 혐의자나 되는 것처럼 화풀이를 하려 드는 것이었다. / 그는 비위가 상해서

[A]
"그야 팔자가 사나서 이런 후진국에 시집와 살라니께 여러 가지루다 객고(客苦)가 쌓여서 조디두 안 좋았을 테구…… 그런디다가 부룻쓰구 지루박이구 가락을 트는 대루 디립다 춰 댔으니께 과로해서 몸살끼두 다소 있었을 테구…… 본래 받들어서 키우는 새끼덜일수록이 다다 탈이 많은 법이니께……." (중략)

그는 총수가 그랬다고 속상해할 만큼 속이 옹색한 편이 아니었다. / 그렇지만 오늘 아침에 들은 말만은 쉽사리 삭일 수가 없었다. / 총수는 연못이 텅 빈 것이 못내 아쉬운지 식전마다 하던 정원 산책도 그만두고 연못가로만 맴돌더니,

"유 기사, 어제 그 고기들은 다 어떡했나?"

또 그를 지명하며 묻는 것이었다.

그는 아무렇지 않게 대답했다.

"한 마리가 황소 너댓 마리 값이나 나간다는디, 아까워서 그냥 내뻔지기두 거시기허구, 비싼 고기는 맛두 괜찮겠다 싶기두 허구…… 게 비늘을 대강 긁어서 된장끼 좀 허구, 꼬치장두 좀 풀구, 마늘두 서너 통 다져 늫구, 멀국도 좀 있게 지져서 한 고뿌덜씩 했지유."

"뭣이 어쩌구 어째?" / "왜유?"

"왜애유? 이런 잔인무도한 것들 같으니……."

총수는 분기탱천하여 부쩌지를 못하였다. 보아하니 아는 문자는 다 동원하여 호통을 쳤으면 하나 혈압을 생각하여 참는 눈치였다. / "달리 처리헐 방법두 웂잖은감유."

총수의 성깔을 덧들이려고 한 말이 아니었다. 그가 할 수 있는 것이 그 방법 말고는 없었기 때문에 그렇게 뒷동을 달은 거였다.

총수는 우악스럽고 무식하기 짝이 없는 아랫것들하고 따따부따해 봤자 공연히 위신이나 흠이 가고 득될 것이 없다고 판단했는지, 숨결이 웬만큼 고루 잡힌 어조로,

"그 불쌍한 것들을 저쪽 잔디밭에다 고이 묻어 주지 않고, 그래 그걸 술안주해서 처먹어 버려? 에이…… 에이…… 피두 눈물두 없는 독종들……."

하고 혼잣말처럼 중얼거리면서 들어가 버리는 것이었다.

– 이문구, 〈유자소전〉 신

11

이 글의 서술상 특징으로 가장 적절한 것은?

① 3인칭 서술자가 주인공의 심리 상태를 추측하고 있다.

② 시대적 배경을 자세히 묘사하여 당대의 사회를 비판하고 있다.

③ 충청도 방언을 활용하여 인물 간의 대립을 더욱 첨예하게 드러내고 있다.

④ 인물 간의 갈등이 심화되고 해소되는 과정을 인물의 대사를 통해 드러내고 있다.

⑤ 주인공에 대해 작품 안의 서술자가 직접 평가하는 방식을 취해 주제 의식을 드러내고 있다.

도움말

작품 제목의 '❶ ⬚ ⬚ (小傳, 줄여서 간략하게 쓴 전기)'이라는 표현과 작품 첫머리의 유재필에 대한 소개를 통해 이 글이 한문 문체의 하나인 '❷ ⬚ '의 양식을 차용하였음을 알 수 있다.

답 ❶ 소전 ❷ 전

12

기출 변형 2021학년도 9월 고2 학력평가

다음은 이 글의 '작가 노트'를 가상으로 작성한 것이다. 이를 참고하여 이 글을 감상한 내용으로 적절하지 <u>않은</u> 것은?

내 오랜 친구인 유재필을 주인공으로 해서 소설을 써 봐야겠어. '나'를 서술자로 설정하고, 많이 배우지는 못했지만 생각이 깊고 곧은 친구에 대한 존경의 의미가 담긴 별명을 활용해야지. 친구와 대조적인 특성을 지닌 인물과의 일화를 소개하면 친구가 지닌 덕성이 더 잘 드러날 수 있을 거야. 인간을 무엇보다 중시했던 나의 친구가 자신과 대척점에 있는 인물을 조롱하는 모습을 통해 요즘 세태에 대한 비판적 메시지를 전할 수도 있겠어.

① '총수'는 '유자'와 대조적인 특성을 지닌 인물이군.

② 서술자는 화가 난 '총수'에게 능청스럽게 대답하는 '유자'의 모습을 긍정적으로 평가하겠군.

③ 비상식적으로 비싼 비단잉어에 더 가치를 두는 '총수'는 물질 만능주의에 빠진 요즘 세태를 연상하게 하는군.

④ 이미 죽은 잉어를 먹은 '사람들'을 '독종'이라며 비난하는 '총수'는 작가가 비판적으로 바라보는 인물이겠군.

⑤ 서술자는 '총수'가 비단잉어의 생명을 중시하는 모습을 통해 생명을 경시하는 현대인들을 비판하고자 하는군.

도움말

이 글에서 유재필은 서술자가 '❶　　　'라고 높여 부를 정도로 덕성을 지닌 사람으로 제시된다. 반면 총수는 사치스럽고 허영심이 있으며 인간을 소중하게 여길 줄 모르는 인물로 ❷　　　의 대상이다.

답 ❶ 유자 ❷ 비판

13

기출 변형 2021학년도 9월 고1 학력평가

[A]에 대한 이해로 가장 적절한 것은?

① 비단잉어가 죽어 상심한 '총수'의 마음을 위로하는 발화이다.

② 비단잉어에게 음악을 들려 준 '총수'의 행동을 옹호하는 발화이다.

③ 비단잉어를 더 귀하게 키우지 못한 '총수'의 태만함을 질책하는 발화이다.

④ 비단잉어가 죽은 원인에 대한 사실적 정보를 '총수'에게 전달하는 발화이다.

⑤ 상대방에 대한 반발심을 직접적으로 드러내지 않으면서 그의 태도를 지적하는 발화이다.

14

이 글과 〈보기〉를 비교하여 감상한 내용으로 적절하지 <u>않은</u> 것은?

• 보기 •

이 녀석의 장인님을 하고 눈에서 불이 퍽 나서 그 아래 밭 있는 넝알로 그대로 떼밀어 굴려 버렸다.

기어오르면 굴리고 굴리면 기어오르고 이러길 한 너덧 번을 하며, 그럴 적마다

"부려만 먹구 왜 성례 안하지유!"

나는 이렇게 호령했다. (중략)

한번은 장인님이 헐떡헐떡 기어서 올라오더니 내 바지가랭이를 요렇게 노리고서 담박 움켜잡고 매달렸다. 악, 소리를 치고 나는 그만 세상이 다 팽그르 도는 것이

"빙장님! 빙장님! 빙장님!"

"이 자식! 잡아먹어라, 잡아먹어!"

"아! 아! 할아버지! 살려 줍쇼, 할아버지!"

하고 두 팔을 허둥지둥 내절 적에는 이마에 진땀이 쭉 내솟고 인젠 참으로 죽나 보다 했다.

– 김유정, 〈봄·봄〉 천(박), 금, 동, 지, 해

① 이 글과 〈보기〉는 모두 인물의 말이나 행동을 해학적으로 묘사하고 있다.

② 이 글과 〈보기〉는 모두 방언을 활용하여 인물에 대한 친밀감을 유발하고 있다.

③ 이 글의 총수와 〈보기〉의 '나'는 모두 독자에게 웃음을 주는 한편 연민을 느끼게 한다.

④ 이 글과 〈보기〉는 모두 상황에 맞지 않는 익살스러운 표현을 통해 해학성을 유발하고 있다.

⑤ 이 글의 서술자는 총수를 부정적이고 비판적인 태도로 보는 반면 〈보기〉의 서술자는 '나'를 우호적이고 동정적인 시선으로 보고 있다.

도움말

풍자는 대상에 대한 부정적 인식을 바탕으로 하여 대상을 ❶　　　하는 것이다. 반면 ❷　　　은 대상을 악의 없는 웃음으로 그려 내며, 비판하는 경우에도 연대 의식과 연민의 정을 기반으로 한다.

답 ❶ 비판 ❷ 해학

[01~04] 다음을 읽고 물음에 답하시오.

가 ㉠나 보기가 역겨워 / 가실 때에는
말없이 고이 보내 드리우리다.

㉡영변(寧邊)에 약산(藥山) / 진달래꽃
아름 따다 가실 길에 뿌리우리다.

가시는 걸음걸음 / 놓인 그 꽃을
사뿐히 즈려밟고 가시옵소서.

나 보기가 역겨워 / 가실 때에는
ⓐ죽어도 아니 눈물 흘리우리다.

- 김소월, 〈진달래꽃〉 천(박), 금, 비(박영), 동, 해

나 가시리 가시리잇고 나는
ᄇ리고 가시리잇고 나는
　　㉢위 증즐가 太平聖代(대평성ᄃ)

날러는 엇디 살라 ᄒ고
ᄇ리고 가시리잇고 나는
　　위 증즐가 太平聖代(대평성ᄃ)

잡ᄉ와 두어리마ᄂᆞᆫ
㉣선ᄒ면 아니 올셰라
　　위 증즐가 太平聖代(대평성ᄃ)

셜온 님 보내ᄋᆞᆸ노니 나는
㉤가시ᄂᆞᆫ 듯 도셔 오쇼셔 나는
　　위 증즐가 太平聖代(대평성ᄃ)

- 작자 미상, 〈가시리〉 천(박), 천(이), 비(박안), 신, 지, 해

01 **(가), (나)에 대한 설명으로 적절하지 않은 것은?**
① (가): 3음보의 민요조 율격을 지닌다.
② (가): 수미상관의 구성으로 주제를 강조한다.
③ (나): 후렴구를 반복하여 리듬을 조성한다.
④ (나): 연의 구분이 있고 4음보의 율격을 따른다.
⑤ (나): 의문문을 반복하여 화자의 정서를 드러낸다.

02 **㉠~㉤에 대한 이해로 적절하지 않은 것은?**
① ㉠: 화자가 아직 오지 않은 이별의 상황을 가정하며 시상을 전개하고 있다.
② ㉡: '진달래꽃'은 시적 화자의 분신으로, 임에 대한 화자의 헌신과 순종적 사랑을 상징한다.
③ ㉢: 시상을 함축하는 부분으로, 매 연의 끝에 반복되어 작품 전체의 주제를 심층적으로 드러낸다.
④ ㉣: 화자가 임을 보내 주는 이유가 드러난 부분으로, 임을 다시 보지 못할까 봐 걱정하는 화자의 생각을 알 수 있다.
⑤ ㉤: 화자가 바라는 바가 드러난 부분으로, 임이 다시 돌아오기를 간곡히 호소하고 있음을 알 수 있다.

 고려 가요는 고려 시대에 민간에서 유행하던 노래로, 궁중 음악의 가사로 수용되기도 했어. 〈가시리〉의 후렴구는 이러한 과정에서 발생한 것으로 추정되고 있지.

03 **ⓐ에 대한 설명으로 가장 적절하지 않은 것은?**
① '애이불비(哀而不悲)'의 자세가 나타난다.
② 임에 대한 화자의 사랑을 강조하는 표현이다.
③ 매우 슬퍼할 것임을 의미하는 반어적 표현으로 볼 수 있다.
④ 아직 일어나지 않은 상황에 대한 대응 방식을 밝힌 것이다.
⑤ 1연에서와 같이 주어진 상황을 수용하는 수동적 태도가 드러난다.

서술형

04 **화자의 측면에서 (가), (나)의 공통점을 서술하시오.**
　· 조건 ·
· (가), (나)의 화자가 지닌 공통점과 그것으로 거두는 효과를 언급할 것
· '(가), (나)는 모두 ~을(를) 화자로 내세워 ~하고 있다.'의 문장 형식으로 쓸 것

[05~08] 다음을 읽고 물음에 답하시오.

가 님 다히 쇼식(消息)을 아므려나 아쟈 ᄒ니
오늘도 거의로다 ᄂᆡ일이나 사ᄅᆞᆷ 올가
내 ᄆᆞᄋᆞᆷ 둘 ᄃᆡ 업다 어드러로 가쟛 말고
잡거니 밀거니 놉픈 뫼ᄒᆡ 올라가니
구롬은 ᄏᆞ니와 안개는 므ᄉ 일고
산천(山川)이 어둡거니 일월(日月)을 엇디 보며
지쳑(咫尺)을 모ᄅᆞ거든 쳔 리(千里)를 ᄇᆞ라보랴
ᄎᆞ하리 믈ᄀᆞ의 가 ᄇᆡ길하나 보랴 ᄒ니
ᄇᆞ람이야 믈결이야 어둥졍 된뎌이고
샤공은 어ᄃᆡ 가고 빈 ᄇᆡ만 걸렷ᄂᆞᆫ고
강텬(江天)의 혼자 셔셔 디ᄂᆞᆫ 히ᄅᆞᆯ 구버보니
님 다히 쇼식(消息)이 더옥 아득ᄒ뎌이고

나 모쳠(茅簷) ᄎᆞᆫ 자리의 밤듕만 도라오니
반벽쳥등(半壁靑燈)은 눌 위ᄒᆞ야 볼갓ᄂᆞᆫ고
오ᄅᆞ며 ᄂᆞ리며 헤ᄯᆞ며 바자니니
져근덧 녁진(力盡)ᄒᆞ야 풋ᄌᆞᆷ을 잠간 드니
졍셩(精誠)이 지극ᄒᆞ야 ᄭᅮᆷ의 님을 보니
옥(玉) ᄀᆞ튼 얼구리 반(半)이 나마 늘거셰라
ᄆᆞᄋᆞᆷ의 머근 말ᄉᆞᆷ 슬ᄏᆞ장 ᄉᆞᆲ쟈 ᄒ니
눈믈이 바라나니 말ᄉᆞᆷ인들 어이 ᄒᆞ며
졍(情)을 못다 ᄒᆞ야 목이조차 메여 ᄒ니
오뎐된 계셩(鷄聲)의 ᄌᆞᆷ은 엇디 ᄭᆡ돗던고

다 어와 허ᄉᆞ(虛事)로다 이 님이 어ᄃᆡ 간고
결의 니러 안자 창(窓)을 열고 ᄇᆞ라보니
어엿븐 **그림재** 날 조ᄎᆞᆯ ᄲᅮᆫ이로다
ᄎᆞ하리 싀여디여 낙월(落月)이나 되야이셔
님 겨신 창(窓) 안히 번드시 비최리라

라 각시님 ᄃᆞᆯ이야 ᄏᆞ니와 구ᄌᆞᆫ비나 되쇼셔

― 정철, 〈속미인곡〉 동 , 비(박안) , 지

05 이 글의 내용으로 보아 그 의미가 이질적인 것은?

① 구롬 ② ᄇᆞ람 ③ 믈결
④ 계셩 ⑤ 그림재

06 이 글의 표현상 특징으로 적절하지 <u>않은</u> 것은?

① 대화 형식으로 내용을 전개하고 있다.
② 화자가 소망을 성취하기 위해 공간을 이동하면서 시상이 전개되고 있다.
③ 사물에 감정을 투영하여 임의 부재에 따른 화자의 처지와 심정을 부각하고 있다.
④ 유사한 통사 구조를 반복하고 설의적 표현을 활용하여 의미를 선명하게 전달하고 있다.
⑤ 언뜻 보기에 모순을 일으키는 표현을 사용해 임에 대한 화자의 간절한 사랑을 드러내고 있다.

07 이 글의 구성을 다음과 같이 정리할 때, (가)~(라)에 대한 설명으로 적절하지 <u>않은</u> 것은?

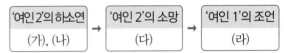

| '여인 2'의 하소연 (가), (나) | → | '여인 2'의 소망 (다) | → | '여인 1'의 조언 (라) |

① (가): '여인 2'는 임의 소식을 알기 위해 산을 오르고 강을 찾아갔다.
② (나): '여인 2'는 꿈에서 임을 만나서 하고 싶었던 말을 실컷 한 후 마음이 후련해졌다.
③ (다): '여인 2'는 꿈에서 깨어 외롭고 쓸쓸한 심정을 드러내고 있다.
④ (다): '여인 '2는 죽어서라도 임을 따르고 싶다는 소망을 밝히고 있다.
⑤ (라): '여인 1'은 '여인 2'에게 보다 적극적으로 사랑을 표현하라고 조언하고 있다.

서술형

08 다음의 밑줄 친 부분이 이 작품의 주제를 형상화하는 데 미친 영향을 서술하시오.

> 〈속미인곡〉은 정철이 당쟁으로 인해 낙향했을 때 창작한 작품이다. 이 작품에서 정철은 <u>사회적 관계인 충(忠)을 개인적 관계인 그리움으로 바꾸어 표현</u>하는 방식을 취하고 있다.

[09~11] 다음을 읽고 물음에 답하시오.

눈은 살아 있다
떨어진 눈은 살아 있다
마당 위에 떨어진 눈은 살아 있다

기침을 하자
젊은 시인이여 기침을 하자
눈 위에 대고 기침을 하자
눈더러 보라고 마음 놓고 마음 놓고
기침을 하자

눈은 살아 있다
죽음을 잊어버린 영혼과 육체를 위하여
눈은 새벽이 지나도록 살아 있다

기침을 하자
젊은 시인이여 기침을 하자
눈을 바라보며
밤새도록 고인 가슴의 가래라도
마음껏 뱉자

– 김수영, 〈눈〉 창 , 해

09 이 시의 표현상 특징으로 적절하지 않은 것은?

① 대조적 이미지의 시어를 대립시켜 주제 의식을 강
조하고 있다.
② 작품 표면에 드러난 화자가 청자를 설정하여 말을
건네고 있다.
③ 청유형 어미를 반복하여 시적 대상에게 함께 행동
할 것을 촉구하고 있다.
④ 평서형 문장을 반복하여 대상이 지닌 가치에 대한
확신을 드러내고 있다.
⑤ 특정 시구를 변주하여 반복함으로써 대상에 대한 화
자의 태도를 점층적으로 강조하여 드러내고 있다.

 이 시는 평서형 종결 어미 '–다'를 사용한
'눈은 살아 있다'와, 청유형 종결 어미 '–자'를 사용한
'기침을 하자'라는 시구를 변형하여 반복하고 있어.

10 눈 의 상징적 의미로 가장 적절한 것은?

① 현실의 시련과 고난
② 삶의 의지를 상실한 존재
③ 순수하고 참된 삶의 가치
④ 영혼과 육체를 이어 주는 소재
⑤ 죽음을 긍정적으로 받아들이는 삶의 태도

 '눈'은 흰색의 색채 이미지를 지니고 있어. 또한
이 시의 화자는 눈을 바라보며 기침을 하여 가래라는
부정적 존재를 뱉어 내는 행위를 하자고 제안하고 있지.

11 다음을 바탕으로 하여 이 시의 의미를 해석한 것으로 적절하지 않은 것은?

1954년 대통령직을 연임한 이승만의 장기 집권을 위해, 정부 여당은 초대 대통령에 한해서 연임 횟수 제한을 없앤다는 내용의 개헌안을 제출하여 통과시켰다. 그 후 국민 여론이 나빠지자 이를 무마하기 위해 반공을 내세워 반대 세력을 탄압하였다. 김수영의 〈눈〉은 이러한 시대 상황에서 발표된 작품이다.

① '젊은 시인'은 부정한 시대 상황에서 불의와 타협하
지 말자고 시민들을 설득하는 존재로 볼 수 있겠어.
② '마음 놓고 마음 놓고' 기침을 하자고 권하는 것에
서 기침을 마음대로 할 수 없는 현실 상황을 짐작할
수 있겠어.
③ '죽음을 잊어버린 영혼과 육체'는 죽음을 두려워하
지 않고 불의와 맞서는 사람들로 볼 수 있겠어.
④ 그렇다면 '죽음을 잊어버린 영혼과 육체'를 위해 '새
벽'이 지나도 살아 있는 '눈'은 그렇게 불의와 맞서
는 사람들을 위로하는 존재로 볼 수 있겠어.
⑤ '기침'을 해서 '가래'를 뱉는 행위는 부패한 현실에
서 생긴 속물근성, 소시민성을 정화하자는 의미로
해석할 수 있겠어.

[12~14] 다음을 읽고 물음에 답하시오.

가 홍진(紅塵)에 뭇친 분네 이내 생애(生涯) 엇더ᄒᆞᆫ고
녯 사ᄅᆞᆷ 풍류(風流)ᄅᆞᆯ 미ᄎᆞᆯ가 못 미ᄎᆞᆯ가
천지간(天地間) 남자(男子) 몸이 날만 ᄒᆞᆫ 이 하건마ᄂᆞᆫ
산림(山林)에 뭇쳐 이셔 지락(至樂)을 ᄆᆞᄅᆞᆯ 것가
수간모옥(數間茅屋)을 벽계수(碧溪水) 앏픠 두고
(수간모옥: 몇 칸 안 되는 작은 초가)
송죽(松竹) 울울리(鬱鬱裏)에 풍월주인(風月主人) 되여셔라 (중략)

나 이바 니웃드라 산수(山水) 구경 가쟈스라
답청(踏靑)으란 오ᄂᆞᆯ ᄒᆞ고 욕기(浴沂)란 내일(來日) ᄒᆞ새
(답청: 봄에 파란 풀을 밟으며 하는 산책 / 욕기: 목욕. 명리를 잊고 유유자적함.)
아ᄎᆞᆷ에 채산(採山)ᄒᆞ고 나조ᄒᆡ 조수(釣水)ᄒᆞ새
ᄀᆞᆺ 괴여 닉은 술을 갈건(葛巾)으로 밧타 노코
(갈건: 술을 걸러 마시는 칡 베로 만든 두건)
곳나모 가지 것거 수 노코 먹으리라
화풍(和風)이 건ᄃᆞᆺ 부러 녹수(綠水)ᄅᆞᆯ 건너오니
청향(淸香)은 잔에 지고 낙홍(落紅)은 옷새 진다
준중(樽中)이 뷔엿거든 날ᄃᆞ려 알외여라
소동(小童) 아ᄒᆡᄃᆞ려 주가(酒家)에 술을 믈어
얼운은 막대 집고 아ᄒᆡᄂᆞᆫ 술을 메고
미음완보(微吟緩步)ᄒᆞ야 시냇ᄀᆞ의 호자 안자
(미음완보: 작은 소리로 읊으며 천천히 거닒.)
명사(明沙) 조ᄒᆞᆫ 믈에 잔 시어 부어 들고
청류(淸流)ᄅᆞᆯ 굽어보니 ᄯᅥ오ᄂᆞ니 도화(桃花)ㅣ로다
무릉(武陵)이 갓갑도다 져 ᄆᆡ이 긘거인고
송간세로(松間細路)에 두견화(杜鵑花)ᄅᆞᆯ 부치 들고
봉두(峰頭)에 급피 올나 구름 소긔 안자 보니
(봉두: 산봉우리)
천촌만락(千村萬落)이 곳곳이 버러 잇ᄂᆡ
연하일휘(煙霞日輝)ᄂᆞᆫ 금수(錦繡)ᄅᆞᆯ 재폇ᄂᆞᆫ ᄃᆞᆺ
(연하일휘: 안개와 노을과 빛나는 햇살 / 금수: 비단)
엇그제 검은 들이 봄빗도 유여(有餘)ᄒᆞᆯ샤

다 ㉠공명(功名)도 날 ᄭᅴ우고, 부귀(富貴)도 날 ᄭᅴ우니
청풍명월(淸風明月) 외(外)에 엇던 벗이 잇ᄉᆞ올고
단표누항(簞瓢陋巷)에 흣튼 혜음 아니 ᄒᆞᄂᆡ
(단표누항: 지저분한 거리에서 먹는 한 그릇의 밥과 한 바가지의 물)
아모타 백년행락(百年行樂)이 이만ᄒᆞᆫᄃᆞᆯ 엇지ᄒᆞ리

– 정극인, 〈상춘곡〉에서 천(박), 해

12 이 시의 표현상 특징으로 적절하지 않은 것은?

① 설의적 표현을 활용해 시상을 마무리하고 있다.
② 계절감을 환기하는 시어를 활용해 시상을 구체화하고 있다.
③ 영탄적 표현을 활용해 현재 상황에 대한 만족감을 드러내고 있다.
④ 감각적 표현을 활용해 화자와 자연이 일체가 된 경지를 묘사하고 있다.
⑤ 반어적 표현을 활용해 자연을 벗하며 안빈낙도하는 삶에 대한 긍정적 인식을 강조하고 있다.

13 화자의 공간 이동을 〈보기〉와 같이 정리할 때, 이 시에 대한 감상으로 적절하지 않은 것은?

보기

수간모옥	→	시냇ᄀᆞ	→	봉두
Ⓐ		Ⓑ		Ⓒ

① Ⓐ에서 화자는 속세의 사람들에게 말을 건네며 자신의 삶에 대한 자부심을 드러내고 있다.
② Ⓑ에서 술은 화자의 흥취를 돋우는 역할을 하고 있다.
③ Ⓑ에서 화자는 자신의 이상향인 무릉도원에 도달하려 노력하고 있다.
④ Ⓒ에서 화자는 겨울 들판에 봄이 와 신록으로 빛나는 아름다운 봄 경치를 내려다보고 있다.
⑤ Ⓐ와 같은 좁은 공간에서 출발하여 점차 Ⓒ와 같은 넓은 공간으로 이동하며 공간이 확대되고 있다.

'무릉'은 도연명의 〈도화원기〉에 나오는 무릉도원의 준말로, 이상향, 별천지를 비유적으로 이르는 말이야.

서술형

14 ㉠에 드러난 시적 화자의 태도를 서술하시오.

조건
- ㉠의 표현상의 특징을 포함하여 쓸 것
- '~한 표현을 활용하여 ~한 태도를 드러내고 있다.'의 문장 형식으로 쓸 것

[01~05] 다음을 읽고 물음에 답하시오.

[앞부분 줄거리] 난리 속에 부모와 헤어진 계월은 여공에게 구출되어 평국이라는 이름으로 자라고 과거에 급제하여 벼슬을 얻는다. 계월이 여자임이 탄로나지만 천자는 이를 용서하며 보국과의 혼인을 중매한다. 보국의 첩인 영춘이 계월의 행차를 보고도 예를 갖추지 않자 계월은 영춘의 목을 베고, 이를 알게 된 보국은 분함을 이기지 못한다.

"계월이 전날은 대원수 되어 소자를 중군장으로 부렸으니 군대에 있을 때에는 소자가 계월을 업신여기지 못했사옵니다. ㉠하지만 지금은 계월이 소자의 아내이오니 어찌 소자의 사랑하는 영춘을 죽여 제 마음을 편안하지 않게 할 수가 있단 말이옵니까?" / 여공이 이 말을 듣고 만류했다.

[A] "계월이 비록 네 아내는 되었으나 벼슬을 놓지 않았고 기개가 당당하니 족히 너를 부릴 만한 사람이다. 그러나 예로써 너를 섬기고 있으니 어찌 마음씀을 그르다고 하겠느냐? 영춘은 네 첩이다. 자기가 거만하다가 죽임을 당했으니 누구를 한하겠느냐? 또한 계월이 잘못해 궁노(宮奴)나 궁비(宮婢)를 죽인다 해도 누가 계월을 그르다고 책망할 수 있겠느냐? 너는 조금도 염려하지 말고 마음을 변치 마라. 만일 계월이 영춘을 죽였다 하고 계월을 꺼린다면 부부 사이의 의리도 변할 것이다. 또한 계월은 천자께서 중매하신 여자라 계월을 싫어한다면 네게 해로움이 있을 것이니 부디 조심하라."

㉡"장부가 되어 계집에게 괄시를 당할 수 있겠나이까?"

보국이 이렇게 말하고 그 후부터는 계월의 방에 들지 않았다. / 이에 계월이,

'영춘이 때문에 나를 꺼려 오지 않는구나.' / 라고 생각했다.

"누가 보국을 남자라 하겠는가? 여자에게도 비할 수 없구나." 이렇게 말하며 자신이 남자가 되지 못한 것이 분해 눈물을 흘리며 세월을 보냈다.

[중간 부분의 줄거리] 오왕과 초왕이 반란을 일으키자 천자가 평국을 대원수에 임명하여 전쟁에 내보낸다. 전쟁 중 적장 맹길에 의해 천자가 위기에 빠졌다는 것을 알게 된 계월이 천자를 구하기 위해 달려간다.

"적장은 나의 황상을 해치지 말라. 평국이 여기 왔노라." 이에 맹길이 두려워해 말을 돌려 도망하니 원수가 크게 호령하며 말했다.

"네가 가면 어디로 가겠느냐? 도망가지 말고 내 칼을 받으라."

이와 같이 말하며 철통같이 달려가니 원수의 준총마가 주홍같은 입을 벌리고 순식간에 맹길의 말꼬리를 물고 늘어졌다. 맹길이 매우 놀라 몸을 돌려 긴 창을 높이 들고 원수를 찌르려고 하자 원수가 크게 성을 내 칼을 들어 맹길을 치니 맹길의 두 팔이 땅에 떨어졌다. 원수가 또 좌충우돌해 적졸을 모조리 죽이니 피가 흘러 내를 이루고 적졸의 주검이 산처럼 쌓였다.

– 작자 미상, 〈홍계월전〉 미, 비(박영)

01 이 글에 대한 설명으로 적절하지 않은 것은?

① 외양 묘사를 통해 인물의 성격을 암시하였다.
② 전지적 서술자가 인물의 심리를 직접 서술하였다.
③ 과장된 표현으로 주인공의 영웅적 면모를 강조하였다.
④ 인물과 인물, 집단과 집단 사이의 갈등 양상을 제시하였다.
⑤ 인물의 말을 통해 인물의 성격과 가치관을 간접적으로 전달하였다.

02 이 글에 대한 이해로 적절하지 않은 것은?

① '계월'은 '보국'에게 사랑받지 못하는 것에 대해 슬퍼하며 외로워하고 있다.
② '계월'은 자신을 찾아오지 않는 '보국'의 행동이 바람직하지 않다고 생각하고 있다.
③ '보국'은 자신의 아내인 '계월'에게 '영춘'에 대한 처분 권한이 없다고 생각하고 있다.
④ '보국'은 '여공'의 말에 수긍하지 않으며 여성인 '계월'에게 무시당한 것을 분하게 생각하고 있다.
⑤ '보국'은 '계월'이 애첩을 죽인 이유보다 죽인 행위에 집중하여 '계월'에게 거부감을 드러내고 있다.

 이 글에서 계월은 자신이 여자임을 거부하고 세상을 지배하는 남자로 살고 싶어 하는 모습을 보이고 있어.

03 [A]에 나타난 '여공'의 말하기 방식에 대한 설명으로 적절하지 않은 것은?

① 영춘이 계월에게 죽은 것은 영춘의 탓임을 들어 보국의 말에 반박하고 있다.

② 계월의 사회적 성취를 근거로 계월에게 보국을 부릴 자격이 있다고 이야기하고 있다.

③ 계월과 혼인하게 된 계기를 언급하며 계월을 홀대하면 후환이 있을 수 있음을 지적하고 있다.

④ 계월은 영춘을 죽인 것보다 더한 잘못을 하여도 책망을 듣지 않을 만한 인물임을 이유로 들고 있다.

⑤ 계월이 남편에 대한 예를 다하지 못했음은 인정하나 그 능력의 우월함을 들어 보국을 만류하고 있다.

04 다음을 참고할 때, 이 글의 창작자가 고려했을 만한 사항으로 적절하지 않은 것은?

> 조선 후기에는 국문 소설이 유행하면서 독자층이 여성을 비롯한 평민층으로까지 확대되었다. 또한 조선 후기는 가부장제 사회 속에서 여성의 사회 진출에 대한 열망이 커지면서 여성 의식이 성장하던 시기였다. 여성 의식을 얼마나 신장하였느냐는 측면에서 한계를 보이는 부분도 있지만, 〈홍계월전〉은 여성이 보조적인 위치에서 벗어나 남자보다 우월한 능력을 지닌 영웅으로 등장한다는 점에서 의의가 있는 작품이다.

① 여성 의식이 성장하고 있음을 반영하여 여성 영웅인 계월을 주인공으로 설정해야겠어.

② 영춘을 처벌한 계월의 모습에서 가부장적 질서를 전복할 수 있는 주체가 바로 여성임을 나타내야겠어.

③ 계월이 보국보다 뛰어난 능력을 발휘하는 모습을 넣어 여성 독자들이 대리만족할 수 있게 해야겠어.

④ 계월이 여성임에도 천자에게 능력을 인정받는 장면을 통해 여성들의 사회 진출에 대한 열망을 드러내야겠어.

⑤ 계월보다 능력이 부족한 보국이 열등감을 남성의 권위로 극복하려 하는 장면을 통해 당대 남성들의 의식에 대한 비판적 시각을 드러내야겠어.

05 ㉠, ㉡에서 알 수 있는 당대의 사회적 인식에 대해 서술하시오.

[06~08] 다음을 읽고 물음에 답하시오.

가 ㉠마을에서 젊은 축에 드는 마흔다섯 살의 황영석은 황만근이 벽돌을 찍고 구덩이를 파서 지은 마을 회관 변소에서 분뇨를 퍼내면서 황만근의 부재를 알게 되었다.

"만근이 자석이 있었으마 내가 돈을 백만 원 준다 캐도 이런 일을 안 할 낀데, 아이구, 이 망할 놈의 똥 냄새, 여리가 싸놔 그런지 독하기도 하네. 이기 곡석한테 독이 될지 약이 될지도 모르겠구마." / 황만근이 있었으면 군말 없이 했을 일이었다. ㉡늘 그렇듯이 벙글벙글 웃으면서.

"만근이가 있었으모 저 거름이 우리 밭으로 올 낀데, 만그이가 도대체 어데 갔노."

마을 회관 곁 조그만 밭에 채소를 심어 먹는 여씨 노인도 황만근의 부재를 알게 되었다. 황만근은 마을 공통의 분뇨를, 역시 자신이 판 마을 공통의 분뇨장으로 가져가서 충분히 익힌 뒤에, 공평하게 나누어 주었다. ㉢황영석처럼 제가 퍘다고 바로 제밭에 가져다가 뿌리지는 않았다. 특히 여씨 노인처럼 일찍 남편을 잃고 혼잣몸이 된 노인들에게는, 알고 그러는지 모르고 그러는지 더 자주 거름을 가져다주었다.

나 ㉣황만근, 황 선생은 어리석게 태어났는지는 모르지만 해가 가며 차츰 신지(神智)가 돌아왔다. 하늘이 착한 사람을 따뜻이 덮어 주고 땅이 은혜롭게 부리를 대어 알껍질을 까 주었다. 그리하여 후년에는 그 누구보다 지혜로웠다. 그는 누구에게도 해를 끼치지 않았듯 그 지혜로 어떤 수고로운 가르침도 함부로 남기지 않았다. 스스로 땅의 자손을 자처하여 늘 부지런하고 근면하였다. 사람들이 빚만 남는 농사에 공연히 뼈를 상한다고 하였으나 개의치 아니하였다. 사람 사이에 어려움이 있으면 언제나 함께하였고 공에는 자신보다 남을 내세워 뒷사람을 놀라게 했다. 하늘이 내린 효자로서 평생 어머니 봉양을 극진히 했다. 아들에게는 따뜻하고 이해심 많은 아버지였고 훈육을 할 때는 알아듣기 쉽게 하여 마음으로 감복시켰다. (중략)

남의 비웃음을 받으며 살면서도 비루하지 아니하고 홀로 할 바를 이루어 초지를 일관하니 이 어찌 하늘이 낸 사람이라 아니할 수 있겠는가. ⓜ이 어찌 하늘이 내고 땅이 일으켜 세운 사람이 아니랴.

단기 사천삼백삼십 년 오월 스무날

본디 묘지에나 쓰일 것[묘비명(墓碑銘)]이지만 천지를 대영혼의 집으로 삼은 선생인지라 아무 쓸모도 없는 이 글을, 새 터말로 귀농하였다가 이룬 것 없이 다시 도시로 흘러가며, 남해인(南海人) 민순정(閔順晶) 엎디어 쓰다.

- 성석제, 〈황만근은 이렇게 말했다〉 천(박)

06 이 글의 서술상 특징으로 가장 적절한 것은?

① 현학적인 문체로 옛스러운 분위기를 드러내고 있다.
② 삽화적 구성을 통해 인물의 모순적 면모를 부각하고 있다.
③ 작품 안의 인물이 주인공에 대해 평가한 내용을 제시하고 있다.
④ 영웅 소설의 구조를 빌려 평범한 인물의 일대기를 서술하고 있다.
⑤ 작품 안의 서술자가 자신의 삶의 내력에 대해 주관적으로 서술하고 있다.

07 이 글에 나타난 황만근의 특성으로 적절하지 <u>않은</u> 것은?

① 어머니를 극진히 모시는 효심을 가졌다.
② 사회적 약자를 배려하는 따뜻한 마음을 가졌다.
③ 마을의 궂은일도 꺼리지 않는 희생정신을 가졌다.
④ 교육열이 높아서 아들에게 무엇이든 꼼꼼히 가르치는 모습을 보였다.
⑤ 특정 사람에게만 이익이 돌아가지 않도록 하는 공평무사한 면모를 보였다.

08 ㉠~ⓜ에 대한 이해로 적절하지 <u>않은</u> 것은?

① ㉠: 고령화된 농촌의 현실을 짐작할 수 있다.
② ㉡: 낙천적인 태도로 궂은 일을 해 왔던 '황만근'의 모습을 서술자가 제시하고 있다.
③ ㉢: '황만근'과 대조적인 '황영석'의 이기적인 성격이 드러난다.
④ ㉣: '황 선생'은 황만근의 별명으로, 그를 존중하던 마을 사람들의 태도가 반영된 표현이다.
⑤ ⓜ: '민 씨'의 입을 빌려 '황만근'의 뛰어난 인품을 강조하는 부분으로, 바람직한 인간상에 대한 작가의 생각을 추측할 수 있다.

 (나)에서 민 씨는 전통적인 묘비명의 양식을 차용하여 황만근의 일생을 총정리하며 작가를 대변하고 있어.

[09~10] 다음을 읽고 물음에 답하시오.

[앞부분의 줄거리] 공사판을 떠도는 영달은 공사가 중단되자 밀린 밥값을 떼어먹고 도망치다가, 고향인 삼포를 찾아가는 정 씨를 만나 동행하게 된다. 영달과 정 씨는 함께 삼포로 가는 기차를 타려고 감천으로 가던 중 백화를 만나게 되고, 처음에 두 사람을 경계하던 백화는 서서히 마음을 열게 된다.

어디에나 눈이 덮여 있어서 길을 잘 분간할 수가 없었다. 뒤에 처졌던 백화가 눈 덮인 길의 고랑에 빠져 버렸다. 발이라도 삐었는지 백화는 꼼짝 못 하고 주저앉아 신음을 했다. 영달이가 달려들어 싫다고 뿌리치는 백화를 업었다. 백화는 영달이의 등에 업히면서 말했다. / "무겁죠?"

영달이는 대꾸하지 않았다. 백화는 어린애처럼 가벼웠다. 등이 불편하지도 않았고 어쩐지 가뿐한 느낌이었다. 아마 쇠약해진 탓이리라 생각하니 영달이는 어쩐지 대전에서의 옥자가 생각나서 눈시울이 화끈했다. (중략)

 그들은 장터 모퉁이에서 아직도 따뜻한 온기가 남아 있는 팥시루떡을 사 먹었다. 백화가 자기 몫에서 절반을 떼어 영달에게 내밀었다.

"더 드세요. 날 업구 왔으니 기운이 배나 들었을 텐데."

역으로 가면서 백화가 말했다.

"어차피 갈 곳이 정해지지 않았다면 우리 고향에 함께 가요. 내 일자리를 주선해 드릴게." (중략)

"같이 가시지. 내 보기엔 좋은 여자 같군."

"그런 거 같아요." / "또 알우? 인연이 닿아서 말뚝 박구 살게 될지. 이런 때 아주 뜨내기 신셀 청산해야지."

영달이는 시무룩해져서 역사 밖을 멍하니 내다보았다. 백화는 뭔가 쑤군대고 있는 두 사내를 불안한 듯이 지켜보고 있었다. 영달이가 말했다. / "어디 능력이 있어야죠."

"삼포엘 같이 가실라우?" / "어쨌든……."

영달이가 뒷주머니에서 꼬깃꼬깃한 오백 원짜리 두 장을 꺼냈다. / "저 여잘 보냅시다."

영달이는 표를 사고 삼립 빵 두 개와 찐 달걀을 샀다. 백화에게 그는 말했다. / "우린 뒤차를 탈 텐데…… 잘 가슈."

영달이가 내민 것들을 받아 쥔 백화의 눈이 붉게 충혈되었다. 그 여자는 더듬거리며 물었다.

"아무도…… 안 가나요?"

"우린 삼포루 갑니다. 거긴 내 고향이오."

영달이 대신 정 씨가 말했다. 사람들이 개찰구로 나가고 있었다. 백화가 보퉁이를 들고 일어섰다.

"정말, 잊어버리지…… 않을게요."

백화는 개찰구로 가다가 다시 돌아왔다. 돌아온 백화는 눈이 젖은 채로 웃고 있었다.

"내 이름 백화가 아니에요. 본명은요……. 이점례예요."

여자는 개찰구로 뛰어나갔다. 잠시 후에 기차가 떠났다. (중략)

영달이가 혼잣말로, / "쳇, 며칠이나 견디나……."

"뭐라고?" / "아뇨, 백화란 여자 말예요. 저런 애들…… 한 사날도 촌 생활 못 배겨 나요."

"사람 나름이지만 하긴 그럴 거요. 요즘 세상에 일이 년 안으로 인정이 휙 변해 가는 판인데……."

[중간 부분 줄거리] 정 씨와 영달은 대합실에서 만난 한 노인에게 삼포가 공사판으로 변했다는 이야기를 듣게 된다. 고기잡이를 하고 감자를 매던 삼포를 기억하는 정 씨는 고향을 잃었다는 사실에 실망한다.

작정하고 벼르다가 찾아가는 고향이었으나, 정 씨에게는 풍문마저 낯설었다. 옆에서 잠자코 듣고 있던 영달이가 말했다.

"잘됐군. 우리 거기서 공사판 일이나 잡읍시다."

그때에 기차가 도착했다. 정 씨는 발걸음이 내키질 않았다. 그는 마음의 정처를 방금 잃어버렸던 때문이었다. 어느 결에 정 씨는 영달이와 똑같은 입장이 되어버렸다.

㉠기차가 눈발이 날리는 어두운 들판을 향해서 달려갔다.

– 삼포 가는 길, 〈황석영〉 미 , 창

09 다음을 바탕으로 이 글을 감상한 학생의 반응으로 가장 적절한 것은?

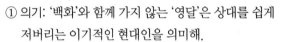

〈삼포 가는 길〉의 작가 황석영은 인물들 간의 일회적인 만남과 이별을 통해, 산업화로 고향을 상실하고 떠돌며 고통 받거나, 급격한 사회 변화로 힘들어하는 소시민들의 모습을 구체화하고자 하였다. 또한 당대 민중들에 대한 연민의 시선과 당대 사회에 대한 비판적인 시선을 드러내고 있다.

① 의기: '백화'와 함께 가지 않는 '영달'은 상대를 쉽게 저버리는 이기적인 현대인을 의미해.
② 대영: '백화'는 이별의 상황에서 본명을 밝히며 그동안 익명으로 저질렀던 잘못들을 참회하고 있어.
③ 동영: '백화'와 같이 정착할 곳이 있는 사람과 '영달', '정 씨'와 같이 떠도는 사람들 사이의 갈등을 통해 산업화의 폐해를 지적하고 있어.
④ 동규: 고향인 삼포를 찾아가는 '정 씨'는 '영달'과 달리 정신적인 안식처를 잃지 않았다는 측면에서 희망적인 미래를 상징하는 인물이야.
⑤ 태현: 잠시 만나 마음을 나누었다가 헤어지는 '백화', '영달', '정 씨'는 산업화의 흐름 속에서 소외되어 힘들게 살아가는 존재들을 상징해.

서술형

10 ㉠이 암시하는 의미를 인물들의 미래와 관련지어 서술하시오.

기차는 종종 인생에 비유되곤 하지? 시종일관 눈이 내리는 거친 날씨와 어두운 들판이 주는 인상을 영달과 정 씨가 처한 상황과 연관 지어 생각해 봐.

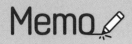

내신&수능 국어에 대처하는 현명한 자세
국어 실력이 쑥쑥!

우리만 따라와!

내신 수능

교과서 다품
중3(예비고)~고1 〈고등 국어(공통)〉
★★☆☆☆
11종 교과서 공통 개념을 다~ 품다!

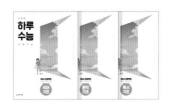

시작은 하루 수능 국어
고1~2 (국어 기초/문학 기초/독서 기초)
★☆☆☆☆
1일 6쪽, 4주로 완성하는 기초 수능 국어

입문 기초

7일 끝 국어
고1~3 (고등 국어[상], [하]/문학/독서/화·작/언·매)
★★☆☆☆
7일이면 끝나는 중간·기말 대비서

고등 내신전략 국어
예비고~고1 (문학/문법)
★★★☆☆
11종 교과서 영역별 공통서

내신 대비

100인의 지혜
고1~2 (문학/문법·화작/독서)
★★☆☆☆
빈틈 없는 국어 영역별 기본 개념서

국어 기본

수능 국어 독서 DNA 깨우기
예비고~고2 (기출 배경지식/독해 원리/기출 유형)
★★★☆☆
배경지식을 기초로 한 단계적 독해 훈련

비문학 훈련

해법문학
고1~3 (고전 시가/고전 산문/현대 시/현대 소설/수필·극)
★★★☆☆
875편의 작품을 수록한 문학 종합 참고서

문학의 해법

해법문학Q
고2~3 (고전 문학/현대 문학)
★★★☆☆
수능형 문제로 꽉 채운 필수 문학 문제집

고단백 수능 단기특강
고1~3 (기본편/문학/독서/언어와 매체/화법과 작문/
고전시가/현대시/고난도 독서·문학)
★★★☆☆
부족한 영역을 골라 약점을 보완하는 특강서

수능 특강

10일 격파 국어
고1~3 (문학/독서)
★★☆☆☆
수능 기초 파이널 코스

수능전략 국어
고2~3 (문학/독서/언어와 매체/
화법과 작문)
★★★★☆
개념부터 실전까지 한 번에!

수능 대비

book.chunjae.co.kr

교재 내용 문의 ·················· 교재 홈페이지 ▶ 고등 ▶ 교재상담

교재 내용 외 문의 ················ 교재 홈페이지 ▶ 고객센터 ▶ 1:1문의

발간 후 발견되는 오류 ·········· 교재 홈페이지 ▶ 고등 ▶ 학습지원 ▶ 학습자료실

실력향상 필수학습!
고득점을 예약하자!

내신전략

고등 국어 **문학**

BOOK 3

정답과 해설

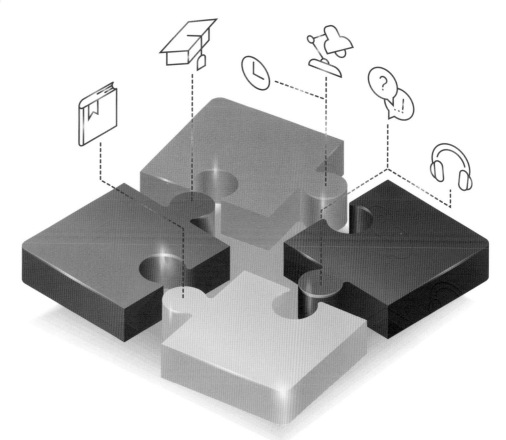

천재교육

정답과 해설
포인트 **3**가지

▶ 혼자서도 이해할 수 있는 친절한 문제 풀이

▶ 문제 해결에 필요한 핵심 내용 또는
  알아 두면 좋은 배경 지식을 담은 참고 BOX

▶ 예시 답안과 구체적 평가 요소 제시로 실전 서술형 문항 완벽 대비

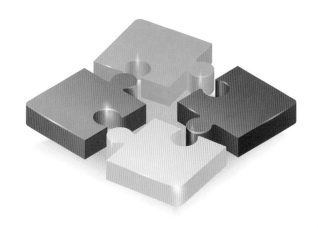

BOOK 1

정답과 해설

1주 문학의 갈래와 구조_서정, 교술

1주 1일 개념 돌파 전략 ①

01 (1) 유기적 (2) 내용, 형식, 표현 (3) 형상화 **02** (1) X (2) O
03 (1) © (2) © (3) @ (4) ⑦ **04** ③ **05** ④
06 (1) X (2) X (3) O **07** ⑦, © **08** (1) X (2) O (3) X
09 ③ **10** ⑤

01 (1) 문학 작품은 내용, 형식, 표현이라는 구성 요소들이 전체 작품과 서로 밀접하게 관련되어 서로 떼어 낼 수 없는 유기적인 관계를 맺고 있는 구조물이다.

(2) 작가가 작품을 통해 드러내고자 하는 내용, 그 내용을 효과적으로 전달하는 장치인 형식, 일상생활에서 사용되는 것보다 더 세련되고 다듬어진 표현이 문학의 구성 요소에 해당한다.

(3) 우리가 직접 경험하거나 지각할 수 없고, 일정한 형태와 성질을 가지지 못한 특성을 추상적이라고 한다. 이러한 추상적인 느낌, 관념을 명확하게 우리가 인식할 수 있는 구체적 형상으로 그려 내는 것을 형상화라고 한다.

02 (1) 문학 작품의 구성 요소인 내용은 작가의 세계관과 문제의식을 담고 있지만, 문학적 기법이나 장치는 형식에 해당한다.

04 하나하나의 퍼즐 조각이 유기적으로 결합했을 때 완성된 그림(결과물)이 나오는 것처럼, 문학 작품 역시 각각의 구성 요소들이 유기적으로 결합했을 때 하나의 작품으로서 의미를 지니게 된다.

05 교술 갈래는 특정한 형식적 제한을 받지 않고 자유로운 형식으로 서술되는 것이 특징이다. 따라서 '엄격한 형식을 통해 전달'한다는 설명은 적절하지 않다.

06 (1) 시의 화자는 시인이 주제를 드러내기 위해 내세운 허구적 대리인으로, 시인과 꼭 일치하지는 않는다.

배경지식+ 시적 화자와 시인의 관계

시적 화자는 시 속에서 이야기하는 사람으로, 시인이 자신의 생각과 느낌을 가장 효과적으로 전달할 수 있는 존재를 고민하여 설정한 '허구적 대리인'이다. 남성 시인이지만 여성 화자를 내세울 수도 있고, 사람이 아닌 자연물을 화자로 내세울 수도 있다. 따라서 모든 시의 화자가 시인과 일치하지는 않는다. 다만 자아를 성찰하는 내용을 담은 시의 경우, 화자와 시인이 일치한다고 보기도 한다. 대표적인 예로 윤동주 시인의 〈자화상(교재 12쪽)〉을 들 수 있다.

(2) 일상 언어는 대개 사전적 의미만을 충실히 전달하지만 시어

는 함축성을 지녀 다양한 의미로 해석될 수 있다. 함축성이란 '말이나 글이 여러 뜻을 담고 있는 성질'을 가리킨다. 함축적 의미를 지닌 시어는 독자에게 다양한 정서적 반응을 불러일으킨다.

(3) 시적 화자는 시인의 의도에 따라 시의 표면에 드러나기도 하고 드러나지 않기도 한다. 시에서 화자가 '나' 또는 '우리' 등으로 표현된 경우는 화자가 표면에 드러난 것이다. 한편 시인은 시적 대상을 강조하기 위해 의도적으로 화자를 드러내지 않기도 한다.

07 교술 갈래는 작가 자신이 '나'로 등장하여 자신의 실제 경험과 느낌을 직접 전달한다. 정해진 형식이 없어 일기, 편지, 기행문과 같이 소재와 주제에 적절한 형식을 택하여 쓰면 된다.

오답 풀이
© 극 갈래에 대한 설명이다.
@ 교술 갈래는 글쓴이의 경험과 성찰을 바탕으로 하여 사실을 기록한 것이므로 허구의 세계를 그려 낸다는 설명은 적절하지 않다.

08 (1) '시적 자아' 또는 '서정적 자아'는 시의 말하는 이인 시적 화자를 가리키는 말이다.

(2) 수필은 글쓴이인 '나'가 실제 겪은 일을 기록하여 전달하므로 수필 속 '나'는 실제로 존재한다.

(3) 글쓴이가 효과적으로 주제를 전달하기 위해 의도적으로 설정한 허구적 대리인은 서정 갈래의 '시적 화자'나 서사 갈래의 '서술자'이다.

09 이 작품은 현대 시로, 서정 갈래에 속한다.

오답 풀이
①, ⑤는 극 갈래, ②는 교술 갈래, ④는 서사 갈래와 극 갈래 모두에 해당하는 설명이다.

10 이 글은 '일기'로 교술 갈래에 속한다. 교술 갈래는 글쓴이가 직접 경험한 일들을 바탕으로 쓰여지므로 '그럴듯하게 지어낸 이야기'라는 설명은 적절하지 않다.

1주 1일 개념 돌파 전략 ②

1 ④ **2** ② **3** ③ **4** ⑤ **5** ④ **6** ④ **7** ⑤

1~4 자화상_윤동주

해제 이 시는 일제 강점기라는 암울한 시대 현실 속에서 부끄럽게 살아가는 자신의 모습을 '우물'을 들여다보는 행위를 통해 성찰하고 있는 지식인의 모습을 형상화하고 있다. 시적 화자는 우물에 비친 아름다운 풍경과 대비되는 현실의 초라한 자신의 모습을 보며 미움과 연민을 느낀다. 이 두 감정 사이에서 내적

갈등을 겪던 화자는, '추억처럼' 존재하는 사나이를 보며 순수했던 과거의 자신을 기억하고 현재의 초라한 삶에서 벗어나고자 하는 의지를 보여 준다.

핵심 정리
- **갈래** 현대 시
- **제재** 우물에 비친 자아
- **주제** 우물을 매개로 한 자아 성찰
- **특징**
  ① 화자의 심리 변화 과정이 드러남.
  ② 반복되는 행위를 통해 화자의 내면을 드러냄.
  ③ 화자가 내적 갈등에서 벗어나는 과정을 보여 줌.
  ④ '-ㅂ니다'로 끝나는 산문적 어조와 경어체를 사용함.
  ⑤ 6연에서 2연을 변형하고 반복하여 의미를 점층적으로 심화하고 형태적 안정감을 줌.
- **짜임**

1연~2연	외딴 우물을 찾아가 우물 속 아름다운 가을 풍경을 봄.	
3연	아름다운 풍경과 대조되는 초라한 현실적 자아에게 미움을 느낌.	미움
4연	현실적 자아에게 연민을 느끼며 우물을 오가는 행위를 반복함.	연민
5연	현실적 자아에 대한 미움과 과거 속 이상적 자아에 대한 그리움이 교차함.	미움-그리움
6연	과거 속 이상적 자아를 추억하며 현실의 초라한 모습에서 벗어나고자 함.	극복 의지

1 이 작품은 현대 시로, 서정 갈래에 해당한다. ④는 교술 갈래에 해당하는 설명이다.

2 이 시는 각 연을 '-ㅂ니다'로 종결하고, 2연을 6연에서 변형하여 반복하는 방법을 활용해 겉으로 드러나지 않는 운율을 형성하고 있다. 일정한 글자 수를 반복하는 부분은 찾을 수 없다.

오답 풀이
① 달, 구름, 하늘 등의 자연물을 활용하여 화자의 정서를 드러내었다.
③ 우물을 들여다보다가 돌아가는 행위를 반복하는 모습을 통해 화자의 정서 변화를 표현하였다.
④ 우물 속에 보이는 달, 구름, 하늘, 바람 등의 자연물을 나열하여 자연의 아름답고 평화로운 모습을 나타내었다.
⑤ '파아란 바람'에서 촉각을 시각화한 공감각적 이미지를 활용하였다.

3 3연의 '미워져 돌아갑니다'에서는 '미움'이, 4연의 '가엾어집니다'에서는 '연민'이, 5연의 '미워져~그리워집니다'에서는 '미움'과 '그리움'이 순서대로 제시되고 있다. 따라서 '미움-연민-미움-그리움'의 순서가 가장 적절하다.

4 이 시에서 '우물'은 자기 자신을 비추어 볼 수 있다는 점에서 자아 성찰의 매개체 역할을 한다. '사나이'는 화자가 우물에 비친 자신의 모습을 객관화하여 나타낸 표현이다.

이것만은 꼭! '우물'의 기능

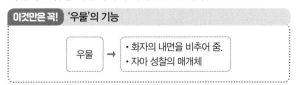

우물 → • 화자의 내면을 비추어 줌.
　　　 • 자아 성찰의 매개체

5~7 이옥설 _이규보

해제 이 글은 글쓴이가 퇴락한 행랑채를 수리한 경험에서 얻은 깨달음을 통해 삶의 태도와 정치에 대한 교훈을 이끌어 내고 있는 고전 수필[설(說)]이다. 이 글은 일상적 체험을 먼저 서술하고 그로부터 깨달음을 이끌어 내는 구성으로 되어 있는데, 이는 교술 갈래에서 가장 흔히 볼 수 있는 내용 구성 방식이기도 하다. 1, 2문단에서 글쓴이는 비가 새는 것을 알고도 내버려 둔 행랑채와 비가 새는 것을 알자마자 바로 수리한 행랑채를 비교하며, 잘못을 알고도 고치지 않았을 때의 폐해가 얼마나 큰지를 설득력 있게 말하고 있다. 이어 3문단에서 유추를 통해 집과 마찬가지로 사람의 잘못된 버릇, 습관도 바로 고쳐야 온전한 사람이 될 수 있음을 이야기하고, 나아가 4문단에서는 깨달음을 정치 현실에 확대·적용하여 백성을 위해 늦지 않게 개혁해 정치를 바로 세워야 함을 제시하고 있다. 일상적 경험에서 얻은 깨달음에서 점차 의미를 확장해 가는 구성을 통해 정치 개혁이라는 다소 무거운 제재를 독자들이 자연스럽게 받아들일 수 있게 하였다.

핵심 정리
- **갈래** 고전 수필, 한문 수필, 설(說)
- **성격** 교훈적, 경험적, 유추적, 비판적
- **제재** 집을 수리한 경험
- **주제** 잘못을 알고 빨리 고치는 일의 중요성
- **특징**
  ① '경험(사실) + 깨달음(교훈)'의 2단 구성을 지님.
  ② 유추의 방법으로 사고를 확장하여 전개함.
- **짜임**

경험	행랑채 수리를 미루었다가 하느라 경비가 많이 듦.

↓ 경험의 확장, 유추적 적용

깨달음	사람도 잘못을 제때 고쳐야 좋은 사람이 될 수 있음.
	정치도 제때 개혁해야 나라를 붙잡아 일으킬 수 있음.

5 글쓴이는 퇴락한 행랑채를 수리한 경험을 사람과 정치에 확대·적용하면서, 사람은 잘못된 습관을 바로 고쳐야 좋은 사람이 될 수 있고, 잘못된 정치를 개혁하는 일 역시 머뭇거리지 말고 바로 행해야 한다는 교훈을 독자에게 전달하고 있다.

오답 풀이
③ 글쓴이가 경험에서 알게 된 내용이기는 하나, 글쓴이가 독자에게 궁극적으로 전달하고자 하는 내용은 이를 사람과 정치에 적용하여 전달하고 있는 교훈의 내용이다.

6 [A]는 (가), (나), [B]는 (다), [C]는 (라)에 해당한다. 글쓴이는 (다)에서 사람이 잘못을 알고 바로 고치지 않는다면 패망할 것이며, 잘못을 알고 빨리 고친다면 다시 좋은 사람이 될 수 있다고 하였다. ④와 같은 내용은 찾을 수 없다.

7 '호미로 막을 것을 가래로 막는다'는 '적은 힘을 들여서 해결할 수 있는 일의 기회를 놓쳐 큰 힘을 들이게 됨.'을 뜻하는 속담으로, 행랑채를 제때 수리하지 않고 미루어 더 많은 비용이 든 (나)의 상황을 나타내기에 적절하다.

오답 풀이
① 손바닥으로 넓은 하늘을 가린다는 뜻으로, 불리한 상황에 대하여 임기응변식으로 대처함을 이르는 말이다.
② 강한 자들끼리 싸우는 통에 아무 상관도 없는 약한 자가 중간에 끼어 피해를 입게 됨을 비유적으로 이르는 말이다.

③ 남이 한다고 하니까 분별없이 덩달아 나서는 모양새나 제 분수나 처지는 생각하지 않고 잘난 사람을 덮어놓고 따름을 비유적으로 이르는 말이다.

④ 나쁜 일은 말리고 좋은 일은 권해야 함을 비유적으로 이르는 말이다.

1주 2일 필수 체크 전략 ①
BOOK 1 14~15쪽

|확인 문제| 1 ④   2 ④

1 이 시는 각 연의 마지막에서 '— 그곳이 차마 꿈엔들 잊힐 리 야.'라는 후렴구를 반복함으로써 시각적으로 연을 구분하고 운율을 형성하며 시 전체에 통일성을 부여하고 있다.

오답 풀이
① 울림소리는 'ㄴ, ㄹ, ㅁ, ㅇ'이나 모음을 의미하는데, 이 시에서 울림소리를 특별히 반복한 부분은 찾을 수 없다.

② 음성 상징어(의성어, 의태어)는 대체로 같은 음절이나 단어가 반복되는 경우가 많기 때문에 음성 상징어를 사용하면 운율을 형성할 수 있다. 그러나 제시된 부분에서 음성 상징어는 사용되지 않았다.

③ 'a-a-b-a' 구조란 '가시리(a) 가시리 잇고(a) / 버리고(b) 가시리 잇고(a)'나 '살어리(a) 살어리랏다(a) 청산에(b) 살어리랏다(a)'와 같이 시어 a가 반복되다가 어느 한 부분에서 b로 변화되어 나타나는 형태를 말한다. 이 시에는 이러한 구조가 드러나지 않는다.

2 '세상에서 가장 아름다운 상처(㉠)'는 시련을 겪은 후에 얻은 성숙한 사랑을 의미한다. 제시된 시의 '푸른 새싹(ⓓ)' 역시 묵은 사랑(과거의 사랑)이 벗겨지고 난 후 얻은 새로운 사랑을 의미하므로 ㉠과 가장 유사한 의미를 지닌다고 볼 수 있다.

1주 2일 필수 체크 전략 ②
BOOK 1 16~19쪽

01 ⑤   02 ③   03 ②   04 ⑤   05 ⑤   06 ①   07 ①
08 ⑤   09 ④   10 ⑤   11 ⑤   12 ⑤   13 믈(물)

01~03 향수 _정지용

해제 이 시는 가난하지만 평화로웠던 고향의 모습을 회상하며 고향에 대한 간절한 그리움을 노래한 작품이다. 각 연은 다양한 감각적 이미지를 활용하여

묘사한 고향의 풍경을 유기적 관련성 없이 병렬적으로 전개하고 있으며, 각 연의 끝에 반복되는 후렴구는 화자의 회상 속에 떠오른 고향의 정경에 대한 그리움의 정서를 집약하는 효과가 있다. '해설피', '함초롬'과 같이 참신하고 세련된 인상을 주는 시어와 '실개천', '얼룩백이 황소', '질화로', '짚베개'와 같은 토속적 정감을 주는 시어들을 사용해 고향에 대한 그리움을 형상화하고 있다.

핵심 정리
- **갈래** 자유시, 서정시, 현대 시
- **제재** 향수
- **주제** 고향에 대한 그리움
- **특징**
  ① 유사한 통사 구조를 반복함.
  ② 참신하고 선명한 감각적 이미지를 사용함.
  ③ 세련된 우리말과 향토적 느낌의 시어를 사용함.
  ④ 각 연을 유기적 관련성 없이 병렬적으로 제시함.
  ⑤ 후렴구를 반복하여 병렬적 구조를 형성하고 화자의 정서를 집약함.
- **짜임**

1연	실개천이 흐르고 얼룩백이 황소가 우는 정경	고향 마을의 정경	
2연	겨울밤의 정경과 늙은 아버지에 대한 회상	늙은 아버지	
3연	꿈 많던 어린 시절에 대한 회상	어린 '나'	그리움
4연	어린 누이와 아내의 모습 회상	어린 누이와 아내	
5연	가족들의 단란하고 정겨운 모습	가족들	

01 이 시의 각 연은 고향의 다양한 모습을 유기적 연관성 없이 병렬적으로 전개하고 있다.

오답 풀이
① 시각적, 청각적, 촉각적, 공감각적 심상을 사용하여 고향의 모습을 생생하고 다채롭게 형상화하고 있다.

② '실개천', '얼룩백이 황소', '질화로', '짚베개'와 같은 향토성이 짙은 소재와 시어들을 사용하고 있다.

③ '해설피('해가 질 무렵'이라는 해석과 '소리가 낮고 느리게'라는 해석이 있음.)', '함초롬(젖거나 서려 있는 모습이 가지런하고 차분한 모양)'과 같이 참신하고 정감 있는 우리말을 사용하고 있다.

④ 감각적 이미지를 사용해 고향의 풍경을 묘사함으로써 한 폭의 그림을 보는 것과 같은 회화적 분위기를 자아낸다.

02 '파아란 하늘빛(어린 시절의 꿈, 이상)이 그리워'라는 시구의 의미를 고려할 때 '함부로 쏜 화살'은 이상 세계에 대한 동경, 미지의 세계에 대한 호기심을 표현한 것으로 해석할 수 있다.

오답 풀이
① '금빛 게으른 울음'에서는 '울음소리(청각적 심상)'를 시각적 심상으로 전이하여 표현했다.

② '밤바람 소리 말을 달리고'에서 '밤바람 소리(청각적 심상)'를 시각적 심상(말을 달리는 모습)으로 전이하여 표현했다.

④ '따가운 햇살을 등에 지고 이삭 줍던 곳'에서는 촉각적 심상이 드러난다.

⑤ 별을 통해 시간적 배경을 드러내고 있으나 '성근 별'은 별이 듬성듬성 보이는 모습을 의미한다.

이것만은 꼭! 〈향수〉에 나타난 감각적 심상

감각적 심상	표현
시각적 심상	얼룩백이 황소, 파아란 하늘빛, 검은 귀밑머리 날리는, 성근 별, 흐릿한 불빛
청각적 심상	옛이야기 지줄대는 실개천, 서리 까마귀 우지짖고, 도란도란거리는
촉각적 심상	풀섶 이슬에 함초롬 휘적시던, 따가운 햇살을 등에 지고
공감각적 심상	금빛 게으른 울음, 밤바람 소리 말을 달리고

↓

효과	• 고향의 모습을 생생하고 다채롭게 형상화함. • 고향에 대한 추억과 향수를 불러일으킴.

03 '— 그곳이 차마 꿈엔들 잊힐 리야.(㉠)'는 후렴구로서 고향에 대한 화자의 그리움을 집약적으로 나타내면서 더욱 심화하는 역할을 한다. 따라서 ㉠이 화자의 감정을 절제하여(정도에 넘지 아니하도록 제한하여) 표현한다는 설명은 적절하지 않다.

이것만은 꼭! 〈향수〉의 후렴구의 역할

> '-그곳이 차마 꿈엔들 잊힐 리야.'

↓

① 각 연의 심상을 매듭지어 연과 연 사이를 구분함.
② 고향에 대한 화자의 정서를 집약적으로 제시함.
③ 동일한 시행이 반복되어 운율을 형성함.
④ 고향에 대한 화자의 그리움을 심화함.
⑤ 시 전체에 통일성을 부여함.

04~07 슬픔이 기쁨에게 _정호승

해제 이 시는 '슬픔'이 '기쁨'에게 말을 건네는 방식으로 전개된다. '슬픔'은 소외된 약자의 아픔에 공감할 줄 아는 이타적 존재, '기쁨'은 자신만을 소중하게 여기는 이기적 존재이다. 이러한 '기쁨'에게 '슬픔'은 슬픔을 주겠다고 한다. 자신만을 소중하게 여기는 이기적인 사람들의 사랑보다, 타인의 고난과 시련에 관심을 갖는 슬픔이 오히려 더 큰 힘을 갖고 있기 때문이다. 시인은 이러한 독창적인 형상화 방식을 통해 독자들에게 이기적으로 살아왔던 삶을 반성하고 소외된 약자와 더불어 살아가자고 촉구하고 있다.

핵심 정리

• 갈래 자유시, 서정시, 현대 시
• 제재 소외된 자들의 슬픔
• 주제 소외된 자들의 슬픔에 대한 관심과 슬픔의 힘에 대한 각성 촉구
• 특징
① 상대방에게 말을 건네는 방식으로 시상을 전개함.
② '-겠다'를 반복하여 운율감을 형성하고 화자의 의지를 드러냄.
③ 슬픔과 기쁨에 새로운 의미를 부여하여 주제를 전달함.
• 짜임

1~6행	이기적인 '너'에게 전하는 슬픔의 평등함
7~14행	무관심한 '너'에게 전하고 싶은 기다림의 힘
15~19행	새로운 희망의 길을 여는 슬픔의 힘

04 '슬픔'이라는 화자와 '기쁨'이라는 청자가 설정되어 있지만 둘이 대화를 나누지는 않고 슬픔이 기쁨에게 말을 건네는 형식으로만 시상이 전개되고 있다.

오답 풀이

① '슬픔'과 '기쁨'이라는 추상적 개념을 의인화하고 있다.
② '주겠다', '멈추겠다', '걷겠다', '걸어가겠다'에서 '-겠다'를 반복하여 운율감을 형성하고 있다.
③ '슬픔'과 '기쁨'이라는 대립적 이미지를 제시하여 주제를 효과적으로 드러내고 있다.
④ 화자는 '슬픔의 힘에 대한 이야기를 하며 / 기다림의 슬픔까지 걸어가겠다.'라면서 '너'가 진정한 슬픔의 의미를 깨달을 때까지 함께하겠다는 의지를 드러내고 있다.

이것만은 꼭! 〈슬픔이 기쁨에게〉의 시상 전개 방식

■ '슬픔'과 '기쁨'의 대립적 이미지 제시

슬픔		기쁨
• '나', 화자 • 이타적인 존재 • 소외된 이웃과 더불어 살아가고자 하는 따뜻한 마음을 지님.	↔	• '너', 청자 • 이기적인 존재 • 사회적 약자에게 무관심하고 자신의 이익만을 생각함.

• 이기적인 삶의 태도를 비판하고, 타인의 아픔에 공감하며 더불어 사는 삶을 추구하자는 교훈적 주제를 전달함.
• 화자('슬픔')가 청자('기쁨')에게 말을 건네는 형식을 취함.
→ 소외된 이웃에 대한 청자의 무관심과 이기심을 비판하고, 나아가 청자에게 깨달음을 주고 청자와 함께하겠다는 의지를 드러냄.

05 함박눈은 일반적으로 대상을 감싸는 포근하고 따뜻한 긍정적 이미지를 드러내는 시어로 사용되지만, 이 시에서는 '가진 자들이 누릴 수 있는 행복, 또는 소외된 자들의 시련'이라는 부정적 의미로 사용되고 있다.

이것만은 꼭! 〈슬픔이 기쁨에게〉 시어의 상징적 의미

시어	상징적 의미
할머니, 동사자	주변의 관심을 받지 못하는 소외된 이웃
가마니 한 장	이웃에 대한 최소한의 관심
함박눈	약자에게는 고통, 강자에게는 기쁨을 주는 존재
봄눈	가난하고 소외된 약자를 감싸는 존재

06 '사랑보다 소중한 슬픔(ⓐ)'은 겉으로 드러난 모순된 표현 속에 진실을 담고 있는 역설적 표현이 사용된 부분이다. ①에도 역설법이 사용되었다.

오답 풀이

② 열거법, ③ 대유법, ④, ⑤ 의인법이 사용되었다.

07 〈보기〉의 화자는 삶이란 나 아닌 누군가에게 연탄 한 장이 되는 것, 즉 자기 자신보다는 타인을 위해 희생하는 것이라는 생각을 드러내고 있다. 즉, 이 시와 〈보기〉는 모두 이타적인 삶의

자세를 제시하고 있다.

오답 풀이

② 이 시는 '너(기쁨)'라는 구체적 청자를 설정하였으나 〈보기〉는 청자를 설정하지 않은 독백적 어조가 나타난다.

③ 이 시는 슬픔과 기쁨을 의인화하여 표현하였으나, 〈보기〉에는 의인법이 사용되지 않았다.

④ 이 시는 '겨울밤 거리에서 귤 몇 개 놓고 / 살아온 추위와 떨고 있는 할머니', '가마니에 덮인 동사자가 다시 얼어 죽을 때' 등에서 비정한 현실에 대한 부정적 인식이 드러나나 〈보기〉에서는 현실에 대한 부정적 인식이 나타나지 않는다.

⑤ 〈보기〉는 '연탄 한 장'이라는 구체적 사물에 '타인을 위해 희생하는 삶'이라는 의미를 부여하고 있다. 이 시도 '가마니 한 장, 함박눈, 봄눈' 등과 같은 구체적 사물에 상징적 의미를 부여하고 있다.

08~09 비 _정지용

해제 이 시는 어느 가을날 비가 내리기 직전부터 비가 본격적으로 내리기까지의 모습을 시간 순서에 따라 감각적으로 그려 내고 있다. 8연으로 구성된 이 시는 두 연씩 짝을 이루어 모두 네 개의 장면을 보여 준다. 1, 2연은 비가 내리기 직전 먹구름이 끼고 바람이 부는 모습, 3, 4연은 빗방울이 떨어지기 시작하는 모습, 5, 6연은 빗줄기가 모여 흘러가는 모습, 7, 8연은 멈춘 듯하다가 다시 쏟아지는 비의 모습을 그리고 있다. 이 시의 화자는 이러한 정경을 섬세하게 묘사만 하고 있을 뿐 그 어떤 감정도 드러내고 있지 않은데, 이 때문에 독자는 마치 풍경만 덩그렇게 제시된 한 폭의 산수화를 보는 듯한 느낌을 받게 된다.

핵심 정리

• 갈래 자유시, 서정시, 현대 시
• 제재 비
• 주제 비 오는 날의 정경
• 특징
  ① 시간의 흐름에 따라 시상을 전개함.
  ② 대상의 변화와 시선의 이동이 나타남.
  ③ 짧은 시행과 연으로 구성되어 여백의 미를 줌.
  ④ 감각적 심상(청각, 시각)을 활용해 선명한 인상을 줌.
  ⑤ 주관적인 감정을 배제하고 자연 현상만을 비유적으로 묘사함.
• 짜임

1~2연	비가 내리기 직전의 모습
3~4연	빗방울이 떨어지기 시작하는 모습
5~6연	빗물이 모여 여울이 되어 흘러가는 모습
7~8연	빗방울이 단풍잎에 떨어지는 모습

08 이 시의 화자는 비가 내리는 모습을 섬세하게 묘사만 하고 있을 뿐 그 어떤 정서도 드러내고 있지 않다.

09 '여울지어 / 수척한 흰 물살'은 여울을 이루어 가늘게 흘러가는 빗줄기를 수척하다(몹시 야위고 마른 듯하다)고 표현한 부분으로, 시각적 심상이 두드러진다.

오답 풀이

③ 이 시의 3, 4연은 산새의 모습을 묘사한 것으로 볼 수도 있지만, 빗방울이 튀는 모습을 산새의 모습에 비유하여 표현한 것으로 해석할 수도 있다. 후자의 경우라면 화자가 실제로 바라보고 있는 대상은 '산새'가 아니라 '빗방울'이다.

10~13 별 헤는 밤 _윤동주

해제 이 시는 전체 10연으로 이루어져 있는데, 크게 네 부분으로 나눌 수 있다. 첫 번째 부분(1~3연)은 별이 총총한 가을밤을 배경으로 마음속에 떠오르는 생각들을 더듬는 한 젊은이의 모습을 제시하고 있다. 두 번째 부분(4~7연)은 별을 하나하나 헤아리며 아름다운 어린 시절을 회상하고 이에 대한 애틋한 그리움을 구체적으로 형상화하고 있다. 특히 4연과 5연은 어조와 리듬의 변화를 통해 이들에 대한 간절한 그리움을 인상적으로 전달하고 있다. 세 번째 부분(8~9연)은 시적 화자의 자신을 성찰하는 모습을 보여 준다. 자신의 이름을 '별빛'이 내린 '언덕' 위에 써 보고 흙으로 덮어 버리는 시적 화자의 행위는, 외롭고 고통스러운 현재의 시대 상황 속에 서 있는 자기 자신의 부끄러운 모습을 확인하고 그것을 이겨 내려는 갈등을 암시한다. 네 번째 부분(10연)은 지금까지 고통과 시련의 겨울처럼 시대적 아픔과 갈등의 어두운 세계 속에서 고뇌를 거듭했던 시적 화자가 새로운 미래에 대한 희망과 의지를 다짐하는 모습을 보여 주고 있다.

핵심 정리

• 갈래 자유시, 서정시, 현대 시
• 제재 별
• 주제 아름다운 과거에 대한 추억과 그리움, 자기 성찰
• 특징
  ① 상징적 시어를 사용하여 정서를 드러냄.
  ② 산문적 리듬을 드러내는 연을 삽입하여 운율의 변화를 줌.
  ③ 경어체 서술형 어미 '-ㅂ니다'를 반복 사용하여 시상을 전개함.
  ④ 객관적 상관물인 '벌레'에 감정을 이입하여 화자의 정서를 드러냄.
  ⑤ 어머니에게 말을 건네는 어조를 사용하여 애틋한 서정을 섬세하게 드러냄.
  ⑥ 가을 → 겨울 → 봄의 계절 변화가 과거(그리움) → 현재(반성) → 미래(희망)로 이어지면서 시상이 전개됨.
• 짜임

1연	계절적 배경(가을) 제시
2연	별을 바라보는 화자
3연	별을 다 세지 못하는 이유들
4연	별을 보며 떠오른 상념들
5연	아름다운 과거에 대한 그리움(4연의 상념이 구체화됨.)
6연	너무 멀리 떨어져 있는 추억 속의 존재들에 대한 그리움
7연	어머니에 대한 그리움
8연	자신의 존재에 대한 자각과 반성(이상과 현실의 괴리에서 오는 부끄러움)
9연	무기력한 자아에 대한 반성과 성찰
10연	새로운 미래에 대한 희망과 의지

10 10연의 '그러나'에서는 시상이 전환되는데, 8~9연에서 자아를 성찰하며 부끄러워하는 태도를 보이던 화자는 10연에 이르러 미래에 대한 희망, 현실 극복 의지를 드러내고 있다.

11 '별'은 화자가 과거를 회상하게 하는 매개체이며, '추억, 사랑, 쓸쓸함, 동경, 시' 등 화자가 지향하는 내적 세계를 의미한다. 또한 '어머니'와 그가 동경하는 '시인'과 같이 화자에게서 멀리 떨어져 있는 존재이기도 하다. 즉, 어둠 속에 아름답게 반짝이지만 닿을 수 없는 거리에 있는 대상으로 해석할 수 있다.

12 10연 2행의 '파란 잔디(ⓒ)'와 4행의 '풀'은 죽음과 절망의 이미지를 지닌 '무덤'과 대비되는 의미를 지니는 긍정적인 시어로, 부활과 재생을 의미한다고 볼 수 있다.

13 이 시의 화자는 현재 자신의 무기력한 삶에 대한 부끄러움을 '벌레'에 감정 이입하여 표현하고 있다. 〈보기〉의 화자 역시 임과 이별한 후의 괴로운 마음을 '들(시냇물)'에 이입하여 표현하고 있다.

> **배경지식 +** 객관적 상관물의 유형
>
> ① **화자의 대리물**: 화자의 심정이나 정서, 상태를 화자 대신 표현하는 사물
> ② **정서 자극물**: 화자의 정서를 불러일으키거나 심화하는 사물. 화자와 비슷한 처지에 있는 사물뿐만 아니라 화자와 대조되는 처지에 있는 사물도 정서 자극물로 쓰임.
> ③ **감정 이입물**: 화자가 자신과 동일시하는 사물

1주 3일 필수 체크 전략 ①
BOOK 1 20~21쪽

| 확인 문제 | 1 ② | 2 ⑤

1 '내 밭을 지고~있겠는가?', '내 집을 지고~있겠는가?'에서 설의적 표현으로 밭이나 집과 같은 것은 지킬 필요가 없는 대상임을 강조하고 있다. 또한 '그러니~지켜야 하지 않겠는가?'에서도 철저하게 수양하여 '나'를 지켜야 함을 설의적 표현으로 강조하고 있다.

2 할아버지가 불편한 몸으로 물통을 나르느라 물을 흘려 젖은 길을 보고, 글쓴이는 그보다 더 아름다운 길을 별로 보지 못했다고 말한다. 이는 그 길에서 생명을 소중히 여기는 할아버지의 마음을 느꼈기 때문이라고 볼 수 있다.

1주 3일 필수 체크 전략 ②
BOOK 1 22~25쪽

| 01 ⑤ | 02 ⑤ | 03 ② | 04 ② | 05 ④ | 06 ⑤ | 07 ⑤ |
| 08 ② | 09 ④ | 10 ⑤ |

01~04 통곡할 만한 자리 _박지원

해제 이 글은 연암 박지원이 중국을 여행하고 쓴 기행문 《열하일기》 중의 한 편으로, 참신한 발상과 비유적 표현이 뛰어난 작품이다. 특히 광활한 요동 벌판을 보고서 일반 사람들처럼 감탄하기보다는 통곡하기 좋은 곳이라 하는 발상의 전환이 돋보인다. 북학파였던 연암의 학문 세계와 가치관, 《열하일기》가 담고 있는 주제 의식 등을 고려할 때, 이 '통곡'은 폐쇄적인 조선에서 벗어나 앞선 문물을 지닌 청나라에 당도한 감격을 비유한 것으로 볼 수 있다. 이 작품은 경치에 대한 묘사보다는 작가의 주장이 주를 이루는데, '기-승-전-결'의 4단 구성과 정 진사의 물음에 작가가 답변하는 문답 구조를 통해 이를 효과적으로 전달하고 있다.

핵심 정리

- **갈래** 한문 수필, 고전 수필, 기행 수필
- **제재** 광활한 요동 벌판
- **주제** 광활한 요동 벌판을 보며 느끼는 감회

- **특징**
① 일반적인 통념을 깨뜨리는 창의적인 발상이 돋보임.
② 적절한 비유와 구체적인 예시로 대상을 실감 나게 표현함.
③ 문답에 의한 구성 방식을 통해 주장을 논리적으로 전개함.
- **짜임**

기		글쓴이가 요동 벌판을 보고 '한바탕 통곡하기 좋은 곳'이라고 말함.
승	문	정 진사가 글쓴이에게 통곡하기 좋은 곳이라고 말한 까닭을 물음.
	답	사람은 '기쁨, 분노, 슬픔, 즐거움, 사랑, 미움, 욕심'의 칠정(七情), 즉 모든 감정이 극에 달하면 울게 된다고 답함.
전	문	정 진사가 칠정 가운데 어느 정에 감동을 받아 울어야 하느냐고 물음.
	답	갓난아이의 울음과 같이 넓은 곳에 처한 기쁨과 즐거움으로 울면 된다고 답함.
결		요동 벌판의 광활함을 다시 한번 확인하고, 이어지는 여정과 백탑에 대한 감상을 밝힘.

01 광활한 요동 벌판을 보고 일반 사람들처럼 감탄하기보다는 통곡하기 좋은 곳이라 하고, 갓난아기가 우는 이유는 넓은 세상에 나온 것이 기쁘기 때문이라고 하는 등 통념을 벗어나는 참신한 발상이 드러나기는 하나, 부정적 현실을 긍정적으로 인식하는 모습은 나타나지 않는다.

> **이것만은 꼭!** 〈통곡할 만한 자리〉에 드러난 작가의 개성
>
> | 창의적 발상 | 드넓은 요동 벌판에 대한 일반적인 통념(감탄의 대상)을 깨고, 자신만의 개성을 살린 새로운 해석(통곡할 만한 자리)을 제시함. |
> |---|---|
> | 참신한 비유 | 좁은 조선에서 나와 광활한 벌판을 보고 통곡하는 자신을 어미 태에서 나와 한없이 울어대는 아기에 비유함. |
> | 문답의 방식 | 질문하고 대답하는 형식을 빌어 글쓴이의 생각을 논리적으로 전달함. |

02 정 진사가 칠정 중에 어느 것에 감동을 받아 울어야 할지를 문자 글쓴이는 갓난아기의 참소리를 본받아서 캄캄하고 좁은 곳에 있다가 넓은 곳으로 나와 느끼는 즐거움과 기쁨의 정으로 울면 된다고 하였다.

오답 풀이

② '막히고 억눌린 마음을 시원하게 풀어 버리는 데에는 소리를 지르는 것보다 더 빠른 방법이 없네.'라는 글쓴이의 말에서 울음을 통해 감정을 정화할 수 있다는 생각을 찾을 수 있다.

③ '통곡 소리는 천지간에 우레와 같아 지극한 감정에서 터져 나오고, 터져 나온 소리는 사리에 절실할 것이니 웃음소리와 뭐가 다르겠는가?'에서 지극한 감정에서 터져 나온 통곡은 웃음소리와 다를 바가 없다고 생각함을 알 수 있다.

④ '갓난아이는 태어나 처음으로 해와 달을 보고, 다음에 부모와 앞에 꽉 찬 친척들을 보고 즐거워하고 기뻐하지 않을 수 없을 것이네.'라고 한 데서 갓난아이가 태어나 우는 것이 기뻐서 우는 것이라 생각하는 글쓴이의 관점을 알 수 있다.

이것만은 꼭! 〈통곡할 만한 자리〉에 나타난 대상을 바라보는 관점 차이

작가		정 진사(일반 사람)
한바탕 울고 싶음.	요동 벌판 →	감탄함.
어떤 감정이 극에 달할 때 터져 나옴.	울음 →	슬픔을 느낄 때 나옴.
창의적·개성적	발상 →	일반적·보편적

03 제시된 글을 참고할 때, 캄캄하고 좁은 '태중(㉠)'에 있던 아기가 '넓은 곳(㉡)'으로 나와 느끼는 즐거움과 기쁨의 정으로 우는 것은, 작가가 폐쇄적인 조선 사회에서 벗어나 새로운 문물을 접할 수 있는 청나라를 만난 감동을 표현한 것이라고 해석할 수 있다.

배경지식⁺ 《열하일기》

《열하일기》는 박지원이 1780년(정조 4년) 5월 25일 청나라 건륭제의 칠순 잔치에 참석하기 위해 떠나는 정사 박명원의 자제군관으로 압록강을 건너 요동 및 북경을 거쳐 건륭제의 피서지인 열하를 여행하고, 10월 27일 서울에 도착하기까지 약 5개월 동안의 체험을 적은 기행 문체의 수필집이다. 중국과 만주 지방에 대한 견문과 중국 문인들과의 교유 등을 통해 느끼고 생각한 바를 날짜 순서에 따라 항목별로 정리하여, 1~7권은 여행 경로를, 8~26권은 보고 들은 것을 한 가지씩 자세히 기록했다. 발표 당시 고문파들로부터 많은 비난을 받기도 했으나, 중국의 신문물을 서술하고 그 곳의 실학사상을 자세히 소개했다는 점에서 의의가 크다.

04 ⓐ에서 글쓴이는 광활한 요동 벌판을 보며 지극한 기쁨과 즐거움을 느끼고 있다. 이와 어울리는 사자성어로 '호연지기(마음이 하늘과 땅 사이를 가득 채울 만큼 커서 어떠한 일에도 굴하지 않고 맞설 수 있는 당당한 기개를 뜻함.)'를 들 수 있다.

오답 풀이
① 인생무상(人生無常): 인생이 덧없음.
③ 기고만장(氣高萬丈): 펄펄 뛸 만큼 대단히 성이 남. 일이 뜻대로 잘될 때, 우쭐하여 뽐내는 기세가 대단함.
④ 군계일학(群鷄一鶴): 닭의 무리 가운데에서 한 마리의 학이란 뜻으로, 많은 사람 가운데서 뛰어난 인물을 이르는 말.
⑤ 물아일체(物我一體): 외물(外物)과 자아, 객관과 주관, 또는 물질계와 정신계가 어울려 하나가 됨.

05~08 보지 못한 폭포 _김창협

해제 이 작품은 폭포를 구경하러 갔다가 보지 못하고 헛걸음한 글쓴이의 경험과 그 과정에서 얻은 깨달음을 적은 수필이다. 글쓴이가 기이한 폭포가 있다는 마을 사람의 말을 듣고 길을 나섰다가 찾지 못하고 돌아오는 여정에 따라 내용이 전개되고 있다. 폭포 보기를 포기하고 돌아와 진짜 폭포가 위에 있었음을 듣고 안타까워하면서도 뒷날의 유람할 거리로 삼는 글쓴이의 긍정적인 모습이 나타난다.

핵심 정리
• 갈래 고전 수필, 기행 수필

- 제재 보지 못한 폭포
- 주제 폭포를 보지 못하고 돌아온 경험과 그에 대한 감상
- 특징
  ① 폭포를 구경하러 갔다가 끝내 보지 못하고 돌아온 일을 시간 순서에 따라 씀.
  ② 경험과 그로부터 얻은 감상 및 깨달음을 함께 밝힘.
- 짜임

경험	• 기이하다는 폭포를 구경하기 위해 아우들과 함께 출발함. • 골짜기 어귀에서 노인에게 말을 묻고 골짜기 안의 경치에 감탄함. • 폭포로 가는 길을 잃고 헤매다가 결국 폭포를 보지 못함. • 폭포를 보았다는 아우로부터 폭포가 보잘것없다는 말을 듣고 산을 내려옴.
감상	• 폭포를 보지 못한 것이 안타까우면서도 아직 보지 못한 진짜 폭포가 있다는 사실에 기쁨과 여운을 느낌.

05 작가가 자신의 대리인인 화자나 서술자를 내세워 내용을 전달하는 것은 시 또는 소설이다. 이 글은 글쓴이 자신이 직접 겪은 사실이나 경험, 생각을 이야기하는 수필이다.

06 이 글은 어떤 사건이 일어난 원인을 찾아 가는 방식이 아니라 자신의 경험, 즉 폭포를 구경하러 갔다가 보지 못하고 온 일을 이야기하고, 그 경험에서 얻은 느낌과 깨달음을 서술하는 방식으로 내용이 전개되고 있다.

오답 풀이
①, ④ 폭포를 구경하러 갔으나 보지 못하고 돌아온 경험에서 얻은 깨달음을 간결한 문장으로 담담하게 서술하고 있다.
② 폭포를 찾으러 가는 여정(집→골짜기 어귀→골짜기 안→하산)에 따라 공간을 이동하며 내용을 전개하고 있다.
③ 이 글은 여행의 과정인 '여정', 폭포를 찾아가는 중에 보고 들은 '견문', 마음속에서 떠오른 생각이나 느낌인 '감상'을 중심으로 하는 기행 수필이다.

07 글쓴이는 산등성이를 따라 끝까지 올라가지 않았다. (나)에서 산등성이를 따라 올라가고 있었으나, (다)에서 자익의 말을 듣고 가던 길을 멈추고 돌아오게 되어 진짜 폭포를 보지 못한 것이다.

08 글쓴이는 자신이 가다가 멈추고 돌아온 길(산등성이를 따라 올라가던 길)이 바른 길이었음을 알고 안타까워하고 있다. 즉, 가던 길로 계속 나아가지 못한 것을 아쉬워하고 있는 것이다.

오답 풀이
① 글쓴이는 산등성이를 따라 올라가는 바른 길로 가고 있었으므로, 처음부터 잘못된 길로 들어선 것은 아니다.
③ '아닙니다. 그 위에 진짜 폭포가 있습니다.'라는 노인의 말에서, 노인이 제대로 된 길을 알려 주었음을 알 수 있다.
④ 폭포는 현실에 실제로 존재하는 대상이다.
⑤ 글쓴이는 (나)에서 '마치 신기한 것이 있을 것만 같은지라 마음이 몹시 즐거웠다.'라며 그윽하고 은은한 골짜기의 경치를 즐겼다.

해제 이 글은 글쓴이가 소년 시절부터 학창 시절과 군대를 거치며 경험한 라면에 얽힌 추억들을 회상하면서 쓴 수필이다. 글쓴이는 먼저 처음 라면을 먹었던 때의 강렬한 기억을 바탕으로 계속 라면 맛에 빠져들었던 일화들을 서술한 후, 과거의 라면 맛을 다시 느껴 보기 위한 현재의 노력을 나열하고 있다. 그러나 그때의 맛은 찾지 못하고, 자신이 되찾고 싶던 것은 과거의 라면 맛이 아니라 이제는 되돌아갈 수 없기에 더욱 소중한 소년 시절의 추억임을 깨닫는다.

핵심 정리 --
• 갈래 현대 수필, 경수필
• 제재 라면
• 주제 라면에 얽힌 소년 시절의 추억과 그 시절에 대한 그리움
• 특징
① 체험한 사실을 시간의 흐름에 따라 서술함.
② 일상적인 소재를 사용하여 과거의 추억을 그려 냄.
• 짜임

시기	라면의 맛
초등학교 때	• 기존의 질서에서 살짝 일탈한 위반의 맛 • 인스턴트하고 중독의 예감을 안겨 주는 맛
중학교 때	시골에서 먹던 것보다 짜고, 더욱 인스턴트하고 냄새가 강한 맛
고등학교 때	도서관에 남아 공부를 하려고 라면을 먹는지, 라면을 먹으려고 도서관에 남아 있는지 모를 지경의 맛
군대에 있을 때 (생략된 부분)	수천 명이 이용하는 취사도구를 계급도 없는 훈련병이 독점한 기분을 주는 잊을 수 없는 특별한 맛

↕

| 어른이 된 현재 | '나'가 되찾고 싶은 것은 과거의 라면의 맛이 아니라, 이제는 돌아갈 수 없어서 더 아름답고 그리운 소년 시절임을 깨달음. |

09 글쓴이는 과거 순수했던 소년 시절에 먹었던 라면의 맛을 어른이 된 오늘날에는 되찾을 수 없음을 아쉬워하고 있을 뿐, 오늘날의 사회 현실을 부정적으로 묘사하고 있지 않다.

오답 풀이
① 다시는 돌아갈 수 없는 순수했던 소년 시절에 대한 그리움과 아쉬움의 정서가 드러난다.
②, ⑤ '초등학교 때–중학교 때–고등학교 때–어른이 된 현재'의 시간 순서에 따라 라면을 먹은 경험과 그때의 느낌을 나열하고 있다.
③ 글쓴이는 라면을 매개로 어린 시절을 회상하고 있다.

10 글쓴이는 ㉤에서 자신이 되찾고 싶어 한 것은 라면의 맛이 아니라 꿈과 희망을 지녔던 순수했던 소년 시절이었다는 깨달음을 전하고 있다. 후회하는 심리는 드러나지 않는다.

 4일 교과서 대표 전략 ① BOOK 1 26~29쪽

|대표 예제|**01** ⑤　　**02** ③　　**03** ㉠은 첫사랑의 아픔을 겪은 뒤 얻은 성숙한 사랑을 의미하는 역설적 표현이다. **04** ⑤
05 ⑤　　　　　**06** ②　　　　　**07** ⑤　　　　**08** ③
09 ③　　　　　**10** ⑤

해제 이 시는 사랑의 아름다운 결실을 맺기 위해서는 한 대상에 대한 오롯한 인내와 헌신이 필요함을 눈을 소재로 표현한 작품이다. 눈은 나뭇가지에 눈꽃을 피우기 위한 도전을 멈추지 않는다(1연). 눈은 그 과정에서 시련도 겪는다(2연). 눈은 헌신을 다하여 마침내 눈꽃이라는 결실을 맺는다(3연). 봄이 오면 눈은 흔적조차 찾을 수 없게 되지만, 나뭇가지는 눈의 마음을 기억하고 눈꽃을 맺었던 그 자리에 봄꽃을 피워 낸다(4연). 눈의 헌신적인 사랑으로 나뭇가지는 보다 성숙한 사랑을 이룰 수 있게 된 것이다.

핵심 정리 --
• 갈래 자유시, 서정시, 현대 시
• 제재 눈꽃
• 주제 아름다운 사랑을 위한 시련과 고난, 헌신의 의미
• 특징
① 역설적 표현으로 대상이 지닌 속성을 드러냄.
② 한겨울 나뭇가지에 눈꽃이 피고, 그 나뭇가지에 봄이 되어 다시 꽃이 피는 자연 현상에서 사랑의 의미를 발견함.
• 짜임

1연	눈꽃을 피우기 위해 도전을 멈추지 않는 눈의 모습
2연	눈이 눈꽃을 피우기 위해 겪는 시련
3연	마침내 피워 낸 눈꽃
4연	눈꽃이 있던 자리에 피우는 새로운 결실

01 이 글은 현대 시로, 서정 갈래에 해당한다. 갈등을 중심으로 내용이 전개되는 것은 서사 갈래와 극 갈래이다.

02 ㄱ. '눈은 얼마나 많은 도전을 멈추지 않았으랴'에서 의문형 문장을 활용하는 설의적 표현으로 의미를 강조하고 있다.
ㄴ. 눈이 '도전을 멈추지 않았'다고 의인화하여 표현하고 있다.
ㄹ. '싸그락'과 같은 음성 상징어를 활용하여 사랑을 이루기 위해 노력하는 눈의 모습을 감각적으로 표현하였다.

오답 풀이
ㄷ. 이 시에는 특별한 청자가 없으며, 말을 주고받는 방식 또한 사용되지 않았다.

03 봄이 오면 나뭇가지와 눈의 사랑은 끝나지만 나뭇가지는 눈의 노력과 헌신을 기억하고, 눈꽃이 맺혔던 그 자리에 봄꽃을 피워 낸다. '눈꽃'이 첫사랑을 비유한다고 볼 때 ㉠은 첫사랑이 끝난 뒤 이별의 경험을 통해 얻은 더욱 성숙한 사랑을 의미한다고 볼 수 있다. ㉠은 표면적으로 모순이 되는 '아름다운'과 '상처'를 함께 제시으로써 이러한 사랑의 속성을 효과적으로 형상화하고 있다.

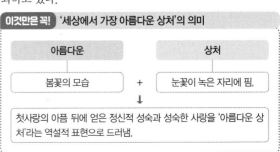

이것만은 꼭! '세상에서 가장 아름다운 상처'의 의미

아름다운	상처
봄꽃의 모습	눈꽃이 녹은 자리에 핌.

↓

첫사랑의 아픔 뒤에 얻은 정신적 성숙과 성숙한 사랑을 '아름다운 상처'라는 역설적 표현으로 드러냄.

04~06 아침 이미지 1 _박남수

해제 이 시에서 시인은 어둠과 아침이라는 일상적인 대상을 주제로 그 이미지를 구체적으로 그려 아침의 생동감 넘치는 풍경을 표현하고 있다. 일반적으로 '어둠'은 시련이나 고통 등의 부정적 의미를 지니지만 이 시에서는 생명을 잉태한 건강한 이미지이다. 아침이 되어 빛 가운데 드러난 세상의 만물들은 어둠이 낳은 것으로, 태양의 축복을 받으며 즐겁고, 힘차고, 기쁨에 넘치는 모습을 보이고 있다.

핵심 정리

• **갈래** 자유시, 서정시, 현대 시
• **제재** 아침 이미지
• **주제** 즐겁고 생동감 넘치는 아침의 이미지
• **특징**
  ① 시간의 흐름에 따라 시상이 전개됨.
  ② 아침을 맞는 물상들의 모습을 감각적으로 형상화함.
• **짜임**

1~2행	만물을 잉태하고 있는 어둠의 잠재력
3~5행	어둠의 소멸 및 물상의 움직임
6~10행	밝게 빛나는 태양과 활기찬 물상들의 모습
11~12행	아침마다 새롭게 태어나는 세상의 신비로움

04 이 시에는 대립하는 관계에 있는 시어가 사용되지 않았다. '어둠'과 '아침'의 이미지가 대립되는 듯이 보일 수도 있지만, '어둠'은 생명을 잉태한 존재이고, '아침'은 물상들이 활기차게 움직이는 시간으로, 두 시어 모두 생명을 품고 움직이게 하는 긍정적인 이미지를 지니고 있다.

오답 풀이
① 밤에서 아침이 되기까지 시간의 흐름에 따라 시상이 전개되고 있다.
② 1~2행을 행간 걸침으로 배치하고 있는데, '낳고'를 2행의 첫 어절로 배치함으로써 독자의 시선을 끌고 긴장감을 느끼게 하는 동시에 시적 의미를 강조하고 있다.
③ '어둠'과 '물상'을 살아 있는 생물인 것처럼 표현하여 아침의 생산적인 이미지를 강조하고 있다.
④ 시 전반에 시각적 심상이 드러나며, 10행의 '금(金)으로 타는 태양의 즐거운 울림'에서는 공감각적 심상(시각의 청각화)이 드러난다.

05 ㉢에서는 아침의 이미지를 '개벽(세상이 처음으로 생겨 열림.)'이라는 시어로 집약함으로써 늘 반복되는 일상적인 아침이 아닌, 하늘과 땅이 처음으로 열린 것과 같이 새롭고 신비로운 아침의 이미지를 표현하고 있다. 혼란스러운 모습을 표현했다는 설명은 적절하지 않다.

06 ⓐ에는 밝게 빛나는 태양의 모습(시각)을 '울림(청각)'으로 표현한 공감각적 심상이 사용되었다. '해 질 녘 울음이 타는 가을 강' 역시 저녁놀이 붉게 물든 강의 모습(시각)을 '울음(청각)'으로 표현한 공감각적 심상이 사용되었다.

오답 풀이
① '제삿날 큰집에 모이는 불빛'에는 시각적 심상이 사용되었다.
③ '산골 물소리'에는 청각적 심상이 사용되었다.
④ '사랑 끝에 생긴 울음'에는 청각적 심상이 사용되었다.

07~08 상기 _박지원

해제 이 글은 글쓴이의 코끼리를 본 경험을 바탕으로 만물의 변화를 열린 시각으로 인식해야 한다는 깨달음을 전하고 있는 고전 수필이다. 작가는 열하 행궁에서 코끼리를 보고 느낀 충격과 경이로움을 전한 후, 코끼리와 관련 지어 사람들의 보편적인 인식을 반박하며 획일적이고 고정된 시각에서 벗어나야 함을 논리적으로 주장하고 있다.

핵심 정리

• **갈래** 고전 수필, 기(記)
• **제재** 코끼리를 본 경험
• **주제** 획일적 이치로 만물을 바라보는 고정 관념을 경계함.
• **특징**
  ① 작가의 경험을 바탕으로 통념을 깨는 철학적 진리를 전달함.
  ② 비유와 묘사를 통해 말하고자 하는 바를 개성적으로 표현함.
  ③ 문답법을 사용하여 작가의 주장이 타당함을 논리적으로 입증함.
• **짜임**

기	움직이는 코끼리를 보았을 때 느낀 충격과 경이로움
승	코끼리의 외양에 대한 자세한 묘사
전	하늘의 이치에 관한 통념에 대한 논리적 반박과 입증 [수록 부분]
결	고정된 관점에서 대상을 인식하는 것의 위험성 [수록 부분]

07 하늘의 이치를 중시하는 '사람들'의 관점과 이를 비판하는 글쓴이의 관점이 문답의 형식으로 제시되고 있기는 하지만, 이에 대한 절충안을 도출하지는 않았다.

오답 풀이
③ '이렇게 물어보자.', '그러면 사람들은 이렇게 대답하리라.', '나는 ~ 말하리라.'와 같은 구절에서 실제 대화가 아님을 알 수 있다.
④ 글쓴이는 코끼리가 고개를 숙이면 어금니가 땅에 닿아 씹는 데 방해가 된다는 점을 들어, 만물에 하늘의 의도가 반영되어 있다는 '사람들'의 주장을 논리적으로 반박하고 있다.

08 글쓴이는 하늘의 이치라는 하나의 절대적인 관점으로 세상을 바라보는 태도를 비판하고 있다. 따라서 글쓴이가 '모든 사물에 적용되는 절대적인 이치를 찾아야 한다'고 말하려 했다는 내용은 적절하지 않다.

09~10 한 그루 나무처럼 _윤대녕

해제 이 글은 약수터 참나무와 인연을 맺은 경험에서 얻은 삶에 대한 반성과 성찰을 담은 수필이다. 글쓴이는 추운 겨울날에도 변함없이 그 자리에서 기다려 주는 참나무를 보면서, 사소한 일에도 마음이 흔들리고 원망의 시간을 보냈던 그동안의 삶을 반성하면서 겉모습은 변하더라도 속마음은 변치 않는 사람이 되겠다는 다짐을 드러내고 있다.

핵심 정리

• **갈래** 현대 수필, 경수필
• **제재** 대못이 박힌 참나무
• **주제** 쉽게 흔들리지 않고 남을 포용할 수 있는 삶을 살아야겠다는 깨달음
• **특징**
  ① 일상에 대한 섬세한 관찰이 드러남.
  ② 글쓴이의 경험과 성찰을 통해 삶의 의미를 표현함.

・짜임

처음	주말마다 혼자 산에 오르며 사색하고 사물의 변화를 관찰하는 시간을 가짐.
가운데	참나무에 박힌 대못을 빼낸 뒤 참나무와 인연을 맺고, 마음이 어지러울 때 찾아가 위안을 얻음. [수록 부분]
끝	한 그루 나무처럼 쉽게 흔들리지 않고 다른 사람을 포용할 수 있는 삶을 살아야겠다고 다짐함. [수록 부분]

09 글쓴이는 헐벗은 나무를 안타깝게 바라보지 않는다. 겨울날 헐벗은 참나무가 계절의 변화를 의연하게 받아들이는 모습을 보며 그와 같이 말없는 기다림을 실천하지 못했던 자신을 성찰하고 있을 뿐이다.

오답 풀이

① '괜히 마음이 심산스러울 때, 남에게 무심코 아픈 말을 내뱉고 후회할 때, 또한 이유 없는 공허함에 사로잡힐 때면 나는 그 나무를 보러 올라가곤 했다.'라는 부분에서 '나'가 위로받고 싶은 기분이 들 때 참나무를 보러 가서 위안과 휴식을 얻었음을 알 수 있다.

②, ⑤ 글쓴이는 나무를 올려다보며 어머님의 건강을 빌었고, 그 후 어머니의 쾌유로 모든 사물에 영혼이 깃들어 있음을 믿게 되었다.

④ 글쓴이는 참나무에 박혀 있는 녹슨 대못을 빼내기 위해 장도리를 챙겨 약수터를 올랐고, 녹슨 못을 빼내주며 참나무와의 인연이 시작되었다고 하였다.

10 추운 겨울날에도 흔들림 없이 자리를 지키는 참나무를 보며 사소한 일에도 자주 마음이 흔들렸던 자신을 반성하고는 있으나, 흔들림 없이 목표를 향해 나아가는 삶을 살고 싶다고 한 부분은 찾을 수 없다.

이것만은 꼭! 〈한 그루 나무처럼〉에 나타난 글쓴이의 경험과 성찰

글쓴이의 경험	글쓴이의 성찰
・참나무에 박힌 대못을 빼내고 나서 그 나무와 인연을 맺음. ・어머니가 편찮으실 때 참나무를 보며 어머니의 건강을 빈 후 어머님이 건강을 되찾음. ・눈이 내린 날 변함없이 그 자리에 서 있는 참나무를 봄.	・사소한 일에도 자주 마음이 흔들렸던 자신을 반성함. ・상처를 받게 되면 많은 원망의 시간을 보냈던 자신을 돌아봄. ・말없이 기다림을 실천한 적이 없었던 자신을 반성함.

↓

한 그루 나무처럼 쉽게 흔들리지 않고 다른 사람을 포용할 수 있는 삶을 살겠다고 다짐함.

1주 4일 교과서 대표 전략 ②
BOOK 1 30~31쪽

01 ③ **02** ⑤ **03** ⓐ와 ⓑ는 모두 짧은 순간과 관련된다. 이는 ⓑ에서 나타내는 의미, 즉 삶이 기다림 하나로도 순식간에 지나갈 만큼 짧다는 의미와 연결된다. **04** ④ **05** ⑤ **06** 비닐우산을 보잘것없는 사물로 여기는 일반적 관점과 달리 글쓴이는 비닐우산이 사랑받을 만한 덕과 아름다운 효용성을 지녔다고 평가하여 개성을 드러내고 있다.

01~03 오 분간 _나희덕

해제 이 시는 아카시아 꽃그늘 아래에서 아이를 기다리며 떠올린 '기다림'에 관한 생각을 시적 언어로 그려 낸 작품이다. 화자는 꽃나무가 드리운 그늘 아래에서 여섯 살 배기 아이를 태우고 올 버스를 기다린다. 화자는 그 짧은 기다림의 시간 동안 자신과 아이의 미래, 그리고 삶은 이러한 기다림 하나로도 깜빡 지나가 버릴 만큼 짧다는 생각에 잠긴다. 그리고 아이를 태운 버스가 보이자 꽃그늘에서 벗어나며 오 분간의 상념에서 깨어난다.

핵심 정리
・갈래 자유시, 서정시, 현대 시
・제재 오 분간의 기다림
・주제 인생살이의 관조적 조망 / 아이를 기다리는 동안의 상념
・특징
① 오 분이라는 짧은 시간 동안 떠올린 인생에 관한 상념을 독백적 어조로 담담하게 표현함.
② 유사한 문장 구조를 반복하여 화자의 정서를 드러냄.
・짜임

1~4행	꽃그늘 아래에서 아이를 기다리며, 일생이 기다림으로 지나가리라는 상념에 빠짐.
5~15행	꽃이 지는 그늘 아래에서 아이를 기다리는 오 분간, 아이는 성장하고, 화자는 노인이 될 것을 생각함.
16~22행	더 이상 아이를 기다릴 필요가 없는 시점에서 기다림이라는 인생이 마감될 것을 생각함.
23~24행	꽃그늘 아래에서의 상념에서 벗어남.

01 이 시에서 자연물을 인격화한 의인법이 사용된 부분은 찾을 수 없다.

오답 풀이

① 23행 '아, 저기 버스가 온다.'를 기준으로 하여, 생이 기다림으로 지나갈 것이라는 상념에 관한 내용에서 꽃그늘을 벗어나는 내용으로 시상이 전환되고 있다.

② 이 시의 화자는 여섯 살배기 아이의 엄마로, 시의 표면에 '나'로 드러나 있다.

④ 이 시의 화자는 아이를 기다리는 오 분간 고요한 마음으로 자신과 아이의 미래에 대한 상념을 떠올리는 관조적 태도(고요한 마음으로 사물이나 현상을 관찰하거나 비추어 보는 태도)를 보이고 있다.

⑤ '이 ~ 아래서', '-ㄹ 것(만) 같다.', '기다림', '기다리-', '지나가-' 등의 통사 구조와 시어가 반복되며 운율을 형성하고 있다.

02 ㉤에서 화자는 버스가 오자 기다림에 대한 상념에서 벗어나고 있을 뿐, 과거를 후회하고 있지 않다.

03 '오 분간(ⓐ)'은 매우 짧은 시간이며, '떨어지는 꽃잎(ⓒ)'은 짧은 순간에 지는 꽃잎의 이미지를 지닌다. 이 둘은 '기다림 하나로도 깜빡 지나가 버릴 생(生)(ⓑ)'이라는 시구의 의미, 즉 기다림 하나만으로도 순식간에 지나가 버릴 만큼 삶은 '짧다'는 의미와 연결된다.

평가 요소	확인 ✓
ⓐ가 짧은 시간, ⓒ가 짧은 순간에 꽃잎이 지는 이미지를 지녔음을 언급함.	
ⓐ, ⓒ의 이미지가, 삶은 짧다는 ⓑ의 의미와 연결됨을 밝혀 적음.	

04~06 비닐우산 _정진권

해제 이 글은 글쓴이의 개성적인 인식을 바탕으로 볼품없는 비닐우산에서 발견한 미덕을 전달하고 있는 수필이다. 글쓴이는 비닐우산이 지닌 미덕과 효용에 대한 자신의 생각을 전하면서, 비닐우산과 관련하여 겪은 낭만적 경험들 (글쓴이의 비닐우산 속으로 불쑥 뛰어든 어린 소녀와의 만남, 버스 정류장에서 누군가를 기다리는 사람들을 관찰했던 경험)을 삽화로 제시한다. 그리고 이러한 비닐우산이, 부실한 몸으로나마 아이들을 위해서 애쓰는 글쓴이 자신과 닮았다며 글을 끝맺고 있다.

핵심 정리
- **갈래** 현대 수필, 경수필
- **제재** 비닐우산
- **주제** 비닐우산의 볼품없는 모습 속에서 발견한 아름다운 효용성
- **특징**
  ① 사물을 대하는 개성적 시각이 드러남.
  ② 간결하고 담백한 문체로 서술됨.
- **짜임**

처음	집에 있는 비닐우산을 보며 볼품없지만 재미없는 생활 속에 싱그러운 변화를 불러일으키는 물건이라고 생각함.
중간	오래전 책가방을 든 어린 소녀가 우산 속으로 뛰어든 일과, 버스 정류장에서 본 각양각색의 우산을 들고 누군가를 기다리는 사람들의 아름다운 풍경을 떠올림.
끝	볼품없고 한 군데도 탄탄한 데가 없는 비닐우산이 사실 아름다운 효용성이 있으며 자신과도 비슷함을 깨달음.

04 수필에서는 글쓴이 자신이 실제적인 서술의 주체가 된다. 허구적 대리인은 소설의 서술자나 시의 화자를 의미하는데, 수필에서는 이와 같은 존재가 없다.

05 (라)에서 글쓴이는 부실한 몸으로 아이들의 머리 위에 내리는 찬비를 가려 주려고 버둥대는 자신의 모습이 비닐우산이 비슷하다는 생각을 드러내고 있을 뿐, 아버지의 모습을 떠올리지 않았다.

오답 풀이
①은 (라)에서, ②는 (나)에서, ③은 (가)에서, ④는 (다)에서 확인할 수 있다.

06 일반적으로 비닐우산은 볼품없고 탄탄한 곳 없는 보잘것없는 사물이라는 인식이 있다. 그러나 글쓴이는 비닐우산이 사랑받을 만한 덕과 아름다운 효용성을 가진 우산이라고 이야기한다. 이러한 측면에서 글쓴이의 개성적인 시각을 살펴볼 수 있다.

평가 요소	확인 ☑
비닐우산에 대한 글쓴이의 긍정적인 관점을 밝혀 적음.	
일반적인 관점과 글쓴이의 관점을 비교함.	

1주 누구나 합격 전략 BOOK 1 32~33쪽

1 ①	2 ②	3 ①	4 사랑보다 소중한 슬픔을 주겠다.
5 ⑤	6 ⑤		

1 이 시는 화자인 '나'가 청자인 '너'에게 말을 건네는 방식으로 전개된다. ㄱ은 1~6행, ㄴ은 7~13행, ㄷ은 14~19행에 해당하는 내용이다.

2 이 시는 추상적 개념인 슬픔과 기쁨을 '나'와 '너'로 의인화하여 '나'가 '너'에게 말을 건네는 방식으로 시상을 전개하고 있다.

오답 풀이
① 슬픔이 기쁨에게 말을 건네는 방식을 취하고 있다.
③ 슬픔은 부정적, 기쁨은 긍정적 감정으로 보는 일반적 인식과는 다르게 슬픔과 기쁨을 형상화하여 독자에게 신선한 느낌을 준다.
④ 슬픔이 기쁨에게 말을 건네고 있을 뿐, 두 대상이 서로 대화를 나누지는 않는다.
⑤ 슬픔이 화자, 기쁨이 청자로 설정되어 있을 뿐, 기쁨이 화자로 등장하지는 않는다.

3 '나'는 소외된 이웃을 외면하는 이기적인 존재인 '너'에 대해 비판적 태도를 드러내고 있다.

4 '사랑보다 소중한 슬픔을 주겠다.'는 겉으로는 모순된 표현으로 보인다. 하지만 그 이면에는 소외된 자들의 슬픔을 외면한 채 자신만의 기쁨을 위해 살아가는 이기적인 사람들에게 타인의 고통과 슬픔에 공감할 수 있는 마음을 알려주겠다는 의미를 담고 있다. 즉, 이 시의 주제 의식을 강조하는 의미가 담긴 역설적 표현이다.

5 이 글은 일반 사람들과 비슷한 관습적 사고방식을 지닌 정 진사와, 기존의 통념을 깨는 사고방식을 지닌 '나'가 문답을 주고받는 형식으로 전개되는데, 이를 통해 '나'의 참신하고 창의적인 발상이 효과적으로 드러난다.

오답 풀이
① "천지간에 이렇게 시야가 툭 터진 곳을 만나서는 별안간 통곡할 것을 생각하니, 무슨 까닭입니까?"라는 정 진사의 말에서 확인할 수 있다.
② 정 진사가 요동 벌판의 장관을 보며 통곡하기 좋은 곳이라고 하는 '나'의 말에 의아해한 것은, 통곡은 슬플 때나 하는 것이라는 고정 관념에 얽매여 있기 때문일 것으로 짐작할 수 있다.
③ "사람들은 단지 인간의 칠정(七情) 중에서 오로지 슬픔만이 울음을 유발한다고 알고 있지, 칠정이 모두 울음을 자아내는 줄은 모르고 있네."라는 '나'의 말에서 확인할 수 있다.
④ '갓난아이는 태어나 처음으로 해와 달을 보고, 그다음에 부모와 앞에 꽉 찬 친척들을 보고 즐거워하고 기뻐하지 않을 수 없을 것이네.'라는 '나'의 말에서 '나'는 갓난아이가 즐거움과 기쁨 때문에 운다고 생각하고 있음을 알 수 있다.

6 제시된 글을 통해 이 글의 작가 박지원이 청나라의 앞선 문물을 받아들이자는 생각을 지닌 인물이며, 이러한 생각을 《열하일기》에 수록된 이 글을 씀으로써 표현하고자 했음을 짐작할 수 있다. 이로 볼 때 이 글에 담긴 글쓴이의 생각으로 가장 적절한 것은 ⑤이다.

7 할아버지가 물통에 물을 반만 채운 것이 아니라, 불편한 몸 때문에 물이 쏟아져 물이 반 통만 남게 된 것이다. 글쓴이는 할아버지가 물통의 물을 반 이상 흘리면서도 몇 번씩 길을 오가며 물을 길어 채소에 물을 주는 것을 본 경험을 통해 생명을 사랑하는 마음의 소중함을 깨닫는다.

1주 창의·융합·코딩 전략 ① BOOK 1 34~35쪽

1 ㉠: 반복, ㉡: 운율(리듬감), ㉢: 같거나 비슷한 시어, 구절, 문장 등을 반복하여 운율을 형성함   2 (가)의 '어둠'은 '생명의 잉태'라는 긍정적 의미를 지니지만 〈보기〉의 '어둠'은 '아침'과 대립되는 부정적 현실을 의미한다.   3 ⑤   4 금빛 게으른 울음, 밤바람 소리 말을 달리고

1 (가)는 1, 2행에서 '낳고', '낳는다'와 같이 유사한 시어를 반복하고 3행과 11행에서 '아침이면'을 반복하여 운율을 형성하고 있다. (나)는 각 연의 마지막 행에서 후렴구를 반복하여 운율을 형성하고 있다.

2 〈보기〉의 화자는 어두운 밤에 육첩방이라는 낯선 생활 공간에 있는데, 이는 조국을 잃은 암울한 시대 현실을 의미한다. 〈보기〉의 화자는 '어둠'이 상징하는 부정적 현실과 타협하지 않고 '아침', 즉 조국 광복이 온다는 확신을 지니고 그날을 기다리겠다는 현실 극복 의지를 드러내고 있다. 반면 (가)는 '어둠'을 이와 같은 부정적 이미지로 나타내지 않고, 생명을 잉태하고 있는 긍정적인 대상으로 나타내고 있다.

3 이 시에서 다양한 구성 요소들을 통해 고향을 그리워하는 마음을 형상화하고 있는 것은 맞으나, 고향의 자연과 화자의 처지를 대조하는 표현 방법은 사용되지 않았다.

4 1연의 '금빛 게으른 울음', 2연의 '밤바람 소리 말을 달리고'는 모두 청각을 시각화한 공감각적 심상이 활용된 부분이다.

1주 창의·융합·코딩 전략 ② BOOK 1 36~37쪽

5 인내와 헌신으로 이루어 낸 사랑의 결실   6 ⑤   7 ③
8 ㉠: 발, ㉡: 경험, ㉢: 깨달음

6 이 시의 화자는 눈꽃이 진 자리에 피어나는 봄꽃을 '세상에서 가장 아름다운 상처'라고 표현하면서 첫사랑의 아픔 뒤에 얻게 되는 성숙한 사랑의 의미를 강조하고 있다. 이러한 화자의 태도가 가장 잘 반영된 것은 ⑤이다.

2주 문학의 갈래와 구조_서사, 극

2주 1일 개념 돌파 전략 ① BOOK 1 41,43쪽

01 (1) X (2) O (3) X   02 (1) 사건 (2) 외적 (3) 간접   03 (1) ㉡
(2) ㉢ (3) ㉣ (4) ㉠   04 ④   05 ①   06 (1) O (2) O (3) X
07 ㉠: 해설, ㉡: 지시문, ㉢: 대사   08 ㄱ, ㄴ, ㄷ
09 ④   10 ①

01 (1) 서사 갈래에는 이야기를 전달하는 서술자가 존재한다.
(3) 소설의 서술자는 작가가 의도적으로 설정한 허구적 대리인으로 실제 작가와 동일한 인물이 아니다.

04 갈등이 해소되는 단계는 결말이다. 절정 단계에서는 갈등이 최고조에 이르고 갈등 해소의 실마리가 제시된다.

05 제시된 부분에서 인물의 내면에서 일어나는 갈등은 나타나지 않는다.
오답 풀이
② '밤'이라는 시간적 배경과 '성북동'이라는 공간적 배경이 드러난다.
③ 1인칭 서술자인 '나'가 이야기를 전달하고 있다.
④ 서술자 '나'가 황수건이라는 인물에 대해 이야기하고 있다.
⑤ 서술자 '나'는 '그는 말 몇 마디 사귀지 않아서 곧 못난이란 것이 드러났다.'라며 황수건에 대한 단적인 평가를 제시하고 있다.

06 (3) 극 갈래에는 서사 갈래와 달리 서술자가 존재하지 않으며, 오로지 대사와 행동을 통해 인물의 성격과 내면 심리가 드러난다.

08 ㄱ. 시나리오는 플롯에 따라 장면(scene)을 구성하고, 장면들을 연결하여 시퀀스를 설정하며 시퀀스들이 모여 한 편의 시나리오가 만들어진다.
ㄴ, ㄷ, ㄹ. 시나리오는 무대 상연을 전제하는 희곡에 비해 시간과 공간, 등장인물의 수에 제약을 비교적 적게 받는다.

이것만은 꼭! **시나리오의 구성단위**

숏(shot)	카메라가 한 번의 연속 촬영으로 찍은 장면으로, 컷(cut)이라고도 함.
장면(scene)	영화의 최소 단위. 같은 장소, 시간 내에서 동일한 인물에 의해 일어나는 일련의 상황이나 사건. 하나 또는 여러 개의 숏으로 구성됨.
시퀀스(sequence)	하나의 에피소드를 이루는 구성단위. 연극의 막에 해당함. 하나 또는 여러 개의 장면으로 구성됨.

09 이 글은 시나리오로, '의자에 차분히 앉아 있는'과 같이 사건을 현재형으로 표현하고 있다. 극 갈래는 상영을 전제하기 때문에 과거의 일을 현재 벌어지고 있는 사건인 것처럼 현재형으로 표현하여 전달한다.

오답 풀이
② '주치의의 표정이 어둡다.'에서 주치의 역할을 맡은 배우의 표정을 지시하고 있다.
③ '인서트(insert)'와 같이 촬영에 필요한 특수 용어가 사용되었다.
⑤ 'S# 46'과 같은 장면 번호를 사용하고 있다.

10 이 작품은 희곡으로 극 갈래에 속한다. 극은 허구를 바탕으로 인간 사회의 갈등과 사건을 보여 주는 갈래이다. 실제 경험을 바탕으로 쓰는 글은 수필로 교술 갈래에 해당한다.

2주 1일 개념 돌파 전략 ② BOOK 1 44~45쪽

1 ④   2 ③   3 ③   4 ⑤   5 ④

1~3 장마 _윤흥길

해제 이 작품은 육이오 전쟁을 배경으로, 한 집안에 발생한 이념의 대립과 화해의 과정을 어린아이인 '나'의 시각에서 그리고 있다. 대립하는 인물들은 빨치산인 아들을 둔 친할머니와 국군인 아들을 둔 외할머니로, 좌우의 이념을 대표하는 아들들 때문에 대립을 피할 수 없는 인물들이다. 그들의 화해는 전통적인 무속 신앙의 세계관을 바탕으로 이루어지는데, 작가는 이를 통해 이념적 대립이 전통적 정서에 바탕을 두고 극복할 수 있음을 보여 준다. 이러한 일련의 과정은 어린 서술자인 '나'의 시각에서 전달되는데, 이는 이념의 갈등 문제를 객관적으로 다루는 한편 정신적으로 미숙했던 인물이 성장하는 과정을 드러내는 효과를 주고 있다.

핵심 정리
• **갈래** 현대 소설, 전후 소설, 중편 소설, 성장 소설
• **배경** • 시간 – 육이오 전쟁 중 장마철
       • 공간 – 어느 시골 마을
• **시점** 1인칭 관찰자 시점
• **제재** 이념의 대립과 화해
• **주제** 이념의 대립으로 빚어진 한 가족의 비극과 민족적 정서를 통한 갈등 극복 및 화해

• **특징**
① 어린아이인 '나'를 서술자로 내세워 전쟁의 비극을 효과적으로 보여 줌.
② 무속 신앙을 바탕으로 분단과 전쟁의 상처를 극복하려 함.
③ 어린아이인 '나'와 어른이 된 '나'의 이중적 시점이 드러남.

• **짜임**

발단	육이오 전쟁이 일어나자 삼촌은 빨치산으로 활동하고, 외삼촌은 국군으로 전쟁에 나감. 또한, 친가 식구들과 같이 살고 있던 '나'의 집으로 외가 식구들이 피란을 오면서 모두 함께 살게 됨.
전개	외삼촌의 전사 소식이 전해지자 외할머니는 빨치산에 대한 저주를 퍼붓고, 빨치산을 아들로 둔 할머니와 큰 싸움이 남.
위기	할머니는 삼촌이 돌아올 것이라는 점쟁이의 말을 굳게 믿고, 집안 식구들을 채근하며 삼촌을 맞을 준비를 함.
절정	삼촌이 온다는 날에 갑작스럽게 나타난 구렁이를 보고 할머니는 졸도하고, 외할머니가 구렁이를 달래서 보냄.
결말	구렁이 사건으로 할머니가 외할머니에게 고마움을 전하면서 두 할머니가 화해하고, 며칠 후 할머니는 세상을 떠남.

1 이 작품은 소설로 서사 갈래에 속한다. 서사 갈래는 다양한 시제를 활용한다. 사건과 갈등을 현재형으로 보여 주는 문학 갈래는 극 갈래이다.

오답 풀이
① 소설은 작가의 허구적 대리인인 서술자가 이야기를 전달한다.
② 이처럼 꾸며 낸 이야기이지만 현실에서 일어날 법한 가능성을 지닌 사건을 그려 내는 소설의 특성을 '개연성'이라고 한다.
③ 이처럼 허구의 이야기이지만 인생의 참된 모습을 담고 있는 소설의 특성을 '진실성'이라고 한다.

2 이 글에서는 배경을 묘사하여 인물의 심리 변화를 드러내는 부분이 나타나지 않는다.

오답 풀이
② 서술자 '나'가 등장하여 자신이 겪은 이야기를 전달하고 있다.
④ (나)에서 '~다는 것이다.', '~라는 것이었다.', '~나는 것이었다.'와 같이 할머니의 말을 간접적으로 인용하여 전달하고 있으며, 이를 통해 아들을 기다리는 할머니의 심리가 간접적으로 드러나고 있다.
⑤ '아버지는 부황이 든 사람처럼 얼굴이 누렇게 떠 부석부석했고, 어머니는 숫제 강마른 대꼬챙이였다', '우리 할머니만이 청청해 가지고' 등에서 인물들의 외양과 행동을 묘사하며 사건의 분위기를 전달하고 있다.

이것만은 꼭! 〈장마〉의 시점의 특징

어린아이의 시점	→	• 비합리적인 할머니들의 행위(점쟁이의 말을 믿음, 구렁이를 삼촌의 환생으로 믿음.)를 비판 없이 묘사함.
		• 남북한의 이데올로기 문제에서 한발 떨어져 이를 객관적으로 드러냄.

3 ㉠ '호통'에는 할머니가 가족들을 닦달하며 아들을 맞이할 준비를 하는 모습이 드러나 있고, ㉡ '태평'에는 할머니가 아들이 꼭 돌아올 것이라고 확신하며 고대하는 모습이 드러나 있다.

4~5 개를 훔치는 완벽한 방법 _바바라 오코너 원작, 김성호 외 각본

해제 이 작품은 자신의 생일 파티를 위해 집을 구하려고 개를 훔치는 순수한 지소와, 철없어 보이지만 누구보다도 가족을 사랑하는 마음이 깊은 지소의 엄마 정현, 아들을 잃은 슬픔을 지닌 노부인 등의 인물을 통해 가족 간의 사랑을 그린 시나리오이다. 천진난만한 동심의 눈으로 우리 사회의 다양한 현실적 문제를 그려 낸 작품이다.

핵심 정리 -
- **갈래** 시나리오
- **배경** • 시간 – 현대　　　　• 공간 – 서울
- **제재** 개를 훔치는 일
- **주제** 고난 속에서 깊어지는 가족에 대한 그리움과 사랑
- **특징**
  ① 일련의 사건을 겪으며 아이와 어른이 모두 성장하는 과정을 그려 냄.
  ② 주택 문제, 실업 문제, 가족의 해체 등과 같은 현실의 문제를 동화적 기법으로 전개함.
- **짜임**

발단	어느 날 갑자기 사라진 아빠를 기다리며 엄마와 동생 지석과 함께 승합차에서 사는 지소는 다음 달에 있을 생일 파티를 집에서 하고 싶어 함.
전개	오백만 원이면 집을 살 수 있다고 오해한 지소는 부잣집 개를 훔친 후 사례금을 받을 계획을 세우고, 고급 레스토랑 주인인 노부인의 개 월리를 훔침.
절정	지소는 월리가 노부인과 불화를 겪다가 가출한 아들이 세상을 떠나면서 남긴 개라는 사실을 알게 됨. 우연히 아빠가 남긴 글을 발견한 지소는 엄마가 승합차에서 사는 것은 아빠가 돌아올 것을 믿고 기다리기 때문임을 깨달음.
하강	지소는 자신이 아빠를 기다리는 것처럼 노부인도 월리를 기다리고 있음을 깨닫고, 월리를 노부인에게 돌려주며 자신의 잘못을 고백함.
대단원	지소는 자신을 용서한 노부인에게 월리의 산책을 부탁 받고, 엄마에게 생일 축하 도시락을 받음.

4 극 갈래인 [A]에서는 서술자의 개입 없이 등장인물의 대사와 행동을 통해 사건이 전개되지만, 제시된 글에서는 등장인물의 대사뿐만 아니라, 서술자의 서술에 의해서도 사건이 전개되고 있다.

5 지소는 집을 구할 돈 오백만 원을 사례금으로 받고자 노부인의 개를 훔쳤으므로, 계획했던 것보다 너무 적은 액수를 불러서 '아차 싶은' 표정을 지었다고 해석하는 것은 적절하지 않다.

2주 2일 필수 체크 전략 ① 〔BOOK 1〕46~47쪽

|확인 문제| **1** ④　　**2** "오 선생, 나 이래 봬도 대학 나온 사람이오."

1 이 작품의 서술자는 황수건과 나눈 대화를 보여 주며 황수건의 성격과 근황을 전달하고 있다. '나'가 황수건과 겪는 갈등에 대해 서술한 내용은 없다.

　오답 풀이
　① '나'는 "그렇지, 멋모르고 대들었다 매만 맞지."라고 하며 황수건의 말에 공감하는 태도로 대화를 나누고 있다.
　② 황수건이 오랜만에 찾아오자 '반가웠다'고 하는 것에서 알 수 있다.

2주 2일 필수 체크 전략 ② 〔BOOK 1〕48~51쪽

01 ③　**02** ④　**03** 달밤 **04** ②　**05** ⑤　**06** ④　**07** ⑤
08 ③　**09** ②　**10** 금전적인 가치만을 중시하는 물질 만능주의를 비판하고 땅의 본래적 가치를 인식하게 하기 위해 이 작품을 썼을 것이다.

01~03 달밤 _이태준

해제 이 작품은 황수건이라는 인물의 각박한 세상살이를 서술자이자 관찰자인 '나'의 시선에서 그리고 있다. 학교 급사, 신문 보조 배달부, 참외 장사 등의 일을 계속 하지만 번번이 실패하는 황수건의 일화를 전달해 주는 '나'의 서술을 통해, 독자는 우둔하지만 순박한 황수건이 사회에서 소외되는 안타까운 상황들을 접하게 된다.

하지만 이렇게 고달픈 삶의 모습을 전달하면서도 이 작품은 비극적인 분위기로 흐르지 않는데, 그 이유는 어수룩하고 엉뚱한 황수건의 행동이 웃음을 자아내는 한편 서술자인 '나'가 황수건을 따뜻하고 애정 어린 시선에서 서술하고 있기 때문이다. 또한 마지막 장면의 배경인 '달밤'은 마치 어두운 밤과 같이 불우한 시대 정황을 밝혀 주듯 서정적이고 애상적인 분위기를 조성하면서 결말이 비극적으로 흐르는 것을 막아 주고 있다.

핵심 정리 -
- **갈래** 현대 소설, 단편 소설
- **배경** • 시간 – 1930년대 일제 강점기
　　　　• 공간 – 서울 성북동
- **시점** 1인칭 관찰자 시점
- **제재** 각박한 세상에 적응하지 못한 한 인물의 삶
- **주제** 세상에서 밀려난 못난이 '황수건'의 삶에 대한 연민
- **특징**
  ① 세밀한 묘사로 인물과 사건을 선명하게 제시함.
  ② 인물의 성격을 드러내는 다양한 일화를 나열한 에피소드식 구성을 취함.
  ③ '달밤'이라는 배경을 통해 사건의 비극성이 심화되는 것을 막고 서정적인 분위기를 조성하며 독자에게 여운을 남김.
- **짜임**

발단	성북동으로 이사 온 '나'는 우둔하지만 순박한 황수건이라는 인물을 만나게 됨.
전개	'나'는 황수건과 대화하며 그의 평생 소원이 정식으로 신문 배달부가 되는 것임을 알게 됨.
위기	황수건이 보조 배달부 자리마저 빼앗기게 된 것을 알게 된 '나'는 그에게 삼 원을 주며 참외 장사를 시작할 수 있게 도와줌.
절정	'나'는 황수건이 참외 장사마저 실패하고, 그의 아내는 가출했다는 소식을 들음.
결말	'나'는 달밤에 담배를 피우며 서툴게 노래를 부르는 황수건을 목격하고 그에게 연민을 느낌.

01 '나'는 황수건이 포도를 훔쳐 온 것을 직각(보거나 듣는 즉시 곧바로 깨달음.)하고 쫓아 나가 매를 말린 후 포돗값을 물어 주었다고 하였다.

　오답 풀이
　① (가)의 '들으니 참외 장사를 ~ 달아났다는 것이었다.'에서 황수건의 소식을 다른 사람을 통해 들었음을 알 수 있다.
　② '나'는 황수건에게 조건 없이 삼 원을 주었고, 황수건은 그에 대한 감사의 뜻으로 포도를 가져왔음을 짐작할 수 있다.

④ 연이어 실패를 겪고 아내마저 달아난 황수건의 상황과 그가 부른 노래 가사 내용으로 볼 때 적절한 설명이다.
⑤ 황수건을 발견한 '나'가 그를 배려해 몸을 숨겼으므로 황수건은 '나'를 보지 못하였을 것이다.

02 '그가 나를 보면 무안해할 일이 있는 것을 생각하고'라는 구절에서 '나'가 ㉠과 같이 행동한 이유를 짐작할 수 있다.

03 황수건의 비참한 처지와 대조를 이루는 밝은 달밤은 황수건의 처지에 대한 '나'의 연민을 드러내는 한편 낭만적이고 서정적인 분위기를 조성함으로써 작품의 결말이 지나치게 비극적으로 흐르는 것을 막아 주는 기능을 한다.

04~05 아홉 켤레의 구두로 남은 사내 _윤흥길

해제 이 작품은 1970년대 산업화와 도시화의 흐름에서 소외된 사람들의 삶과 현실의 부조리를 '나'의 시선을 통해 보여 주고 있다. 1970년대에는 사회가 급격히 변화하였고 수많은 사회 문제가 발생하였는데, 주인공 권 씨는 이러한 사회 변화에 따른 희생양이라 볼 수 있다. 권 씨는 내 집 마련의 꿈을 안고 철거민의 입주권을 사지만, 당국의 불합리한 조치에 좌절을 겪게 되고 이에 항의하는 시위에 휘말려 전과자가 된다. 그가 늘 반짝거리게 닦고 관리하는 열 켤레의 구두는 자신은 하층민이 아니고 지식인이라는 그의 자존심을 상징하는데, 강도 사건 이후 권 씨는 사라지고, 아홉 켤레의 구두만 남게 된다.
한편 이러한 권 씨를 관찰하며 그에게 연민 어린 관심을 보이는 서술자 '나'는 권 씨와 같은 소외된 하층민을 차마 외면하지는 못하지만, 그렇다고 해서 자신의 안락한 삶을 포기하지도 못하는 전형적인 소시민의 모습을 보여 주고 있다.

핵심 정리

· **갈래** 현대 소설, 중편 소설, 세태 소설
· **배경** · 시간 – 1970년대 후반
　　　　· 공간 – 성남 지역
· **시점** 1인칭 관찰자 시점
· **제재** 도시 개발 과정에서 밀려난 가난한 이의 삶과 자존심
· **주제** 산업화 과정에서 소외된 계층의 어려운 삶과 부조리한 현실 고발
· **특징**
① 사실적 문제와 예리한 문제의식으로 현실의 모순을 지적함.
② 상징적 소재를 활용해 인물의 심리와 성격을 그려 냄.
· **짜임**

발단	'나'가 세를 놓은 문간방에 권 씨네 식구가 이사를 옴.
전개	권 씨는 공사판에 나가 막일을 하면서도 구두만은 윤이 나게 닦아 신고 다니는 사람이었음. '나'는 권 씨가 시위 주동자로 몰려 감옥에 다녀왔음을 우연히 알게 됨.
위기	어느 날 권 씨가 '나'가 일하는 학교에 찾아와 난산으로 수술을 해야 하는 아내의 수술비를 빌려 달라고 함. '나'는 이를 거절했다가 뒤늦게 병원으로 가 권 씨 아내의 해산을 도움.
절정	이 사실을 모르는 권 씨는 '나'의 집에 복면강도로 침입하고, 자신의 정체가 '나'에게 탄로 났음을 알자 자존심만 상한 채 집을 나감.
결말	권 씨가 아홉 켤레의 구두만 남기고 행방불명됨.

04 이 글은 서술자인 '나'가 주인공인 권 씨를 관찰하여 이야기를 전달하는 1인칭 관찰자 시점으로 서술되었기 때문에 권 씨의 심리가 구체적으로 전달되지 않는다. 반면 1인칭 주인공 시점으로 서술된 〈보기〉에서는 주인공인 권 씨가 서술자 '나'로 등

장하여 자신의 심리와 태도를 독자에게 구체적으로 전달해 주고 있다.

05 이 작품은 권 씨가 처한 고통스러운 상황이 개인적인 문제에서 비롯된 것이 아니라 당대 사회의 모순 때문에 발생한 것임을 드러냄으로써 당시 소외된 사람들의 힘겨운 삶의 모습을 표현하고 시대의 부조리함을 보여 주고 있다.

06~10 돌다리 _이태준

해제 이 작품은 땅을 둘러싼 아버지와 아들의 갈등을 그리고 있다. 병원 확장을 위해 땅을 팔자고 말하는 아들에게 아버지는 땅이 천지만물의 근거라는 논리를 내세워 반대한다. 작가는 아버지의 말을 빌려 토지의 본래적 가치보다 금전적인 가치만을 중시하는 근대 자본주의 사회를 비판하고 있다.
작품의 이러한 주제 의식은 '돌다리'라는 소재를 통해서 상징적으로 표현되는데, 아버지에게 있어 돌다리란 단순한 다리가 아니라 가족의 역사와 추억이 담겨 있고 오랜 세월 동안 마을 사람들과 함께해 온 자연물로서 아버지가 소중히 여기는 전통적 가치와 사고를 상징하는 존재인 것이다.

핵심 정리

· **갈래** 현대 소설, 단편 소설
· **배경** · 시간 – 일제 강점기 말
　　　　· 공간 – 농촌 마을
· **시점** 3인칭 전지적 시점
· **제재** 돌다리
· **주제** 물질 만능주의에 대한 비판과 땅의 가치에 대한 인식
· **특징**
① 근대 자본주의에 대한 비판적 인식을 드러냄.
② 대조적 인물 간의 갈등을 중심으로 이야기를 전개함.
③ 상징적 소재를 통해 전통적 가치관과 근대적 가치관의 대립을 보여 줌.
· **짜임**

발단	서울의 권위 있는 내과 의사인 창섭은 병원을 크게 늘리기 위해 부모님의 땅을 팔려는 생각으로 고향에 내려옴.
전개	창섭은 고향으로 들어오는 길에 마을 사람들과 돌다리를 고치고 있는 아버지와 마주침.
위기	창섭은 병원 확장에 자금이 필요하니 땅을 팔자고 설득함.
절정	아버지는 창섭의 제안을 거절하면서 땅은 금전적 가치로 환산할 수 없는 소중한 것임을 이야기하고, 창섭은 땅에 대한 아버지의 확고한 신념을 깨닫게 됨.
결말	창섭은 아버지가 고친 돌다리를 건너 서울로 돌아가고, 아버지는 돌다리에서 앞으로도 땅을 지키며 살 것을 다짐함.

06 돈만 있으면 나중에라도 지금 가진 땅보다 더 좋은 땅을 살 수 있다는 말에서 땅을 언제든지 내킬 때 구할 수 있는 대상으로 보고 있음이 드러나므로 땅을 소중히 여기는 가치관이 드러난다고 보기 어렵다.

07 만들기 쉬운 나무다리는 편리성을 중시하는 창섭의 근대적 가치관을 상징한다. 반면 만들기 어려운 돌다리는 오랜 세월 가족들과 함께해 온 것으로 아버지의 전통적 사고와 가치를 상징한다고 볼 수 있다.

08 아버지는 아들에게 천지만물의 근거인 땅은 이해를 따져 사고 팔 수 없는 대상임을 말하고, 아들은 자신과 아버지가 지닌 생

각의 차이가 너무도 크다는 것을 깨닫고 있다. 이로 볼 때, 두 사람은 땅을 대하는 가치관의 차이로 갈등을 겪고 있다는 것을 알 수 있다.

09 아버지가 창섭을 보내고 잠까지 설치며 불편해한 것은 아들을 원망해서가 아니라 아들의 부탁을 거절한 것이 마음에 걸렸기 때문이다. 아버지가 떠올린 백낙천의 시는 부모와 다른 생각을 하며 떠나간 자식을 원망하지 말고 이해하라는 내용으로, 이를 통해 아버지가 창섭을 이해하려고 노력하고 있음을 짐작할 수 있다.

10 작가는 땅을 팔자고 말하는 아들에게 땅이 천지만물의 근원이라고 말하는 아버지를 통해 금전적 가치만을 중시하는 근대 자본주의 사회를 비판하며 땅의 가치와 소중함을 일깨워 주고 있다.

2주 3일 필수 체크 전략 ①
BOOK 1 52~53쪽

|확인 문제| 1 ①　　　2 ②

1 이 작품은 진실을 파헤치려고 노력했으나 결국 진실을 은폐하는 권력에 굴복하고 마는 파수꾼 다의 모습을 통해 진실이 통하지 않는 사회의 비극을 보여 주고 있다.

2 아름은 흔히 볼 수 있는 일상의 모습을 나열하며 그러한 때 살고 싶어진다고 말한다. 이를 통해 살날이 얼마 남지 않은 아름이 소박하고 평범한 삶을 간절히 소망하고 있음을 짐작할 수 있다.

2주 3일 필수 체크 전략 ②
BOOK 1 54~57쪽

01 ④　02 ②　03 ②　04 ④　05 ④　06 ⑤　07 ④
08 구둣발　09 ④

01~02 파수꾼 _이강백

해제 이 작품은 '양치기 소년과 늑대' 우화를 활용하여 당대 권력의 위선을 간접적으로 폭로하고 있는 희곡이다. 분단 현실을 악용해 안보가 최우선이라는 논리를 내세우며 개인의 자유를 침해했던 1970년대의 정치 상황을, 이리 떼가 온다는 거짓으로 마을을 통제하는 촌장의 행동에 빗대어 형상화하고 있다. 촌장의 지배 체제에 문제의식을 가지고 진실을 폭로하려 했던 파수꾼 다가 촌장의 계략에 휘말려 마침내 나약하게 무너지고 마는 모습은 독자에게 연민과 함께 현실 상황에 대한 분노를 불러일으킨다.

핵심 정리
· **갈래** 희곡, 단막극, 풍자극
· **배경** 어느 마을의 황야에 있는 망루

· **제재** 권력의 위선, 이리 떼의 진실
· **주제** · 진실을 향한 열망과 진실이 통하지 않는 사회의 비극
　　　　· 무비판적인 권력 추종에 의해 잘못된 권력이 강화되는 사회 구조에 대한 비판
· **특징**
① 상징성이 강한 인물, 소재, 대사를 활용하여 주제를 효과적으로 형상화하고 있음.
② 우화적 기법을 사용하여 작가의 의도를 작품의 이면에 숨김.
· **짜임**

발단	망루 너머 황야에 이리 떼가 존재하지 않는다는 파수꾼 다의 편지를 받고 촌장이 망루로 찾아옴.
전개	촌장은 파수꾼 다의 앞에서 이리 떼가 존재하지 않는다는 사실을 인정함.
절정	파수꾼 다는 마을 사람들에게 진실을 알리려 하나, 촌장은 다양한 이유를 내세워 진실은 내일 알리자고 파수꾼 다를 회유함.
하강	촌장에게 회유당한 파수꾼 다는 마을 사람들에게 오늘 하루는 거짓을 말해야 하는 상황에 처함.
대단원	촌장의 의도에 따라 거짓말을 한 파수꾼 다는 망루에서 벗어나지 못하는 신세가 됨.

01 파수꾼 다는 진실은 내일 밝힐 테니 오늘만은 거짓을 말해 달라는 촌장에게 회유당해 마을 사람들 앞에서 이리 떼가 나타났다고 거짓을 외치고 만다.

오답 풀이
① 촌장은 파수꾼 다에게 오늘만 거짓말을 해 주면 내일은 진실을 밝히겠다고 약속하였지만 (가)에서 '이 망루는 영구히 유지되어야겠지요. 양철 북도 계속 쳐야 할 것입니다.'라고 하며 약속을 어기고 있다. 이는 촌장의 권력과 거짓이 계속 유지될 것임을 암시한다.
③ 파수꾼 다가 거짓말을 함으로써 자신의 목적을 달성한 촌장은 태도를 바꾸어 파수꾼 다를 마을로부터 격리시키고 있다.
⑤ 파수꾼 가와 나는 파수꾼 다가 나타나기 전부터 거짓을 말하는 촌장을 비판 없이 따라 왔다. 이들은 양철 북을 두드려 공포 분위기를 조성하고 이리 떼는 물러갔다는 거짓말을 하며 촌장의 말을 무비판적으로 수용하는 모습을 보인다.

02 신이 나서 양철 북을 두드리는 파수꾼 나는 진실과 거짓을 구별하지 못하는 국민 중 한 사람이자 권력자의 지배 논리를 합리화하는 하수인을 상징한다.

03 이 글에서 지소는 노부인에게 사례금을 요구하지 않았다. 손에 들고 있던 전단을 감추는 부분에서 노부인에게 사례금을 받아내려 했던 지소에게 심경의 변화가 생겼음을 추측할 수 있다.

04 ㉠은 그림에 적힌 서명인 '윤서오'라는 이름을 확대하라는 지시문, ㉡은 앞의 'S# 66'에 나왔던 한 장면(월리의 목걸이에 '윤서오'라는 이름과 전화번호가 새겨져 있던 장면)을 끼워 넣을 것을 지시하는 지시문이다. ㉡이 없었다면 앞의 'S# 66'에 나왔던 장면을 기억하지 못하는 관객들은 '윤서오'라는 이름이 월리의 방울 목걸이에 쓰여 있던 이름임을, 즉 윤서오가 월리의 주인이자 노부인의 아들임을 파악하는 데에 오랜 시간이 걸렸을 것이다.

05~09 결혼 _이강백

해제 이 작품은 '남자'와 '여자'가 만나 대화를 나누고 결혼을 약속하기까지의 과정을 통해 소유의 본질과 진정한 사랑의 의미를 비판적으로 성찰하고 있는 현대 희곡이다. 이 작품은 별다른 무대 장치가 없으며, 관객과 무대의 구분이 불분명하다. 또한 등장인물인 '남자'가 자신이 필요한 소품을 관객에게 빌리는 실험적인 설정을 취하고 있는데, 이는 소유의 본질에 대한 성찰이라는 주제 의식을 관객에게 적극적으로 전달하는 효과를 지닌다.

핵심 정리

- **갈래** 현대 희곡, 단막극, 실험극
- **배경** ・시간 – 현대
  ・공간 – 어느 저택의 응접실
- **제재** 한 남녀의 결혼담
- **주제** 소유의 본질과 진정한 사랑의 의미
- **특징**
  ① 관객을 극 안으로 끌어들여 등장인물과 관객의 소통이 이루어짐.
  ② 특별한 무대 장치가 없으며 무대와 관객석의 구분이 명확하지 않음.
- **짜임**

발단	가난한 사기꾼인 '남자'가 결혼을 하기 위해 여러 가지 물건을 빌려 부자 행세를 함.
전개	'남자'는 '여자'를 만나 사랑을 느끼지만, 약속된 시간이 다가오자 빌린 물건을 하나씩 빼앗김.
절정	'남자'는 '여자'에게 청혼하지만 '남자'가 빈털터리임을 알게 된 '여자'는 작별 인사를 함.
하강	'남자'는 소유의 본질과 헌신적 사랑의 중요성을 이야기하고, '여자'에게 진심을 전달함.
대단원	'여자'는 '남자'의 청혼을 받아들여 함께 결혼을 하러 감.

05 이 글에서 '여자'가 '남자'가 부자가 아니라는 사실을 알고 있음을 드러내는 부분은 찾을 수 없다. '여자'는 아직 '남자'가 빈털터리라는 사실을 모르고 있다.

오답 풀이

① '남자'는 자신이 빈털터리임을 숨기기 위해 물건을 빌려 부자인 척을 한 후 맞선을 보았다.
② '여자'는 '전 어머니 말을 이해해요.'라며 어머니를 이해하는 모습을 보인다.
③ '여자'의 이야기를 들은 후 (다)에서 방백으로 '덤, 난 당신을 사랑해'라는 대사를 반복하는 '남자'의 모습에서 알 수 있다.
⑤ '덤'에 대한 이야기를 마친 '여자'는 '고마워요.', '당신은 참 친절하신 분이에요.'라며 '남자'에게 고마움과 호감을 표현하고 있다.

06 '남자'의 사랑 고백이 담긴 대사 뒤에 '여자'가 '거기서 뭘 하시죠?'라고 하는 것을 보아 '남자'의 대사는 모두 방백(무대 위의 다른 인물은 듣지 못하고 관객만 들을 수 있는 것으로 약속된 대사)임을 알 수 있다. 따라서 '여자'는 '남자'가 자신을 사랑하게 되었다는 사실을 아직 알지 못한다.

07 '남자'는 자신이 빈털터리임을 솔직하게 밝히면서 이 세상 모든 것은 빌린 것이라는 자신의 깨달음을 전하고 있을 뿐, '여자'를 부자로 만들어 준다고 약속하지 않았다.

08 무서운 구둣발을 이끌고 '남자'를 차 버릴 듯이 다가오는 하인

의 행동은 극의 긴장감을 고조시킨다.

09 원래 연극은 무대와 관객 사이에 가상의 벽이 있다고 생각할 정도로 무대와 객석을 분리하므로 ㉠을 연극의 일반적 특성으로 보는 것은 적절하지 않다. 이 희곡은 소유의 본질이라는 주제를 형상화하기 위해 ㉠과 같이 무대와 객석의 경계를 허무는 실험적인 설정을 취하고 있다.

2 4 교과서 대표 전략 ① BOOK 1 58~59쪽

| **대표 예제** | **01** ⑤ **02** ② **03** ④ **04** ⑤
05 냉정하다. / 감정이 없다. / 비인간적이다. 등

01~02 봄・봄 _김유정

해제 이 작품은 머슴으로 일하는 데릴사위인 '나'와 장인 간의 갈등을 해학적으로 그린 농촌 소설로, 김유정의 작품 중에서 가장 해학성이 넘치는 소설로 꼽힌다. 소설 속 어리숙하고 순진한 '나'의 행동은 시종일관 웃음을 유발하는데, 한편으로는 마름이라는 우월한 지위와 데릴사위 제도를 이용하여 '나'의 노동력을 교묘히 착취하는 장인의 행태를 통해 인간의 간교함에 대한 비판을 보여 주기도 한다.

이 작품은 '나'의 회상에 따라 내용이 전개되는 역순행적 구성 방식을 취하고 있으며, 제목 '봄・봄'은 계절적 배경, 애정에 눈뜨기 시작한 청춘, 봄마다 반복되는 '나'의 성례 요구와 지연 등을 의미한다고 볼 수 있다.

핵심 정리

- **갈래** 현대 소설, 단편 소설, 농촌 소설
- **배경** ・시간 – 1930년대
  ・공간 – 강원도 농촌
- **시점** 1인칭 주인공 시점
- **제재** 성례(혼인) 문제
- **주제** 어수룩한 데릴사위와 그를 이용하는 교활한 장인 간의 해학적 갈등
- **특징**
  ① 과장된 상황 설정과 인물의 어리숙한 행동이 해학성을 유발함.
  ② 토속어, 방언, 비속어 등을 사용하여 향토성과 현장감을 느낄 수 있음.
  ③ 사건이 일어난 실제 시간과 서술 순서가 뒤바뀐 역순행적 구성을 보임.
- **짜임**

발단	장인은 점순의 키가 자라면 점순과 '나'의 성례를 치러 주기로 계약했지만 점순의 작은 키를 핑계로 계속 약속을 지키지 않음.
전개	점순의 충동질로 '나'는 꾀병을 부리며 반항하고, 결국 중재를 요청하기 위해 장인과 함께 구장을 찾아가지만 별 소득을 얻지 못함.
절정	・점순의 부추김으로 '나'는 다시 꾀병을 부리고 급기야 장인과 몸싸움을 벌임.
・자신의 편을 들어 줄 줄 알았던 점순이 장인의 편을 들자 '나'는 망연자실함.
결말	장인의 회유에 넘어간 '나'가 다시 일을 하러 감으로써 갈등이 일시적으로 해소됨.(절정 단계에 삽입됨.)

01 장인이 '나'의 상처를 치료해 주고 두 사람이 화해하는 장면인 (가)가 두 사람이 갈등하는 (나)보다 뒤에 일어난 사건이다. 그런데 이 글은 두 사건의 순서를 바꾸어 배치함으로써 '나'와 장인의 희극적이고 과장된 대결을 부각하여 긴장감과 해학성을 극대화하고 있다.

오답 풀이

① 사건이 발생한 시기와 서술하는 시기가 일치하면 현재형 시제가 사용된다. 이 글에서는 현재형 어미 '-ㄴ다' 대신 과거형 어미 '-았/-었다'가 사용되었다.

② 여러 개의 삽화를 나열하는 것을 옴니버스식 구성이라고 하는데, 이 소설에서는 이러한 구성 방식이 사용되지 않았다.

③ 현학적 표현은 학식이 있음을 자랑하려고 불필요한 미사여구나 어려운 한자어를 사용한 표현을 뜻하는데, 이 글에서는 이러한 표현이 나타나지 않는다.

④ 이 글에는 작품 속 서술자 '나'가 등장한다.

02 이 글은 정보 결핍 상태에 있는 인물, 즉 어리숙하고 무지한 '나'가 수탈을 당하는 상황을 해학적인 문체로 드러내고 있다. ㉡에서 '나'는 또 혼례를 미루며 자신을 머슴으로 부려 먹으려 하는 장인의 계략을 알아채지 못하는 어리숙한 모습을 보여 웃음을 유발하고 있다.

03~05 성난 기계 _차범석

해제 이 작품은 냉정하고 인간미 없는 한 의사가 자신보다 더욱 비정한 인간에게 분노를 느끼면서 인간성을 회복한다는 내용을 담은 사실주의 극이다.

외과 의사인 주인공 회기는 가난한 환자 인옥의 폐 수술을 냉정하게 거부한다. 수술이 성공할 가능성이 낮고, 잘못될 경우 자신에게 책임이 돌아올 것이 걱정되기 때문이다. 이렇듯 작품의 전반부는 인간적으로 호소하는 인옥과 기계처럼 냉정한 회기의 대립으로 전개된다. 그러나 작품 후반부에서 극적 반전이 일어난다. 수술비가 너무 많이 드니 인옥을 수술해 주지 말라는 상현(인옥의 남편)의 비인간적인 요청에 회기의 내면에 잠재해 있던 인간성이 살아난 것이다. 상현에게 분노한 회기는 인옥을 수술해 주기로 결심한다. '기계'와 같이 냉정했던 인물이 극단적인 비인간성을 만나 '성난 기계'가 됨으로써 잠재된 인간적인 모습을 회복하게 된 것이다.

핵심 정리

- **갈래** 희곡, 단막극
- **배경** • 시간 – 현대, 늦가을
  • 공간 – 폐 외과 과장실
- **제재** 인간성을 상실한 현대인의 삶
- **주제** 인간성 상실과 회복
- **특징**
  ① 비정한 현대인의 모습을 냉소적으로 묘사함.
  ② 기계 문명 속에서 현대인이 소외되고 비인간화되는 세태를 고발함.
  ③ 전반부와 후반부의 인물의 모습을 대립적으로 설정함.
- **짜임**

발단	담배 공장 포장공인 인옥이 폐 전문 외과 의사인 회기를 찾아와 수술해 달라고 애원함.
전개	회기는 수술 결과에 자신이 없다며 수술해 달라는 인옥의 요청을 거절함.
절정	인옥의 남편인 상현이 찾아와 경제적인 이유를 들고 아내의 부정을 의심하며 인옥의 수술을 반대함.
하강	회기가 상현의 이기적이고 비인간적인 태도에 분노함.
대단원	회기가 간호사 금숙을 시켜 인옥에게 수술을 받으러 오라는 편지를 보내게 함.

03 인옥은 회기의 냉정한 반응에 애원하고, 원망하고, 자신이 살아야 할 이유를 말하고 있을 뿐, 삶에 대한 애착을 버리고 있지

는 않다.

04 ㉤에서 회기는 인옥이 수술을 받고자 하는 이유가 어린 자식들을 먹여 살리기 위함임을 알고 '약간 감동'되어, 자신의 말은 결코 인옥이 죽어도 좋다는 의미는 아니라며 미안한 듯한 모습을 보이고 있다.

 4일 교과서 대표 전략 ② BOOK 1 60~63쪽

01 ⑤ **02** ② **03** ④ **04** 종소리 **05** 전쟁의 상처를 치유할 수 있는 것은 인간에 대한 공감과 사랑이다. **06** ③ **07** ③ **08** 두 사람의 앞날이 순탄치 않을 것임을 암시한다.(정처 없이 떠돌아야 하는 두 사람의 삶이 계속될 것임을 암시한다.) **09** ④ **10** ③

01~05 종탑 아래에서 _윤흥길

해제 이 작품은 순박한 소년과 끔찍한 전쟁의 상처를 안고 있는 소녀의 만남을 통해 6·25 전쟁이라는 시대적 아픔을 그리고 있다. '나'는 앞을 볼 수 없는 명은에게 호기심과 연민을 갖게 되는데, 그 감정은 종탑 아래에서 울리는 종소리를 통해 극대화된다. 이 종소리는 고통스러운 상처를 치유하고 구원을 바라는 명은의 소망을 담고 있어 독자들에게 강한 울림을 준다. 소년의 도움으로 소녀가 종을 울리는 결말은, 전쟁의 상처와 절망이 공감과 사랑으로 치유될 수 있음을 보여 준다.

작가는 천진난만한 어린아이의 시각으로 전쟁에 접근함으로써 6·25 전쟁이 사람들에게 준 고통과 슬픔을 효과적으로 드러내고 있으며, 방언과 일상어를 자유롭게 구사하여 당시의 상황을 실감 나게 재현하고 있다.

핵심 정리

- **갈래** 현대 소설, 단편 소설, 액자 소설
- **배경** • 시간 – 한국 전쟁
  • 공간 – 전북 익산 시내
- **시점** 1인칭 관찰자 시점
- **제재** 전쟁의 상처
- **주제** 사랑과 연민(공감)을 통한 전쟁의 상처 치유
- **특징**
  ① 전쟁의 폭력성에서 비롯된 문제 상황과 해결 방안을 제시함.
  ② 소년과 소녀를 등장시켜 전쟁의 참혹함을 드러냄.
  ③ 구체적인 지명과 사투리를 사용하여 작품의 사실성을 높임.
  ④ '백마 이야기'를 제시하여 작중 인물의 상황과 주제를 부각함.
- **짜임**

외화(도입)		환갑이 다 된 초등학교 동기들이 모여 돌아가면서 자신의 옛 이야기를 하는데, 마지막 순서로 건호('나')가 어린 시절의 사랑 이야기를 하겠다고 함.
내화	발단	'나'는 어느 봄날 익산 군수 관사에서 명은을 처음 만남.
	전개	'나'와 명은은 만남을 이어 감. '나'가 명은에게 들려 준 전황 소식 때문에 갈등을 겪지만 종소리를 계기로 화해함.
	위기	'나'와 명은이 함께 교회에 가서 종소리를 듣고, 명은은 '나'에게 직접 종을 치게 해 달라고 부탁함.
	절정·결말	'나'와 명은이 함께 교회 종을 울리고, 명은의 울음소리와 함께 종소리가 멀리 퍼져 나감.
외화(종결)		건호의 이야기를 들은 초등학교 동기들은 이런저런 말을 주고받다가 새벽이 되어 자리에서 일어남.

01 이 글은 1인칭 주인공 시점의 소설로, 등장인물인 '나'가 자신이 겪은 일을 서술하고 있다. 1인칭 주인공 시점은 주인공의 내면 심리를 효과적으로 표현할 수 있지만, 주인공이 보고 느낀 것만 알 수 있다는 한계가 있다.

02 '나'는 전황 소식이 명은 외할머니가 말한 '사람이 죽고 사람을 죽이는 이야기'임을 인식하지 못한 채 명은을 기쁘게 해 주기 위해 명은에게 전쟁 소식을 전하고 있다. 이로 볼 때, 명은처럼 전쟁의 직접적 피해를 겪어 본 적이 없는 '나'는 전쟁의 비극성과 심각성을 잘 이해하지 못하고 있음을 알 수 있다.

03 삽입된 이야기에서 백마를 종으로 인도한 것은 성주가 아니라 칡넝쿨이다. 칡넝쿨은 명은이 소원을 실현하고자 종을 치는 데 도움을 주는 '나'와 대응한다고 볼 수 있다.

04 부모의 죽음을 목격한 명은의 울음소리를 비유한 종소리는 명은에게 구원의 희망이라는 의미를 지닌다.

05 '나'는 종을 울려서 자신의 억울하고 고통스러운 심정을 하늘에 호소하고 싶은 소망을 지닌 명은의 처지에 진심으로 공감하고, 명은이 종을 칠 수 있도록 헌신적인 자세로 돕는다. 이와 같은 두 인물의 관계는, 전쟁의 상처를 치유할 수 있는 것은 인간에 대한 공감과 연민, 사랑이라는 이 소설의 주제 의식과 맞닿아 있다.

06~08 삼포 가는 길 _황석영

해제 1970년대를 배경으로 하는 이 작품은 우연히 만난 세 명의 인물이 함께 길을 걷는 과정에서 그들 삶의 내력과 주제가 점차적으로 드러나는 여로형 구성을 취하고 있다. 길에서 우연히 만난 정 씨와 영달, 백화는 각각 떠돌이 노동자와 술집 작부로서 산업화 과정에서 고향을 잃고 고달프게 살아가는 사람들을 대변하는 인물들이다. 이들은 동행하면서 점차 서로를 이해하고 따뜻한 정을 나누는 관계로 발전하는데, 이 과정에서 소외된 계층을 바라보는 작가의 애정 어린 시선을 느낄 수 있다.

제목의 '삼포'는 가공의 지명으로, 떠도는 자들의 영원한 마음의 고향을 상징한다. 이 소설의 결말 부분에서 등장인물들은 삼포가 본래의 모습을 잃고 공사판으로 변했다는 소식을 듣게 되는데, 이는 당시 산업화로 인해 변해 버린 농어촌의 상황을 상징한다. 결국 정 씨가 기대하던 포근한 안식처로서의 고향 삼포는 파괴되어 그는 정신적인 안식처를 잃게 된다.

핵심 정리 ------------------------------------
- **갈래** 현대 소설, 단편 소설
- **배경** • 시간 – 1970년대 겨울
  - • 공간 – 시골길과 감천역
- **시점** 3인칭 전지적 시점
- **제재** 산업화 과정에서 소외된 사람들의 삶
- **주제** 급속한 산업화 속에서 고향을 상실하고 떠돌아다니는 뜨내기들의 애환과 연대 의식
- **특징**
  ① 대화나 행동 묘사를 주로 사용하여 사실적이고 극적인 효과를 거둠.
  ② 길을 모티프로 삼고 있는 여로 소설의 구조를 통해 주제를 형상화함.
  ③ 1970년대 사회 현실에 대한 작가의 비판 의식이 드러나 있음.
  ④ 여운을 남기는 방식으로 작품의 결말을 처리함.

• 짜임

발단	밀린 밥값을 떼어먹고 공사판을 떠난 영달은 고향인 삼포로 가는 정 씨를 만나 그와 동행하게 됨.
전개	삼포로 가는 기차를 타기 위해 감천으로 가던 중 영달과 정 씨는 술집에서 도망친 백화를 만나고, 세 사람이 동행하게 됨. 백화는 처음에는 두 사람을 경계하다 자신과 비슷한 처지임을 알고 점점 마음을 엶.
절정	백화는 영달에게 자신의 고향에 함께 가자고 하는데, 영달은 그 제안을 거절하고 가진 돈으로 기차표와 먹을거리를 사 주고 백화를 보냄.
결말	기차를 기다리던 영달과 정 씨는 대합실에서 만난 노인에게 삼포가 공사판으로 변했다는 이야기를 듣고, 정 씨는 마음의 정처를 잃고 주저함.

06 정 씨는 삼포가 변해 버렸다는 소식에 충격을 받지만 영달은 일자리를 잡을 수 있어 잘됐다고 하였으므로 영달이 정 씨의 감정을 이해하고 안타까워한다고 볼 수 없다.

오답 풀이
① 노인은 '사람이 많아지니 변고지. 사람이 많아지면 하늘을 잊는 법이거든.'이라며 삼포의 도시화, 산업화를 부정적으로 평가하고 있다.
② '정 씨는 발걸음이 내키지 않았다. 그는 마음의 정처를 방금 잃어 버렸던 때문이었다.'에서 정 씨가 현재의 삼포가 기억 속 고향의 모습을 잃은 것에 충격을 받았음을 알 수 있다.

07 10년 전 삼포는 산업화 이전의 훼손되지 않은 농어촌 공동체가 있던 곳으로, 떠돌이 정 씨에게는 영원한 마음의 고향이자 정신적인 안식처였다. 따라서 산업화로 물질적인 풍요로움을 주는 공간이라는 설명은 적절하지 않다.

08 기차는 문학 작품에서 인생에 비유되기도 한다. ⓛ의 기차도 정 씨와 영달의 인생을 비유한 것이라고 볼 수 있다. 이 글에서 어두운 들판을 향해 달려가고 있는 기차는 이들의 인생이 순탄하지 않을 것임을 암시한다.

09~10 세상에서 가장 아름다운 이별 _노희경

해제 이 작품은 죽음을 앞둔 엄마의 삶을 소재로 하여 가족의 의미, 가족 간의 사랑을 그린 드라마 대본이다. 가족을 위해 헌신만 하다가 시한부 인생을 선고 받은 인물이 느끼는 절망과 허무, 가족들에 대한 걱정, 그리고 엄마와의 영원한 이별을 준비하는 가족들의 슬픔과 안타까움을 섬세하게 그리고 있다. 바쁘다는 이유로, 또 너무 가까워서 잊고 지낸 가족의 소중함을 다시 생각해 보게 하는 작품이다.

핵심 정리 ------------------------------------
- **갈래** 시나리오
- **배경** • 시간 – 현대
  - • 공간 – 우리 사회
- **제재** 말기 암에 걸려 죽음을 앞둔 인희의 삶
- **주제** 죽음의 과정을 통해 본 가족의 진정한 의미
- **특징**
  ① 이별을 준비하는 가족의 심정을 형상화하기 위해 다양한 영상 기법과 장치를 활용함.

② 파편화된 가족 구성원이 어머니의 죽음을 통해 가족의 사랑을 확인해 가는 모습을 그림.
• 짜임

발단	가족을 위해 헌신하며 평범한 일상을 꾸리던 인희는 통증을 느껴 병원을 찾음.
전개	검사 결과 인희는 자궁암 말기 판정을 받고 이를 알게 된 남편 정철은 괴로워함.
절정	정철이 수술을 고집하여 인희는 수술을 받지만 가망이 없다는 사실만을 확인함.
하강	인희는 자신의 죽음을 예상하고 죽음을 준비하며 시어머니, 아들, 딸과 차례로 이별함.
대단원	정철과 마지막으로 행복한 한때를 보내고 인희는 결국 생을 마감함.

09 이 글은 촬영을 전제로 쓰인 시나리오로, 무대 상연을 전제로 하는 희곡에 비해 시간적·공간적 제약을 덜 받는다.

10 S# 74의 네 장면은 내용상 각각 따로 촬영된 것으로, 모두 인희와 정철이 인희의 죽음을 준비하며 보내는 일상 장면에 해당되지만 내용상 유기적으로 이어지지는 않는다.

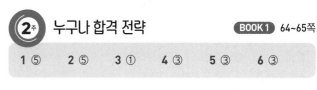

| 1 ⑤ | 2 ⑤ | 3 ① | 4 ③ | 5 ③ | 6 ③ |

1 작품 속 인물인 서술자 '나'가 '그(황수건)'를 관찰하여 그에 대한 이야기를 전달하고 있다.

2 황수건은 자신을 아이들이 노랑 황수건이라고 놀리기 때문에 성북동 사람들이 노랑 황수건 하면 다 자기인 줄 알리라고 자랑스럽게 이야기하고 있으므로, 이를 불쾌해한다고 보기 어렵다.

오답 풀이
① '이 아래 있는 삼산학교에서 일을 보다 어떤 선생하고 뜻이 덜 맞아 나왔다는 것'에서 알 수 있다.
② '저희 집엔 양친과 형님 내외와 조카 하나와 저희 내외까지 식구가 일곱이란 것'에서 알 수 있다.
③ 황수건이 '나'의 집에 "신물 배달해 왔습니다."하고 소리치며 들어서는 부분에서 알 수 있다.
④ 황수건이 자신의 일, 가족, 별명 등에 대해 거리낌없이 말하는 데서 알 수 있다.

3 이 글의 서술자는 과거에 창섭의 동생 창옥이 의사의 오진으로 죽게 된 사건을 요약하여 전달하고 있다.

4 ㉠에서는 창옥의 병을 오진해 치료를 지체한 의사에 대한 창섭의 원망과 분노가 드러난다. 창섭은 이 일을 계기로 의전에 진학하여 의사가 되었다.

5 (가)는 희곡, (나)는 시나리오이다. 시나리오는 장면의 전환과 공간적 배경의 변환이 자유롭다는 특징을 지닌다.

6 제시된 부분만으로는 회기가 자신은 인옥의 수술과 같이 '자신 없는 일엔 손을 안 대는 성질'이라고 한 말이 거짓인지 판단하기 어렵다. 처음에 인옥의 호소를 외면하는 비인간적인 면모를 보였던 회기는 비인간적인 상현의 태도에 분노해 인옥을 살리겠다며 인간적인 면모를 보이고 있다.

2주 창의·융합·코딩 전략 ① BOOK 1 66~67쪽

1 ⑤ **2** '나'의 심리가 직접적으로 드러나지 않아 '나'가 어떤 행동을 하는 의도를 독자가 추측해야 한다. **3** 아름은 서하가 가짜였다는 사실을 알고 그 충격에서 벗어나기 위해 게임에 몰두한 것이다. **4** (머뭇거리면서) / (주저하면서) / (망설이면서) 등. 아름이 대수에게 대든 후 서먹한 상황에서 대수에게 부탁하고 있기 때문이다.

1 '내 골이 난 것이 아니라 정말은 아까부터 벽 뒤 울타리 구멍으로 점순이가 우리들의 꼴을 몰래 엿보고 있었기 때문이다.'로 볼 때, '나'가 장인의 수염을 잡아 챈 것은 "쉄을 잡아채지 그냥 뒤, 이 바보야!"라는 점순의 말을 곧이곧대로 들었기 때문이라고 짐작할 수 있다.

2 1인칭 주인공 시점은 '나'의 심리를 상세하게 제시해 주기 때문에 독자는 '나'의 행동의 의도를 분명하게 알 수 있다. 그러나 이를 3인칭 관찰자 시점으로 바꾸어 쓰면 이러한 '나'의 심리가 직접적으로 드러나지 않아 독자가 '나'의 행동의 의도를 추측해야 할 뿐만 아니라 '나'의 어리숙하고 순진한 성격이 전면에 부각되지 않게 된다.

3~4 두근두근 내 인생 _최민석 외 각본

해제 이 작품은 선천성 조로증에 걸린 열여섯 살 소년 아름과 열일곱 살에 부모가 된 젊은 부모 대수와 미라를 통해, 삶의 가장 찬란한 순간인 청춘을 경험해 본 부모와 청춘을 꿈꿀 수 없는 아들의 이야기를 그린 시나리오이다. 죽음이라는 무거운 소재를 의도적으로 밝고 가볍게 풀어 가며 삶의 소중함과 아름다움에 대해 되새겨 보게 한다.

핵심 정리
- **갈래** 시나리오
- **배경** · 시간 – 2010년대
  - · 공간 – 서울
- **제재** 조로증을 앓고 있는 16세 소년의 삶과 사랑
- **주제** 힘든 상황 속에서도 서로를 보듬는 부모와 자식의 아름다운 사랑
- **특징** 난치병을 앓고 있는 소년의 삶을 담담하고 유쾌한 시각으로 그려 냄.

· **짜임**

발단	조로증에 걸린 열여섯 살 소년 아름은 세탁 공장에서 일을 하는 엄마 미라와 택시 운전을 하는 아빠 대수와 함께 씩씩하고 밝게 살아감.
전개	미라와 대수는 아름의 치료비를 마련하기 위해 아름과 함께 텔레비전 방송에 출연함. 아름은 방송에 출연한 뒤 서하라는 소녀가 보낸 전자 우편을 받고 서하와 전자 우편을 주고받으며 가까워짐.
절정	서하가 사실은 영화감독 지망생이 꾸며 낸 가상의 인물이라는 것을 알게 된 아름은 큰 충격을 받아 건강이 빠른 속도로 나빠지고, 감정이 폭발하여 부모와 갈등함.
하강	서먹했던 아름과 대수는 하늘 공원에서 화해하고, 함께 별똥별을 보면서 즐거운 시간을 보내던 중 아름이 시력을 잃음.
대단원	아름은 소원대로 미라, 대수와 함께 보신각 제야의 종 타종 행사를 보러 가던 중에 숨을 거둠.

3 〈보기1〉에서 아름이 서하의 실체를 알고 우울감을 느끼고 있는 상태일 것임을 알 수 있다. 〈보기2〉를 통해 아름이 우울감에서 벗어나기 위해 유혈이 낭자한 게임이라는 자극적인 수단을 선택하였을 것을 추측할 수 있다.

평가 요소	확인 ☑
아름이 서하의 실체를 알고 충격을 받았음을 언급함.	
아름이 충격에서 벗어나기 위해 게임에 몰두한 것임을 연결 지어 설명함.	

4 (가)에서 아름과 대수가 게임 문제로 갈등한 후 서먹한 상황에서 아름이 대수에게 별을 보러 가고 싶다고 부탁하고 있으므로 머뭇거리면서 말하는 것이 자연스럽다.

평가 요소	확인 ☑
상황에 알맞은 적절한 지시문을 제시함.	
그와 같은 지시문을 제시한 이유로 아름과 대수가 (가)에서 갈등을 겪었기 때문임을 언급함.	

2주 창의·융합·코딩 전략 ② BOOK 1 68~69쪽

5 ⑤ **6** 평안한 삶을 살기 위해 찾아간 시골에서까지 '한데'를 느끼게 되는 주인공의 슬픔을 의미한다. **7** ④ **8** ④

5~6 한데서 울다 _공선옥

해제 이 작품은 자본주의와 문명을 상징하는 도시에서 벗어나고자 하는 인물을 통해 자유로운 삶에 대한 욕망을 그리고 있다. 주인공 정희는 자유로운 삶을 추구하는 인물로, 자동차 소음으로 가득 찬 도시를 '한데'로 인식하고 시골로 이사를 한다. 그러나 평온할 것이라고 믿었던 시골집에서도 소음에 시달리고, 폭력적인 도시의 이미지를 대변하는 인물과의 갈등으로 다시 도시로 이사 갈 결심을 하지만, 번개탄 장수의 새로운 면모를 발견하면서 마음의 위안을 얻고 시골에서 살기로 한다.

핵심 정리
- **갈래** 단편 소설

- **배경** • 시간 – 현대
  • 공간 – 도시의 아파트와 시골집
- **시점** 3인칭 전지적 시점
- **제재** 도시에서의 삶과 시골에서의 삶
- **주제** 삶의 가치가 다른 현대인의 갈등과 폭력적 도시에 대한 대응 의지
- **특징**
  ① 도시와 시골이라는 서로 대비되는 소재를 통해 주제를 드러냄.
  ② 역순행적 구성 방식을 취함.
- **짜임**

발단	정희는 어렵게 장만한 도시의 아파트를 '한데'로 인식하며 시골집을 보러 다님.
전개	남편을 설득하여 아파트를 세놓고 너른 뒷마당이 있는 시골집으로 이사를 감.
위기	남편과 갈등을 겪으며 시골집으로 이사 왔지만 시골은 기대만큼 평화롭고 고요한 곳이 아니었음.
절정	사냥꾼들과 다투고 다시 도시의 집을 보러 다니지만 주차장에서 낯선 남자를 만나 놀라서 돌아옴.
결말	시골집으로 돌아오는 길에 번개탄 장수를 만나 시골에서의 삶에 위안을 찾게 됨.

5 정희는 정신을 편안하게 해 주지 못하는 집, 뒷마당이 없는 집은 집이라는 이름을 단 '상품'일 뿐이라며 집의 경제적 가치를 고려하는 것과는 거리가 먼 모습을 보이고 있다.

6 〈보기2〉를 고려할 때 '한데'의 사전적 의미는 '사방, 상하를 덮거나 가리지 아니한 곳. 집채의 바깥'으로, 평안하게 살 수 없는 곳이다. 정희에게 도시는 그런 '한데'였으며, 타인을 배려하지 않는 소음이나 폭력적 남성들이 그러한 '한데'를 구성하고 있다. 이 소설의 제목인 '한데서 울다'는 평안한 삶을 위해 찾아간 시골에서까지 '한데'를 느끼게 되는 주인공의 슬픔을 의미한다.

평가 요소	확인 ☑
주인공(정희)이 시골에 가서까지 '한데'를 느끼게 되었음을 언급함.	
제목이 주인공이 느낀 슬픔을 의미한다는 것을 언급함.	

7 〈보기〉에서 작가는 관객에게 소품을 빌리는 것에는 더 깊은 의미, 즉 '소유의 본질'을 드러내는 의미가 있다고 하였다. 따라서 관객에게 소품을 빌리는 이유가 단순히 무대 장치를 간소화했기 때문이라고 하는 것은 적절하지 않다.

8 배우가 관객에게 넥타이를 빌려 착용하는 장면은 배우와 관객이 함께 있을 때만 가능하다. 촬영을 전제하는 시나리오에서는 영상 제작 후에 관객에게 영상이 제공되기 때문에 배우가 연기할 때 관객이 함께 있지 않다. 따라서 ㉣은 시나리오에 반영하기 어려운 부분이다.

신유형·신경향·서술형 전략 BOOK 1 72~75쪽

01 ④ **02** ① **03** ⑤ **04** '나'는 성례를 원하는데 장인이 이를 거절하고 있어 갈등이 발생하였다. 이를 해결하는 방안은 성례를 시켜 주는 것이다. **05** ③ **06** ⑤ **07** 관객을 극에 참여시킴으로써 작품의 주제 의식을 실감 나게 전달하고 있다. **08** ③ **09** ③

01 이 시에서 모순된 표현으로 전달하려는 의미를 강조하는 역설적 표현이 사용된 부분은 찾을 수 없다.

〔오답 풀이〕
① 시상이 전개됨에 따라 '사나이'에 대한 화자의 심리가 '미움→연민→미움→그리움'으로 뚜렷한 변화를 드러낸다.
② 2연과 6연을 변형, 반복하여 수미상관의 구조를 이루고 있으며 이로써 시의 형태적 안정감을 이루고 있다.
③ '-ㅂ니다'의 종결 어미를 반복하면서 화자의 마음을 고백하는 듯한 어조로 서술하고 있다.
⑤ 이 시의 화자는 '나, 우리'와 같은 표현을 사용해 자신을 직접 겉으로 드러내지는 않았지만, '사나이'라고 스스로를 객관화한 표현을 사용함으로써 드러내고 있다.

02 이 시의 화자는 우물에 비친 자신의 모습을 바라보고 있다. 우물은 화자가 자신의 모습을 객관적으로 성찰할 수 있게 하는 매개체로서, 화자를 자아 성찰에 이르게 하여 내적 갈등을 해소하게 한다.

03 제시된 기사를 통해 윤동주가 일제 강점이라는 부당한 현실에 적극적으로 저항하지 못하는 자신을 비판적으로 반성한 시인임을 알 수 있다. 이로 볼 때, 화자가 '사나이'를 미워하는 것은 시인이 일제 강점기를 살아가는 조선인으로서 일본에서 편안히 공부하고 있는 스스로에 대한 부끄러움을 표현한 것이라고 짐작할 수 있다.

〔오답 풀이〕
① '사나이'는 우물 속에 비친 화자 자신으로, 현실의 초라한 자아를 의미한다.
②, ④ '파아란 바람', '달', '구름'은 우물에 비친 풍경들로, 현실 속 '사나이'와 대조를 이루는 평화롭고 아름다운 대상이다.
③ '사나이'는 화자 자신을 의미하므로, 화자가 '사나이'를 미워하는 것은 현실 속 자신을 미워하는 것으로 해석할 수 있다.

04 '나'는 성례를 시켜 준다는 장인의 약속을 믿고 오랜 시간 데릴사위 노릇을 하였는데, 장인이 약속을 지키지 않아 갈등이 발생하였다. 성례가 이루어지지 않아 문제가 발생한 것이므로 이에 대한 해결 방안은 성례를 하는 것이다.

평가 요소	확인 ☑
'나'와 장인의 입장이 모두 드러나게 갈등의 원인을 씀.	
갈등의 해결 방안이 성례를 하는 것임을 씀.	

05 〈보기〉를 통해 김유정의 작품은 농촌의 문제를 포착하고 있기는 하나 냉철하고 첨예한 비판을 내세우기보다는 인물의 희화화를 통해 익살과 해학을 보여 준다는 특징을 지니고 있음을 파악할 수 있다. 이로 볼 때, 마름인 장인에게 착취당하는 어수룩한 '나'를 풍자와 비판의 대상으로 이해하는 것은 적절하지 않다.

06 ⓜ은 '나'를 계속해서 부려 먹기 위해 회유하는 말이다. 장인의 영악하고 교활한 성격, 매번 반복되는 장인의 회유, 그리고 장인의 의도를 알아채지 못하는 '나'의 우둔한 면모로 볼 때 갈등이 완전히 해소되었다고 보기는 어렵다.

07 이 희곡은 여러 실험적 기법을 사용하고 있는데, 관객에게 역할을 부여한 것이 그중 하나이다. 배우가 관객의 물건을 소품으로 활용하고 사건 전개 과정에서 관객을 증인으로 내세움으로써 관객에게 친밀감을 줄 뿐 아니라 작품의 주제를 실감 나게 전달하는 효과를 거두고 있다.

평가 요소	확인☑
⊙~ⓒ이 관객을 극에 참여시키는 설정임을 언급함.	
이를 통해 작품의 주제를 실감 나게 전달하고 있음을 제시함.	

08 (가)에서 자신이 깨달은 '소유'의 의미(모든 것은 빌린 것임.)를 드러낸 남자는 (나)에서 자신이 빈털터리임을 여자에게 고백하고 있다. 이처럼 남자는 세상에 영원히 소유할 수 있는 것은 없다는 진리를 받아들이고 있으므로, 경고문을 읽고 받아들이지 못하겠다는 표정을 짓는 것은 적절하지 않다.

09 물건들을 빌려 여자를 속였던 남자는 이를 돌려주는 과정에서 사랑하는 사람 역시 빌린 대상이므로 다시 돌려주기 전까지 더 아끼고 사랑해야 한다고 생각하게 되었고, 여자 역시 이러한 남자의 생각에 설득되어 남자의 사랑을 받아들인다. 이 작품은 이러한 인물들의 모습을 통해 소유의 본질과 진정한 사랑의 의미를 생각해 보게 하고 있다.

적중 예상 전략 ①회
BOOK 1 76~79쪽

01 ②	02 ②	03 ①	04 ①	05 ⑤	06 ①
07 서리서리, 구뷔구뷔			08 ④	09 ③	10 ⑤
11 생명을 소중히 여기는 마음을 지니는 것이 중요하다. 12 ④					
13 ⑤	14 ④				

01 이 시는 시간의 흐름에 따른 시상 전개 방식을 사용하고 있지 않으며, 대상의 변화 양상이 아닌 대상(고향)의 다채로운 모습을 병렬적으로 제시하며 시상이 전개되고 있다.

오답 풀이
① 후렴구를 반복하여 고향에 대한 화자의 그리움을 부각하고 있다.
③ '실개천', '얼룩백이 황소', '질화로', '짚베개'와 같은 토속적 정감을 주는 시어를 사용하여 정겨운 고향의 모습을 묘사하고 있다.
④ 이 시의 각 연은 내용상 밀접한 관련성이 없는 다양한 고향의 정경을 병렬적으로 제시하며 고향에 대한 그리움이라는 주제 의식을 구현하고 있다.
⑤ '얼룩백이 황소, 파아란 하늘빛, 검은 귀밑머리 날리는, 성근 별, 흐릿한 불빛'(시각적 심상), '옛이야기 지줄대는, 서리 까마귀 우지짖고, 도란도란거리는'(청각적 심상), '풀섶 이슬에 함초롬 휘적시던, 따가운 햇살을 등에 지고'(촉각적 심상) 등의 시구에서 다양한 감각적 이미지를 활용하여 고향의 이미지를 묘사하고 있다.

02 2연의 '질화로에 재가 식어지면'에서 겨울이라는 계절적 배경이 드러나므로 '여름밤의 정경'이라는 설명은 적절하지 않다.

03 〈보기〉는 공감각적 심상에 대한 설명이다. '해설피 금빛 게으른 울음'은 '울음'이라는 청각적 이미지를 '금빛'이라는 시각적 수식어로 수식함으로써(청각의 시각화) 공감각적 이미지를 불러일으키고 있다.
오답 풀이
②, ③, ⑤ 촉각적 심상 ④ 시각적 심상

04~08 동지ㅅ둘 기나긴 밤을 _황진이

해제 이 시는 자를 수 없는 추상적 개념인 시간(밤)을 베어 낸다고 표현함으로써 시간을 구체적인 사물로 형상화하고 있다. 잘라둔 시간을 임이 오신 밤에 펼쳐서 임과 함께 보내는 밤을 더 길게 하고 싶다는 것이다. 임과 함께할 수 없는 기나긴 동짓달 밤의 외로움과 임에 대한 간절한 그리움이 담겨 있다. 화자의 섬세한 정서가 진솔하게 드러나며, 순우리말의 아름다움을 시적 언어로 잘 형상화하였다.

핵심 정리
· 갈래 평시조, 단시조
· 제재 동짓달 긴 밤, 연모의 정
· 주제 임에 대한 절실한 그리움
· 특징
① 추상적 개념인 시간을 구체적 사물로 표현함.
② 음성 상징어를 사용하여 우리말의 묘미를 잘 드러냄.
· 짜임

초장	동짓달 긴 밤의 한가운데를 베어 냄.
중장	봄바람처럼 따뜻한 이불 아래 베어 낸 밤을 넣어 둠.
종장	정든 임이 오신 날에 밤을 펼쳐 내어 밤을 길게 만들고 싶음.

04 이 시의 화자는 임을 향한 간절한 그리움과 임과의 재회에 대한 기대감의 정서를 드러내고 있다. 원망의 정서는 나타나지 않는다.
오답 풀이
② 추상적 대상인 시간을 자를 수 있는 물리적 대상으로 구체화하였다.
③ '-리라'를 활용하여 임을 만나면 보관했던 시간을 펼쳐 오래 같이 있고 싶다는 화자의 의지를 드러내 그리움을 표현하고 있다.
④ '너헛다가'와 '펴리라'라는 대조적 심상을 사용해 임을 그리워하고

기다리는 화자의 정서를 표현하고 있다.

⑤ 불가능한 상황(시간을 잘라 보관함.)을 상상하여 화자의 외로움과 임에 대한 그리움을 심화하고 있다.

05 ㉠은 임이 부재하는 부정적 시간, ㉡은 임과 함께하는 긍정적 시간으로 서로 의미의 대비를 이루기는 하지만 ㉡을 화자의 그리움이 최고조에 이르는 때로 보기는 어렵다. ㉡은 임과 재회하게 될 미래의 시간으로, 이 시간이 오면 화자의 그리움은 해소될 것이기 때문이다.

06 이 시의 화자는 임에 대한 그리움의 정서를 드러내고 있다. ①의 화자 역시 만중운산(구름이 겹겹이 낀 산)과 같이 임이 쉽게 오기 어려운 장소에서 작은 소리(떨어지는 나뭇잎 소리와 부는 바람 소리)에도 혹시 임이 온 것은 아닌지 마음을 쓰며 간절한 기다림의 정서를 드러내고 있다.

> **오답 풀이**
> ② 눈 속에서도 푸르름을 잃지 않는 대나무를 통해 두 왕조를 섬길 수 없다는 작가의 굳은 의지를 드러낸 시조로, 작가는 고려 말의 문인인 원천석이다.
> ③ 한적한 가을밤의 풍취를 드러내어 물욕과 명리를 벗어나 자연 속에서 유유자적하는 삶의 모습을 그린 시조로, 작가는 월산대군이다.
> ④ 봄을 맞이하는 흥겨움을 임금의 은혜와 결부하여 표현한 작품으로, 맹사성이 쓴 연시조 〈강호사시사〉 중 제1수이다.
> ⑤ 늙는 것을 피하고자 하지만 흐르는 세월을 어찌할 수 없는 인간의 마음을 해학적으로 노래한 시조로, 작가는 우탁이다.

07 '서리서리'는 국수나 노끈 따위의 긴 물건을 둥그렇게 포개어 여러 차례 감아 놓은 모양을 나타내는 의태어이다. '굽이굽이'는 넓은 공간에 길게 펼치는 모양을 나타낸 의태어이다.

08 생명을 소중히 여기는 마음이 중요하다는 깨달음을 전달하고는 있으나, 독자에게 이를 따를 것을 권유하는 부분은 찾을 수 없다.

09 다리가 불편함에도 정성껏 물을 길어다 채소를 키우는 할아버지의 모습을 관찰한 뒤, 이에 대한 글쓴이의 느낌과 생각을 드러내고 있다.

10 ㉢은 '나'도 할아버지와 마찬가지로 생명을 소중히 여기는 마음으로 여러 번 물을 길어 채소들을 키우고 있음을 의미하는 문장이다.

11 글쓴이는 절뚝거리며 물을 반이나 쏟으면서도 남은 반 통의 물을 살아 있는 것들에게 쏟아붓는 할아버지의 모습에서 '생명을 소중히 여기는 마음'과 그것의 중요성을 깨닫고 있다.

평가 요소	확인 ☑
생명을 소중히 여기는 마음이라는 구체적 의미를 드러냄.	
완결된 한 문장으로 씀.	

12 제시된 글에서 성현의 말을 인용한 부분은 찾을 수 없다.

> **오답 풀이**
> ① '나를 지키는 집'이라는 의미를 지니는 '수오재'라는 이름에 대해 '비록 지키지 않는다 한들 '나'가 어디로 갈 것인가.'라며 의문을 제기한 후, 이어지는 내용에서 이에 대한 깨달음을 서술하고 있다.
> ② '내 밭을 지고 도망갈 사람이 있겠는가?', '내 집을 지고 달아날 사람이 있겠는가?', '꽁꽁 묶고 자물쇠로 잠가 '나'를 굳게 지켜야 하지 않겠는가?'와 같이 대답을 굳이 요구하지 않는 의문문(수사적 의문문)을 반복적으로 사용하여 글쓴이의 생각을 강조하고 있다.
> ③ (나)에서 지켜야 할 필요가 있는 '나'(본질적 자아)와 지켜야 할 필요가 없는 그 외 천하 만물('집', '밭' 등)의 속성을 대조하여 천하 만물 중에서 지켜야 할 것은 오직 '나'뿐이라는 깨달음을 표현하고 있다.
> ⑤ (다)에서 자신의 자아를 세속의 현실을 좇는 '나'와 본질적 자아인 '나'로 나누어 자문(自問)하는 형식을 통해 자아성찰의 과정을 구체적으로 보여 주고 있다.

13 글쓴이는 "천하 만물 중에 지켜야 하는 것은 오직 '나'뿐이다."라고 하며 본질적 자아(참된 자아, 자신의 본성)를 지키는 것의 중요성을 전달하고 있을 뿐, 지켜야 할 대상을 스스로 찾아야 한다고 언급하지는 않았다.

14 ㉣은 글쓴이가 자신의 의지로 낙향했음을 나타내는 것이 아니라, '나'를 지키지 못한 결과로 홀로 귀양 오게 된 처지를 나타낸 부분이다. 글쓴이는 귀양지에 와서야 "'나'를 붙잡아 함께 머무르게 되었다."고, 즉 본질적 자아를 지킬 수 있게 되었다며 자기 성찰을 하고 있다.

BOOK 1

BOOK 1 • 정답과 해설 **25**

적중 예상 전략 ②회

BOOK 1 80~84쪽

01 ① **02** ⑤ **03** ⑤ **04** ② **05** ⑤ **06** ④
07 ② **08** ⑤ **09** ⑤ **10** 대수, 미라와 아름이 갈등하는 원인은 표면적으로는 아름이가 게임에 열중해서이지만, 이면적으로는 서하의 정체를 알게 된 아름이가 배신감을 느끼고 분노를 표출했기 때문이다. **11** ② **12** ② **13** ② **14** '기계'는 냉정하고 비인간적인 사람을 의미한다.

01 이 소설은 어린아이인 서술자 '나'가 사건을 관찰해 전달하는 1인칭 관찰자 시점에서 서술되었다. 어린아이가 자신의 가족 이야기를 들려주는 이러한 서술 방식은 남북한의 이념 대립이라는 주제를 무겁게 다루지 않으면서도 전쟁의 비극성을 부각하는 효과를 준다.

02 구렁이를 삼촌 대하듯 하고 할머니의 머리카락을 태우는 주술적 행위를 하여 구렁이를 보낸 것으로 볼 때, 외할머니 역시 무속 신앙을 믿고 있음을 알 수 있다. 이러한 무속 신앙에 대한 믿음, 그리고 가족애와 모성애라는 공감대를 통해 할머니와 외할머니는 서로를 위로하고 화해할 수 있던 것이다.

03 구렁이의 출현으로 졸도한 할머니를 대신해 외할머니가 구렁이를 배웅해 준 사건을 계기로 할머니와 외할머니는 화해하게 된다. 이는 우리 민족의 이념적 갈등이 정서적 합일을 통해 용서와 화해로 이어질 수 있음을 의미한다.

04 이 소설의 제목이자 배경인 '장마'는 한 가족의 불행을 의미하며, 나아가 우리 민족이 겪은 불행인 육이오 전쟁을 상징한다. '지루한 장마'는 우리 민족이 겪은 불행이 길게 지속되었음을 의미하며 '-였다'라는 과거형을 사용하여 전쟁에서 오는 민족의 비극이 종결되었음을 상징하고 있다.

05 두 할머니는 전쟁으로 아들을 잃은 슬픔을 가진 서로에게 연민을 느꼈기에 서로 위로하고 화해할 수 있었다. 이러한 상황과 의미가 통하는 것은 '같은 병을 앓는 사람끼리 서로 가엾게 여긴다는 뜻으로, 어려운 처지에 있는 사람끼리 서로 가엾게 여김.'을 이르는 말인 '동병상련'이다.

06 아름은 서하가 편지를 보내온 후 설레어 하고 서하의 답장을 간절히 기다리는 모습을 보이고 있기는 하지만, 서하의 편지를 계기로 병에 걸린 자신의 처지를 긍정적으로 생각하게 되었는지는 알 수 없다.

07 'S# 17'에서 전자 우편을 확인하는 아름이 '고개를 갸웃거리며' 편지를 열어 본다고 하는 것으로 보아 예상하지 못했던 편지를 받았음을 알 수 있다. 그러므로 해당 장면에서 반가워하는 표정이 드러나도록 연기하게 하는 것은 적절하지 않다.

08 〈보기〉에서는 1인칭 서술자인 '나'가 자신의 심리를 직접적으로 서술하지만 서술자가 없는 'S# 17'에서는 '두근두근. 갑자기 가슴이 뛰고, 목이 바짝바짝 타면서, 온몸에 열기가 느껴지는 아름.'와 같이 아름의 행동을 지시하는 지시문을 통해 심리를 간접적으로 보여 준다는 차이점이 있다.

09 ⓐ에 들어갈 시나리오 용어는 컷 투(cut to)로, 장면을 다른 장면으로 전환할 것을 지시한다.

> **오답 풀이**
> ① 몽타주(Montage): 따로따로 촬영한 화면을 떼어 붙여 편집하는 기법
> ② 인서트(Insert): 화면과 화면 사이에 다른 화면을 끼워 넣는 것
> ③ 디졸브(dissolve): 한 화면이 사라짐과 동시에 다른 화면이 점차 나타나는 장면 전환 기법
> ④ 페이드인(Fade In): 화면이 점차 밝아짐.

10 평소 배려 깊은 성격인 아름은 S# 59에서 본래 성격과 다른 모습을 보이고 있는데, 〈보기〉를 통해 아름의 이러한 행동은 서하의 실체를 알고 나서 충격을 받고 배신감을 느껴서임을 짐작할 수 있다.

평가 요소	확인 ☑
표면적 원인은 게임임을 언급함.	
이면적 원인은 서하의 존재를 알게 된 충격임을 언급함.	

11 이 글은 희곡이다. 희곡에서는 인물의 행동이나 무대 효과에 대한 정보가 지시문으로 표현되지만, 〈보기〉는 소설이므로 지시문이 없다.

12 ㉠: 수술을 냉정히 거절하는 회기의 말에 인옥이 낙심한 상황이므로 '원망스럽게 쳐다보며'가 적절하다. ㉡: 회기가 비인간적인 상현의 당부에 불쾌감을 느끼고 있으므로 '노골적으로 분노를 터뜨리며'가 적절하다. ㉢: 금숙이 인간성을 회복한 회기에게 건네는 대사이고, 금숙의 대사 뒤에 회기가 '가볍게 웃'고 있으므로 '빙그레 웃으며'와 같이 긍정적인 반응을 지시하는 것이 적절하다.

13 ⓑ 앞의 '뭉클 불쾌감이 솟으며'라는 지시문으로 볼 때 회기가 상현의 비인간적인 태도에 분노와 불쾌감을 느끼고 있음을 알 수 있다. 따라서 ⓑ에서 상현에 대한 호기심이 드러난다고 이해하는 것은 적절하지 않다.

14 '기계'는 인간성을 상실한 채 인옥의 호소를 외면하는 회기의 냉정하고 비인간적인 모습을 상징한다.

평가 요소	확인 ☑
기계의 의미에 인간성의 상실, 냉정함, 비인간적임을 언급함.	
한 문장으로 씀.	

BOOK 2
정답과 해설

1주 한국 문학의 전통_시가 문학

1주 1일 개념 돌파 전략 ① BOOK 2 7,9쪽

01 (1) 향가 (2) 고려 가요 (3) 시조　02 (1) 10구체 (2) 후렴구 (3) 4, 3, 6　03 (1) ○ (2) ○ (3) X　04 ①　05 ⑤　06 (1) ○ (2) X (3) ○　07 (1) 정격 가사 (2) 변격 가사　08 ㉠, ㉢, ㉣　09 ③ 10 ②

04 제시된 시는 고려 가요의 대표적 작품인 〈청산별곡〉으로, 3·3·2조의 3음보 운율을 띤다. **예** '멀위랑(3) / 도래랑(3) / 먹고(2) // 청산애(3) / 살어리(3) / 랏다(2).'

오답 풀이

② '널라와 시름 한 나도 자고 니러 우니로라.(너보다 시름 많은 나도 자고 일어나 울고 있노라.)'와 같은 구절에서 민중의 삶의 애환이 드러난다.

③ '살어리랏다', '우러라', '알리알리 알랑(라)셩' 등 특정 시구를 반복하여 운율을 형성하고 있다.

④ 이 시는 후렴구를 기준으로 하여 연이 구분되는 형식을 지닌다. 이러한 형식은 사람들이 노랫말을 쉽게 기억할 수 있게 하기 때문에 구비 전승에 용이하다고 볼 수 있다.

05 이 작품은 평시조로, 시조의 기본형인 3장 6구 45자 내외의 형식을 따르고 있다. 평시조에 비해 중장이 길게 나타나는 것은 사설시조의 특징이다.

오답 풀이

① 임금('임')에게 충의를 지키겠다는 마음을 드러내고 있으므로 유교적 가치관이 담겨 있다고 볼 수 있다.

② '이 몸이 V 죽고 죽어 V 일백 번 V 고쳐 죽어.'와 같이 4음보의 율격으로 운율을 형성하고 있다.

③ 시조는 종장의 첫 음보가 3음절로 고정된다는 형식적 특징을 보인다. 이 시의 종장 첫 음보 역시 '임 향한'으로 3음절이다.

09 가사는 시조와 함께 조선 시대를 대표하는 문학 갈래이다.

오답 풀이

⑤ 정격 가사의 마지막 행은 평시조의 종장과 유사한 3·5·4·3의 음수율을 지닌다. 변격 가사는 이러한 음수율의 제한을 받지 않는다.

10 김소월의 〈진달래꽃〉은 3음보의 율격을 지니는데, 이것은 한국 전통 민요의 3음보 율격을 계승한 것이다.

오답 풀이

③ 민요와 사설시조는 주로 평민들이 창작하여 향유한 갈래로, 고된 삶에서 느끼는 애환을 웃음으로 넘기는 해학적 태도를 드러내는 작품이 많다.

1주 1일 개념 돌파 전략 ② BOOK 2 10~11쪽

1 ④　2 ③　3 돌(달)　4 ②　5 ①　6 ⑤ 7 이 시와 〈보기〉 모두 자연 친화적 태도를 드러내고 있다.

1~4 정읍사 _어느 행상인의 아내

해제 〈정읍사〉는 현전(現傳)하는 유일한 백제 가요로, 구비 전승되던 노래가 후대에 기록된 것으로 보인다. '기-서-결'의 3단 구성을 취하고 있으며, 후렴구를 제외하면 시조 형식의 기원이 되는 작품으로 보기도 한다.

이 작품의 화자는 행상을 나가 오랫동안 돌아오지 않는 남편을 기다리며 남편이 무사하길 간절히 소망하고 있는데, 그러한 소망을 달에 의탁하여 표현했다. 여기서 달은 높이 돋아 먼 곳까지 비출 수 있는 광명의 상징으로 임을 어둠으로부터 지켜 주는 천지신명과 같은 존재이자, 멀리 떨어져 있는 화자와 임 사이의 거리감을 좁혀 주는 매개물이다. 또한 임이 무사히 돌아오도록 지켜 줌으로써 결국 화자와 임과의 사랑을 유지해 주고 화자의 인생을 밝혀 주는 존재라고 볼 수 있다.

핵심 정리

• **갈래** 고대 가요, 서정시
• **제재** 남편에 대한 걱정과 염려
• **주제** 남편의 무사 귀가를 바라는 아내의 마음
• **특징**
　① 뜻이 없는 여음구가 쓰임.
　② 상징적 시어를 통해 화자의 정서를 효과적으로 드러냄.
• **짜임**

기	달에게 남편의 무사를 기원함.
서	남편에게 나쁜 일이 생길까 염려함.
결	남편이 무사하게 귀가하기를 바람.

1 이 시의 후렴구는 운율을 형성하기 위해서 활용된 것으로, 특별한 의미를 지니지 않는다.

오답 풀이

① '돌하(달님이시여)'와 같은 같은 표현에서 의인화된 청자인 '돌(달)'에게 말을 건네는 어투가 나타난다.

② 남편이 무사히 귀가하기를 바라는 소망을 '돌(달)'에 의탁하여 표현하고 있다.

③ 밝음('돌')과 어둠('즌 디')의 대립적 이미지를 활용해 남편의 무사 귀가를 바라는 마음을 형상화하고 있다.

이것만은 꼭! 〈정읍사〉에 나타난 대립적 이미지

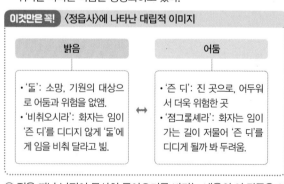

밝음		어둠
• '돌': 소망, 기원의 대상으로 어둠과 위험을 없앰. • '비취오시라': 화자는 임이 '즌 디'를 디디지 않게 '돌'에게 임을 비춰 달라고 빎.	↔	• '즌 디': 진 곳으로, 어두워서 더욱 위험한 곳 • '졈그롤셰라': 화자는 임이 가는 길이 저물어 '즌 디'를 디디게 될까 봐 두려움.

⑤ 집을 떠난 남편이 무사히 돌아오기를 바라는 내용의 이 작품은 이별의 한과 정서를 그린 우리 문학의 계보를 잇는 작품 중 하나라 할 수 있다.

2 '져재(ⓒ)'는 '시장'을 가리키는 옛말로, 화자의 남편의 직업이 행상임을 추측할 수 있게 하는 시어이다. 화자는 혹여나 시장에 간 남편에게 위험한 일이 생길까 봐 두려워하고 있으므로, 안심하고 있다는 설명은 적절하지 않다.

오답 풀이

① '-곰'은 강조의 뜻을 더하는 접미사로, '멀리'라는 뜻을 강조함으로써 달빛이 임이 있는 곳까지 '멀리멀리' 비추기 바라는 화자의 소망을 강조하고 있다.

② '-시라'는 기원의 의미를 더하는 어미로, 달에게 높이 돋아 멀리 비추어 달라고 기원하는 화자의 어조를 나타내고 있다.

④ '즌 디'는 남편을 유혹하는 여성으로도 해석할 수 있는데, 이때 화자는 남편의 외도를 걱정하는 여인이라고 볼 수 있다.

이것만은 꼭! '즌 디'의 의미에 따른 화자의 성격

'즌 디'의 의미	화자의 성격
남편에게 닥칠 수 있는 위험한 요소 →	남편을 걱정하며 기다리는 순종적 여인
다른 여성, 남편을 유혹하는 존재 →	남편이 다른 여자를 만날까 봐 의심하고 질투하는 여인

'즌 디'는 의미에 따라 위와 같이 두 가지로 해석할 수 있는데, 배경 설화나 전후 문맥, 분위기를 살펴볼 때 첫 번째 해석이 좀 더 자연스러운 것으로 보인다.

가부장적 이데올로기 속에서 전통적 여인상은 희생, 순종, 인고 등의 덕목을 지닌 여인이었다. 이 작품의 화자 역시 행상을 나가 돌아오지 않는 남편을 걱정하고, 그가 무사히 귀가하기를 기원하고 있다는 점에서 전통적 여인상의 모습을 보여 준다. 이러한 전통적 여인상은 고려 가요 〈가시리〉, 김소월의 〈진달래꽃〉 등에서도 엿볼 수 있다.

⑤ '드디욜셰라'는 '디딜까 두렵다'는 뜻으로, 남편이 위험한 상황에 처할까봐 걱정하는 화자의 염려가 담긴 표현이다.

배경지식⁺ 〈정읍사〉의 배경 설화

정읍은 전주에 속된 현(縣)이다. 이 고을 사람이 행상을 떠나 오래도록 돌아오지 않았다. 그 아내는 산 위 바위에 올라가 남편이 있을 먼 곳을 바라보면서 남편이 밤길에 오다가 해를 입지나 않을까 염려하였다. 고개에 올라 남편을 기다리던 아내는 언덕에 망부석으로 변해 남아 있다 고한다.

– 《고려사 악지》, 〈삼국 속악 백제조〉

3 이 시에서 '돌(달)'은 어둡고 위험한 것들로부터 남편, 즉 소중한 존재를 지켜 주는 존재로 그려져 있다. 또한 남편의 길을 환하게 비춰 준다는 점에서 삶의 방향을 밝혀 주는 의미를 지닌다고도 볼 수 있다.

4 〈보기〉는 평시조이다. 〈정읍사〉를 후렴구를 제외하고 보면 〈보기〉의 '초장-중장-종장'과 같이 세 부분으로 나눌 수 있다. 이러한 형식적 유사성 때문에 〈정읍사〉를 시조 형식의 기원이 되는 작품으로 보기도 한다. 이와 같은 3단 구성의 형식은 우리 노래의 기본적인 형식으로 오랫동안 전승되어 왔다.

오답 풀이

① 반복되는 후렴구는 〈보기〉에서는 나타나지 않고, 〈정읍사〉에서만 '어긔야 어강됴리 / 아으 다롱디리'의 반복으로 나타난다.

---

③ 〈보기〉, 〈정읍사〉에는 모두 설의적 표현이 쓰이지 않았다.

④ 〈보기〉, 〈정읍사〉에는 시각적 이미지만 활용되었으므로 '다양한 감각적 이미지를 활용'했다는 설명은 적절하지 않다.

⑤ 〈보기〉에만 해당되는 설명이다.

5~7 상춘곡 _정극인

해제 〈상춘곡〉은 정극인이 벼슬에서 물러나 고향인 태인에 머물면서 자연의 아름다움과 그 자연을 즐기는 삶의 흥취를 노래한 가사이다. 제목 '상춘곡'은 '봄을 감상하는 노래'라는 의미로, 봄 풍경을 즐기며 자연과 하나가 되는 물아일체의 경지를 표현함으로써 세속적인 욕망에서 벗어나 안빈낙도하는 삶에 대한 만족감을 형상화하고 있다.

현실 정치에서 물러나 자연 속에 묻혀서 사는 즐거움을 노래한 '은일 가사'의 첫 작품으로, 송순의 〈면앙정가〉, 정철의 〈성산별곡〉으로 이어지는 강호가도의 시풍을 형성하였다는 의의를 지닌다.

핵심 정리

• **갈래** 서정 가사, 양반 가사, 은일 가사, 강호 한정가
• **제재** 봄의 아름다운 풍경
• **주제** 봄 경치를 즐기는 강호가도와 안빈낙도
• **특징**
① 대구법, 직유법, 의인법 등 다양한 표현 방법을 활용함.
② 화자의 시선 이동에 따라 시상을 전개함.
③ 주객전도된 표현을 활용해 자연 지향적 삶의 자세를 강조함.
• **짜임**

서사	자연에 묻혀 사는 삶에 대한 만족감
본사	봄의 아름다운 경치와 이를 즐기며 누리는 흥취와 풍류
결사	안빈낙도에 대한 만족감

5 이 시는 '상춘곡(賞春曲)'이라는 제목 그대로 봄을 즐기고 구경하는 노래로, 봄날의 경치에 대한 묘사만 나타날 뿐 계절의 변화는 드러나지 않는다.

오답 풀이

② 이 시의 화자는 자연을 '부귀'와 '공명'을 누리는 공간인 '홍진(속세)'과 대비시켜, 속세에서 벗어나 언제나 돌아가기를 원하는 이상향으로 표현하고 있다.

③ '공명(功名)도 날 씌우고, 부귀(富貴)도 날 씌우니(공명도 날 꺼리고 부귀도 날 꺼리니)'는 의미상 '꺼리다'는 행동의 대상(객체)인 '공명'과 '부귀'를 주체로 나타내고, 행동의 주체인 화자 자신을 객체로 나타낸 표현이다. 화자는 이와 같이 주객이 전도된 표현을 통해 공명과 부귀에 욕망을 품지 않고 안빈낙도하는 삶을 추구하겠다는 가치관을 인상적으로 표현하고 있다.

④ '홍진(紅塵)에 뭇친 분네 이내 생애(生涯) 엇더ᄒᆞᆫ고(속세에 묻힌 분들, 이내 생애 어떠한가)'에서 말을 건네는 방식을 활용하여 자신의 생활에 대한 만족감과 자부심을 드러내고 있다.

⑤ 이 작품은 '녯사ᄅᆞᆷ V 풍류(風流)ᄅᆞᆯ V 미출가 V 못 미출가'와 같이 4음보 율격을 띠며, 마지막 행이 평시조의 종장과 같은 3·5·4·3의 음수율[아모타(3) 백년행락이(5) 이만훈둘(4) 엇지ᄒᆞ리(3)]을 보이는 정격 가사이다.

BOOK 2 · 정답과 해설 **29**

6 ⓓ '훗튼 혜음'은 '헛된 생각'이라는 뜻으로, 입신양명과 같은 세속적 가치를 의미한다.

7 〈보기〉의 화자는 소박한 음식을 먹고 물가에 있는 바위에 있는 것만으로도 세속적인 가치('그 남은 여남은 일') 따위는 전혀 부럽지 않다고 하며 자연 친화적 태도를 보이고 있다. 이 시의 화자 역시 안빈낙도하는 삶의 즐거움을 노래하며 자연 친화적 태도를 보이고 있다.

평가 요소	확인 ☑
'친화적'과 같은 어휘를 활용하여 자연에 대한 화자의 태도를 밝혀 적음.	

1주 2일 필수 체크 전략 ① **BOOK 2** 12~15쪽

|확인 문제| 1 ④ **2** ③ **3** ③ **4** 화자는 자연을 자기 수양의 본보기로 삼고 있다.

1 이 시의 화자는 누이의 죽음에 대한 안타까움을 드러내고 있을 뿐, 누이와 함께했던 과거에 대한 묘사나 지난날에 대한 후회의 정서를 드러내고 있지 않다

오답 풀이
① '이른 바람'이라는 시어를 통해 누이가 젊은 나이에 죽었음을 암시하고 있다.
② '나는 간다는 말도 / 못다 이르고 어찌 갑니까.'라는 시행을 통해 누이가 갑작스럽게 죽음을 맞이하였음을 미루어 알 수 있다.
③ 죽은 누이를 부는 '바람'에 이리저리 떨어지는 '잎'에 비유함으로써 죽음 앞에 유한한 인간 존재로서 느끼는 삶의 무상감을 표현하고 있다.
⑤ '아아, 미타찰(彌陀刹)에서 만날 나 / 도(道) 닦아 기다리겠노라.'에서 누이와 재회하리라는 소망을 드러내고 있다.

2 3연에서 화자는 임이 서운하게 여길까 봐 임을 붙잡고 싶은 마음을 억누르며 이별을 수용하고 있다. 따라서 화자가 이별을 거부하고 있다는 표현은 적절하지 않다.

오답 풀이
⑤ 사랑하는 임이 떠나는데도 붙잡지 못하고 그대로 보내 주고 마는 소극적이고 자기희생적인 태도를 보이며 시상을 마무리하고 있다.

3 이 시는 백설이 뒤덮인 가운데 우뚝 솟은 '소나무'의 이미지를

통해 지조와 절개를 지키는 삶에 대한 지향을 나타내었다. 〈보기〉는 '보리밥 풋나물'을 먹고 '바위 끝 물가'에서 노니는 삶에 만족감을 느끼고, 그와 대비되는 '그 남은 여남은 일(세속적 가치)'을 부러워하지 않는 모습을 통해 자연 속 소박한 삶에 대한 지향을 나타내었다. 이처럼 두 작품은 모두 화자가 지향하는 삶의 모습을 형상화하였다는 공통점을 보인다.

오답 풀이
① 두 작품 모두 화자의 내적 갈등이 나타나지 않는다.
② 〈보기〉에서만 '부럴 줄이 이시랴'에서 설의적 표현이 나타난다.
④ 〈보기〉는 '보리밥', '풋나물'과 같이 자연 속 소박한 삶과 관련한 소재와 '그 남은 여남은 일'과 같이 세속적 가치를 나타내는 시어를 대비하여 자연 속 삶에 대한 만족감을 드러내고 있다. 반면에 이 시는 화자 자신을 의미하는 '낙락장송'과 불의한 세력을 의미하는 '백설'이 대비를 이루나 시적 상황에 대한 만족감이 나타나 있지는 않다.
⑤ 이 시에만 해당하는 설명으로, 이 시는 지조와 충의의 전통적 상징물인 '소나무'를 활용하여 절개를 지키는 삶에 대한 지향을 형상화하고 있다.

1주 2일 필수 체크 전략 ② **BOOK 2** 16~19쪽

01 ③ **02** ④ **03** ㄴ, ㄷ **04** ④ **05** ① **06** ④
07 ④ **08** ⑤ **09** ③ **10** 청산 **11** (농토를 잃은) 유랑민, 이끼 묻은 쟁기 **12** ⑤

01~04 〈십 년을 경영호여〉_송순

해제 이 작품은 자연과 하나가 되어 소박하게 살아가는 삶을 노래한 시조로, 자연물을 의인화하여 물아일체적 삶의 경지를 참신하게 표현한 작품이다.

핵심 정리
· **갈래** 평시조, 서정시
· **제재** 자연 속에서의 생활
· **주제** 자연에 대한 사랑과 안빈낙도
· **특징** 자연물을 의인화하여 자연과 물아일체를 이루는 삶의 모습을 참신하게 표현함.
· **짜임**

초장	초려 삼간을 지음.
중장	'나', '돌(달)', '청풍'이 한 칸씩 맡음.
종장	강산을 둘러 두고 보려 함.

01 (나)의 화자는 '초려 삼간'을 짓고 자연과 어울려 사는 소박하고 청빈한 삶에 대한 지향을 나타내고 있다. '안빈낙도(安貧樂道)'는 가난한 생활을 하면서도 편안한 마음으로 도를 즐기는 자세를 의미한다.

오답 풀이
① (가)의 화자는 요절한 누이동생을 낙엽에 비유하며 안타까워하고 있을 뿐, 낙엽을 보며 자신의 삶을 성찰하고 있지 않다.

② (가)의 화자는 누이동생의 죽음을 안타까워하며 재회를 소망하고 있을 뿐, 누이동생을 원망하고 있지 않다.

④ (나)에는 귀양살이에 관한 내용이 나타나지 않는다.

⑤ (나)의 '초려 삼간'은 '세 칸밖에 안 되는 작은 초가'로, 작고 소박한 집이다. 웅장한 집이라는 설명은 적절하지 않다.

02 (나)는 종장의 첫 구에 '강산은'이라는 3음절 시구를 두어 시상을 전환하며 마무리하고 있다. 감탄사는 사용되지 않았다.

> **오답 풀이**
> ①, ② (가)는 '도입부(1~4행)-심화부(5~8행)-낙구(9~10행)'의 3단 구성을 지닌다. (가)는 낙구의 첫 음보에 감탄사 '아이'를 두어 시상을 전환하며 마무리하고 있다.
> ③, ⑤ (나)는 '초장-중장-종장'의 3단 구성을 보인다. 이는 10구체 향가의 3단 구성이 계승된 부분이다.

03 ㄴ. '미타찰'은 불교에서 아미타불이 있는 서방 정토를 가리키는 말로, 이승과 대비되는 극락세계를 의미한다.

ㄷ. '미타찰에서 만날 나'라는 표현에서 화자가 죽은 누이동생과 미타찰에서 재회하기를 바라고 있음을 알 수 있다.

> **오답 풀이**
> ㄱ. 화자가 죽은 누이동생을 추모하는 공간은 불교적 극락세계인 미타찰이 아닌 현실 속 공간이며, 이곳이 어디인지는 작품에 구체적으로 드러나지 않는다.
> ㄹ. 화자의 누이동생이 어떻게 죽었는지는 나타나 있지 않다.

04 의인법을 사용하여 자연물('돌(달)', '청풍', '강산')을 인격체로 표현한 것은 맞으나, 이들을 화자보다 우월하게 표현했다는 설명은 적절하지 않다. '초려 삼간'이라는 공간을 자연물과 함께 나누는 행동으로 볼 때, 자연물을 화자와 동등한 인격체로 표현했다고 보는 것이 적절하다.

> **오답 풀이**
> ① 종결 어미 '-리라'를 활용해 자연 속에서 살고 싶다는 소망을 드러내고 있다.
> ② '돌'과 '청풍'을 인격체로 대우하는 의인법을 사용해 자연과 하나되는 물아일체의 경지라는 주제 의식을 효과적으로 드러내고 있다.
> ⑤ 중장에서는 '초가 삼간'에 '돌'과 '청풍'을 들여 놓은 가까운 경치를, 종장에서는 방에 들일 수 없어 멀리서 바라볼 수밖에 없는 '강산'의 경치를 표현하고 있으므로 적절한 설명이다.

05 ㉠의 '나'는 시적 화자가 아니라 시적 화자의 누이동생을 가리키는 시어이다.

> **오답 풀이**
> ② '이른 바람(㉡)'에서 '이른'이라는 수식어를 통해 누이동생이 젊은 나이에 죽었음을 짐작할 수 있다.
> ③ '떨어질 잎(㉢)'은 죽은 누이동생을 비유한 표현이다.
> ④ '한 가지(㉣)'는 같은 부모를 비유한 표현으로, '한 가지에 나고 / 가는 곳 모르온뎌'는 같은 부모에게서 태어난 각별한 사이임에도 죽음 앞에선 이별을 맞을 수밖에 없는 상황에 대한 안타까움이 드러나 있다.
> ⑤ 누이동생과의 재회를 기다리겠다고 공표함으로써 재회에 대한 믿음을 드러내고 있다.

06 (가)의 화자는 죽은 누이동생과의 재회에 대해 희망적 태도를 보이는 반면, 〈보기〉의 화자는 죽은 아우가 '내 목소리는 미치지 못하는' 세상, 즉 이승과 완전히 단절된 저승으로 갔다는 데에서 느끼는 슬픔과 안타까움을 드러내고 있다.

> **오답 풀이**
> ① (가)의 화자는 누이동생의 죽음이라는 상황에, 〈보기〉의 화자는 화자를 '형님!'이라고 부르던 동생의 죽음이라는 상황에 처해 있다.
> ② (가)에서는 의문형 어미 '-ㅂ니까', 〈보기〉에서는 의문형 어미 '-느냐'를 활용해 시적 대상에 대한 안타까움과 그리움의 정서를 드러내고 있다.
> ③ (가)는 '예'와 '미타찰', 〈보기〉는 '여기'와 '어디'라는 시어를 활용해 이승과 저승이라는 대조적 의미를 지닌 공간을 표현함으로써 주제를 형상화하고 있다.
> ⑤ (가)의 '한 가지'를 통해 화자와 시적 대상이 한 부모에게서 태어난 관계임을, 〈보기〉의 '형님!'이라는 호칭을 통해 화자와 시적 대상이 형제 관계임을 짐작할 수 있다

07~12 청산별곡 _작자 미상

> **해제** 〈청산별곡〉은 고달픈 현실에서 벗어나고자 '청산'과 같은 이상향을 추구하지만 현실의 문제에 부딪혀 결국은 술로 시름을 달래거나 체념할 수밖에 없었던 당시 고려인들의 삶의 애환을 다룬 고려 가요이다. 고려 가요 중 문학성이 가장 뛰어난 작품의 하나로 평가받는다.
> 전체 8연의 형식으로 연마다 후렴구가 붙은 것이 특징이다. 3·3·2조의 음수율, 시구의 반복, 울림소리 'ㄹ', 'ㅇ'의 반복적 사용으로 음악성이 두드러진다.

> **핵심 정리**
> • 갈래 고려 가요
> • 제재 청산, 바다
> • 주제 ① 삶의 고뇌와 비애 ② 실연의 슬픔 ③ 삶의 터전을 잃은 유랑민의 슬픔
> • 특징
> ① 상징적 시어, 비유적 시어를 활용해 주제를 드러냄.
> ② 울림소리 'ㄹ', 'ㅇㅇ'가 사용된 후렴구의 반복으로 음악성이 두드러짐.
> ③ 5연과 6연의 순서를 바꾸면 '청산의 노래(1~4연)'와 '바다의 노래(5~8연)'가 구조적 대칭을 이룸.
> • 짜임

청산의 노래		바다의 노래		
1연	청산에 대한 동경		6연	바다에 대한 동경
2연	삶의 비애와 고독	대칭	5연	운명적 고독
3연	속세에 대한 미련		7연	생의 절망감과 고독
4연	절망적 고독과 외로움		8연	술을 통한 고뇌의 해소

[수록 부분]

07 이 시에는 과거와 현재를 대비하는 내용이 나타나지 않는다.

> **오답 풀이**
> ① 자연물인 '새'에 화자의 슬픈 감정을 이입하여 드러내고 있다.
> ② '이링공 뎌링공 ᄒᆞ야 나즈란 디내와손뎌. / 오리도 가리도 업슨 바므란 또 엇디 호리라.(이럭저럭하여 낮은 지내 왔건만 / 올 사람도 갈 사람도 없는 밤은 또 어찌할 것인가.)'에서 '낮'과 '밤'을 대조하여 '밤'에 화자가 느끼는 절망적 고독의 정서를 강조하고 있다.
> ③ 〈청산별곡〉은 고려 가요로, 구전되다가 조선 시대에 한글이 창제된 이후 문자로 기록되었다.

⑤ 이 작품은 3·3·2조의 음수율과 3음보의 음보율(예 멀위랑(3) ∨ 드래랑(3) ∨ 먹고(2))을 보이며, 후렴구를 경계로 여러 개의 연이 중첩되어 한 작품을 이루는 분연체 형식을 지닌다. 이는 모두 고려 가요의 형식적 특징에 해당한다.

이것만은 꼭! 고려 가요의 개념, 형성 과정, 특징

개념과 형성 과정	• 개념: 고려 시대에 민간에서 말로 전하여 내려오던 노래 • 지금까지 전해 오는 작품은 한글 창제 이후 음악서에 실려 전해진 노래들임. • 조선 시대에 문자로 정착되는 과정에서 남녀 간의 사랑을 노래한 일부 작품은 저속하다는 이유로 문헌에서 삭제되기도 함.
형식적 특징	• 3·3·2조, 3음보의 율격을 지님. • 여러 개의 연이 중첩되어 한 작품을 이루는 분연체의 구성을 지님. • 후렴구가 발달함.
내용적 특징	• 남녀 간의 사랑, 이별의 정한, 자연에 대한 예찬 등 내용이 다양함. • 민중의 삶과 정서를 가식 없이 진솔하게 드러냄.

08 이 시의 화자가 고달픈 현실에서 느끼는 슬픔을 호소하고 있기는 하지만, 후렴구가 이러한 정서를 심화한다고 볼 수 없다. '얄리얄리 얄라(랑)셩 얄라리 얄라'는 의미 없이 반복되는 후렴구로, 운율을 형성하고 흥을 돋우는 역할을 한다.

09 화자는 시름 많은 자신이 자고 일어나 우는 것처럼 '새(ⓒ)'도 울고 있다고 말한다. 즉, '새'는 화자의 분신이자 화자가 동병상련을 느끼는 존재로 화자가 감정을 이입하는 대상이지, 동경하여 합일을 이루고자 하는 대상이 아니다.

오답 풀이
① '살어리랏다(㉠)'를 '(청산에) 살고 싶다'로 해석한다면 화자의 위치는 '청산이 아닌 곳'이 되며, '(청산에) 살 수밖에 없다'로 해석한다면 화자의 위치는 '청산'이 된다. 따라서 ㉠을 어떻게 해석하느냐에 따라 화자의 위치가 달라진다고 볼 수 있다.
② '멀위랑 두래(ⓛ)'는 '머루와 다래', 즉 소박한 음식을 의미한다.
④ '믈 아래'는 이상향인 '청산'과 대조되는 공간으로 현실적 공간, 즉 속세를 의미한다.
⑤ '바므(ⓜ)'에서 '밤'은 이럭저럭 지낼 만했던 '낮'과 대비되는 시간으로, 올 사람도 갈 사람도 없기에 더욱 깊은 외로움과 고독을 느끼는 시간을 의미한다.

10 '청산'은 속세와 대비되는 공간으로, 화자가 동경하는 이상향으로 해석할 수 있다.

11 〈보기 1〉의 관점대로 '가던 새(ⓐ)'를 '갈던 밭'으로 해석한다면 화자는 농토를 잃은 유랑민으로 볼 수 있고, 이때 '잉 묻은 장글란(ⓑ)'은 오랜 시간 쓰지 않아 이끼가 긴 쟁기를 의미한다고 해석할 수 있다.

12 고려 가요 〈청산별곡〉은 민요적 성격을 띠고 분연체이며 후렴

구가 반복된다는 점에서 민요인 〈정선 아리랑〉과 유사한 점이 많다. 또한 두 작품은 모두 각 연이 독립적인 내용을 담고 있어 전체 내용상 유기성이 떨어진다는 특성을 보이는데, 이 때문에 누구나 노랫말을 붙여 이어 부르기 쉽고 노래의 일부를 생략하거나 순서를 바꾸더라도 문제가 되지 않았기 때문에 구비 전승이 용이하였다.

오답 풀이
① 이 시는 청산이라는 이상향을 동경하지만 현실의 비애와 고독에서 벗어나지 못하는 삶의 애환을 그리고 있다. 〈보기〉 역시 '무릉도원은 어데 가고서 산만 충충하네'라며 겹겹이 쌓인 고개를 넘듯이 힘겨운 삶에서 느끼는 애환을 토로하고 있다.
② 이 시는 '얄리얄리 얄라(랑)성 얄라리 얄라', 〈보기〉는 '아리랑 아리랑 아라리요'와 같이 특별한 뜻이 없는 후렴구가 반복되고 있다.
③ 이 시와 〈보기〉 모두 노래로 오랜 시간 향유되다가 후에 문자로 기록되었다.
④ 이 시와 〈보기〉 모두 연이 구분된 형식을 지닌다.

1주 3일 필수 체크 전략 ① BOOK 2 20~23쪽

| **확인 문제 | 1** ④ | **2** ⑤ | **3** ② | **4** ③ |

1 이 시의 화자는 '주추리 삼대(삼의 줄기)'를 임으로 착각하여 버선과 신발을 벗어 들고 허둥지둥 뛰어갔다가, 이내 자신이 착각했음을 깨닫고 자신의 행동을 멋쩍어하고 있다. 임이 오지 않은 것에 실망하거나 슬퍼하지 않고 자신의 행동을 겸연쩍어하는 화자의 태도에서, 사설시조 특유의 낙천성과 해학성을 느낄 수 있다.

오답 풀이
① 임을 기다리고 있을 뿐, 원망하고 있지 않다.
② 화자는 '주추리 삼대'를 보고 임이 온 것으로 착각하였을 뿐, 임을 아직 만나지 못하였다.
③ 이 시의 화자는 임과의 만남을 상상하지 않았으며, 슬픔을 달래지도 않았다.
⑤ '모쳐라 밤일식만정 힝혀 낫이런들 놈 우일 번 ᄒ괘라(아서라 밤이기에 망정이지 행여 낮이었다면 남을 웃길 뻔했구나)'에서 화자는 자신의 행동을 본 사람이 없는 것에 안도하고 있으므로, 자신의 행동을 목격한 사람들에게 변명하고 있다는 설명은 적절하지 않다.

2 (나)에서 '두터비'는 두엄 아래 자빠지는 실수를 저질러 놓고도 날랜 자신이기에 망정이지 피멍이 들 뻔했다며 실수를 합리화하고, 자화자찬하고 있다. 이러한 태도를 표현하기에 적합한 사자성어는 '실속은 없으면서 큰소리치거나 허세를 부림.'을 의미하는 '허장성세(虛張聲勢)'이다.

오답 풀이
① 호가호위(狐假虎威): 여우가 호랑이의 위세를 빌려 호기를 부린다는 데에서 유래한 말로, 남의 권세를 빌려 위세를 부리는 것을 가리킴.

② 부화뇌동(附和雷同): 줏대 없이 남의 의견에 따라 움직임.
③ 조변석개(朝變夕改): 아침저녁으로 뜯어고친다는 뜻으로, 계획이나 결정 따위를 일관성이 없이 자주 고침을 이르는 말.
④ 고식지계(姑息之計): 우선 당장 편한 것만을 택하는 꾀나 방법. 한때의 안정을 얻기 위하여 임시로 둘러맞추어 처리하거나 이리저리 주선하여 꾸며 내는 계책을 이름.

3 제시된 부분에서 색채를 대비하여 표현한 부분은 찾을 수 없다.

오답 풀이
① 제시된 부분에서 1~3행은 '여인 1'의 질문이고, 나머지 부분은 '여인 2'의 대답이다. 이 작품은 이처럼 두 여인이 대화를 나누는 형식으로 시상이 전개된다.
③ 이 시의 각 행은 대체로 '예 가논 ∨ 뎌 각시 ∨ 본 듯도 ∨ 호녀이고'와 같이 4음보의 음보율을 지닌다.
④ 3행의 '히 다 뎌 져믄 날(해 다 져 저문 날)'은 임과 이별한 '여인 2'의 쓸쓸하고 외로운 상황을 부각하는 시간적 배경이다.

4 이 시에서는 반어적 표현을 확인할 수 있지만, 〈보기〉에는 반어적 표현이 쓰이지 않았다.

오답 풀이
① 이 시(예 나 보기가 ∨ 역겨워 ∨ 가실 때에는)와 〈보기〉(예 아리랑 ∨ 아리랑 ∨ 아라리요)는 모두 3음보의 율격을 지닌다.
② 이 시와 〈보기〉 모두 임과 이별하는 상황에서 느끼는 슬픔을 표현하고 있다.
④ 이 시는 자신의 분신과 같은 '진달래꽃'을 즈려밟고 가라는 자기희생적 태도가 나타나나, 〈보기〉는 '십 리도 못 가서 발병 난다'라며 떠나는 임을 원망하는 모습만 나타날 뿐 자기희생의 태도는 찾을 수 없다.
⑤ 〈보기〉의 화자는 자신을 버리고 떠나는 임에게 '발병'이 날 것이라며 일종의 저주를 하고 있는데, 이는 임에 대한 원망의 감정을 노골적으로 드러내는 표현이자 떠나지 말고 함께하자는 간절한 소망을 드러내는 표현으로도 해석할 수 있다.

1주 3일 필수 체크 전략 ②

01 ⑤ **02** ② **03** ④ **04** ⑤ **05** ③ **06** 낙락장송
07 ⑤ **08** ⑤ **09** ③ **10** ② **11** 가사는 3(4)·4조, 4음보라는 것 외에는 특별한 형식적 제한이 없다.

01~06 눈 마조 휘어진 뒤를 _원천석

해제 이 작품은 눈 속에서도 푸르름을 잃지 않는 대나무를 통해 두 왕조를 섬길 수 없다는 작가의 굳은 의지를 드러낸 시조이다. 고려의 유신(遺臣)인 작가는 시류에 영합하는 무리들의 회유에 동요되지 않고 끝까지 지조를 지키고자 하는 충절을 비유와 상징을 통해 표현했다. 초장의 '눈 마조 휘어진 뒤를'에서 '눈'은 새 왕조에 협력할 것을 강요하는 무리를, '휘어진'은 그 속에서 절개를 지키며 견디는 고충을 의미한다. 중장에서는 설의적 표현을 활용해 결코 절개를 굽

히지 않겠다는 의지를 표현하고, 종장에서는 대나무를 높은 절개를 지닌 존재로 형상화하여 자신과 동일시했다. 즉, 자신도 대나무와 같이 끝까지 절개를 지키겠다는 의지를 강하게 드러낸 것이다.

핵심 정리
• **갈래** 평시조
• **제재** 낙락장송
• **주제** 고려 왕조에 대한 충절
• **특징** 충절을 상징하는 소나무의 이미지를 활용해 자신의 지조를 부각함.
• **짜임**

초장	시련으로 고통 받는 대나무의 모습
중장	절개를 굽히지 않겠다는 의지
종장	대나무의 지조에 대한 예찬

01~06 동지ㅅ둘 기나긴 밤을 _황진이

해제 이 작품은 임을 기다리는 여인의 간절한 마음을 참신한 비유로 호소력 있게 형상화한 시조이다. 초장에서 화자는 임이 부재하는 길고 지루한 시간을 옷감처럼 잘라 내고자 한다. 중장에서는 잘라 낸 시간을 '춘풍 니불' 아래 두고자 한다. 그리고 종장에서는 잘라 낸 시간을 고운 임이 오신 시간에 이어 붙여 임과 함께하는 시간을 무궁하게 늘이겠노라 이야기하고 있다. 추상적 개념인 시간을 사물처럼 토막 내는 과감한 발상과, 우리말의 묘미를 느낄 수 있는 시어를 효과적으로 사용했다는 점에서 높은 평가를 받는 작품이다.

핵심 정리
• **갈래** 평시조
• **제재** 동짓달 밤, 연모의 정
• **주제** 임을 기다리는 애타는 마음
• **특징**
① 추상적 개념인 시간을 구체적인 사물로 표현함.
② '서리서리', '구뷔구뷔'와 같은 우리말 음성 상징어를 사용하여 우리말의 묘미를 잘 드러냄.
• **짜임**

초장	동짓달 긴 밤의 한가운데를 베어 냄.
중장	봄바람처럼 따뜻한 이불 아래에 베어 낸 밤을 넣어 둠.
종장	정든 임이 오신 날에 베어 둔 밤을 펼쳐 내어 임과 오랜 시간을 함께하고 싶음.

01~06 두터비 파리를 물고 _작자 미상

해제 이 작품은 '두터비', '파리', '백송골'의 대응 관계를 통해 양반의 허세를 풍자한 사설시조이다. '파리'는 피지배층인 서민을, '두터비'는 양반 혹은 지방 관리(탐관오리를), '백송골'은 외세 혹은 상부의 중앙 관리를 비유한 것으로 볼 수 있다.
초장과 중장에서는 힘없는 파리를 물고 위풍당당하게 두엄 위에 있다는 백송골에 놀라 두엄 아래로 자빠지는 두터비의 모습을 통해 약자에게 강하고 강자에게 약한 양반(혹은 탐관오리)의 비굴한 모습을 형상화하고 있다. 종장에서는 겁 많은 자신의 모습을 감추기 위해 허세를 부리는 두터비의 모습을 드러내 신랄하게 비꼬고 있다.
어휘 사용 측면에서는 '두험(두엄), 금즉흐여(섬뜩하여), 풀덕, 쟛바지거고(자빠졌구나), 에혈질(멍이 들)' 등 서민적인 일상어를 구사한 부분이 눈에 띈다.

핵심 정리
• **갈래** 사설시조
• **제재** 두꺼비

BOOK 2 · 정답과 해설 **33**

- **주제** 탐관오리의 횡포와 허세에 대한 풍자와 비판
- **특징**
① 시적 대상을 의인화해 표현함.
② 두꺼비의 말을 종장에 삽입하여 풍자의 효과를 높임.
- **짜임**

초장	힘없는 백성(파리)을 괴롭히는 탐관오리(두꺼비)
중장	강자(백송골)에게 비굴해지는 탐관오리의 해학적 모습
종장	탐관오리의 허장성세

01 (나)는 기녀인 황진이가 조선 중기에 쓴 시조이며, (다)는 조선 후기 작자 미상의 사설시조이다. 당대의 부조리한 세태를 비판하는 것은 (다)뿐이다.

오답 풀이
① (가), (나)는 평시조로 조선 전기에 창작되었고, (다)는 사설시조로 조선 후기에 창작되었다.
② (가)의 작자는 양반 사대부로, '딩'와 같은 자연물을 활용해 지조와 절개라는 유교적 가치를 강조하고 있다.
③ (가), (나)는 모두 평시조로 3장 6구 45자 내외의 형식을 취하며 초장, 중장, 종장이 모두 4음보율을 보이고 있다.
④ (다)는 사설시조로, (가), (나)와 달리 중장이 길게 늘어져 있어 4음보의 정형성을 벗어난 모습을 보인다.

배경지식＋ **사설시조의 문학사적 의의**

조선 후기에 산문 정신과 서민 의식이 성장하면서 등장한 사설시조는 서민들의 진솔한 삶을 파격적인 형식에 담았다는 데서 문학사적 의의가 있다. 사설시조는 평시조의 기본형인 초·중·종장의 형식을 유지하면서, 평시조와 달리 대체로 중장이 길어진 경우가 많다. 사설시조의 주요 작가층은 가객을 비롯한 중인층, 서민층이었다. 따라서 사대부들이 즐겨 창작했던 평시조와는 달리 사설시조의 작가들은 그들의 현실적인 삶에서 발생하는 다채로운 문제를 주로 다루었다. 표현 면에서는 일상생활의 소재들을 동원하여 삶에서 느끼는 진솔한 감정을 생동감 있게 그려 낸 것이 특징이다.

02 (나)에서 대상에 감정을 이입한 부분은 찾을 수 없다.

오답 풀이
① 일 년 중에서도 밤이 가장 길다는 한겨울 동짓날을 배경으로 하여 임을 간절히 기다리는 시적 분위기를 조성하였다.
③ 초장과 중장에서는 관찰자 입장이었던 화자가 종장에 와서 '두터비'로 전환되는데, 이를 통해 자기를 합리화하는 두터비의 독백이 직접적으로 제시됨으로써 대상에 대한 풍자의 효과를 높이고 있다.
④ 약육강식이 벌어지는 인간의 세태를 '파리', '두터비', '백송골' 등의 동물에 빗대어 우의적으로 풍자하고 있다.
⑤ '백송골'에 놀라 자빠진 '두터비'의 행동을 희화함으로써 탐관오리의 허세에 대한 비판 의식을 드러내고 있다.

03 '백송골'은 '파리'를 노리고 있지 않다. '백송골'은 '두터비'를 겁먹게 하는 대상이다.

오답 풀이
① 〈보기〉에 따르면 '파리'는 지배 계층의 수탈 대상인 힘없는 백성으로 해석할 수 있다.

② 〈보기〉에 따르면 '파리'를 물고 괴롭히는 '두터비'는 힘없는 백성을 수탈하는 지배 계층으로 해석할 수 있다.
③ 〈보기〉에 따르면 '파리'에게는 강자의 입장이나 '백송골' 앞에서는 약자의 입장인 '두터비'의 모습은 동물들의 약육강식에 빗대어 인간 세계의 계층 관계를 표현한 것으로 해석할 수 있다.
⑤ 〈보기〉에 따르면 '백송골'을 피해 도망가다 자빠지는 실수를 하고서도 자기 합리화를 하는 '두터비'의 모습은 당시 지배 계층의 허위를 보여 주는 것으로 해석할 수 있다.

04 '구뷔구뷔 펴리라(ⓜ)'는 임과 함께하는 시간을 연장하고 싶다는 소망을 드러내는 표현으로, 추위를 극복하겠다는 의지의 표현으로 보는 것은 적절하지 않다.

오답 풀이
① '기나긴 밤(ⓗ)'은 임이 없기 때문에 화자가 외롭게 지내는 시간을 의미한다.
② '한 허리를 버혀 내어(ⓛ)'는 관념적 대상인 시간을 마치 옷감과 같이 베어 낼 수 있는 대상으로 형상화한 표현이다.
④ 종장의 '밤(ⓔ)'은 고운님이 오신 긍정적인 시간으로, 임이 부재했던 부정적 시간인 초장의 '밤'과 대조적 의미를 지닌다.

05 초장에서 화자는 '눈 맞아 휘어진 대나무를 누가 굽었다고 했던가?'라고 묻는데, 〈보기〉를 바탕으로 이를 해석하면 '새 왕조의 압박이 나를 힘들게 하지만 결코 절개를 굽힌 것은 아니다.'라는 의미로 이해할 수 있다. 이때 '딩(대나무)'는 조선의 신흥 세력이 아니라, 고려의 유신으로서 절개를 지키고자 하는 화자 자신을 의미한다.

06 '딩(대나무)'와 '낙락장송'은 모두 눈 속에서도 푸른 빛을 잃지 않는 자연물로, 이는 어떠한 시련과 고난 속에서도 지조와 절개를 지키겠다는 시적 화자의 의지를 뜻하는 소재로 해석할 수 있다.

07~11 속미인곡 _정철

해제 이 작품은 정철이 전남 창평에 은거할 때 임금을 그리워하는 정을 두 여인의 대화 형식으로 읊은 연군 가사로, 〈사미인곡〉의 속편에 해당한다. 이 작품은 〈사미인곡〉과 함께 가사 문학의 백미로 꼽히는데, 〈사미인곡〉에 비해 순우리말의 묘미를 잘 살렸으며, 화자의 간절함이 잘 드러난다는 평가를 받고 있다. 이 작품은 두 여인의 대화 형식을 취하고 있는데, 보조적 화자('여인 1')가 중심 화자('여인 2')에게 백옥경을 떠난 이유를 묻고, 정철의 분신에 해당하는 '여인 2'가 질문에 답하며 자신의 서러운 사연과 임에 대한 간절한 그리움을 토로하는 형식으로 노래를 전개했다는 점이 돋보인다. 이 작품에서 정철은 임금을 떠나온 자신의 처지를 천상에서 임을 모시다가 지상으로 내려온 선녀의 신세에 빗대어 임금에 대한 절절한 사랑을 표현하고 있는 것이다.

핵심 정리
- **갈래** 서정 가사, 양반 가사, 정격 가사
- **제재** 임에 대한 사랑과 그리움
- **주제** 임금을 향한 그리움, 연군지정
- **특징**
① 두 여인이 대화를 나누는 형식으로 전개됨.
② 순우리말 표현의 아름다움을 잘 살림.

· 짜임

서사	임과 헤어진 이유에 대한 '여인 1'의 질문과 '여인 2'의 답변
본사	'여인 1'의 위로와 '여인 2'의 임에 대한 걱정과 그리움
결사	임을 따르고 싶은 소망을 밝히는 '여인 2'와 그에 대한 '여인 1'의 조언

07 제시된 글을 통해 〈속미인곡〉이 임금에 대한 충정을 여인의 목소리로 노래한 작품임을 알 수 있다. 이 때 '옥 ᄀᆞᄐᆞᆫ' 얼굴은 꿈속에서 만난 임의 얼굴, 즉 임금의 얼굴을 의미하는 것이지 정철의 모습을 표현한 것이 아니다.

오답 풀이
① 제시된 글에 따르면 작품 속의 '님'은 임금, 즉 정철이 모시던 선조를 의미하는 것으로 볼 수 있다.
② 제시된 글에 따르면 '구롬', '안개', '브람', '믈결'과 같이 임과 화자를 방해하는 장애물은 정철과 선조의 사이를 가로막는 정철의 정적(政敵)들로 해석할 수 있다.
③ 제시된 글에 따르면 '산천이 어둡거니'와 같은 배경 묘사는 당쟁이 치열하던 당시의 부정적 시대 상황을 표현한 것으로 볼 수 있다.
④ 제시된 글에 따르면 화자가 보고자 하는 대상인 '일월'은 선조를 의미하는 것으로 볼 수 있다.

08 (다)에서 화자는 임에 대한 원망과 한탄을 드러내는 것이 아니라, '출하리 싀여디여 낙월(落月)이나 되야이셔 / 님 겨신 창(窓) 안히 번드시 비최리라(차라리 죽어서 지는 달이나 되어서 / 임 계신 창 안에 환하게 비추리라)'라고 하며 임에 대한 사랑을 드러내고 있다.

오답 풀이
① (가)에서 화자는 '뇌일이나 사람 올가(내일이나 사람 올까)'라고 하며 임의 소식을 전해 줄 사람을 간절히 기다리고 있다.
② (가)에서 화자는 임의 소식을 알기 위해 '놉픈 뫼(높은 산)'에서 '믈ᄀᆞ(물가)'로 공간을 옮겨 다니고 있다.
③ (나)에서 화자는 '풋ᄌᆞᆷ(풋잠)'에 잠깐 들어 '꿈(꿈)'에서 임을 만나고 있다.
④ (나)에서 화자는 임과의 만남을 방해하는 장애물인 '오뎐된 계성(방정맞은 닭소리)' 때문에 임과 만나고 있던 꿈에서 깨고 말았다.

09 (라)의 화자는 '각시님'에게 '둘(달)'도 좋지만 '구준비(궂은비)'가 되라고 조언하고 있다. '둘'은 멀리서 임을 바라보다가 사라지는 존재이지만, '구준비'는 오랫동안 내리며 임의 옷을 적실 수 있기에 '임'에게 더욱 가까이 다가갈 수 있는 존재이다. 즉, (라)의 화자는 각시님에게 보다 적극적인 태도로 임에게 사랑을 표현하라고 조언하는 것이다. 이와 가장 유사한 태도를 보이는 사람은 '해영'이다.

10 이 글과 〈보기〉 모두 여성 화자를 설정해 이별을 노래하고 있다.

오답 풀이
① 이 글과 〈보기〉 모두 임에 대한 사랑을 직설적으로 표현하기보다

는 우회적으로 표현하고 있다. 이 글은 비유적 표현을, 〈보기〉의 화자는 반어적 표현을 활용함으로써 임에 대한 간절한 마음을 더욱 강조해서 드러내고 있다.
③ 임금을 멀리서 바라보는 '낙월'이 되고 싶다는 이 글의 화자와, 떠나는 임이 지나가는 길에 꽃을 뿌리며 말없이 보내 주겠다는 〈보기〉의 화자 모두 임을 붙잡는 적극적인 여성상과는 거리가 멀다.
④ 〈보기〉의 화자는 임에 대한 원망을 반어적 표현을 통해 드러내고 있다고 볼 수도 있겠으나, 이 글의 화자는 임을 원망하는 태도를 보이지 않는다.
⑤ 이 글과 〈보기〉 모두 해학적인 태도는 드러나지 않는다.

11 가사는 한 행을 3(4)·4조, 4음보로 한다는 것 외에는 어떠한 형식적 제한이 없다. 〈보기〉에 따르면 가사는 이러한 개방성 때문에 폭넓은 주제를 담은 다양한 작품이 생산되고 축적돼 왔다고 볼 수 있다.

평가 요소	확인 ☑
3(4)·4조의 음수율을 언급함.	
4음보의 음보율을 언급함.	

1주 4일 교과서 대표 전략 ① BOOK 2 28~31쪽

대표 예제	01 ⑤	02 ③	03 위 증즐가 대평셩디
04 ⑤	**05** ⑤	**06** ⑤	**07** ⑤

08 ② **09** 급댱유(汲長孺) 풍ᄎᆡ(風采)를 고텨 아니 볼 게이고. **10** ④ **11** ④ **12** ③

01 이 시는 청자로 설정된 임에게 화자가 직접 호소하는 방식으로 시상이 전개되고 있다.

오답 풀이
① 3음보의 율격을 통해 운율감을 형성하고 있다.
②, ③, ④ 색채어, 공감각적 심상, 반어적 표현이 활용된 부분은 찾을 수 없다.

02 ㉢에서 화자는 떠나는 임을 축복하고 있는 것이 아니라, 붙잡아 두고 싶지만 그럴 수 없다는 체념적 태도를 보이고 있다.

오답 풀이
① 의문형인 '가시리잇고(가시렵니까)'를 반복함으로써 이별의 상황을 거듭 확인하고 있다.
② 임에게 '날러는 엇디 살라 ᄒᆞ고(나더러는 어찌 살라 하고)'라며 호소하는 말에서 떠나는 임에 대한 화자의 원망과 슬픔을 짐작할 수 있다.
④ 임을 붙잡으면 마음이 토라져서 돌아오지 않을까 봐 걱정되기에 붙잡지 못한다는 이유가 제시되어 있다.
⑤ '가시는 듯 도셔 오쇼셔(가시자마자 돌아서서 오십시오)'라는 말에서 임이 돌아오기를 바라는 화자의 간절한 염원이 드러난다.

03 '위 증즐가 대평셩디'는 이별의 정한이라는 시의 내용과는 관계없이 각 연마다 반복되고 있는데, 이는 고려 가요가 궁중악으로 편입될 때 삽입된 구절이기 때문이다.

04~06 님이 오마 ᄒᆞ거놀 _작자 미상

[해제] 이 작품은 임을 빨리 만나고 싶은 간절한 마음에 임이 왔다고 착각을 하여 벌인 행동을 해학적으로 그린 사설시조이다. 임이 온다는 소식에 저녁을 일찍 지어 먹고 문밖에 나가 임을 기다리던 화자는 '거머횟들(검은 듯 흰 듯)'한 것을 보고 임인 줄 알고 정신없이 달려 나간다. 길게 늘어진 중장에는 '주추리 삼대'를 임으로 착각하여 달려 나갔다가 자신의 착각을 깨닫는 화자의 모습이 구체적이고 해학적으로 나타나 있다. 종장에서 화자는 자신이 본 것이 임이 아닌 것을 깨달았음에도 실망하기보다는 겸연쩍어하는데, 이는 사설시조 특유의 낙천성과 해학성이 잘 드러나는 부분이다.

[핵심 정리] ------------------------------
• 갈래 사설시조
• 제재 임이 온다는 소식
• 주제 임을 기다리는 애타는 마음
• 특징
  ① 의성어와 의태어를 활용해 임을 맞이하러 나가는 행동을 과장하여 묘사함.
  ② 해학적 표현과 희극적 요소가 나타남.
• 짜임

초장	들뜬 마음으로 임을 기다림.
중장	다급하게 임을 맞이하러 달려 나갔지만 주추리 삼대를 임으로 착각했다는 것을 깨달음.
종장	자신의 경솔한 행동을 겸연쩍어함.

04 화자의 행동을 과장해 묘사함으로써 해학성을 유발하는 것은 (나)뿐이다.

[오답 풀이]
① (가)의 초장의 '동지ㅅ둘 기나긴 밤', (나)의 종장의 '밤'에서 시간적 배경을 짐작할 수 있다.
② (가), (나)의 화자 모두 오지 않는 임을 기다리고 있다.
③ (가)의 화자는 추상적 대상인 시간을 베어 내어 임이 오신 날에 펴 내겠다는 참신한 발상을 통해 임에 대한 그리움을 드러내고 있다. (나)의 화자는 임이 오기도 전에 대문 밖에서 임을 기다리고, 사물을 임으로 착각할 정도로 임이 오기를 간절히 기다리는 모습을 통해 임에 대한 그리움을 드러내고 있다.
④ (가)는 '서리서리', '구뷔구뷔', (나)는 '곰븨님븨', '쳔방지방', '워렁충창'과 같은 음성 상징어를 활용해 정서를 드러내고 있다.

05 ⓜ에서 화자는 임이 오지 않은 것에 대해 실망하거나 임을 원망하기보다는 남을 의식하며 겸연쩍어하고 있다. 이러한 화자의 모습은 웃음을 유발하며 사설시조 특유의 해학성을 드러낸다.

[오답 풀이]
① ㉠은 추상적 개념인 시간을 마치 옷감과 같이 베어 낼 수 있는 대상으로 구체화하여 표현한 부분으로, 임과 함께하지 못하는 지루한 시간은 줄이고 임과 함께하는 시간은 길게 늘이고 싶은 화자의 소망과 관련된다.
② ㉡은 정든 임과 함께하는 긍정적인 시간을 의미한다.

③ ㉢은 임이 온다는 소식을 들은 화자가 대문에 나가 손으로 이마를 가리고 건너편 산을 바라보는 모습으로, 화자의 들뜬 마음이 잘 드러난다.
④ ㉣의 '주추리 삼대'가 화자가 임으로 착각한 대상이다.

06 (가)와 같은 평시조의 형식에서 어느 한 장이 두 구 이상, 특히 중장이 길어진 형태가 (나)와 같은 사설시조이다.

[오답 풀이]
① (가), (나) 모두 3장으로 구성되어 있으나 (나)는 초장과 중장이 두 구 이상 길어진 형태를 보인다.
② (가)는 4음보의 율격을 지닌다.
③ 종장의 첫 음보가 (가)는 '어론 님', (나)는 '모쳐라'로 모두 3음절이다.
④ (나)에서 시의 내용과 관계없는 여음구는 나타나지 않는다.

07~09 관동별곡 _정철

[해제] 〈관동별곡〉은 작가 정철이 45세 때 강원도 관찰사로 부임하면서 금강산과 관동 팔경을 유람하며 그 경치에 대한 감탄과 정감을 노래한 가사이다. 관리로서 느끼는 '우국지정(나랏일을 근심하는 마음), 연군지정(임금에 대한 사랑), 애민 정신(백성을 사랑하는 마음)'과, 자연 속에서 풍류를 즐기고 싶은 개인적 욕구 사이에서 오는 내적 갈등을 '꿈'을 통해 해소하는 모습이 잘 드러나 있다.
감탄사, 생략법, 대구법 등을 적절히 사용하여 금강산과 관동 팔경의 정경을 생동감 있게 묘사하고 있으며, 가사 문학의 백미로 일컬어질 만큼 우리말의 독특한 묘미를 살리는 아름다운 표현이 많다.

[핵심 정리] ------------------------------
• 갈래 양반 가사, 기행 가사, 정격 가사
• 제재 금강산과 관동 팔경
• 주제 자연에 대한 감상과 예찬, 연군지정
• 특징
  ① 영탄법, 대구법, 은유법, 직유법 등의 다양한 표현 방법을 활용함.
  ② 시간과 공간의 이동에 따라 내용이 전개됨.
  ③ 우리말의 묘미를 살리는 표현이 많음.
• 짜임

서사	관찰사로 부임하여 선정의 포부를 다짐.
본사	내금강과 관동 팔경, 동해안을 유람함.
결사	달맞이를 하며 풍류를 즐김.

07 (나)의 '동쥬(東州)ㅣ 밤 계오 새와 븍관뎡(北寬亭)의 올나ᄒᆞ니, / 삼각산(三角山) 뎨일봉(第一峯)이 ᄒᆞ마면 뵈리로다.'에서 화자는 '동주(철원)'에 위치한 '북관정'이라는 정자에 올라 임금이 계신 한양 쪽을 바라보며 '삼각산(북한산)'이 어쩌면 보일 듯하다고 말하고 있다. 따라서 화자가 삼각산에 올라갔다는 설명은 적절하지 않다.

[오답 풀이]
① (가)의 1, 2행을 통해, 자연을 사랑하는 마음이 깊어 벼슬을 그만두고 대숲에 묻혀 살던 화자에게 임금이 강원도 지방 관찰사의 소임을 맡겼음을 알 수 있다.
② (가)의 3행에서 화자는 임금의 은혜가 망극하다며 감격하고 있다.
③ (나)의 1, 2행에서 화자는 임금이 계신 한양으로 흘러갈 소양강 물을 바라보며 나라를 근심하고 걱정하는 마음을 드러내고 있다.

④ (나)의 7, 8행에서 화자는 '급당유(급장유)'라는 관리가 좋은 정치를 베풀었던 중국의 '회양'과 자신이 관리할 강원도 회양의 이름이 같음을 언급하며 자신도 급장유와 같이 좋은 정치를 펼칠 것을 다짐하고 있다.

08 ⓒ은 화자가 관찰사로 부임하는 과정을 표현한 부분으로, 임금을 뵙고 하직하는 장면과 부임을 위한 행사 준비 절차를 과감하게 생략하여 그 과정을 속도감 있게 나타내었다.

오답 풀이

③ 한때는 화려한 궁궐이 자리했으나 이제는 흔적만 남은, 태봉국 왕 궁예의 궁궐터에서 느끼는 인생 무상감을 드러낸 부분이다. 따라서 나라가 멸망한 것을 탄식한다는 의미의 '맥수지탄(麥秀之嘆)', 사람의 삶이 덧없다는 의미의 '인생무상(人生無常)'과 의미가 통한다고 볼 수 있다.

④, ⑤ (다)에서 화자는 '화룡소(화룡소)'라는 연못의 물을 천년 묵은 늙은 용에 빗대어 표현하면서, 화룡소의 '천년 노룡'이 언제쯤 (바람과 구름을 타고 승천하여 비를 뿌리는 전설 속의 용처럼) '풍운(바람과 구름)'을 얻어 흡족한 비를 내릴 수 있겠냐고 스스로 묻고 있다. 이때 '천년 노룡'은 작가 자신을, '풍운'은 좋은 정치를 베풀 기회를 비유한 것으로, 선정을 베풀 기회를 얻고 싶다는 바람을 드러낸 것으로 해석할 수 있다.

09 ⓐ에서 화자는 자신을 비유한 '천년 노룡'에게, 비를 내려 '음애에 이온 플(해가 들지 않는 벼랑에 시든 풀)'을 살려 내라고 말하고 있다. 이때 '시든 풀'은 굶주린 백성을 비유한 표현으로, ⓐ는 선정을 베풀어 굶주린 백성들을 편히 살게 하겠다는 작가의 포부를 드러낸 것이라고 해석할 수 있다. (나)에서 이와 같이 선정의 포부를 밝힌 시행은 '급당유(汲長孺) 풍치(風采)를 고텨 아니 볼 게이고.'이다.

10~12 절정 _이육사

해제 이 작품은 부정적인 시대 상황과 맞서 싸우면서 그러한 현실을 초극하려는 의지를 잘 드러낸 시이다.

이 시는 한시(漢詩)의 전형적인 구성 방식인 '기-승-전-결'의 4단 구성을 따르는데, 전반부(기, 승)에서는 시적 상황을, 후반부(전, 결)에서는 그러한 상황에 대한 화자의 인식을 보여 주고 있다. 전반부인 1, 2연에서 화자는 '매운 계절의 채찍'에 의해 '북방→고원→서릿발 칼날진 그 위'라는 극한의 상황에 내몰린다. 이는 일제 강점기라는 냉혹한 시대에 화자가 처한 한계 상황을 의미한다.

3연에서는 전반부에 제시된 외적 상황에서 화자의 내면적 상황에 대한 묘사로 넘어간다. 화자는 자신이 처한 상황에서 비켜서거나 물러서는 일이 불가능하며, 또 '무릎을 꿇어' 그 어떤 외부적 힘에 기대어 괴로움을 덜 수도 없다는 것을 인식하고, 모든 고통을 자신의 의지로 견뎌 낼 수밖에 없다는 사실을 깨닫는다. 그 같은 관조의 순간, 화자는 '겨울'을 싸늘하고 비정하면서도 황홀한 아름다움을 지닌 것으로 받아들이게 된다. 4연은 이러한 극한 상황에서도 희망을 회복하고자 하는 화자의 의지를 '겨울은 강철로 된 무지개'라는 역설적인 표현으로 나타내고 있다.

핵심 정리

· **갈래** 자유시, 서정시
· **제재** 현실의 극한 상황
· **주제** 극한 상황을 초극하고자 하는 의지
· **특징**
① 한시의 '기-승-전-결'의 구성 방식을 따름.

---

② 역설적 표현으로 주제를 효과적으로 형상화함.
③ 현재형 시제를 활용하여 시적 긴장감을 조성함.
④ 남성적 어조로 강인한 의지를 드러냄.

· **짜임**

1연	수평적 공간에서의 극한 상황	화자의 상황
2연	수직적 공간에서의 극한 상황	
3연	심리적 극한 상황에 처한 화자	화자의 인식
4연	극한 상황을 초극하려는 화자의 의지	

10 이 시는 한시의 구성 방식인 '기-승-전-결'의 4단 구성을 취하고 있다. 한시의 '기-승-전-결' 구성은 제1구인 '기'에서 시상을 일으키고, 제2구인 '승'에서 그것을 이어받아 발전시키며, 제3구인 '전'에서 장면과 시상을 새롭게 전환하고, 제4구인 '결'에서 전체를 묶어 시상을 마무리 짓는다.

오답 풀이

① '오다', '서다'와 같이 현재형 시제를 활용하여 긴장감을 조성하고 있다.

② 화자는 '매운 계절'의 '채찍'에 갈겨 '서릿발 칼날진 그 위'라는 극한의 상황에 놓인다. 이때 '매운 계절'은 가혹한 추위가 지배하는 겨울을 가리키며, 이는 냉혹한 시적 상황을 상징적으로 드러낸다.

③ '무릎을 꿇어야 하나?'와 같은 의문형 진술을 활용해 화자가 처한 절박한 상황을 드러내고 있다.

⑤ '북방-고원-서릿발 칼날진 그 위'로 이어지는 극한 상황의 점층적 구조를 사용하여 화자가 처한 한계 상황을 강조하고 있다.

11 화자는 '겨울', '서릿발 칼날진 그 위'라는 극한 상황에서 '눈 감아 생각해' 보는 관조적 태도를 통해 '겨울은 강철로 된 무지개'라는 인식에 도달하고 있다. 이는 차갑고 비정한 이미지의 '강철'과 희망적이고 아름다운 이미지의 '무지개'를 결합함으로써 절망적인 현실에 대한 화자의 초극 의지를 강조하는 표현이다.

12 ㉠은 역설법이 쓰인 표현으로, 이는 이치에 맞지 않고 모순되는 듯 보이지만 그 속에 진실을 담고 있는 표현 방법이다. ③에는 본래의 의도를 숨기고 반대되는 말로 표현하는 반어법이 사용되었다.

오답 풀이

① 조지훈의 〈승무〉의 한 구절로, '고와서 서럽다'는 역설적 표현을 활용하여 젊고 아름다운 여승을 보고 느끼는 서글픈 감정을 표현하였다.

② 한용운의 〈논개의 애인이 되어서 그의 묘에〉의 한 구절로, '죽지 않는'과 '하루도 살 수 없는'을 나란히 제시한 역설적 표현을 활용하여 논개를 예찬하고 추모하는 마음을 강조해 드러내었다.

④ 서정주의 〈견우의 노래〉의 한 구절로, '사랑을 위해서는 이별이 있어야 한다'는 역설적 표현을 활용하여 참된 사랑을 이루기 위해서는 이별의 아픔을 견뎌야 한다는 인식을 드러내었다.

⑤ 유치환의 〈깃발〉의 한 구절로, '소리 없는 아우성'이라는 역설적 표현을 활용하여 이상 세계에 대한 내면의 강렬한 열망을 효과적으로 나타내었다.

바뀌어 있으므로 적절하지 않다.

05 이 시에는 현실의 의무와 풍류를 즐기고 싶은 욕구 사이에서 느끼는 화자의 내적 갈등이 드러난다. 반면 〈보기〉의 화자는 임금의 은혜로 자연 속에서 소일할 수 있음에 만족하고 있을 뿐, 내적 갈등을 보이지 않는다.

06 (나)에서 꿈속에서 신선을 만난 화자는 그와 술을 마시는 과정에서 세상을 먼저 걱정하고 나중에 개인적인 즐거움을 찾겠다는 태도를 보이며 내적 갈등을 해소한다. 그리고 (다)에서 화자는 꿈에서 깨어나 '명월(임금의 은혜)'이 '천산만락(온 세상)'에 비추는 광경을 보며 충의와 연군의 세계를 지향하는 평온한 마음을 찾는다.

평가 요소	확인 ☑
관찰사로서의 의무와 자연을 즐기고 싶은 욕구 사이에서 갈등하였음을 밝혀 적음.	
화자가 꿈을 통해 갈등을 해소하였음을 밝혀 적음.	

① 교과서 대표 전략 ② BOOK 2 32~33쪽

01 ⑤ **02** ① **03** ① **04** ④ **05** ② **06** '꿈(꿈)'은 화자가 관리로서의 임무와 풍류를 즐기고 싶은 마음에서 느끼는 갈등을 해소하게 한다.

01 '명월'은 임금의 은혜를 밝은 달에 비유한 표현이다. '명월이 천산만락의 아니 비친 데 업다'는 임금의 덕이 온 백성에게 고루 비치길 바라는 화자의 염원을 드러내는 부분으로, 신선의 길을 가겠다는 의미가 아니다.

오답 풀이
① (가)의 '션사롤 씌워 내여 두우로 향ㅎ살가(신선이 탄다는 배를 띄워 내어 북두성과 견우성으로 향할까)'에서 화자는 관찰사로서의 의무와 자연을 즐기고 싶은 욕망 사이에서 갈등하며 속세를 떠나고 싶은 마음을 드러내고 있다.
②, ③ (나)에서 '솔근(소나무 뿌리)'을 베고 '풋좀(선잠)'에 든 화자는 꿈속에서 신선을 만난다. 화자는 '그되롤 내 모로랴 샹계예 진선이라.(그대를 내 모르랴? 하늘나라의 진선이라.)'라는 신선의 말을 통해 자신이 본래 신선이었음을 알게 된다.
④ (나)에서 '븍두성(북두칠성)'을 국자로 써 '챵히슈(푸른 바닷물)'를 술로써 마시는 모습을 통해 화자의 호방한 기운을 느낄 수 있다.

02 도교는 신선 사상을 받아들이고 불로장생을 추구하던 종교이다. '듁서루(죽서루)'는 강원도 삼척에 있는 정자의 이름으로 도교 사상과는 거리가 멀다.

오답 풀이
②, ③, ④ '션(仙)'은 '신선'이라는 의미로, 모두 도교 사상이 반영된 시어이다.
⑤ '황뎡경(황정경)'은 도교의 경전이다.

03 ㉠에서 화자는 동해로 흘러드는 강물을 보면서 차라리 그 물줄기를 돌려 '목멱'에 대고 싶다고 하였다. 목멱은 임금이 계신 한양에 있는 남산으로, ㉠은 임금에 대한 사랑을 표현한 부분으로 볼 수 있다.

오답 풀이
② 맥수지탄(麥秀之歎): 고국의 멸망을 한탄함을 이르는 말. 기자(箕子)가 은(殷)나라가 망한 뒤에도 보리만은 잘 자라는 것을 보고 한탄하였다는 데서 유래함.
③ 안분지족(安分知足): 편안한 마음으로 제 분수를 지키며 만족할 줄을 앎.
④ 입신양명(立身揚名): 출세하여 이름을 세상에 떨침.
⑤ 천석고황(泉石膏肓): 자연의 아름다운 경치를 몹시 사랑하고 즐기는 성질

04 ㉡에서 화자는 관리로서 왕이 정해 준 일정이 정해져 있는데 풍경은 볼수록 싫지 않아 나그네의 시름을 달랠 길이 없다고 토로하고 있다. 즉, 화자는 '@: 관찰사로서의 의무(유교적 현실주의)'와 'ⓑ: 자연을 즐기고 싶은 본연의 욕망(도교적 탈속)' 사이에서 갈등하는 것이다. ④는 @, ⓑ에 들어갈 말이 서로 뒤

① 누구나 합격 전략 BOOK 2 34~35쪽

1 ④ **2** ⑤ **3** 아아 **4** ③ **5** ① **6** ②
7 ③ **8** 자연과 조화를 이루는 삶

1 이 시는 향가로, 한자의 음과 뜻을 빌어 우리말을 표현한 표기법인 향찰로 기록되었다.

2 화자는 누이와 극락세계('미타찰')에서 다시 만날 것을 기대하며 슬픔을 종교적으로 극복하고 있다. 절망하는 모습은 나타나지 않는다.

4~6 오우가 _윤선도

해제 〈오우가〉는 조선 시대 윤선도가 지은 연시조로, 물·바위·소나무·대나무·달을 다섯 벗으로 삼아 각각 그 자연물들의 특질을 들면서 짙은 애정을 드러내고 있다. '물'은 혼탁한 세상에 물들지 않는 청렴한 자세를, '바위'는 권력에 흔들리지 않는 강인함을, '소나무'는 역경에도 굴복하지 않는 의지를, '대나무'는 불의와 타협하지 않고 탐욕 없이 살아가려는 삶의 태도를, '달'은 선비가 갖추어야 할 덕성을 뜻한다.

핵심 정리
· 갈래 연시조(전 6수)
· 제재 물, 바위, 소나무, 대나무, 달
· 주제 다섯 가지 자연물의 덕성에 대한 예찬
· 특징
① 대상의 속성을 예찬의 근거로 제시함.
② 자연물에 가치를 부여하는 인간 중심의 가치관을 드러냄.

· 짜임

1수	다섯 가지 자연물을 벗으로 소개함.
2수	물의 깨끗함과 불변성
3수	바위의 영원성과 불변성
4수	소나무의 지조와 절개
5수	대나무의 겸허함과 절개
6수	달의 광명과 과묵함

4 제4수에서는 눈서리를 이겨 내고 뿌리가 곧은 소나무의 특성을 예찬하고 있다. 더우면 '곳(꽃)'이 피고 추우면 '입(잎)'이 지는 것은 소나무의 속성과 대조를 이루는, 자연물의 보편적인 속성이다.

5 화자가 긍정하고 있는 '믈(물)'의 속성은 맑고 깨끗하면서도 그치지 않는 것이다. 맑고 깨끗한 성정은 선비들에게 요구되는 중요한 덕목이었는데, 화자는 물과 구름·바람을 대조하여 이러한 가치를 평생 변함없이 지키는 것이 중요함을 강조하고 있다.

6 〈보기〉는 사설시조로, '초장-중장-종장'의 3장 형식을 취하고는 있으나 중장이 길게 늘어진 형태이다.

7~8 울타리 밖 _박용래

해제 이 작품은 울타리의 안과 밖이 천연하게 조화를 이룬 모습을 노래함으로써 인간과 자연이 어우러져 사는 세계에 대한 소망을 드러내고 있다. 한국 문학의 특질인 자연 친화적 태도가 잘 드러나는 작품이다.

핵심 정리
· **갈래** 자유시, 서정시
· **제재** 울타리 밖에도 화초를 심는 마을
· **주제** 인간과 자연이 조화를 이룬 아름다운 세계에 대한 소망
· **특징**
① '천연히'라는 하나의 시어로 독립적인 연을 구성하여 주제 의식을 함축적으로 드러냄.
② 시각적 이미지를 활용하여 풍경을 회화적으로 묘사함.
③ 동일한 어미와 시어의 반복을 통해 운율을 형성함.
· **짜임**

1, 2연	고향의 '소녀·소년(인간)'과 '들길(자연)'의 모습
3연	인간과 자연의 모습이 꾸밈이 없이 천연함.
4연	천연하게 살아가는 마을 사람들과 자연의 조화

7 3연의 '천연히'는 앞의 1, 2연과 뒤의 4연을 연결하며 의미의 상관성을 보여 주는 기능을 한다. 즉, 앞과 뒤에서 제시된 모든 대상들(소녀, 소년, 들길, 아지랑이, 태양, 제비, 물, 마을, 화초, 잔광, 별)이 모두 '천연하다', 즉 꾸밈이 없다는 의미를 드러내는 것이다. 이때 '마을' 역시 꾸밈이 없다는 점에서 화자가 긍정적으로 보는 대상이므로 '천연히'라는 표현이 '마을'을 비판적 시선에서 바라보게 한다는 설명은 적절하지 않다.

1주 창의·융합·코딩 전략 ① **BOOK 2** 36~37쪽

1 ③   **2** ㉠ 캉캉 ㉡ 서리서리, 구뷔구뷔, 해해, 바등바등
3 생략   **4** ⑤   **5** ⑤

1~3 개를 여나믄이나 기르되 _작자 미상

해제 이 작품은 임을 기다리는 안타까운 마음을 개와 화자의 표면적 갈등을 통해 돌려서 표현한 사설시조이다. 우리말 음성 상징어와 일상어를 활용하여 정서를 진솔하게 표현한 점이 돋보인다.

핵심 정리
· **갈래** 사설시조
· **제재** 얄미운 개
· **주제** 임을 기다리는 마음
· **특징** 의성어와 의태어를 효과적으로 사용하여 얄미운 개가 하는 행동을 해학적, 사실적으로 묘사함.
· **짜임**

초장	개에 대한 얄미움
중장	미운 임은 반기고 고운 임은 짖어 쫓아내는 개(오지 않는 임에 대한 원망)
종장	개에 대한 원망

1 (가)의 화자는 임이 올 미래의 상황을 가정하여 상상하는 것이지, 과거의 추억을 되새기는 것이 아니다.

2 (가)는 '서리서리', '구뷔구뷔' 등의 음성 상징어를 사용하여 우리말의 묘미를 살렸다. (나)는 '해해', '바등바등', '캉캉' 등의 음성 상징어를 사용하여 개의 얄미운 행동을 해학적으로 묘사하였다.

3 학교생활을 제재로 하되 '3장 6구의 구성, 4음보의 반복, 종장의 첫 음보는 3음절로 고정' 등의 시조의 형식적 특징을 반영해 작품을 창작했다면 모두 정답으로 인정한다.

4 이 글은 한자로만 적혀 있지 않으며, 3음보가 아닌 4음보의 율격을 지니고 있고, 한 연이 3장으로 구성되어 있지 않다.

5 ㉢에서는 지나가는 구름('녈구름')이 해의 광명을 가리듯, 간신배들이 임금의 총명을 가릴까 우려하는 화자의 우국지정(憂國之情)이 나타난다.

정답 과 해설

1주 창의·융합·코딩 전략 ② `BOOK 2` 38~39쪽

6 ④　　7 (가), (나)의 화자는 모두 자연을 지배와 개척의 대상이 아니라 어울려 지내야 할 친화의 대상으로 인식하고 이에 대해 긍정적인 태도를 보인다.　　8 ②　　9 (나)는 주제적인 측면에서 이별의 슬픔과 임에 대한 그리움이라는 (가)의 특징을, 운율의 측면에서 3음보의 음보율이라는 (가)의 특징을 계승하고 있다.

6　(나)에서 화자는 자연을 자신과 동등한 인격체로 나타내며 방을 한 칸씩 맡겨 두겠다고 한다. 즉, 이때의 자연은 물아일체의 대상, 합일의 대상으로 볼 수 있으며 유교적 가치를 지닌 상징적 공간이라고 보기 어렵다.

7　(가), (나)의 화자는 모두 자연을 지배와 개척의 공간으로 인식하고 있지 않다. 또한 (가), (나)의 화자는 모두 자연에 대해 긍정적인 태도를 가지고 있다.

평가 요소	확인 ☑
(가), (나)의 화자가 모두 자연을 친화의 대상으로 보고 있음을 밝혀 적음.	
(가), (나)의 화자가 모두 자연에 긍정적인 태도를 보이고 있음을 밝혀 적음.	

8　(가)의 화자는 임을 붙잡고 싶지만 임이 돌아오지 않을까 두려워 붙잡지 않고 보내 주고 있다.

9　(가), (나)는 모두 이별의 정한을 노래하고 있으며 3음보의 음보율을 지닌다는 공통점을 보인다. 또한 두 시 모두 한시(漢詩)와 같이 4단 구성을 취하고 있기도 하다.

2주 한국 문학의 전통_서사 문학

2주 1일 개념 돌파 전략 ① `BOOK 2` 43,45쪽

01 (1) 구비 (2) 신화 (3) 일대기　02 (1) ⓑ (2) ⓒ (3) ⓛ (4) ⓘ (5) ⓔ (6) ⓗ　03 (1) X (2) O (3) O　04 ②　05 ④　06 (1) 편집자적 (2) 확장적 (3) 골계미　07 ㄷ, ㄹ　08 (1) X (2) X (3) O　09 ⑤

04　'조선 시대에는~한글 소설인 허균의 〈홍길동전〉을 비롯하여 많은 소설이 창작되면서 본격적으로 소설 문학이 발달하였다.'에서 한글 소설이 조선 시대부터 향유되기 시작했음을 알 수 있다.
　[오답 풀이]
③ 고전 소설의 전통을 신소설이 변용하여 계승한 것이다.

05　고전 소설에서는 특정 신분이나 집단을 대변하는 인물인 전형적 인물(⑩ 고난과 시련을 극복하는 영웅, 조선 시대 여성의 유교적 윤리 의식을 대표하는 열녀 등)이 많이 등장한다. 또한 고전 소설은 대부분 시간의 흐름에 따라 전개되는 평면적 구성을 취한다.

09　(가)는 양반을 부정적이고 비판적인 태도로 바라보고 있지만, (나)는 '나'라는 순진하고 어리숙한 인물을 우호적이고 동정적인 태도로 바라보고 있다는 점에서 차이가 있다.
　[오답 풀이]
① "개잘량이라는 '양' 자에 개다리소반이라는 '반'자 쓰는 양반이 나오신단 말이오."와 같이 양반을 희화화한 표현이 웃음을 유발한다.

2주 1일 개념 돌파 전략 ② `BOOK 2` 46~47쪽

1 ②　2 ④　3 ④　4 ①　5 ④　6 ③

1~3 주몽 신화 _작자 미상

[해제] 〈주몽 신화〉는 고구려의 건국 신화로, 고주몽의 고귀한 혈통과 기이한 탄생 과정, 성장하면서 겪는 시련과 이를 극복하여 나라를 과정을 통해 영웅 일대기의 전형적인 모습을 보여 준다.
　신화는 창작하고 향유한 집단의 문화를 반영하는데, 천신(천제)과 수신(하백)에 대한 신성 의식은 우리 민족이 고대부터 천신과 수신을 숭배했음을 보여 주고, 주몽이 활쏘기에 능했다는 점은 당시가 유목 사회였음을 짐작하게 한다. 또

한 유화가 햇빛을 받고 잉태한 것에서 당대인들이 태양을 숭배하는 사상을 지 녔음을 추측할 수 있다

[핵심 정리]
- **갈래** 설화, 건국 신화
- **제재** 주몽의 탄생과 고구려의 건국
- **주제** 주몽의 탄생과 고구려의 건국 경위
- **특징**
  ① 신화의 전형적 화소(난생 화소, 천손 하강 화소 등)가 등장함.
  ② 영웅의 일대기 구조로 이루어져 있음.
- **짜임**

발단	주몽이 해모수와 유화 사이에서 태어남.
전개	알의 형태로 태어나자 버려지지만 조력자의 도움으로 태어나게 되고, 골격과 외모가 영특하게 자람.
위기	금와왕의 아들들이 주몽을 천대하고 죽이려 함.
절정	도망가던 중 배가 없어 길이 막히지만 물고기와 자라가 다리를 놓아 주어 탈출하게 됨.
결말	고구려를 건국함.

1 〈주몽 신화〉는 고구려의 건국 과정을 다룬 신화이다. 신화는 입에서 입으로 전승되어 온 구비 문학의 한 갈래이다.

[오답 풀이]
⑤ 신화, 전설, 민담 등의 설화는 한 개인의 창작물이 아니라 한 민족 사이에서 자연 발생적으로 형성되어 구전되어 오는 이야기이다. 구성 면에서는 구전에 적합한 단순한 형식을 띠는 것이 특징이다.

2 (다)에서 주몽은 왕에게 버려져 위기에 처하나 새와 짐승이라 는 조력자의 도움으로 위기를 극복한다. 따라서 위기를 스스로 해결했다는 설명은 적절하지 않다.

[오답 풀이]
① (나)의 유화의 말을 통해 주몽이 물의 신 하백의 딸 유화와 천제의 아 들 해모수의 핏줄을 이어받은 고귀한 혈통을 지녔음을 알 수 있다.
② (나)의 '시조 동명 성제는~이름은 주몽(朱蒙)이다.'에서 이 이야기 가 고구려의 시조인 고주몽에 관한 신화임을 알 수 있다.
③ (다)에서는 알에서 태어난 주몽의 기이한 출생 과정이 나타난다.

[이것만은 꼭!] 〈주몽 신화〉의 영웅 일대기 구조

고귀한 혈통	천제의 아들인 해모수와 하백의 딸 유화 사이에서 태어남.
기이한 탄생	• 유화가 햇빛을 통해 주몽을 임신함. • 주몽이 알의 형태로 태어남.
어릴 적 시련과 구출	• 주몽이 알의 형태로 태어나자 금와가 버리게 함. • 알을 개와 돼지가 먹지 않고, 말과 소가 피해 가며, 새와 짐승이 덮어 줌.
비범한 능력	• 골격과 외모가 영특하고 기이함. • 활과 화살을 쏘는데 백 번 쏘면 백 번 다 맞힘.
성장후 시련	• 금와의 아들과 신하가 주몽을 죽이려 함. • 주몽이 엄수에 이르렀는데 배가 없어 길이 막힘.
시련 극복과 위업 달성	• 주몽이 자신의 신분을 밝히자 물고기와 자라가 다리를 놓아 줌. • 주몽이 금와의 나라에서 탈출하는 데 성공하여 고구려를 건국함.

3 주몽이 알을 깨고 세상에 나온 것은 새로운 세계를 건설할 인 물임을 암시하는 상징성을 지닌다. 그만큼 주몽이 신성한 존재 임을 강조하는 설정이지 허구적 인물임을 나타내는 것은 아 니다.

[오답 풀이]
⑤ 주몽이 지닌 신이한 능력을 활과 화살을 스스로 만들어 백 번 쏘아 백 번 맞추는 활쏘기 능력에 초점을 맞추어 드러내는 것으로 볼 때, 활쏘기 능력이 수렵, 유목 사회에서 생존에 필수적이고 중요한 능력이었음을 짐작할 수 있다.

4 대소는 능력이 뛰어난 주몽이 훗날 자신을 위협하는 인물이 되 는 것, 나아가 부여의 왕이 되는 것을 우려하여 이를 '후환'이라 고 표현한 것이다.

5 〈주몽 신화〉는 주몽과 부여의 왕자들 사이의 갈등이 두드러지 지만, 〈단군 신화〉에는 주인공 단군과 대립하는 인물이 드러나 지 않는다.

[오답 풀이]
① 〈주몽 신화〉에서는 주몽이 '고구려'를 세우고, 〈보기〉에서는 주인 공 단군이 '조선'을 세운다.
② 〈주몽 신화〉에서는 주몽이 알에서 태어나고, 〈보기〉에서는 단군이 사람이 된 곰과 천제의 아들 사이에서 태어난다.
⑤ 〈주몽 신화〉는 '천제-해모수-주몽'으로 이어지는 삼대기 형식을, 〈보기〉는 '환인-환웅-단군'으로 이어지는 삼대기 형식을 취한다.

6 제시된 이야기를 통해 당나라 군사들이 주몽을 신적 존재로 여 겼는지는 알 수 없다. 다만 중국의 신화가 우리 민족에게 신성 하지 않듯이 중국 사람이 단군이나 주몽을 신성시할 이유는 없 을 것이다. 〈단군 신화〉, 〈주몽 신화〉와 같은 신화는 그것을 믿 는 민족이 자부심을 갖게 하고 내부 결속을 다지는 데에 도움 을 준다.

[오답 풀이]
①, ② 주몽의 사당이 있었고 무당이 주몽을 언급하였다는 점에서 고 구려인들이 주몽을 신처럼 모시고 주몽 신화를 신성시하였음을 미루어 알 수 있다.
⑤ 당나라의 침입을 받았을 때 주몽을 빌어 나라의 안녕을 기원한 것 으로 볼 때, 고구려인에게 주몽은 단순히 건국 영웅을 넘어서 고구 려인들을 구원해 줄 수 있는 신적 존재로 자리 잡았음을 알 수 있다.

2주 2일 필수 체크 전략 ①　　BOOK 2 48~49쪽

| 확인 문제 | 1 ③　　2 ⑤

1 '여공(ㄹ)'은 전쟁 고아가 된 계월을 구출하여 양육했다는 점에서, '곽 도사(ㅂ)'는 계월에게 가르침을 주었다는 점에서 조력자로 볼 수 있다.

2 ㉠은 말의 위치를 바꾸어 웃음을 유발하는 언어유희가 나타나는 부분으로, 어사 출도에 당황한 변 사또의 모습을 해학적으로 드러내는 구절이다. 변 사또가 말을 제대로 하지 못하는 것은 추위 때문이 아니라 암행어사 출도라는 급작스러운 상황에 당황했기 때문이다.

　오답 풀이
④ '골계미'란 미적 범주의 하나로, 자연의 질서나 이치를 의의 있는 것으로 존중하지 않고 추락시킴으로써 나타나는 미의식이다.

2주 2일 필수 체크 전략 ②　　BOOK 2 50~53쪽

01 ③　02 ④　03 ④　04 ①　05 ④　06 춘향 자신의 지조와 절개　07 ③　08 ④　09 ⑤　10 ④

01~02 홍계월전 _작자 미상

　해제　〈홍계월전〉은 중국 명나라를 배경으로 하여 남성보다 뛰어난 능력을 지닌 여성 홍계월의 일대기를 그린 영웅 소설이다. 여성이 영웅으로 등장한다는 점에서 여성 영웅 소설로, 전쟁에서의 활약상이 주로 나타난다는 점에서 군담 소설로 분류된다. 남편이 아내의 지휘 아래 전쟁터에 나가 싸우고, 계월이 여성임이 밝혀졌음에도 남성보다 높은 벼슬을 주어 나라를 구하게 하는 등 이전에는 볼 수 없던 새로운 여성상을 제시하고 있다. 조선 시대의 가부장적 체계 속에서 숨죽이며 살았던 여성의 사회적 자아실현에 대한 열망을 충실히 표현한 작품으로 평가할 수 있다.

　핵심 정리
• 갈래　영웅 소설, 군담 소설
• 배경　• 시간-중국 명나라 때　• 공간-중국 형주, 벽파도, 황성
• 시점　3인칭 전지적 시점
• 제재　홍계월의 뛰어난 능력
• 주제　여성 홍계월의 영웅적 활약상
• 특징
　① 영웅의 일대기 구조가 드러남.
　② 신분을 감추고 사회에 진출할 수 있게 되는 계기로 남장 화소가 사용됨.
• 짜임

발단	무남독녀인 계월이 난리통에 부모와 헤어짐.
전개	여공이 계월을 구하고 남장을 시켜 평국이라 부르며 길렀고, 계월은 장원 급제를 함. 계월이 전쟁에 나가 공을 세우고 부모와 재회함.
위기	계월이 여자임이 밝혀지나 천자는 이를 용서하고 보국과 혼인시킴.
절정	계월이 보국의 애첩 영춘을 죽인 일로 보국과 계월이 불화를 겪음.
결말	계월은 출중한 능력으로 나라를 위기에서 구하고, 보국과 함께 오랫동안 부귀영화를 누림.

01 이 글은 중국 명나라를 배경으로 이야기가 전개되고 있다. 계월은 봉건적 가치관에 맞서는 새로운 여성상을 보여 주는 인물이지만 민족적 영웅은 아니다. 따라서 이 글은 민족의 자존심 회복과는 관련이 없다.

　오답 풀이
② 계월이 장원 급제를 하고 전쟁에 나가 공을 세울 수 있었던 것은 남장을 하여 자신이 여성임을 숨겼기 때문이다. 이 작품에서 남장은 계월이 여성의 지위와 한계에서 벗어나 남성과 동등하게 경쟁할 수 있게 하는 기능을 한다.

　배경지식 +　남장 모티프

　　여성 영웅 소설에서 주인공 여성은 남장을 하여 공적 분야로 진출함으로써 사회적 자아를 실현한다. 여성 영웅 소설의 주인공들에게 남장은 남성 중심 사회에 진출하기 위한 도구로, 남장을 함으로써 조선조 여성의 지위와 한계를 탈피하고 남성과 대등하게 경쟁하고 활약할 수 있었다. 그러나 남장을 벗는 순간 이들은 다시 여성의 지위로 돌아와 기존의 사회 질서와 갈등하게 된다. 이러한 점에서 남장은 근본적으로 여성의 지위를 변화시키지는 못한다고 볼 수 있다.

④ 남성보다 뛰어난 능력을 지닌 계월을 주인공으로 내세움으로써 기존의 가부장적 질서에 대한 비판 의식을 드러내고 있다.
⑤ 기존의 여성 영웅 소설에서 여성은 남성을 도와 능력을 발휘하거나, 남장을 하여 활약하다가 정체가 밝혀진 후에 가정으로 돌아가는 모습을 보였다. 그러나 이 작품에서 계월은 남편 보국에게 우위를 인정받는 한편 사회적으로도 인정을 받는데, 이는 조선 후기에 성장한 여성 의식이 반영된 것으로 볼 수 있다.

　이것만은 꼭!　여성 영웅 소설의 등장 배경

> 임진왜란과 병자호란이 일어남.
> ↓
> 신분 질서가 동요하고, 동학과 천주교의 영향으로 평등사상이 유입됨.
> ↓
> 이에 영향을 받아 여성들의 남존여비 사상에 대한 불만이 고조되고, 사회적 자아실현에 대한 욕구가 상승됨.
> ↓
> 여성 영웅 소설이 등장함.

02 (나)에서 계월의 도움으로 살아 돌아온 보국은 계월 보기를 부끄러워하고 있을 뿐, 계월에게 분노를 드러내고 있지는 않다.

　오답 풀이
① 보국은 아내가 자신을 부하로 부리려 하는 것에 분노하며 가부장적 태도를 보이고 있다.
② 여공은 '어찌 계월이가 그르다고 하겠느냐?'라며 계월의 생각을 인정하는 한편 나랏일이 중요하다는 이유로 보국에게 계월의 부하가 되기를 권하고 있다. 이를 통해 여공이 아내가 남편보다 우위에 있을 수도 있다는 생각을 지니고 있음을 짐작할 수 있다.
⑤ 계월은 자미성이 자리를 떠나고 모든 별이 살기등등하게 떠 있는 것을 보고 천자의 위태로움을 직감하였다. 이는 계월의 비범한 영웅적 면모가 드러나는 부분이다.

03~10 춘향전 _작자 미상

해제 〈춘향전〉은 판소리로 창작돼 불리다가 소설로 정착된 판소리계 소설로, 이본(異本)이 120여 종에 이를 정도로 많은 사랑을 받은 우리 민족의 대표적인 고전 소설이다. 이 작품의 표면적 주제는 이몽룡과 춘향의 신분을 뛰어넘는 사랑이지만, 이면에 감추어진 주제는 신분의 제약을 벗어난 인간 해방과 불의한 지배 계층에 대한 서민들의 항거이다. 특히 교재에 수록된 암행어사 출도 부분에서는 탐관오리의 횡포에 저항하는 서민들의 사회적 의식이 잘 드러난다.

핵심 정리

- **갈래** 판소리계 소설, 염정 소설
- **배경** 시간 – 조선 후기(숙종)
  - 공간 – 전라도 남원
- **제재** 춘향의 절개
- **주제**
  ① 신분을 초월한 남녀 간의 사랑
  ② 불의한 지배 계층에 대한 서민의 항거
  ③ 신분적 갈등의 극복을 통한 인간 해방
- **특징**
  ① 해학과 풍자를 통한 골계미가 드러남.
  ② 서술자의 편집자적 논평이 자주 드러남.
  ③ 판소리의 영향으로 운문체와 산문체가 혼합됨.
- **짜임**

발단	남원 부사의 아들 이몽룡이 퇴기 월매의 딸 춘향을 만나 사랑에 빠짐.
전개	이몽룡의 아버지가 한양으로 가게 되자, 이몽룡과 춘향은 어쩔 수 없이 이별하게 됨.
위기	새로운 남원 부사로 부임한 변학도는 춘향에게 수청을 강요하고, 춘향이 이를 거역하자 옥에 가둠.
절정	장원 급제한 이몽룡이 암행어사로 내려와 변학도의 생일잔치에 참석한 뒤, 어사 출도를 하고 변학도와 탐관오리를 징벌함.
결말	임금의 허락으로 춘향이 이몽룡의 정실부인이 되고, 둘은 함께 한양으로 올라가 행복한 일생을 보냄.

03 이 글에서는 전기적 요소를 통해 인물의 능력을 부각하는 부분이 나타나지 않는다. 전기적 요소는 고전 소설에서 자주 나타나는 특성으로, 현실에서 일어날 수 없는 기이한 일들이 벌어진 것을 의미한다.

오답 풀이
① 암행어사가 출도하자 혼비백산하여 도망가는 관리들의 모습을 해학적으로 표현하고 있다.
② 판소리의 영향으로 운율이 느껴지는 운문체와 산문체가 혼합되어 나타나고 있다.
③ 세련된 한문 투의 언어와 평민층의 언어가 혼재되어 있다.
⑤ '한참 이리 반기다가 님의 형상 자세히 보니 어찌 아니 한심하랴.'에서 서술자가 인물의 모습이 한심하다고 직접 평가를 표출하는 편집자적 논평이 나타난다.

04 [A]는 그토록 기다리던 이몽룡을 만난 춘향의 감회를 드러낸 부분으로 서정적인 대목에 쓰이는 '중모리'가 적합하다. [B]는 암행어사 출도로 혼란스러운 상황을 보여 주는 부분으로 빠른 장단인 '중중모리'가 어울린다.

05 ㉣은 반어적 표현으로, 변 사또와 마찬가지로 수청을 요구하는

어사또에 대한 춘향의 냉소적이고 비판적인 태도가 담긴 대답이다. ㉣에서 춘향은 아직 어사또의 정체가 이몽룡임을 알지 못하고 있다.

오답 풀이
① 남편을 의미하는 '서방(書房)'과 서쪽을 뜻하는 '서방(西方)'의 발음이 같은 점을 이용한 언어유희로 웃음을 유발하고 있다.
② 이몽룡에 대한 서술자의 평가가 직접 드러나는 편집자적 논평으로 춘향의 마음을 대변하여 드러내고 있다.
③ 이몽룡은 자신이 변 사또의 자리에 좌정할 수 있음에도 '대감', 즉 자신의 아버지가 좌정하시던 곳이니 잡소리를 금하라고 하며 전관이었던 아버지에 대한 예우를 보이고 있다.
⑤ 춘향은 변 사또의 학정으로 죽을 뻔했던 자신의 처지를 '가을이 들어 떨어지게 되었'다고 비유적으로 표현하고 있다.

07 "저 걸인의 의관은 남루하나 양반의 후예인 듯하니 말석에 앉히고 술잔이나 먹여 보냄이 어떠하뇨?"라며 어사또를 잔치에 참여시키자고 제안한 것은 본관 사또가 아니라 운봉이다. 본관 사또는 "운봉의 소견대로 하오마는."이라고 하며 운봉의 의견을 마지못해 받아들이고 있다.

오답 풀이
② 사령은 술과 안주를 달라는 어사또의 말에 "우리 사또님이 걸인을 금하였으니, 어느 양반인지는 모르오만 그런 말은 내지도 마오."라며 음식 내어 주기를 거부하였다.
④ 운봉은 '차운'을 한 수씩 해 보자고 제안하고 있다.
⑤ 어사또가 지은 시를 보고 그의 정체를 알아차린 운봉은 아전들을 불러 단속하고 있다.

08 ㄱ. '술'은 백성들의 '피'와 같고 '안주'는 백성들의 '기름'과 같다는 비유적 표현으로 백성들을 착취하는 탐관오리를 비판하고 있다. ㄴ. 1행과 2행이 짝을 이루고 3행과 4행이 짝을 이루어 대구를 형성하고 있다. ㄹ. '아름다운 술', '아름다운 안주', '노랫소리 높은 곳'과 같은 표현을 통해 잔치의 화려함을, '백성의 피', '백성의 기름', '원망 소리'와 같은 표현을 통해 백성들의 고달픈 삶을 형상화하며 대조적 이미지를 드러내고 있다.

오답 풀이
ㄷ. [A]에서 웃음을 유발하는 해학적인 표현은 찾을 수 없다. 또한 이 작품을 통해서 비판하고자 한 것은 양반들의 허례허식이 아닌, 탐관오리들의 부정부패이다.

09 ㉠은 본관 사또가 아니라 운봉 영장이 암행어사 출도를 대비해 아전들을 단속하는 장면이다. '한참 이리 요란할 제 사정 모르는 저 본관 사또가'에서 알 수 있듯, 변 사또는 걸인이 어사또임을 알아채지 못하는 어리석은 모습을 보이고 있다.

오답 풀이
① '-하다'와 같은 서술어의 뒷부분을 생략해 빠른 리듬감을 조성하여 어사 출도 전의 긴장감 넘치는 분위기를 드러내고 있다.
②, ③ '~불러 ~단속'과 같은 문장 구조를 반복하여 관리들을 단속하는 상황을 나열함으로써 생동감 있게 상황을 전달하고 운율감을 형성하고 있다.

④ 특정한 상황과 관련해 여러 가지를 나열하고 반복하는 확장적 문체가 나타나고 있다.

배경지식 + 확장적 문체

• **뜻**: 특정한 대상이나 상황과 관련하여 여러 가지를 나열하거나, 덧붙여 반복하고 부연하는 식의 문체로, 판소리에서 나타나는 특징임.
• **특징**
① 이야기 중 흥미로운 대목의 내용이나 표현을 확장적 문체로 표현함으로써 '장면의 극대화', '부분의 독자성'과 같은 효과를 가져옴.
② 관객에게 생동감과 현실감을 느끼게 하나, 과할 경우 장면이 서로 어긋나거나 줄거리상 불균형이 발생하기도 함.

10 〈보기〉는 편집자적 논평에 대한 설명인데, ⓓ에서는 상황에 대한 객관적인 전달만 드러나 있다.

오답 풀이

① ⓐ에서는 본관 사또가 '명관'이 아니라 나쁜 관리라는 서술자의 평가가 드러난다.
② ⓑ의 '입맛이 사납겠다'는 본관 사또의 심리에 대한 서술자의 개입이다.
③ ⓒ의 '어찌 아니 통분하랴'는 상황에 대한 서술자의 부정적 판단과 평가이다.
⑤ ⓔ는 어사또가 지은 시조에 대한 서술자의 평가와 판단이다.

배경지식 + 편집자적 논평

• 서술자가 진행 중인 사건이나 인물의 언행 등에 대해 의견을 밝히거나 평가하는 것으로, 고전 소설에 빈번하게 나타남.
• 이야기를 재미있게 이끌거나 독자의 동의 및 이해를 구할 때, 또는 독자의 관심을 끌고 싶을 때 사용함.
• 문장의 형태는 주로 설의적 의문문(−랴, −쏘냐, −리오)으로 나타남.

2 3일 필수 체크 전략 ① BOOK 2 54~55쪽

|확인 문제| **1** 만 냥 **2** 이 글은 생태·환경 보호의 중요성에 대해 이야기하고 있다.

1 '만 냥'은 허생이 변 씨에게 빌린 돈으로, 돈을 빌리고 빌려 주는 과정에서 허생과 변 씨의 인물됨이 드러나고, 허생이 돈을 쓰는 과정과 결과에서 조선 경제의 취약성이 드러난다.

2 이 글은 당시의 성장 중심 가치관 때문에 소홀히 하였던 생태·환경 보호의 중요성을 전달하고 있다.

평가 요소	확인 ☑
생태 보호 또는 환경 보호와 관련된 내용을 언급함.	

2 3일 필수 체크 전략 ② BOOK 2 56~59쪽

01 ④ **02** ⑤ **03** 화근 **04** ⑤ **05** ④ **06** ② **07** ③
08 ⑤ **09** ⑤

01~06 허생전 _박지원

해제 〈허생전〉은 실학파 학자였던 박지원의 사상을 주인공 '허생'을 통해 드러낸 작품으로, 당대 사회의 제도적 취약점과 모순, 사대부의 허위와 무능을 풍자한 소설이다. 이 작품에서 허생의 행위는 크게 세 가지로 나누어 볼 수 있다. 우선 허생은 매점매석을 통해 많은 돈을 버는데, 이러한 상행위를 통해 작가는 그 당시의 취약한 경제 구조뿐만 아니라 허례허식에 치우친 양반들을 풍자하고 있다. 두 번째는 허생이 군도를 이끌고 빈 섬으로 들어가는 행위이다. 이를 통해 지배층의 무능으로 말미암아 양민이 도둑이 될 수밖에 없는 사회 현실을 비판하면서, 빈민을 구제하기 위한 이용후생(利用厚生)의 실천을 강조하고 있다. 그리고 마지막은 이완 대장과 만나 대화하는 것이다. 허생은 이완에게 부국강병(富國强兵)을 위한 인재 등용, 치욕을 씻기 위한 명나라 후예와의 결탁, 유학과 무역이라는 시사 삼책을 제시하지만, 양반 지배 계층을 대변하는 이완은 그것을 받아들이지 않는다. 이를 통해 작가는 의미 없는 북벌론만을 내세우는 무능한 양반 계층을 비판하고 있다.

핵심 정리

• **갈래** 한문 소설, 풍자 소설
• **시점** 3인칭 전지적 시점
• **배경** • 시간 – 17세기 중반(조선 효종 때)
　　　　• 공간 – 국내(서울, 안성, 제주, 변산 등)와 국외(장기도, 빈 섬 등)
• **제재** 허생의 비범한 능력과 기이한 행적
• **주제** 지배층인 사대부의 무능과 허위의식 비판, 지배층의 각성 촉구
• **특징**
① 실학사상을 바탕으로 당대 조선 사회의 폐단을 비판함.
② 주인공 허생의 행적을 따라가며 순차적으로 사건이 전개됨.
③ 일반적인 고전 소설의 결말과 달리 열린 결말 구조를 취함.
• **짜임**

발단	가난하고 무능한 선비 허생이 아내의 질책에 독서를 중단하고 집을 나섬.
전개	• 허생이 변 부자에게 돈을 빌려 매점매석으로 큰돈을 벌고, 빈 섬에 도적떼를 데리고 들어가 이상 사회를 건설함. • 집으로 돌아온 허생은 변 부자에게 돈을 갚고, 조선의 취약한 경제 구조와 인재 등용의 불합리성을 비판함.
위기	허생이 이완 대장에게 세 가지 계책을 제시하나 이완이 이를 모두 거절함.
절정	허생이 명분만 중시하는 지배층의 행태를 비판하며 이완을 크게 꾸짖음.
결말	허생이 종적을 감춤.

01 지배 계층이 민생을 제대로 돌보지 못하여 군도가 들끓었음은 짐작할 수 있으나 이것의 원인이 정파 싸움 때문인지는 이 글에서 확인할 수 없다.

오답 풀이

③ (가)에서 허생이 군도들과 대화하는 부분을 통해 어려운 현실 때문에 도둑이 된 백성들이 있었음을 알 수 있다.
⑤ (가)에서 허생이 군도들과 대화하는 부분을 통해 아내를 얻고, 집을 짓고, 소를 사서 논밭을 갈고 지내는 기본적인 삶의 조건을 갖추지 못한 백성들이 많았음을 알 수 있다.

이것만은 꼭! 서사 문학의 현실 반영적 기능

〈허생전〉은 조선 후기의 현실을 반영한 작품으로, 당대 사회에 대한 작가의 비판적인 시각을 드러내고 있다. 이처럼 서사 문학은 작품이 쓰인 당대의 현실을 반영한다.

허생의 행위		당시의 사회상
만 냥으로 물건을 매점매석하여 큰돈을 벎.	→	조선의 경제 구조가 취약했음.
도둑이 된 양민들을 데리고 빈 섬으로 감.	→	무능력한 집권층이 민생을 안정시키지 못했음.
이완에게 세 가지 계책을 제안하였으나 모두 거절당함.	→	집권층이 허구적인 북벌론을 주장했으며 개혁 의지가 부족했음.

02 ⓤ은 백만 냥에 휘청거릴 정도로 당시 조선의 경제 구조가 취약하다는 의미로, 이러한 경제 상황에 대한 작가의 문제의식을 알 수 있는 부분이지, 재물을 천시하는 의식을 알 수 있는 부분은 아니다.

오답 풀이

③ 나라에서 군사를 징발하여도 해결하지 못한 치안 문제를 단번에 해결한 데에서 허생의 비범함을 엿볼 수 있다.

④ 장기도는 일본의 속주로, 허생은 장기도에 양식을 팔면서 외국과의 무역을 시도하고 있다. 작가 박지원의 해외 진출 사상이 반영된 부분이다.

03 허생은 섬을 떠나면서 글을 아는 자들을 모두 배에 함께 태워 섬에서 내보내려 하며 "이 섬에 화근을 없애야 되지."라고 하는데, 여기에서는 당시 지식 계층에 대한 허생의 불신과 부정적 인식이 드러난다.

04 허생은 이완이 자신의 제안을 받아들이지 않자 이완을 꾸짖고는 종적을 감춘다. 이는 현실의 문제가 해결되지 않은 채로 끝나는 열린 결말로, 허생의 주장이 당시로서는 수용되기 어려운 것임을 암시한다.

오답 풀이

① (나)에서 허생은 청나라에 인재를 보내 육성하고 청나라와의 경제적 교류를 활성화시킬 것을 제안하고 있다. 그리고 이를 통해 청나라의 허실을 엿보고 한족의 호걸들과 결탁하여 북벌을 실행해야 한다고 주장하고 있다.

② (가)에서 허생은 종실의 딸들을 명나라 장졸의 자손들에게 시집보내고, 임금의 권세 있는 친척들의 재산을 빼앗아 그들에게 나누어 주라고 하며 종실과 훈척 권귀의 기득권을 폐지할 것을 제안하고 있다.

③ 허생은 적극적으로 인재를 등용할 것, 명나라 후손들을 후대할 것, 청나라와 교류할 것을 제안하였으나 이완은 이를 모두 거절하였다.

④ 이완이 인재를 등용하기 위해 허생을 찾아간 것으로 볼 때 그가 현실 문제를 인식하고 있음을 짐작할 수 있다. 그러나 허생이 제시한 계책을 모두 수용하기 어렵다고 한 데에서 적극적 개혁 의지가 부족하다는 것을 알 수 있다.

이것만은 꼭! 허생의 시사 삼책에 드러난 비판 의식

① **적극적인 인재 등용**: 인재 등용을 위해 노력하지 않는 현실 비판
② **명나라 후손들을 후대하는 것**: 북벌론의 허구성 지적, 훈척과 권귀의 기득권 비판
③ **청나라와의 교류 촉구**: 사대부의 허례허식과 북벌론의 허구성 비판

05 허생은 이완이 두 번째 계책을 거부하자 기득권을 나누려 하지 않는 집권층의 태도를 비판하고 있고(해진), 청나라와 교류한다면 국치를 씻을 수 있을 것이라고 이야기하며 북벌의 방법으로 교류를 제안하고 있다(진호). 또한 이를 받아들이지 못하는 이완을 꾸짖음으로써 현실적이지 못한 북벌론을 주장하는 사대부들을 비판하고 있다(수지). 그러므로 (가), (나)에 나타난 허생의 제안을 적절하게 이해한 사람은 해진, 진호, 수지이다.

06 ⓛ의 앞부분에서 허생은 사대부들이 예법이라고 말하는 흰옷과 상투는 중국의 입장에서 보면 오랑캐의 습속에 지나지 않음을 말하며 사대부들이 청에 대해 지닌 우월감을 비판하고 있다. 즉, 작가는 사대부들이 전통적인 예법이라고 말하는 것들을 비판적으로 보고 있다.

오답 풀이

① 이완이 예법을 지켜야 한다는 사대부의 입장에서 허생의 제안을 거절하자, 우리 역시 오랑캐에 불과할 뿐이라며 사대부들을 비판하고 있다.

③ 실리를 중시했던 무령왕의 사례를 들어 사대부의 허위의식을 비판하고 있다.

07~09 황만근은 이렇게 말했다 _성석제

해제 이 작품은 1990년대 말 농촌을 배경으로 하여 이웃에게 바보 취급을 받던 황만근의 삶과 죽음을 그린 소설이다. 이 소설은 비교적 객관적인 시선을 갖고 있는 민 씨를 통해 황만근의 생애를 추적하는 형식으로 전개되는데, 민 씨의 시선을 통해 바보 취급을 받는 황만근이 오늘날 현대인에게 결핍된 관용과 도량의 정신을 지닌 인물임을 보여 줌으로써 그와 대조되는 이기적인 마을 사람들이야말로 진정한 바보임을 간접적으로 비판하고 풍자하고 있다.

핵심 정리

• **갈래** 단편 소설, 농촌 소설
• **시점** 3인칭 전지적 시점
• **배경** • 시간 – 1990년대 말
　　　　 • 공간 – 신대리(경상도 농촌 마을)
• **제재** 농사꾼 황만근의 삶

· 주제
① 황만근의 덕성과 이타적인 삶
② 부채로 얼룩진 농촌 현실과 각박한 인심에 대한 비판

· 특징
① 바보형의 우직한 인물을 통해 이기적인 세태를 비판함.
② 사투리를 사용해 향토성이 드러남.
③ 인물의 언행에서 해학성이 드러남.
④ 전(傳)의 형식을 차용함.

· 짜임

발단	황만근이 실종됐다는 소식에 마을 사람들이 황만근의 집으로 모임. 민 씨는 황만근을 진심으로 걱정하지만 마을 사람들은 큰 관심이 없음.
전개	황만근은 마을 사람들에게 바보 취급을 받아 왔지만 실상은 누구보다도 이타적이고 배려심 넘치는 사람으로 성실하게 삶을 살아 왔음.
위기	농민 궐기 대회가 열리는 전날 밤, 이장은 황만근에게 군청까지 경운기를 타고 가 대회에 참가할 것을 당부함.
절정	황만근은 민 씨와 대화를 나누며 빚을 내서 무리하게 농사를 짓는 세태를 비판하고, 민 씨가 잠든 사이에 경운기를 타고 군청으로 떠난 후 실종됨.
결말	경운기를 타고 가다가 사고를 당한 황만근이 죽어서 돌아오고, 민 씨는 황만근을 높이 평가하는 비문을 씀.

07 인구 감소는 우리 농촌이 겪고 있는 문제 중 하나이기는 하지만, (나)에서 황만근이 언급한 문제는 아니다.

오답 풀이
① (가)의 '마흔다섯 살의 황영석'이 마을에서 젊은 축에 든다고 한 것에서 고령화된 농촌의 현실을 알 수 있다.
② (나)에서 황만근이 '저도 남도 해로운 농약 뿌리고 비싸고 나쁜 비료 쳐서 보기만 좋은 열매를 뺏으마 그마이가?'라며 농약과 비료 사용에 대해 비판적 인식을 드러내는 부분에서 짐작할 수 있다.
④ (나)의 '무슨 무슨 자금해서 빌려줄 때는 인심 좋게 빌려주는 척하더니 이제 와서 그 자금이 상환 능력도 없는 사람들을 파산 지경으로 몰아넣고 있다.'라는 부분에서 짐작할 수 있다.
⑤ (나)에서 황만근이 '기계화 영농 카더이마~그 빚 갚느라고 정신없다.'라며 정부의 기계화 영농 정책을 비판하는 부분에서 짐작할 수 있다.

배경지식⁺ 〈황만근은 이렇게 말했다〉에 반영된 사회상

1990년대 후반, 정부는 농업 경쟁력 강화를 위해 정책 자금을 지원하면서 영농의 기계화를 장려하였다. 그러나 오히려 농가가 져야 하는 부채가 늘었고, 농업 경쟁력은 강화되지 않은 경우도 많았다.

08 (나)에서 따옴표 안에 있는 말은 민 씨가 황만근에게 직접 들은 말이며, 괄호 안에 있는 말은 민 씨가 황만근의 말을 요약하거나 해석하여 제시한 것으로 이해할 수 있다. 외부인인 민 씨는 마을 사람들보다 객관적인 시선에서 황만근의 생각을 전달하고 해석하는 역할을 하고 있다.

오답 풀이
① 민 씨는 황만근을 긍정적인 시선으로 바라보는 인물로, 황만근을 희화화하지 않았다.
② 민 씨는 황만근의 말 속에서 긍정적 의미를 찾아낼 뿐, 모순과 허점을 찾아내지 않았다.

배경지식⁺ 전(傳)의 형식

이 작품은 황만근의 생애를 서술한 부분과 등장인물인 민 씨가 묘비명을 써서 제시한 부분으로 크게 나눌 수 있는데, 이는 어떤 사람의 일생 동안의 행적을 기술하고 그에 대해 논평하는 전(傳)의 양식과 매우 유사하다.
어떤 대상을 전(傳)의 소재로 삼는 것을 '입전'이라고 하는데, 입전의 대상은 대체로 남들에게 모범이 되어야 한다. 이러한 점에서 볼 때 작가가 황만근을 전(傳)의 대상으로 삼은 것은 황만근의 삶이 주는 교훈을 전달하기 위한 것으로 해석할 수 있다.

09 이 작품은 이기적인 마을 사람들과 대비되는 이타적인 인물이자 농사꾼은 빚을 지면 안 된다는 우직한 소신을 지닌 황만근을 통해 공동체에 대한 봉사, 이타적인 삶의 자세, 부채 없이 노동으로 자립하는 삶의 가치라는 사회·문화적 가치를 전달하고 있다.

오답 풀이
ㄷ. 이 글에서 세대 간의 갈등 해결을 언급한 부분은 찾을 수 없다.

이것만은 꼭! 〈황만근은 이렇게 말했다〉에 나타난 사회·문화적 가치

시대 상황	농가 부채 문제가 심각함.
황만근	· 이타적이고 근면·성실함. · 농사꾼은 빚을 지면 안 된다는 소신이 있음.

↓

사회·문화적 가치
· 공동체에 대한 봉사 · 이타적인 삶의 자세 · 부채 없이 성실한 노동으로 자립하는 삶의 가치

---

2 ④주 **교과서 대표 전략 ①** **BOOK 2** 60~61쪽

| 대표 예제 | 01 ⑤ | 02 ④ | 03 ⑤ | 04 ② |

01~02 심청전 _작자 미상

해제 〈심청전〉은 판소리 〈심청가〉를 문자로 기록한 판소리계 소설로, 심청이 아버지 심 봉사를 위해 희생하는 과정, 그러한 효심에 대한 보상으로 황후가 되어 부귀영화를 누리고 심 봉사가 눈을 뜨게 되는 내용 전개를 통해 유교적 관념인 '효(孝)'를 형상화하고 있다. 심청이 황후가 되어 부귀영화를 누린다는 설정은 가난하고 미천한 사람도 자기희생이나 효행에 대한 보상으로 고귀한 신분에 오를 수 있다는 민중들의 신분 상승 욕구를 반영하고 있다고 볼 수 있다.

핵심 정리
· **갈래** 판소리계 소설, 윤리 소설, 설화 소설
· **배경** · 시간 – 중국 송나라 말
  · 공간 – 황주 도화동
· **제재** 심청의 효심
· **주제** 부모에 대한 효심과 인과응보
· **특징**
① 유교적 덕목인 '효'의 실천을 강조함.
② 전반부는 현실적인 공간, 후반부는 환상적인 공간에서 내용이 전개됨.

・짜임

발단	심 봉사의 아내 곽 씨 부인이 심청을 낳은 뒤 7일 만에 죽고, 심 봉사는 동냥젖을 얻어 심청을 키움.
전개	몽은사 중으로부터 공양미 삼백 석을 시주하면 눈을 뜰 수 있다는 말을 들은 심 봉사는 시주를 약속함. 이를 알게 된 심청은 인당수 제물이 되어 공양미 삼백 석을 마련하고 심 봉사와 이별함.
위기	인당수에 몸을 던진 심청이 용왕에 의해 구출되고, 이후 심청은 연꽃 속에 들어가 세상으로 환생함.
절정	연꽃 속에서 발견된 심청은 황후가 되고, 아버지와 재회하고자 맹인 잔치를 엶.
결말	맹인 잔치 소식을 듣고 상경한 심 봉사는 심청과 재회하고 눈을 뜨게 됨.

01 심 봉사는 심청이 공양미 삼백 석에 몸을 팔았다는 비극적 상황을 인식하지 못하고 들떠 있을 뿐, 심청에게 희생을 강요하거나 심청의 희생을 모르는 척하는 것이 아니다.

이것만은 꼭! 〈심청전〉에 나타난 고전 소설의 특징

일대기적 구성	'심청의 출생-고난 과정-행복한 결말'의 구조에 따라 심청의 일대기를 다룸.
권선징악적 주제, 행복한 결말	아버지의 눈을 뜨게 하기 위해 죽음을 선택한 효녀 심청이 환생하여 황후가 되고 아버지가 눈을 뜨는 행복한 결말을 맞음.
비현실성	인당수에 빠진 심청이 용궁에 가서 죽은 어머니와 재회하고 연꽃 속에 들어가 환생함.

02 '꿈'은 심청의 죽음을 암시하는 한편 작품 전체 구성으로 볼 때 심청이 황후가 될 것임을 암시하는 복선 역할을 하는 소재이다. 그러나 심청을 구원할 초월적 존재의 출현을 암시하는 것은 아니다.

오답 풀이
① 남경 뱃사람들이 제물로 바칠 처녀를 사러 다니는 모습을 통해 인신 공양이 존재했음을 알 수 있다.
② 심청이 인당수 제물이 된다는 비극적 상황을 인식하지 못하는 심 봉사의 모습을 통해 비극성이 부각되고 있다.
③ ⓒ은 편집자적 논평에 해당하는 부분으로, 서술자는 아버지와 자식은 하늘이 맺어 준 깊은 인연이기 때문에 심 봉사가 심청의 죽음을 암시하는 꿈을 꾸었다며 자신의 생각을 직접 드러내고 있다.

03~04 유자소전 _이문구

해제 이 작품은 실존 인물 '유재필'을 주인공으로 한 실명 소설로, 어려운 시대를 당당하게 살아간 의기로운 인물의 일대기를 다룬 소설이다. 인물의 평생의 행적을 기록하는 전(傳)의 형식을 빌려 온 점, 사투리를 활용하여 향토적 정서를 강화한 점, 그리고 해학적 상황의 설정과 사건 전개 등은 우리 전통 서사 문학의 특질을 계승한 것으로 보인다.

핵심 정리
・갈래 단편 소설, 세태 소설, 실명(實名) 소설

・배경 ・시간 – 1970년대
　　　　・공간 – 서울
・시점 1인칭 관찰자 시점과 3인칭 전지적 시점의 혼용
・제재 실존 인물 유재필의 삶
・주제 물질 만능주의에 빠진 현대 사회 비판
・특징
① 전(傳)의 형식을 취함으로써 한국 문학의 전통을 드러냄.
② 비속어를 사용하여 대상을 효과적으로 풍자하고 비판함.
③ 방언을 활용하여 향토적인 정서를 드러냄.
・짜임

발단	'나'는 생각이 깊고 곧은 성품을 지닌 친구 '유재필'을 '유자'라고 부름.
전개	유자는 특유의 붙임성과 호기심으로 명물로 불리며 어린시절을 보내고, 졸업 후에는 선거 운동과 의원 비서관 등을 지냄. 제대한 후에는 총수의 집에서 운전기사로 지내게 되나 총수의 위선적인 모습 때문에 남들이 부러워하는 그 자리를 벗어나고 싶어함.
절정·결말	총수에게 쫓겨난 유자는 운수 회사의 노선 상무가 되어 그곳에서도 남들을 돕는 삶을 삶. 말년에는 종합 병원 원무실장으로 근무하며 6·29 선언 때 시위를 하다 부상당한 사람들을 치료해 주고 사표를 낸 후 간암으로 생을 마감함.

03 〈유자소전〉은 유자, 곧 주인공 유재필의 일대기를 다룬 작품으로 (가)는 유자의 생애와 그에 대한 평가, (나)는 '나'가 그를 '유자'라고 부르는 이유, (다)는 비단잉어와 관련한 유자의 일화를 제시하고 있다. 따라서 다양한 인물의 생애와 그에 대한 평가를 병렬적으로 나열하고 있다는 설명은 적절하지 않다.

오답 풀이
① 유자는 충청도 사투리를 사용하고 있고, 이를 통해 향토적 정서를 드러내고 있다.
② 서술자인 '나'는 높임을 받는 사람의 뜻을 더하는 접미사 '-자(子)'를 붙여 '유재필'을 '유자'라고 부르는 등 그에 대한 예찬적 태도를 보이고 있다.
③ (다)에서 유자가 잉어를 키우는 총수를 비꼬는 말에서 해학과 풍자가 잘 드러난다.
④ 〈유자소전〉이라는 제목을 통해 인물을 일대기적으로 다루며 이에 대해 평가하는 전의 형식을 차용하였음을 알 수 있다.

04 '뺄어낸메네또(베토벤)', '차에코풀구싶어(차이콥스키)'는 발음의 유사성을 이용해 외국 음악가의 이름을 우리말로 우스꽝스럽게 바꿈으로써 웃음을 유발하고 있다. 이와 같은 표현에는 고상한 척하는 총수의 허영과 사치를 풍자하고자 하는 의도가 담겨 있다. ②는 이몽룡의 성씨와 숫자 '2'의 발음이 비슷한 것을 활용한 말장난으로, ⑤과 마찬가지로 발음의 유사성을 이용한 언어유희이다.

오답 풀이
① 수청 들기를 강요하는 관리를 '명관'이라고 비꼬는 반어적 표현이 드러난다.
③ 비유적 표현, 설의적 표현, 대구적 표현을 확인할 수 있다.
④ 중국 고사를 인용하고 있으며 설의적 표현과 대구법으로 의미를 강조하고 있다.

2 4월 교과서 대표 전략 ②

BOOK 2 62~65쪽

01 ③ 02 ③ 03 '효'라는 가치를 중시 04 ③ 05 ⑤ 06 ⑤
07 ② 08 ③ 09 ④

01 심청은 당대의 유교적 이념인 효를 충실히 실천하고자 하는 인물이므로 당대의 유교적 이념에 이의를 제기하는 인물이라고 보기 어렵다. ③은 장 승상 댁 부인에 해당하는 설명으로, 승상 부인은 '쌀 삼백 석에~네가 살아 세상에 있어 하는 것만 같겠느냐?'라며 심청이 추구하는 효라는 관념에 이의를 제기하고 쌀 삼백 석을 갚아 주겠다는 현실적 해결 방법을 내놓고 있다.

오답 풀이
① 심청은 쌀 삼백 석을 대신 갚아 주겠다는 승상 부인의 말에 '쌀 삼백 석을 도로 내어 주면 뱃사람들 일이 낭패'라며 뱃사람들의 상황을 이해하고 배려하는 모습을 보이고 있다.
② 심청은 자신을 보살펴 주며 인당수 제물이 되는 것을 만류하는 승상 부인에게 '결초보은하겠습니다.'라고 하며 감사를 표하고 있다.
④, ⑤ 심청은 '부모를 위해 공을 드릴 양이면 어찌 남의 명분 없는 재물을 바라'겠느냐며 스스로 문제를 해결하고자 하는 적극성을 보이고 있다.

02 [A]는 심청이 승상 부인과 이별하며 지은 시로, 이 글에서 이 시가 갈등을 유발하는 장면은 찾을 수 없다. 시를 본 승상 부인은 인당수 제물이 되겠다는 심청의 선택을 존중하고 있을 뿐이다.

04 '총수'는 '비단잉어'가 죽은 일에 대해 '유자'에게 따져 묻고 있을 뿐, 유자를 쫓아내려고 하지는 않았다. 이는 (다)의 '비단잉어 회식 사건을 빌미로 인사이동을 단행할 의향까지는 없는 것 같았다.'를 통해서도 알 수 있다.

오답 풀이
⑤ (다)의 '그는 하루바삐 총수의 승용차 운전석을 떠나고 싶었다.', '그런 위선자에게 이렇듯 매인 몸으로 살 수밖에 없는 구차스러운 삶이 칙살맞고 가련하지 않을 수가 없었다.'를 통해 짐작할 수 있다.

05 이 글에서 부정적 인물인 총수의 외양을 우스꽝스럽게 묘사한 부분은 찾을 수 없다.

오답 풀이
① 비단잉어의 떼죽음을 두고 나누는 유자와 총수의 대화에서 두 인물의 성격과 심리가 드러난다.
② 유자가 쓰는 충청도 사투리가 토속적 정서를 불러일으킨다.
③ 유자는 '맛대가리'와 같이 속된 말을 사용하고 있는데, 이는 독자가 유자를 친근하게 느끼게 하는 동시에 비판의 대상인 총수를 더욱 우스꽝스럽게 보이게 하는 역할을 한다.
④ 엉뚱한 말로 총수의 허영심을 비꼬는 유자의 어투를 통해 웃음을 유발하며 총수를 풍자하는 효과를 얻고 있다.

06 이 글에서 유자는 비단잉어의 죽음으로 화가 난 총수의 비위를 맞추기보다는 그의 사치와 허영을 비꼬고 있다. 또한 총수의 위선적 면모를 알게 된 후로는 수치심을 느끼며 운전기사 일을 그만두고 싶어 하는 모습을 보인다. 이를 통해 그가 허영과 위선을 경계하며 사람을 중시하는 인간미 있는 인물임을 알 수 있다.

오답 풀이
④ 유자는 인격적으로 훌륭한 사람이지만 큰 사회적 성취를 거둔 사람이라고는 보기 어렵다.

07 유자는 비단잉어가 죽은 실제 원인이 '시멘트의 독성을 충분히 우려내지 않고 고기를 넣은 것'이라 짐작은 하지만 값비싼 비단잉어를 들여온 총수의 허영심과 사치스러움이 못마땅하여 웃음을 유발하는 엉뚱한 표현을 함으로써 총수를 비꼬는 것이다.

08~09 마지막 땅 _양귀자

해제 이 작품은 연작 소설집 《원미동 사람들》에 실린 소설로, 땅의 본질적 가치를 중요하게 여기며 이를 지키고자 하는 강 노인과 땅을 경제적 수단으로 보고 땅값을 올려 부(富)를 얻으려는 마을 사람들 간의 갈등을 그린 작품이다. 도시화가 급격히 이루어지고, 국제적인 행사 준비로 토지의 용도 변화가 나타나기 시작했던 1980년대를 배경으로 하여 소시민들의 일상적인 삶의 모습을 따뜻한 시선으로 그리고 있다.

핵심 정리
• **갈래** 단편 소설, 세태 소설, 연작 소설
• **시점** 3인칭 전지적 시점
• **배경** • 시간 – 1980년대
　　　　 • 공간 – 부천시 원미동
• **제재** 땅을 둘러싼 강 노인과 원미동 사람들의 갈등
• **주제** 자본주의적 사회에 대한 비판과 땅의 긍정적 가치에 대한 인식
• **특징**
　① 1980년대 원미동이라는 구체적인 배경을 바탕으로 소시민들의 일상적인 삶을 사실적으로 다룸.
　② 땅을 둘러싼 인물들 사이의 갈등을 대화와 행동을 통해 구체적으로 드러냄.
• **짜임**

발단	원미동의 땅값이 많이 올랐음에도 강 노인은 땅을 팔기를 거부하고 여전히 농사를 지음.
전개	강 노인과 동네 사람들이 땅 때문에 갈등을 겪게 됨.
위기	동네 사람들이 강 노인을 압박하고 땅을 망치며 농사를 중단할 것을 요구함.
절정	강 노인이 땅을 팔 것이라는 소문이 퍼지자 강노인의 아들과 며느리에게 돈을 빌려준 사람들이 몰려듦.
결말	땅을 팔기로 마음먹은 강 노인은 부동산으로 향하다가 자신의 고추밭에 물을 주어야겠다고 생각하여 발걸음을 돌림.

08 이 글은 이야기에 등장하지 않는 3인칭 서술자가 강 노인을 비롯한 여러 인물의 심리를 상세하게 설명해 주고 있다. 이와 같은 시점을 3인칭 전지적 시점이라고 한다.

오답풀이
②, ⑤ 1인칭 관찰자 시점
④ 3인칭 관찰자 시점

09 강 노인이 아들과 며느리가 진 빚 때문에 땅을 팔기로 결심한 것은 맞지만, 땅에 대한 생각을 바꾸었다고 보기는 어렵다. (라)에서 강남 부동산으로 향하던 강 노인이 고추 모종에 물을 주기 위해 밭으로 걸음을 되돌리는 데에서 강 노인의 땅에 대한 애정과 미련을 확인할 수 있다.

이것만은 꼭! 〈마지막 땅〉의 등장 인물들이 추구하는 사회·문화적 가치

이 작품에서는 등장인물들이 각기 다른 사회·문화적 가치를 추구하며, 이로 인해 갈등 상황이 벌어짐.

강 노인	정서적 위안을 주면서 전통적 가치를 지닌 땅을 지켜내고자 함.
동네 사람들	금전적 이익과 관련된 이해 관계를 따지며, 물질적 가치를 지향함.
강 노인의 아내와 자식들	전통적 가치보다는 풍요로운 삶과 같은 현실적 가치를 중시함.

1 ③ **2** ④ **3** 깃털 색깔이 다른 새 여러 마리가 물결을 타고 있었다 **4** ① **5** ⓐ 호기심 ⓑ 반성

1 ㉠은 위기에 빠진 주인공을 구출해 주는 조력자의 역할을 하고 있는데, 〈보기〉에서 이와 같은 역할을 하는 인물은 '여공'이다.

2 이 글에서 동음이의어를 활용한 언어유희가 사용된 부분은 찾을 수 없다.

오답풀이
① 평민들 사이에서 향유되던 판소리 사설의 영향으로 일상적인 구어가 많이 사용되었다.
②, ⑤ '애고 애고, 이게 웬 말인고?', '어떤 놈의 팔자길래', '네 이놈 상놈들아' 등에서 평민들이 사용하는 구어와 비속어가 나타나는 한편, '사궁지수(四窮之首)', '칠년대한(七年大旱)'과 같은 한문 투, 탕 임금과 관련된 고사를 인용한 부분에서는 양반과 같은 상층 계급의 언어적 특징이 나타난다.
③ '참말이냐', '못 가리라'와 같은 어휘를 반복하고, '네가 살고 내가 눈을 뜨면 그는 마땅히 할 일이나, 자식 죽여 눈을 뜬들 그게 차마 할 일이냐?'와 같이 유사한 문장 구조를 반복한 표현으로 리듬감을 형성하고 있다.

3~5 동승 _하종오

해제 이 작품은 국철 안 맞은편에 앉아 있는 아시아계 외국인들을 보고 호기심을 가지게 된 시적 화자가 그들도 자신과 다름 없는 평범한 사람임을 깨닫고 스스로를 반성하는 과정을 담은 시이다. 다문화 사회로 나아가고 있는 지금 우리가 지향해야 할 태도가 무엇인지 생각해 보게 하는 시로, 일상적인 경험을 평이한 언어로 나타내어 메시지를 효과적으로 전달하고 있다.

핵심 정리
• 갈래 자유시
• 제재 동승한 아시안 젊은 남녀
• 주제 외국인 노동자에 대한 차별적 시각에 대한 반성과 부끄러움
• 특징
① 시선의 이동에 따라 시상을 전개함.
② 일상 속 경험을 시의 소재로 삼음.
• 짜임

1~5행	국철을 타서 아시안 젊은 남녀를 발견함.
6~13행	아시안 젊은 남녀에 대해 호기심을 가지게 됨.
14~21행	그들을 차별적 시각으로 본 것에 대해 반성함.

3 '깃털 색깔이 다른 새 여러 마리'는 아시안 젊은 남녀에게 차별적 시선을 보인 화자와 대조되는 존재로, 화자는 이를 통해 자신을 되돌아보고 아시안 젊은 남녀와의 동질감을 확인하게 된다.

4 ㉠에서 화자는 국철에 탄 아시안 젊은 남녀의 대화를 알아듣지 못한 것을 계기로 그들에게 호기심을 갖게 되었다. 불쾌감을 느꼈다는 내용은 찾을 수 없다.

5 이 시의 화자는 '아시안 젊은 남녀'에게, 〈보기〉의 화자는 '동남아인 두 여인'에게 호기심을 보였던 자신의 태도를 반성하고 있다.

2주 창의·융합·코딩 전략 ① **BOOK 2** 68~69쪽

1 ⑤   **2** ②   **3** ④   **4** 〈춘향전〉은 첫째, 신분을 초월한 변치 않는 사랑과 둘째, 불의한 지배 계층에 대한 항거라는 주제를 담고 있다.

1 여공은 계월이 비록 보국의 아내이기는 하나 충분히 보국을 부릴 만한 사람이라고 평가한다. 따라서 여공은 기존의 가치관을 상징하는 인물이라고 보기 어렵다.

2 부모를 위해 자신을 희생한 심청은 당시 시대적 가치관으로 인정받던 '효'를 구현한 인물로, (가)에서 말한 당돌한 인물과 거리가 멀다.

3 ㉣은 언어 도치를 사용한 언어유희로 어사 출도에 당황한 변사또의 모습을 우스꽝스럽게 묘사함으로써 인물에 대한 비판적인 시선을 드러내고 있다.

4 문학 작품의 주제는 관점에 따라 다양할 수 있다. 춘향과 이몽룡의 관계를 중심으로 볼 때에는 기생 신분인 춘향과 양반인 이몽룡이 어려움을 극복하고 둘의 관계를 사회적으로 인정받는다는 서사 구조에서 '신분을 초월한 변치 않는 사랑'이라는 주제를 파악할 수 있다. 한편 변 사또에 대한 민중들의 시선을 중심으로 볼 때에는 지배 계층의 폭정에 시달리던 민중이 그들에게 저항하여 승리한다는 서사 구조에서 '불의한 지배 계층에 대한 항거'라는 주제를 파악할 수 있다.

평가 요소	확인 ☑
ⓐ의 측면에서 볼 때의 주제를 적절하게 씀.	
ⓑ의 측면에서 볼 때의 주제를 적절하게 씀.	

2주 창의·융합·코딩 전략 ② **BOOK 2** 70~71쪽

5 ㉡, ㉣, ㉤   **6** 부채 없이 성실한 노동으로 자립하는 삶의 가치를 담고 있다.   **7** ㉠: 통시, ㉡: 거름   **8** ①

5 ㉡ 남편을 잃고 혼잣몸이 된 노인들에게 더 자주 거름을 가져다 준 데에서 황만근이 배려심이 있는 인물임을 알 수 있다. ㉣ 아무도 알아주지 않아도 군말 없이 분뇨를 퍼내는 궂은일을 웃으면서 해 온 황만근은 봉사심이 있고 낙천적이며 성실한 인물이라고 할 수 있다. ㉤ 황만근이 마을 공통의 분뇨를 공평하게 나누어 주었다고 한 데에서 알 수 있다.

6 (나)에서 황만근은 농사꾼은 빚을 지면 안 된다는 말과 함께 정부의 자금 대출에 대한 자신의 소신을 밝히고 있다. 이를 통해 황만근이 농사꾼으로서 빚을 지지 않는 농사를 지향함을 알 수 있다.

평가 요소	확인 ☑
부채(빚) 없이 성실하게 노동하여 생활을 유지하고 자립하는 삶에 대한 내용을 언급함.	
완결된 한 문장으로 씀.	

7~8 신의 방 _김선우

해제 이 작품은 제주도의 전통 재래식 화장실인 '통시'를 생명의 관점에서 묘사한 시이다. 통시는 인간의 배변과 돼지의 생육이 함께 이루어지는 공간이다. 시인은 이 '통시'에서 생명의 순환을 발견한다. 인간이 먹고 남은 음식물이 돼지에게로 가고, 돼지의 똥은 거름이 되어 보리밭으로 가고, 보리밭의 거름은 보리에게로 가고, 보리는 다시 인간에게로 가는 것이다. 시인은 이러한 관찰에서 '생명이 생명에게 공양되는 법'이라는 자연의 이치를 인식하고, 통시를 문명국의 지표인 변소로 개량하려는 이들의 가치관과의 대립성을 확인한다.

핵심 정리 --------------------------
• 갈래 자유시, 서정시, 산문시
• 제재 통시
• 주제 생명이 순환되는 공간인 통시
• 특징
  ① 제주도의 전통식 화장실인 '통시'에서 생명의 순환이라는 의미를 발견함.
  ② 생태적인 가치관과 편리성 위주의 가치관을 대립시켜 제시함.
• 짜임

1연	인간의 배변 장소와 돼지우리가 함께 있는 통시
2연	지금은 사라졌지만 '신의 방'으로 여겨진 통시

7 이 시의 화자는 '인간의 배변 장소와 돼지우리가 함께 있는 아주 재미난 방'인 '통시'에서 생명의 순환을 발견한다. 인간이 먹고 남은 음식물이 돼지에게로 가고, 돼지의 똥은 거름이 되어 보리밭으로 가고, 보리밭의 거름은 보리에게로 가고, 보리는 다시 인간에게로 가는 것이다. 이러한 시의 내용으로 볼 때, ㉠, ㉡에 들어갈 알맞은 시어는 각각 '통시', '거름'이다.

8 이 시는 '통시'라는 소재를 통해 인간과 자연이 공생하는 모습을 형상화하였고, 〈보기〉에는 '배추'와 '배추벌레', 인간이 공생하는 모습이 나타나 있다. 따라서 두 시는 모두 모든 생명이 더불어 지내는 생태적 삶이라는 사회·문화적 가치를 강조한다고 볼 수 있다.

01 ④　02 ④　03 두 화자는 모두 이별의 슬픔을 재회에 대한 신념으로 극복하고 있다.　04 ④　05 ⑤　06 민족적 시련을 극복하기 위해 자신을 희생하겠다는 의지적 태도를 보이고 있다.　07 ②　08 ③　09 ⑤　10 ㉠은 인물을 희화화하여, ㉡은 언어유희를 활용하여 웃음을 유발한다. 이를 통해 어사또의 등장에 당황한 변 사또의 심리를 효과적으로 드러내고 있다.　11 ⑤　12 ⑤　13 ⑤　14 ③

01 (가)는 '못다 이르고 어찌 갑니까'와 같은 의문형 문장을 활용해 누이의 죽음에 대한 안타까움을, (나)는 '져재 녀러신고요'와 같은 의문형 문장을 활용해 임을 걱정하는 마음을 드러내고 있다.

오답 풀이

② (가)는 '기-서-결'의 3단 구성을 보인다. (나)는 후렴구를 제외했을 때 내용상 3단 구성을 보인다.

③ (가)는 '이에 저에 떨어질 잎처럼'에서 직유적 표현이 나타나나 (나)에는 직유적 표현이 드러나지 않는다.

⑤ (나)에는 (가)에서 찾아볼 수 없는 '어긔야 어강됴리'와 같은 후렴구가 나타난다.

02 (나)의 화자는 임이 저자에 가 있는지, 진 데를 디디지는 않을지 걱정하고 있을 뿐, 저자에 간 임이 조만간 돌아올 것이라는 믿음을 드러내고 있지는 않다.

오답 풀이

② 사랑하는 사람과 영원히 함께할 수 없는 인간의 유한한 삶을 바람에 떨어질 '잎'에 비유함으로써 누이와의 이별에 대한 안타까움의 정서를 간접적으로 표현하고 있다.

③ 화자는 '미타찰에서 만날 나 / 도 닦아 기다리겠노라.'라고 하며 누이와의 재회에 대한 굳은 믿음을 드러내고 있다.

⑤ '즌 ᄃᆞᆯ 드듸욜셰라(진 곳을 디딜까 두려워라)', '내 가논 ᄃᆡ 졈그ᄅᆞᆯ셰라(내(임) 가는 그 길 저물까 두려워라)'와 같은 표현에서 임이 위험에 빠졌을 상황에 대한 두려움을 직접적으로 표현하고 있다.

03 (가)의 '기다리겠노라'와 〈보기〉의 '다시 만날 것을 믿습니다'라는 표현에서 두 시의 화자가 모두 이별한 대상과 다시 만나게 될 것이라고 믿고 있음을 알 수 있다. 또한 두 시는 모두 불교적 사상을 나타내고 있는데, (가)에서는 불교의 내세 사상이, 〈보기〉에서는 '회자정리(會者定離) 거자필반(去者必返)', 즉 만나면 반드시 이별하고 이별한 사람은 다시 만나게 된다는 사고관이 나타난다.

평가 요소	확인 ☑
화자가 이별의 슬픔을 겪고 있음을 언급함.	
화자가 이별의 슬픔을 재회에 대한 신념으로 극복하고 있음을 언급함.	

04 'ᄃᆞᆯ(달)'은 임이 무사히 돌아오기를 바라는 화자의 소망과 관련이 있는 자연물이기는 하지만 화자의 감정과 대비되는 면을 지니고 있지는 않다. 'ᄃᆞᆯ'은 화자에게 소망과 기원의 대상이자 어둠과 위험을 없애 줄 수 있는 초월적 존재로 해석할 수 있다.

05~07 광야 _이육사

해제 이 작품은 '광야'라는 광활한 공간과 유구한 시간에 대한 인식을 바탕으로 하여 일제 강점기의 암담한 현실을 극복하고자 하는 의지와 조국의 광복을 염원하는 신념을 드러낸 저항시이다. '광야'는 아무도 살지 않는 넓은 들로, 화자는 이러한 '광야'의 아득한 과거에서부터 현재, 그리고 미래에 이르는 모습을 그려 보면서 우리 민족이 암울한 현실을 극복할 수 있다는 기대와 확신을 노래하고 있다.

핵심 정리

• **갈래** 자유시, 서정시
• **제재** 광야
• **주제** 조국 광복에의 강력한 의지와 염원
• **특징**
① 독백적 어조로 화자의 내적 신념을 드러냄.
② '과거-현재-미래'의 시간의 흐름에 따라 시상을 전개함.
③ '눈'과 '매화'의 대조, 속죄양 모티프를 통해 현실 극복의 의지를 표현함.
• **짜임**

1~3연(과거)	광야의 탄생과 신성성, 역사와 문명의 시작
4연(현재)	암담한 상황과 현실 극복 의지
5연(미래)	미래에 대한 기대와 확신

05 (가)의 마지막 행은 극한 상황에서 참된 삶을 추구하는 의지와, 희망을 회복하는 화자의 현실 인식을 '겨울은 강철로 된 무지개'라는 역설적인 표현으로 나타내고 있다. 반면 (나)에는 역설적 표현이 쓰이지 않았다.

오답 풀이

① (가)는 '오다', '서다', '없다'에서 현재형 시제와 기본형을 활용하여 시행을 종결하고 있으나 (나)는 그렇지 않다.

② (나)는 '내 여기 가난한 노래의 씨를 뿌려라'에서 1인칭 대명사를 활용해 화자를 표면에 드러냄과 동시에 명령형 종결 어미 '-어라'를 사용하여 현실 극복 의지를 드러내고 있다. (가)의 화자는 겉으로 드러나 있지 않다.

③ (가)는 현재형 시제를 사용해 시상을 전개하는 데 비해, (나)는 '과거(1~3연)-현재(4연)-미래(5연)'의 시간 순서에 따라 시상을 전개하고 있다.

06 제시된 글을 통해 이육사가 유교적 사상의 영향을 받았으며, 일제 강점기에 독립운동가로 활동하다가 죽음으로써 일제에 항거하였음을 알 수 있다. 이를 참고할 때 ㉠, ㉡은 민족의 미래를 준비하는 지사적 자세, 조국 광복을 위한 자기희생의 자세를 담고 있는 표현이라고 해석할 수 있다.

평가 요소	확인 ☑
민족의 시련, 민족의 고난이라는 부정적 상황을 언급함.	
화자가 현실을 극복하고자 하는 의지적 태도를 지녔음을 언급함.	

07 (가)에서 '북방'의 '고원'은 수평적, 수직적 공간의 극한으로 시적 화자를 심리적 극한 상황으로 내모는 곳이다. (나)의 '광야'는 민족의 터전으로, 비록 지금은 눈이 내리는 고난과 시련의 공간이지만 과거에 우리 민족의 역사가 시작되었던 공간임과 동시에 화자가 희망적 미래에 대한 확신을 바탕으로 고난 극복의 의지를 다지는 공간이다.

08 이 글은 조선 시대의 '숙종 즉위 초', '전라도 남원'이라는 구체적이고 사실적인 시간과 공간을 배경으로 설정하고 있다.

> **오답 풀이**
> ① 판소리계 소설은 판소리 사설을 문자로 기록한 것으로, 전체적으로 산문이지만 4·4조 4음보의 운율감을 보이는 등 운문의 성격도 띤다.
> ② 판소리계 소설의 특징 중 하나인 편집자적 논평이 빈번하게 드러난다는 것으로, '초목금수인들 아니 떨랴'와 같이 서술자가 상황에 대한 주관적 평가를 드러내는 부분이 많다.
> ④ 이 글에서 춘향은 '층암절벽 높은 바위', '청송녹죽 푸른 나무' 등의 상징적 어휘와 비유를 활용하여 지조와 절개를 중시하는 자신의 가치관을 드러내고 있다.
> ⑤ '모든 수령 도망갈 제 거동 보소.~깨지는 것은 북과 장고라.'에서 열거법을 활용하여 어사 출도에 당황한 수령들이 도망치는 장면을 자세하게 표현하고 있다.

09 이 글에서 몽룡이 춘향을 속이고 절개를 시험한 행위에 대해 춘향이 자신의 생각을 밝힌 부분은 찾을 수 없으므로, 이와 같은 과정을 통해 춘향이 몽룡에 대한 진정한 사랑을 깨닫게 되었다고 보기는 어렵다.

> **오답 풀이**
> ② 〈보기〉에서 〈춘향전〉이 '바람직한 사랑의 모습에 대한 시대적 가치관을 반영하고 있다'고 한 것을 고려할 때, 춘향이 수청을 거듭 거절하는 설정은 정절을 지키는 것이 바람직하다고 여겼던 당시의 사회적 분위기가 반영된 것이라고 해석할 수 있다.
> ③ 변 사또의 수청 요구를 거절한 '춘향'이 다시 한 번 어사또의 수청 요구를 거절하는 것은 '춘향'의 지조와 절개가 그만큼 굳세다는 것을 보여주는 장치이다.

10 ㉠은 겁에 질려 비정상적인 행동을 하는 변 사또의 모습을 희화화함으로써 웃음을 유발한다. ㉡은 '문'과 '바람', '물'과 '목'의 위치를 바꾸어 표현하는 언어 도치를 활용해 웃음을 유발한다. ㉠, ㉡은 변 사또가 비정상적인 행동을 하고 이치에 맞지 않는 말을 할 정도로 몹시 겁에 질리고 당황했음을 나타낸다.

평가 요소	확인 ☑
㉠이 웃음을 유발하는 방식이 '희화화' 혹은 '해학적 묘사'임을 언급함.	
㉡이 웃음을 유발하는 방식이 '언어유희'임을 언급함.	
㉠, ㉡은 모두 변 사또의 당황한 마음을 효과적으로 드러내는 표현임을 언급함.	

11 이 글은 한문 문체인 전(傳)의 형식을 차용한 작품으로, 작품

안의 1인칭 서술자가 주인공인 '유재필'에 대해 직접 평가하고 있다.

> **오답 풀이**
> ① 이 글의 서술자는 1인칭이다.
> ② 시대적 배경을 자세히 묘사하는 부분은 확인할 수 없다.
> ③ 충청도 방언을 활용하고는 있으나 이는 향토적 정취를 부각하고 유자의 캐릭터를 구축하는 장치이지 인물 간의 대립을 첨예하게 드러내기 위한 것은 아니다.
> ④ 이 글에서 유자와 총수의 갈등이 나타나기는 하지만 이 갈등이 해소되는 과정은 드러나 있지 않다.

12 총수는 유자와 대조적인 인물로, 서술자가 부정적·비판적으로 바라보는 대상이다. 서술자는 값비싼 비단잉어를 소중히 여기는 총수의 모습을 통해 그의 사치스러움, 허영, 이기심을 보여주며 물질 만능주의에 빠진 현대 사회를 비판하고 있으므로 그를 통해 생명 중시라는 긍정적 가치를 형상화하였다고 볼 수 없다.

> **오답 풀이**
> ① 허영심 많고 위선적인 '총수'는 순박하고 솔직한 '유자'와 대조적인 인물이다.
> ② '작가 노트'의 '인간을 무엇보다 중시했던~비판적 메시지를 전할 수도 있겠어.'라는 부분을 고려할 때, 서술자는 죽은 잉어를 먹었다고 화를 내는 '총수'에게 능청스럽게 대답하는 '유자'의 모습을 긍정적으로 평가할 것이라고 짐작할 수 있다.
> ③ '총수'는 '작가 노트'에서 작가가 언급한, '비판적 메시지'를 전하고자 하는 '요즘 세태'를 상징하는 인물로 볼 수 있다.
> ④ '총수'는 '인간을 무엇보다 중시'하는 유자와 달리 관상용 물고기를 더 소중히 여기는 인물이므로 작가가 비판적으로 바라보는 인물로 볼 수 있다.

13 [A]는 유자가 잉어가 죽은 이유를 능청스럽게 이야기하는 부분으로, 표면적으로는 잉어가 먼 나라에서 온데다가 잉어에게 클래식 음악을 들려주는 등 잉어를 받들어 키운 바람에 잉어가 죽었으리라고 추측의 말만 전하는 것 같지만 그 이면에는 허영과 사치가 가득한 총수의 태도를 비꼬려는 의도가 담겨 있다.

14 이 글의 총수와 〈보기〉의 '나'는 모두 웃음을 유발하는 인물이기는 하나 〈보기〉의 '나'가 장인에게 당하는 어수룩한 모습으로 웃음을 유발하는 반면, 이 글의 총수는 폭로의 성격을 띤 공격적 웃음을 유발한다는 점에서 차이를 보인다.

> **오답 풀이**
> ① 이 글은 유자의 말을 해학적으로 묘사하고 있고, 〈보기〉는 '나'와 장인의 행동을 해학적으로 묘사하고 있다.
> ② 이 글과 〈보기〉는 모두 충청도 사투리를 활용하여 인물에 대한 친밀감을 유발하고 있다.
> ⑤ 이 글의 총수는 사치스럽고 허영심 가득한 인물로 비판의 대상이지만, 〈보기〉의 나는 순박한 인물로 서술자가 우호적인 시선으로 바라보는 대상이다.

01 ④   **02** ③   **03** ⑤   **04** (가), (나)는 모두 여성을 화자로 내세워 이별의 정한을 효과적으로 전달하고 있다.   **05** ⑤
06 ⑤   **07** ②   **08** 임금을 그리워하는 신하의 마음을 보다 효과적으로 표현할 수 있다.   **09** ②   **10** ③   **11** ①
12 ⑤   **13** ③   **14** 주객전도된 표현을 활용하여 공명, 부귀와 같은 세속적 가치에 대한 부정적인 태도를 드러내고 있다.

01 〈가시리〉는 고려 가요에 속하는 작품으로, 3음보의 율격을 지닌다. 고려 가요는 3음보의 음보율을 갖는 것이 특징이다.

> **오답 풀이**
> ① '나 보기가 ∨ 역겨워 ∨ 가실 때에는'과 같이 3음보의 민요조 율격을 지닌다.
> ③ 매 연의 마지막에 '위 증즐가 大平盛代(대평성디)'를 반복하여 운율감을 형성한다.
> ⑤ '가시리잇고'와 같은 의문형을 반복하여 이별 상황에 대한 화자의 안타까움과 슬픔을 드러낸다.

02 '위 증즐가 大平盛代(대평성디)'는 고려 가요인 〈가시리〉가 궁중 음악으로 편입되면서 궁중의 연행을 고려하여 덧붙여진 구절로, 왕조의 평안함을 기원하는 의미를 지닌다. 이는 전체적으로 애틋한 그리움의 정서를 보이는 작품의 내용과 어울리지 않으므로 주제를 심층적으로 드러내는 데에 기여한다고 보기 어렵다.

> **오답 풀이**
> ① ㉠은 '가실 때에는'이라고 하며 아직 오지 않은 이별의 상황을 가정하고 있다.
> ② ㉡의 '진달래꽃'은 단순한 자연물이 아니라 시적 화자의 분신으로, 임에 대한 화자의 마음을 드러내기 위한 표상이다. ㉡ 뒤에 이어지는 3연은 '나의 사랑을 바닥에 펼치니 그 꽃을 밟고 가면서 나의 사랑을 기억해 달라.'는 화자의 호소로 이해할 수 있다.
> ④ ㉢은 '서운하면 아니 올까 두렵습니다.'라는 뜻으로, 임을 붙잡고 싶지만 붙잡으면 다시 오지 않을까 봐 두려워 걱정하는 화자의 마음이 드러난 부분이다.
> ⑤ ㉣은 '가시는 즉시 돌아서서 오소서.'라는 뜻으로, 임과 재회하고 싶다는 화자의 소망이 드러난 부분이다.

03 이 시의 화자는 1연에서는 '말없이 고이 보내 드리'겠다며 이별의 상황을 체념하는 수동적·수용적 태도를 드러내었으나 4연에서는 '죽어도 아니 눈물 흘리'겠다며 고조되는 슬픔을 꾹 참으려 하는 의지적 태도를 보이고 있다.

> **오답 풀이**
> ① '애이불비'는 '슬프지만 겉으로는 슬픔을 나타내지 아니함.'이라는 뜻이므로 적절한 설명이다.
> ②, ③ 임이 떠날 때 매우 슬퍼할 것이라는 의미를 내포한 반어적 표현으로 임에 대한 화자의 사랑이 그만큼 크다는 것을 강조하고 있다.
> ④ ⓐ는 아직 일어나지 않은 이별의 상황을 가정했을 때 화자가 취할 자세를 밝힌 것이므로 적절한 설명이다.

04 (가), (나)는 모두 여성을 화자로 내세워 이별의 상황에서 느끼는 화자의 애절하고 복합적인 감정을 효과적으로 드러내고 있다.

평가 요소	확인 ☑
'여성 화자'를 언급함.	
이별 상황에서 느끼는 정서를 효과적으로 표현하고 있음을 언급함.	

05 (가)의 '구롬', '안개', '바람', '믈결'은 모두 화자가 임에게로 가지 못하게 방해하는 소재이다. 또한 (나)의 '오뎐된 계성(방정맞은 닭 울음소리)'은 꿈속에서나마 임을 보고자 하는 화자의 노력을 방해하는 소재이다. 즉, ①~④는 모두 화자의 임의 사이를 가로막는 장애물로 간신과 정적을 상징한다. ⑤는 임이 부재한 상황에서 화자의 외로운 심정을 더욱 부각하는 소재이다.

06 이 글에서 역설적 표현이 사용된 부분은 찾을 수 없다.

> **오답 풀이**
> ① (가)~(다)는 이 작품의 중심 화자가 보조 화자에게 하소연하는 내용이며, (라)는 보조 화자가 중심 화자에게 조언을 건네는 내용이다. 따라서 대화 형식으로 내용이 전개된다고 볼 수 있다.
> ② (가)는 화자가 임의 소식을 알기 위해 '높픈 뫼(높은 산)'에서 '믈ㄱ(물가)'로 이동함에 따라 시상이 전개되고 있다.
> ③ '빈 비(빈 배)', '반벽쳥등(등불)'과 같은 사물에 감정을 투영하여 화자의 외로움을 부각하고 있다.
> ④ (가)의 '산쳔(山川)이 어둡거니 일월(日月)을 엇디 보며 / 지쳑(咫尺)을 모루거든 쳔 리(千里)롤 부라보랴'에서 유사한 통사 구조를 반복하는 대구법이, '뉘일이나 사롬 올가', '어드로로 가쟛 말고', '안개는 므스 일고', '눌 위후야 볼갓는고', '좀은 엇디 씨돗던고', '이 님이 어듸 간고' 등에서 설의적 표현이 활용되었다.

07 (나)에서 꿈속에 임을 만난 화자는 하고 싶던 말을 실컷 하고자 했으나 눈물이 연달아 나 말을 할 수 없었고, 그 와중에 닭소리 때문에 잠에서 깨고 만다. 그러므로 화자가 꿈에서 임을 만나서 하고 싶었던 말을 실컷 해 후련해 한다는 설명은 적절하지 않다.

> **오답 풀이**
> ① '여인 2'는 임의 소식을 알기 위해 '높픈 뫼'와 '믈ㄱ'로 이동하고 있다.
> ③ (다)에서 꿈에서 깬 '여인 2'는 임은 어디 가고 '여엿본 그림재(가엾은 그림자)'만이 자신을 따를 뿐이라며 외롭고 쓸쓸한 심정을 드러내고 있다.
> ④ (다)에서 '여인 2'는 '춘하리 싀여디여 낙월(落月)이나 되야이셔 / 님 겨신 창(窓) 안히 번드시 비최리라(차라리 죽어 없어져서 지는 달이나 되어 임 계신 창 안에 환하게 비치리라)'라고 하며 죽어서라도 임을 따르고 싶은 소망을 밝히고 있다.
> ⑤ (라)에서 '여인 1'은 '각시님 돌이야 코니와 구준비나 되쇼셔(각시님 달도 좋지만 궂은비가 되십시오.)'라고 하며 조금 더 적극적으로 사랑을 표현할 것을 조언하고 있다.

정답 과 해설

08 남녀의 사랑은 동서고금에 보편적인 정서이기 때문에 공감을 얻기 쉽다. 따라서 사회적 관계인 충(忠)을 개인적 관계인 그리움으로 바꾸어 사랑이라는 보편적인 감정에 호소하면 독자의 공감을 얻을 수 있기 때문에 이 글의 주제인 충(忠)의 마음, 즉 임금을 그리워하는 신하의 마음을 더욱 효과적으로 전달할 수 있게 된다.

평가 요소	확인 ☑
임금을 그리워하는 신하의 마음을 더 효과적으로 표현할 수 있음을 밝힘.	

09~11 눈 _김수영

해제 이 작품은 겨울밤에 내리는 '눈'에 상징적 의미를 부여하여 부정적 현실을 극복하고 순수하고 정의로운 삶의 가치를 찾겠다는 의지를 드러낸 시이다.
화자는 마당 위에 떨어진 눈을 바라본다. 이 '눈'은 새벽이 지나도록 살아 있는 강인한 생명력을 지닌 존재이다. 화자는 눈이 지닌 그러한 생명력을 위대하게 바라보면서 '젊은 시인' 또한 '기침'을 하고 '가래'를 뱉어 내어 눈과 같은 존재가 될 것을 촉구한다. 즉, 이 시를 통해 시인은 시대의 불의와 왜곡에 맞서는 순수한 정신을 지닐 것을 독자에게 촉구하는 한편, 자신 역시 자기반성을 통해 그러한 정신에 도달하겠다는 의지를 다지고 있는 것이다.

핵심 정리
- **갈래** 자유시, 서정시
- **제재** 눈
- **주제** 순수하고 정의로운 삶에 대한 소망과 부정적 현실을 극복하려는 의지
- **특징**
  ① '눈'과 '가래'의 상징적 의미를 대립시켜 주제를 형상화함.
  ② 청유형 어미를 반복하여 청자에게 적극적으로 함께 행동할 것을 권유함.
  ③ 동일한 문장을 변형하고 반복하여 리듬감을 형성함.
- **짜임**

1연	눈의 순수한 생명력
2연	생명력을 회복하고자 하는 의지
3연	눈의 강인한 생명력
4연	불순한 것을 뱉어내고 스스로를 정화하고자 하는 의지

09 '젊은 시인'이라는 청자를 설정하여 말을 건네는 방식을 취하고는 있으나, 화자가 '나, 우리'와 같은 표현을 통해 작품 표면에 직접 드러나지는 않는다.

오답 풀이
① 순수한 생명력을 지닌 '눈'과 불순함, 소시민성과 속물근성을 의미하는 '가래'의 상징적 의미를 대립시켜 '순수한 삶에 대한 소망과 부정적 현실을 극복하려는 의지'라는 주제 의식을 강조하고 있다.
③ '-자'와 같은 청유형 어미를 반복하여 청자에게 함께 행동할 것을 촉구하고 있다.
④ '~살아 있다'를 반복하여 '눈'이 지닌 긍정적 가치에 대한 확신을 드러내고 있다.
⑤ 1연에서 '눈은 살아 있다'라는 시행을 점층적으로 반복함으로써 '눈'에 대한 화자의 긍정적 태도를 강조하여 드러내고 있다.

10 순수함을 상징하는 흰색의 색채 이미지를 지닌 '눈'은 '살아 있는' 생명력을 지닌 존재로, 뱉어 내야 할 불순한 존재인 '가래'

와 대립적 이미지를 띤다. 이로 볼 때, '눈'은 순수하고 참된 삶의 가치를 상징한다고 볼 수 있다.

11 화자가 '젊은 시인'에게 '기침을 하자'고, 즉 불순한 것을 뱉어 내고 정의와 순수함을 회복하자고 권하고 있는 것이지, 젊은 시인이 누군가에게 이러한 행위를 하자고 설득하고 있는 것은 아니다.

12 이 시에서 반어적 표현이 쓰인 부분은 찾을 수 없다. 그러나 자연을 벗하며 안빈낙도하는 삶에 대한 긍정적 인식은 작품 전반에 걸쳐 드러나 있고, 특히 (다)에서 '청풍명월(맑은 바람과 밝은 달, 자연)'과 벗하며 '단표누항(소박하고 청빈한 생활)'을 추구하며 안빈낙도하는 삶에 대한 만족감이 잘 나타난다.

오답 풀이
① (다)에서 '이만훈돌 엇지후리(이만한들 어찌하리)'와 같은 설의적 표현을 활용해 안빈낙도하는 삶에 대한 만족감과 자부심을 강조하면서 시상을 마무리하고 있다.
② '답청(봄에 파랗게 난 풀을 밟으며 하는 산책)', '도화(복숭아꽃)', '봄빗(봄빛)'과 같이 계절감을 환기하는 시어를 활용해 시상을 구체화하고 있다.
③ (다)의 '아모타 백년행락(百年行樂)이 이만훈돌 엇지후리'에서 영탄적 표현을 활용해 자연을 즐기며 안빈낙도하는 상황에 대한 만족감을 드러내고 있다.
④ (나)의 '청향(淸香)은 잔에 지고 낙홍(落紅)은 옷새진다'는 녹수를 건너온 봄바람이 술잔의 향기가 되고, 아름다운 봄꽃이 옷에 떨어지는 모습을 감각적으로 묘사한 표현으로, 화자와 자연이 일체가 된 경지를 나타내고 있다.

13 (나)에서 화자는 시냇가에서 물에 떠내려 오는 복숭아꽃을 보며 자신이 보고 있는 들이 무릉도원과 같다고 표현하고 있다. 즉, 화자는 자신이 있는 곳이 무릉도원이라고 생각하고 있으므로 이에 도달하려 노력하고 있다는 설명은 적절하지 않다.

오답 풀이
① (가)의 '홍진(紅塵)에 뭇친 분네 이내 생애(生涯) 엇더훈고(속세에 묻혀 사는 분들이여, 이 나의 생활이 어떠한가?)'라고 하며 자신의 삶에 대한 자부심을 드러내고 있다.
② (나)에서 화자는 시냇가에 혼자 앉아 술을 부어 들고 무릉도원이 가깝다며 풍류를 즐기고 있다. 이때 술은 흥취를 돋우는 역할을 한다고 볼 수 있다.
④ (나)에서 '봉두(산봉우리)'에 오른 화자는 봄 경치를 내려다보며 '엇그제 검은 들이 봄빗도 유여(有餘)홀샤(엊그제까지 검은 들판이 이제 봄빛이 넘치는구나)'라고 말하고 있다.

14 화자가 공명과 부귀를 멀리하는 것을 공명과 부귀가 화자를 꺼린다고 주객을 전도하여 표현함으로써 세속적 가치에 대한 부정적 태도를 인상적으로 드러내고 있다.

평가 요소	확인 ☑
주객전도된 표현이라는 표현상 특징을 언급함.	
세속적 가치에 대한 부정적 태도를 드러내고 있다는 점을 언급함.	

01 ①   02 ①   03 ⑤   04 ②   05 아내는 남편을 섬겨야 한다는 남존여비 사상과 가부장적 가치관이 사회에 만연했음을 알 수 있다.   06 ③   07 ④   08 ④   09 ⑤

10 영달과 정 씨의 앞날이 순탄하지 않을 것임을 암시한다.

01 이 글에서 인물의 외양을 묘사하는 부분은 나타나지 않는다.

오답 풀이

③ 계월이 적군과 싸우는 장면에서 '피가 흘러 내를 이루고 적졸의 주검이 산처럼 쌓였다.'와 같은 과장된 표현을 통해 주인공 계월의 영웅적 면모를 강조하였다.

④ 이 글에는 계월과 보국의 갈등, 계월과 영춘의 갈등과 같은 인물과 인물의 갈등 양상, 그리고 명과 오, 촉과의 갈등과 같은 집단과 집단 사이의 갈등 양상이 나타난다.

⑤ 보국의 말을 통해 보국의 가부장적 가치관이 간접적으로 제시되고 있다.

02 '계월'은 '보국'이 자신을 찾아오지 않자, 남자로 태어나지 못한 것을 분해하고 있을 뿐 '보국'에게 사랑받지 못하는 것 자체에 대해 슬퍼하며 외로워하고 있지 않다.

오답 풀이

③ "지금은 계월이 소자의 아내이오니 어찌 소자의 사랑하는 영춘을 죽여 제 마음을 편안하지 않게 할 수가 있단 말이옵니까?"라는 '보국'의 말에서 알 수 있다.

④ '보국'이 자신을 설득하는 '여공'의 말에도 "장부가 되어 계집에게 괄시를 당할 수 있겠나이까?"라고 대답하고 이후 계월의 방에 들지 않은 것으로 볼 때 '계월'에게 무시당한 것을 분하게 생각하고 있다고 짐작할 수 있다.

03 여공은 "계월이~예로써 너를 섬기고 있으니 어찌 마음씀을 그르다고 하겠느냐?"라며 계월이 보국보다 능력이 뛰어남에도 보국을 예로써 섬기고 있음을 인정하고 있다. 따라서 여공이 계월이 남편에 대한 예를 다하지 못했다고 인정한다는 것은 적절하지 않다.

오답 풀이

① 여공은 '영춘은 네 첩이다. 자기가 거만하다가 죽임을 당했으니 누구를 한하겠느냐?'라며 계월을 탓하는 보국의 말에 반박하고 있다.

② 여공은 '계월이 비록 네 아내는 되었으나 벼슬을 놓지 않았고 기개가 당당하니 족히 너를 부릴 만한 사람이다.'라며 계월이 보국을 부릴 자격이 있다고 이야기하고 있다.

③ 여공은 '계월은 천자께서 중매하신 여자라 계월을 싫어한다면 네게 해로움이 있을 것'이라며 보국을 설득하고 있다.

④ 여공은 '계월이 잘못해 궁노나 궁비를 죽인다 해도 누가 계월을 그르다고 책망할 수 있겠느냐?'라며 계월이 사사로이 애첩을 죽이는 것보다 더 큰 잘못인 궁인들을 죽이는 잘못을 하여도 책망을 듣지 않을 인물임을 들어 보국을 설득하고 있다.

04 가부장적인 일처다부제 사회에서 첩인 영춘은 계월과 마찬가지로 약자라고 볼 수 있다. 따라서 계월이 같은 약자의 입장에 있는 영춘을 죽인 것이 가부장적 질서를 전복하는 행위라고 이해하는 것은 적절하지 않다.

오답 풀이

① 제시된 글에서 조선 후기가 '여성의 사회 진출에 대한 열망이 커지면서 여성 의식이 성장하던 시기'라고 한 것을 고려할 때, 이 글의 창작자가 이를 반영해 여성 영웅인 계월을 주인공으로 설정했을 것이라 이해할 수 있다.

⑤ 자신보다 능력이 뛰어난 계월에 대해 '장부가 되어 계집에게 괄시를 당할 수 없다'고 생각하는 보국의 모습을 통해 이러한 당대 남성의 모습을 비판하고자 하는 의도가 드러난다.

05 보국은 계월의 행동을 비판하면서 그 근거로 자신이 '남편'이자 '장부'이고 계월이 '아내'이자 '계집'임을 언급하고 있다.

평가 요소	확인 ☑
남존여비 사상, 가부장적 가치관, 여성은 남성을 섬겨야 하고 아내는 남편에게 복종해야 한다는 사회적 인식 등에 대해 서술함.	

06 (나)에 작품 안의 인물인 민 씨가 주인공인 황만근의 삶을 평가한 내용이 제시되어 있다.

07 (나)에서 황만근이 '아들에게는 따뜻하고 이해심 많은 아버지였고 훈육을 할 때는 알아듣기 쉽게 하여 마음으로 감복시키'는 인물이었음을 알 수 있다. 그러나 교육열이 높다는 내용은 확인할 수 없다.

오답 풀이

① (나)에서 '하늘이 내린 효자로서 평생 어머니 봉양을 극진히 했다.'라고 하였다.

② (가)에서 '일찍 남편을 잃고 혼잣몸이 된 노인들에게는, 알고 그러는지 모르고 그러는지 더 자주 거름을 가져다주었다.'라고 한 데에서 짐작할 수 있다.

③ 분뇨를 퍼내는 것과 같이 다른 사람들은 기피하는 마을의 궂은일을 묵묵히 해 온 사람이었다.

⑤ 황만근이 마을의 분뇨를 '마을 공통의 분뇨장으로 가져가서 충분히 익힌 뒤에, 공평하게 나누어 주었다.'라고 한 데에서 알 수 있다.

08 ㉣은 황만근에 대한 '민 씨'의 평가로, '황 선생'은 황만근이 존경받을 만한 훌륭한 삶을 살았다고 생각하는 민 씨의 태도가 반영된 호칭이다. 반면에 황영석과 여씨 노인과 같은 마을 사람들은 '만근이 자석', '만근이'와 같은 호칭으로 황만근을 지칭했음을 (가)에서 알 수 있다.

오답 풀이

① 마흔다섯 살이 가장 젊은 축이라는 내용으로 보아 고령화된 농촌의 현실을 알 수 있다.

③ 황만근이었다면 군말 없이 했을 일을 투덜거리면서 하는 황영석의 모습을 통해 황영석의 이기적인 면모가 드러난다.

정답과 해설

09 '영달', '백화', '정 씨'는 모두 고향을 떠나 일을 하며 살아가던 당대의 민중들이다. 이들은 우연히 만나 서로 정을 나누다가 각자 살길을 찾기 위해 헤어지지만, 이 글은 급격하게 변해 가는 세상 속에서 세 사람의 삶이 수월하게만은 흘러가지 않을 것임을 암시하고 있다. 이로 볼 때, 이들 세 인물은 제시된 글에서 언급한 '산업화로 고향을 상실하고 떠돌며 고통 받거나, 급격한 사회 변화로 힘들어하는 소시민들의 모습'을 구체화한 것으로 볼 수 있다.

오답 풀이

① 영달이 백화와 함께 가지 않은 것은 백화를 저버린 것이 아니라, 자신의 경제적 능력이 부족해서 백화와의 새로운 생활을 포기할 수밖에 없었기 때문이므로 적절하지 않은 감상이다.

② '백화'는 이별의 상황에서 본명을 밝히며 자신을 따뜻하게 대해 준 영달, 정 씨에게 자신의 참모습을 드러내며 인간적인 교감을 나누고 있다. 자신의 잘못을 참회하고 있지는 않다.

③ '백화', '영달', '정 씨'는 모두 정착할 만한 곳 없이 떠도는 사람들이며 이 글에서 이들의 갈등 관계는 드러나지 않는다.

④ '정 씨'는 삼포가 공사판으로 변해 '마음의 정처'를 잃어버렸기 때문에 희망적인 미래를 상징하는 인물이라고 보기 어렵다.

10 ㉠은 이 작품의 마지막 문장으로, 여운을 남기며 작품을 끝맺고 있다. 눈발이 날리는 어두운 들판을 향해서 달리는 기차의 모습은 마음의 정처를 상실한 내면과 유사한 어두운 분위기를 자아내며, 영달과 정씨의 앞날이 순탄하지 않을 것임을 암시한다.

평가 요소	확인 ☑
두 인물의 미래가 긍정적이지만은 않을 것이라는 내용을 언급함.	

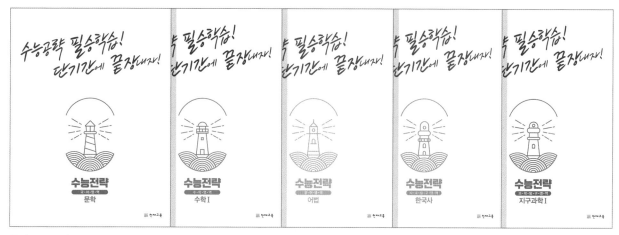

정답은
이안에
있어!